P9-DJU-817

EntreCulturas 2

Communicate, Explore, and Connect Across Cultures

Catherine Schwenkler
Megan Cory
Paulina Carrión

Printed in the USA

10 VP 20

Print date: 1188

Hardcover ISBN 978-1-942400-53-0

Softcover ISBN 978-1-942400-54-7

FlexText® ISBN 978-1-942400-55-4

LOS PAÍSES HISPANOHABLANTES

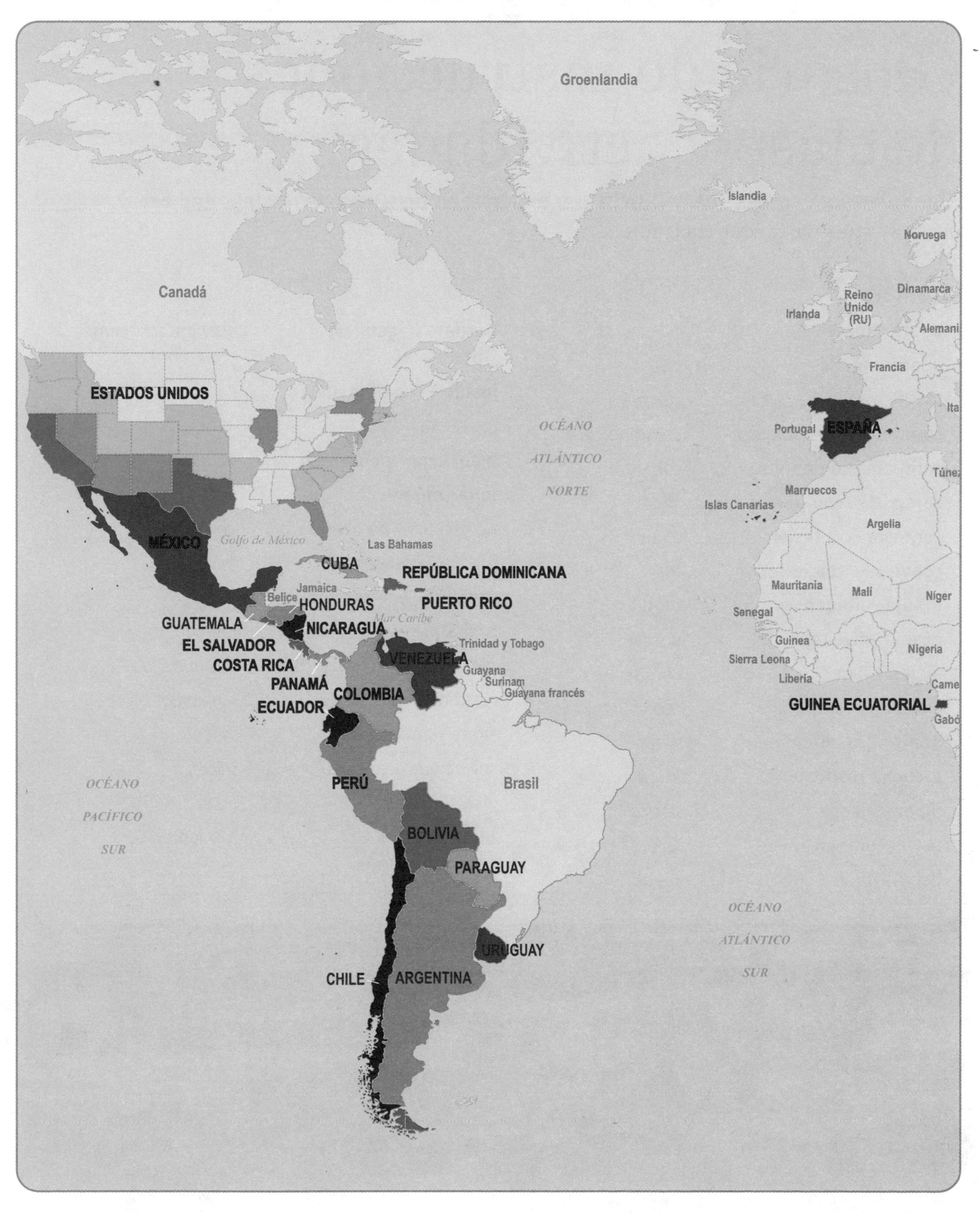

EntreCulturas 2: Glosario de instrucciones de clase y actividades

The following expressions will help you understand instructions in class and carry out activities with your classmates.

verbos

anota - anoten	*take notes*
añade - añadan	*add*
clasifica - clasifiquen	*classify*
comunica - comuniquen	*communicate*
compara - comparen	*compare*
comparte - compartan	*share*
contesta - contesten	*answer*
conversa – conversen	*talk*
dibuja - dibujen	*draw*
diseña - diseñen	*design*
elige - elijan	*choose*
empareja - emparejen	*match*
escribe - escriban	*write*
escucha - escuchen	*listen*
fíjate – fíjense	*notice*
graba - graben	*record (your voice)*
habla - hablen	*speak*
haz(le) – hágan(les) preguntas	*ask him/her/them questions*
justifica - justifiquen	*justify*
lee - lean	*read*
menciona - mencionen	*mention*
mira - miren	*look*
no olvides – no olviden	*don't forget*
piensa – piensen	*think*
pregunta – pregunten	*ask*
prepárate – prepárense	*prepare*
recomienda – recomienden	*recommend*
recuerda – recuerden	*remember*
sigue - sigan	*follow*
selecciona – seleccionen	*select*
visita - visiten	*go to*
toma apuntes - tomen apuntes	*take notes*
túrnense	*take turns*

Sustantivos	
con un compañero	*with a classmate*
las conexiones	*connections*
el diagrama de Venn	*Venn diagram*
los dibujos	*the drawings*
el modelo	*the model/example*
el organizador gráfico	*the graphic organizer*
la guía digital	*Explorer*
las oraciones	*sentences*
el papel de	*the role of*

Palabras interrogativas	
¿Cómo?	*How?*
¿Cuál? ¿Cuáles?	*Which/What?*
¿Cuándo?	*When?*
¿Cuánto/a?	*How much?*
¿Cuántos/as?	*How many?*
¿Dónde?	*Where?*
¿Qué?	*What/Which?*
¿Quién? ¿Quiénes?	*Who?*

Otras palabras y expresiones útiles	
al mirar	*when watching*
antes/después de mirar	*before/after watching*
mientras miras	*while you watch*
mientras ves	*while you see*
por lo menos	*at least*
por primera vez, segunda vez	*for the first time, second time*
siguientes	*(the) following*

Buenos Aires, Argentina

Acknowledgements

We extend our sincere gratitude and appreciation to all who accompanied us on our journey from the conception to completion of the *EntreCulturas* program. We had the privilege to work with a committed, talented, and dependable professional team that served as our anchor throughout the development process.

Eliz Tchakarian, Senior Editor, and Janet Parker, Curriculum Development Coordinator, were dedicated partners who coached us every step of the journey and consistently helped us pull the pieces together for production. Megan McDonald, Lourdes Cuellar (editors and behind-the-scenes writers for the programs) and Kelsey Hare (permissions consultant) were instrumental and persistent with acquiring permissions for the authentic materials. We commend our outstanding editors, María Solernou, Ana Martínez Álvarez, and María Matilla whose advice and editing were indispensable to the completion of the series. Our series would not have been as truly authentic nor as interesting without the generous contribution of our international video bloggers, young people from across the Spanish-speaking world; thank you for sharing your lives with our readers!

We thank Anthony Saizon for the thoughtful design. Derrick Alderman and Rivka Levin, our talented and artistic production team, brought the manuscripts to life on the engaging and colorful pages of the final product. We thank Wayside Publishing Assistant Editors Nathan Galvez, Shelby Newsted, Sawyer McCarron, and Rachel Ross, who designed many of the beautiful graphics and graphic organizers used in the series in print and online.

The Wayside Publishing marketing team was led by manager Michelle Sherwood, who was assisted by Nicole Lyons. In collaboration with the Wayside Publishing Sales team, they successfully got the word out to Spanish teachers about *EntreCulturas*, a new instructional tool and innovative approach to developing students' intercultural communicative competence.

This project was possible due to the leadership, vision, and wisdom of Wayside Publishing president, Greg Greuel, who believed in us to get the job done!

Catherine Schwenkler, Megan Cory, and Paulina Carrión

Manzanillo, Costa Rica

World-Readiness Standards For Learning Languages

<table>
<tr><th>GOAL AREAS</th><th colspan="3">STANDARDS</th></tr>
<tr><td>COMMUNICATION
Communicate effectively in more than one language in order to function in a variety of situations and for multiple purposes</td><td>Interpersonal Communication:
Learners interact and negotiate meaning in spoken, signed, or written conversations to share information, reactions, feelings, and opinions.</td><td>Interpretive Communication:
Learners understand, interpret, and analyze what is heard, read, or viewed on a variety of topics.</td><td>Presentational Communication:
Learners present information, concepts, and ideas to inform, explain, persuade, and narrate on a variety of topics using appropriate media and adapting to various audiences of listeners, readers, or viewers.</td></tr>
<tr><td>CULTURES
Interact with cultural competence and understanding</td><td colspan="2">Relating Cultural Practices to Perspectives:
Learners use the language to investigate, explain, and reflect on the relationship between the practices and perspectives of the cultures studied.</td><td>Relating Cultural Products to Perspectives:
Learners use the language to investigate, explain, and reflect on the relationship between the products and perspectives of the cultures studied.</td></tr>
<tr><td>CONNECTIONS
Connect with other disciplines and acquire information and diverse perspectives in order to use the language to function in academic and career-related situations</td><td colspan="2">Making Connections:
Learners build, reinforce, and expand their knowledge of other disciplines while using the language to develop critical thinking and to solve problems creatively.</td><td>Acquiring Information and Diverse Perspectives:
Learners access and evaluate information and diverse perspectives that are available through the language and its cultures.</td></tr>
<tr><td>COMPARISONS
Develop insight into the nature of language and culture in order to interact with cultural competence</td><td colspan="2">Language Comparisons:
Learners use the language to investigate, explain, and reflect on the nature of language through comparisons of the language studied and their own.</td><td>Cultural Comparisons:
Learners use the language to investigate, explain, and reflect on the concept of culture through comparisons of the cultures studied and their own.</td></tr>
<tr><td>COMMUNITIES
Communicate and interact with cultural competence in order to participate in multilingual communities at home and around the world</td><td colspan="2">School and Global Communities:
Learners use the language both within and beyond the classroom to interact and collaborate in their community and the globalized world.</td><td>Lifelong Learning:
Learners set goals and reflect on their progress in using languages for enjoyment, enrichment, and advancement.</td></tr>
</table>

The National Standards Collaborative Board. (2015). *World-Readiness Standards for Learning Languages*. 4th ed. Alexandria, VA: Author.

Essential Features

SELF-ASSESSMENT

Learners maintain an online *Mi portafolio* to self-assess, reflect, and upload evidence for each Can-do statement displayed alongside activities in the Student Edition. Building their collections of artifacts allows learners to form vital habits leading them to efficiently continue learning beyond the classroom.

INTERCULTURALITY INTERCULTURALITY INTERCULTURALITY

Interculturality is at the heart of EntreCulturas

AUTHENTICITY

With *EntreCulturas*, learners explore and compare Spanish-speaking communities to their own communities. Video blogs created by native speakers allow learners to compare their lives with those of their peers. Activities and assessments are based on authentic sources and set in real-life thematic and cultural contexts.

PERFORMANCE-BASED ASSESSMENT

Units include performance-based formative assessments, *En camino*, which solidify culturally appropriate communication skills relating to learners' communities. *Vive entre culturas*, summative integrated performance assessments, engage learners in global intercultural contexts. Analytic rubrics that include intercultural and communicative learning targets accompany summative assessments.

Our vision is a world where language learning takes place through the lens of interculturality, so learners can discover appropriate ways to interact with others whose perspectives may be different from their own.

RESOURCES FOR TEACHERS AND STUDENTS

The **online Explorer** provides all audio/video resources; scaffolding for Student Edition activities; vocabulary and grammar reinforcement, including flipped classroom videos; additional activities; formative and summative assessments; rubrics; and other teacher resources.

APPENDICES

In the Teacher Edition, you are provided audio and audiovisual transcripts, answer keys, instructional strategies, Can-do statements for each unit, and rubrics. **Indices** include a Grammar and Learning Strategies Videos Index as well as a Grammar Index. **Glossaries** are in the Student Edition.

EntreCulturas Mission and Vision

EntreCulturas is a three-level, standards-based, thematically-organized program consisting of 19 in-depth units that provide learners with opportunities to interact and engage with authentic materials and adolescent speakers of the language. By learning in an intercultural context, students acquire communication skills and content knowledge while exploring the products, practices, and perspectives of Spanish-speaking cultures.

EntreCulturas **Mission**

EntreCulturas aims to prepare learners to communicate, explore, and connect across cultures in order to foster attitudes of mutual understanding and respect.

EntreCulturas **Vision**

Our vision is a world where language learning takes place through the lens of interculturality, so students can discover appropriate ways to interact with others whose perspectives may be different from their own.

Dear students,

Welcome to *EntreCulturas*!

In today's world, we all live *entre culturas*: That is, we live around and among people and influences from a variety of cultures. As we live, learn, work, and play in our communities and abroad, we interact in person and online with people whose experiences and perspectives may be different from our own.

The learning materials in the *EntreCulturas* program were designed to help you communicate in Spanish, and to develop the attitudes and habits of mind to interact appropriately with Spanish speakers, respecting differences and recognizing the many things we share as human beings.

Thank you for the commitment you have made to learning another language. The opportunity to experience interactions across cultures and connect with diverse people in our communities and around the world has brought each of us great personal and professional satisfaction. We hope that through this program you too will embrace the opportunities that will come to you as you live *entre culturas*.

Sincerely,

Catherine Schwenkler, Megan Cory, and Paulina Carrión

Havana, Cuba

Estructura de la unidad

EntreCulturas 2

- **Introducción**
  - **Unit theme**
  - **Unit goals**
  - **Essential questions**
- **Encuentro intercultural**
- **¿Te acuerdas?**
- **Comunica y Explora A & B**
  - **Así se dice**
    - Además se dice
    - Expresiones útiles
    - ¿Te acuerdas?
  - **Observa**
    - Detalle gramatical
    - Recuerda
- **En camino A & B:** Formative assessment
- **Síntesis de gramática A & B**
- **Vocabulario A & B**
- **Vive entre culturas:** Integrated performance assessment

Recursos de video 

- Video blogs
- Observa
- Enfoque en la forma
- Estrategias

Otros elementos de la unidad

- Estrategias
- Enfoque cultural
- Conexiones
- Reflexión intercultural
- Mi progreso comunicativo
- Mi progreso intercultural

Al empezar

EXPLORER

EntreCulturas 2 Explorer resources include video blogs, audio/video authentic resources, vocabulary PowerPoints, grammar and learning strategies videos, additional vocabulary practice, discussion forums, and more. You will collect evidence of your growth in Mi Portafolio in Explorer, as well.

COMUNICA Y EXPLORA A

Introduce the topic via the cultural context of the featured country.

ESSENTIAL QUESTIONS

Connect day-to-day learning to bigger questions.

UNIDAD 1

De vuelta a clases

Unit Goals

- Exchange information about academic and extracurricular offerings at your school.
- Read and listen to information about a variety of schools in Spanish-speaking cultures to draw comparisons with your own.
- Present your school to visiting students and advise them how to be successful in your school.
- Investigate how schools in the Andean region of South America promote learning and student involvement.

2

Preguntas esenciales

What helps students engage in their school community?

What factors support student learning and success?

How do schools in different cultural contexts meet the needs of their students?

3

UNIT GOALS

Review learning targets for interpretive, interpersonal, and presentational communication and intercultural learning.

COMUNICA Y EXPLORA B

Engage in higher level analysis through the authentic cultural materials, which will enrich your knowledge of the culture of the featured country.

VIVE ENTRE CULTURAS

Apply what you have learned in the final assessment.

Acuerda, Comunica y Explora

UNIDAD 1 | ¿Te acuerdas?

A ver qué recuerdas para describir la escuela

Actividad 1

¿Qué hay en tu mochila o casillero?

Paso 1: Escuchar

Escucha a Yarima mientras ella describe cómo usa los materiales escolares en su mochila. Escribe la letra que identifica el material escolar con la descripción.

A. B. C. D. E. F. G. H. I. J.

Paso 2: Escribir

a. Toma una foto o crea una ilustración de todos los útiles (*materiales*) escolares que siempre llevas en tu mochila tienes en tu casillero.

b. Identifica todos los útiles.

c. Escribe una descripción de cada uno.

Modelo

Hay un bolígrafo anaranjado en mi mochila porque me gus escribir con mi color favorito.

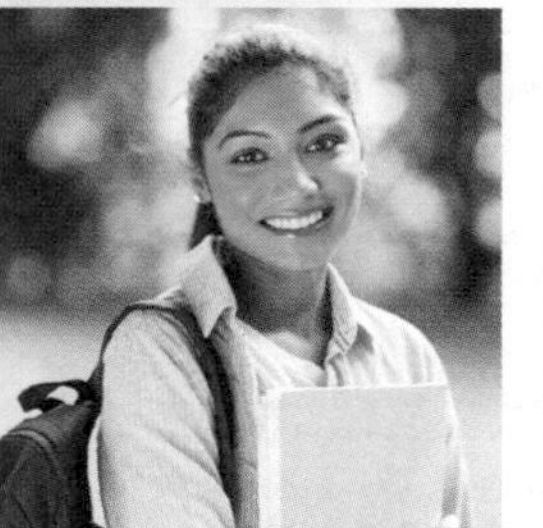

6

¿TE ACUERDAS?
Provides review activities to activate your background knowledge.

ACTIVIDAD
Activities are framed around all types of communication.
THE COMPASS ICON INDICATES ADDITIONAL SUPPORT ON EXPLORER.

UNIDAD 1 | Comunica y Explora A

Así se dice 2: Las profesiones en la escuela
el/la consejero/a
el/la enfermero/a
el/la entrenador/a

Además se dice
el/la bibliotecario/a - librarian
el/la cocinero/a - cook
el/la director/a de la banda - band director
el personal de limpieza - janitors
el/la profesor/a de arte - art teacher
el/la secretario/a - secretary

Paso 3: Colaborar y compartir

Con un/a compañero/a piensen en una solución creativa para ayudar a las escuelas que no tienen una biblioteca. Escriban al menos dos ideas y compartan con la clase.

Actividad 7

¿Quién trabaja en un colegio?

Paso 1: Escuchar y escribir

Escucha las descripciones de varias personas que trabajan en un colegio. Escribe el vocabulario que corresponde con cada descripción.

Paso 2: ¿Cierto o Falso?

a. Escucha las oraciones sobre tus profesores o sobre el personal que trabaja en la escuela.

b. Indica si cada oración es cierta o falsa. Si es falsa, escribe la información correcta.

18

MI PROGRESO COMUNICATIVO
You will provide evidence of growing proficiency in Mi portafolio in Explorer, which contains all Can-do statements included throughout the unit.

Vocabulario

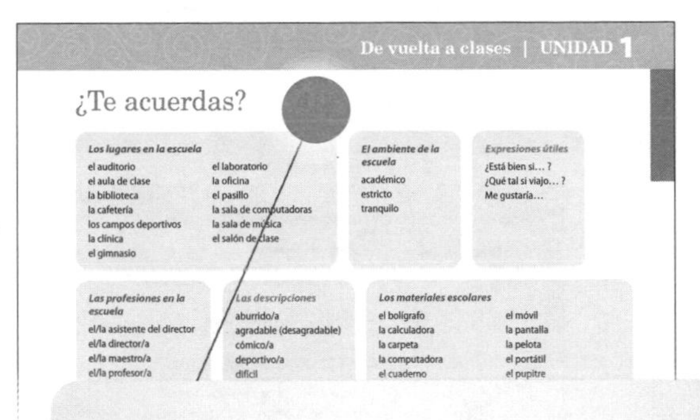

¿TE ACUERDAS?

Reminds you of vocabulary needed for communication that you have learned prior to this unit.

ASÍ SE DICE

Essential vocabulary presented visually in manageable chunks and authentic contexts.

POWERPOINTS IN EXPLORER PROVIDE VISUALS CLARIFYING MEANING WITHOUT TRANSLATION.

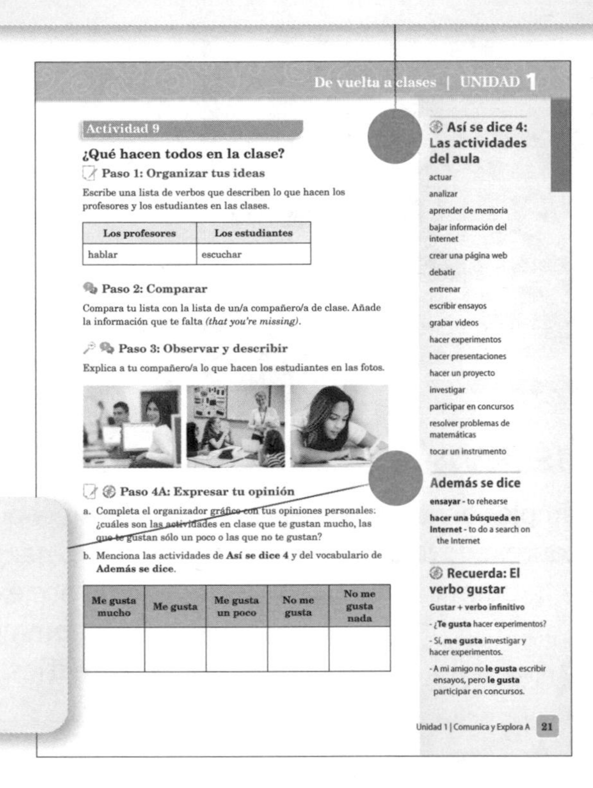

ADEMÁS SE DICE

Additional vocabulary for personalization, extension, and variation of skills.

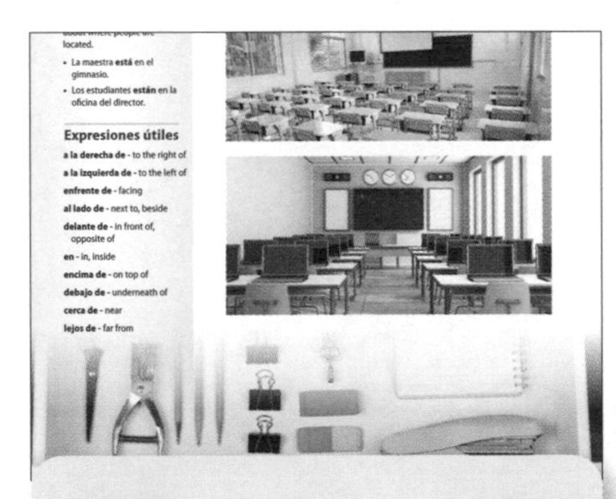

EXPRESIONES ÚTILES

These quick reminders show how expressions can boost your communication skills, often with phrases that will work across other themes.

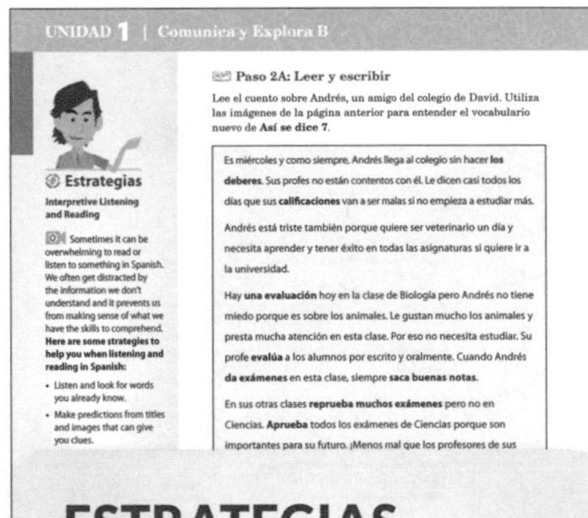

ESTRATEGIAS SIDEBAR

Learning Strategies videos are found in Explorer with brief explanations throughout the book.

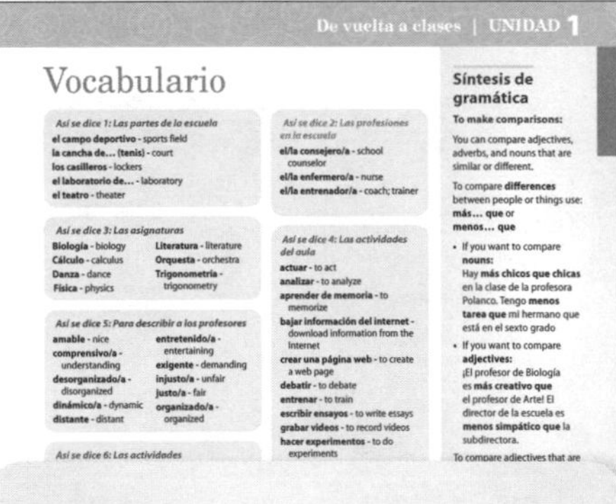

VOCABULARIO

These lists summarize the vocabulary you studied in the unit.

FIND MORE PRACTICE IN CONTEXT IN EXPLORER.

Gramática: Observa y Enfoque en la forma

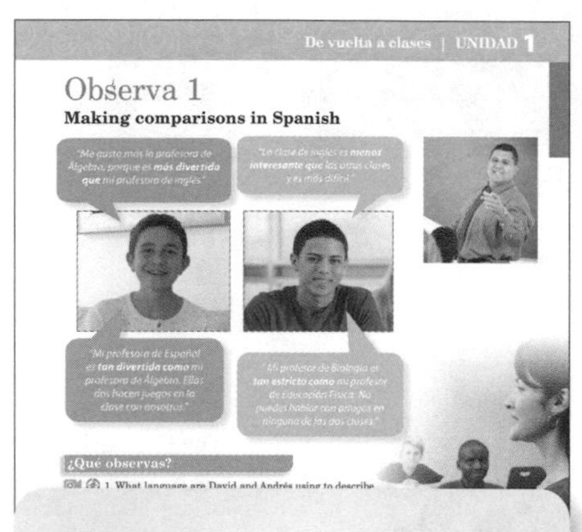
De vuelta a clases | UNIDAD 1

Observa 1

Making comparisons in Spanish

OBSERVA

Examples of new structures in context develop your skill as a "grammar detective"

You will find helpful videos called Observa and Enfoque en la forma in Explorer.

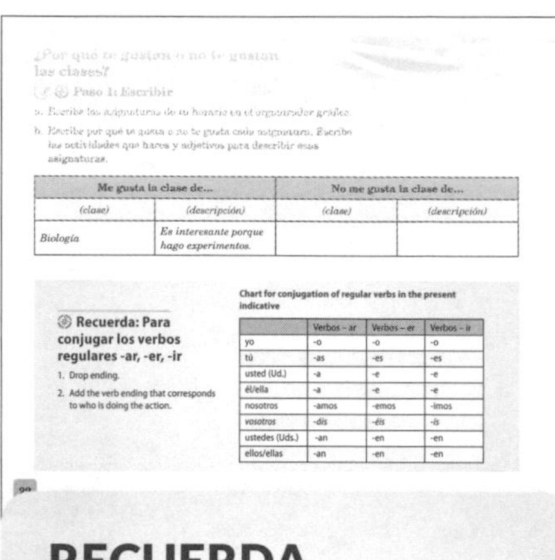

Me gusta la clase de...		No me gusta la clase de...	
(clase)	(descripción)	(clase)	(descripción)
Biología	Es interesante porque hago experimentos.		

Recuerda: Para conjugar los verbos regulares -ar, -er, -ir

1. Drop ending.
2. Add the verb ending that corresponds to who is doing the action.

Chart for conjugation of regular verbs in the present indicative

	Verbos – ar	Verbos – er	Verbos – ir
yo	-o	-o	-o
tú	-as	-es	-es
usted (Ud.)	-a	-e	-e
él/ella	-a	-e	-e
nosotros	-amos	-emos	-imos
vosotros	-áis	-éis	-ís
ustedes (Uds.)	-an	-en	-en
ellos/ellas	-an	-en	-en

RECUERDA

Review previously learned grammar concepts that you are expected to use for communication in the activities.

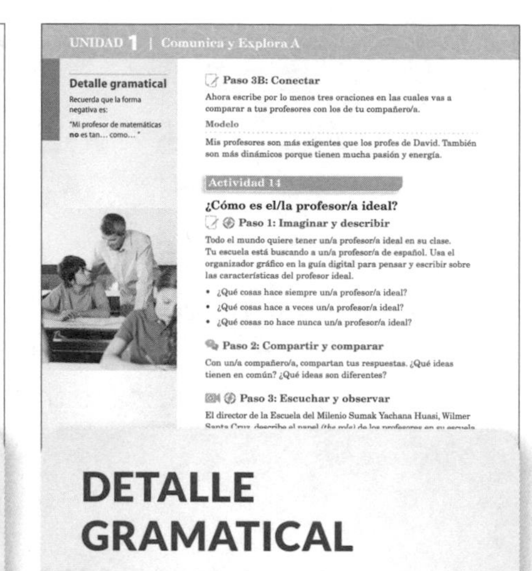
UNIDAD 1 | Comunica y Explora A

Detalle gramatical

Recuerda que la forma negativa es:

"Mi profesor de matemáticas no es tan... como..."

Paso 3B: Conectar

Ahora escribe por lo menos tres oraciones en las cuales vas a comparar a tus profesores con los de tu compañero/a.

Modelo

Mis profesores son más exigentes que los profes de David. También son más dinámicos porque tienen mucha pasión y energía.

Actividad 14

¿Cómo es el/la profesor/a ideal?

Paso 1: Imaginar y describir

Todo el mundo quiere tener un/a profesor/a ideal en su clase. Tu escuela está buscando a un/a profesor/a de español. Usa el organizador gráfico en la guía digital para pensar y escribir sobre las características del profesor ideal.

- ¿Qué cosas hace siempre un/a profesor/a ideal?
- ¿Qué cosas hace a veces un/a profesor/a ideal?
- ¿Qué cosas no hace nunca un/a profesor/a ideal?

Paso 2: Compartir y comparar

Con un/a compañero/a, compartan tus respuestas. ¿Qué ideas tienen en común? ¿Qué ideas son diferentes?

Paso 3: Escuchar y observar

DETALLE GRAMATICAL

Just-in-time grammar details will help you communicate.

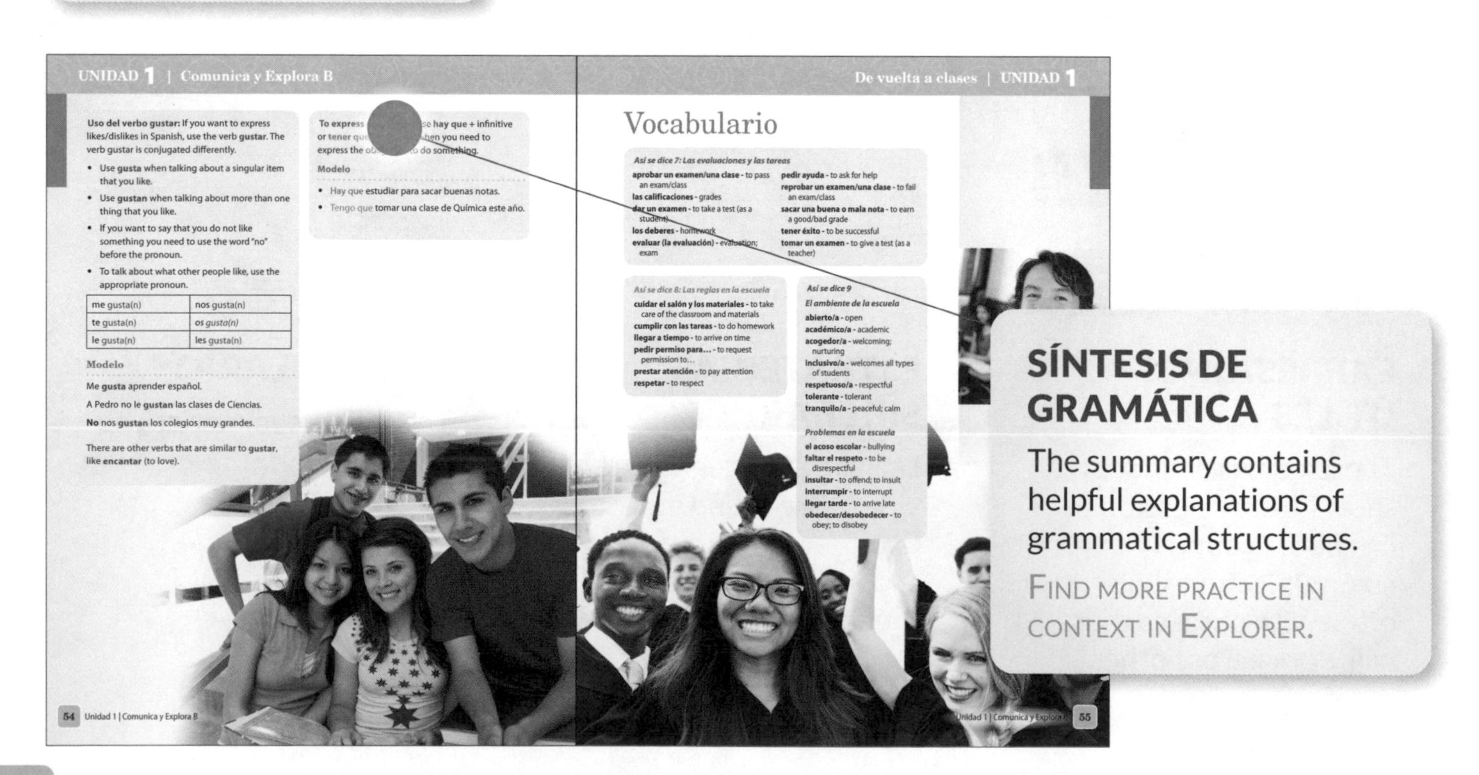
UNIDAD 1 | Comunica y Explora B

Uso del verbo gustar: If you want to express likes/dislikes in Spanish, use the verb **gustar**. The verb gustar is conjugated differently.

- Use **gusta** when talking about a singular item that you like.
- Use **gustan** when talking about more than one thing that you like.
- If you want to say that you do not like something you need to use the word "no" before the pronoun.
- To talk about what other people like, use the appropriate pronoun.

me gusta(n)	nos gusta(n)
te gusta(n)	os gusta(n)
le gusta(n)	les gusta(n)

Modelo

Me **gusta** aprender español.

A Pedro no le **gustan** las clases de Ciencias.

No nos **gustan** los colegios muy grandes.

There are other verbs that are similar to **gustar**, like **encantar** (to love).

Modelo

- Hay que estudiar para sacar buenas notas.
- Tengo que tomar una clase de Química este año.

54 Unidad 1 | Comunica y Explora B

De vuelta a clases | UNIDAD 1

Vocabulario

Así se dice 7: Las evaluaciones y las tareas

aprobar un examen/una clase - to pass an exam/class
las calificaciones - grades
dar un examen - to take a test (as a student)
los deberes - homework
evaluar (la evaluación) - evaluation; exam
pedir ayuda - to ask for help
reprobar un examen/una clase - to fail an exam/class
sacar una buena o mala nota - to earn a good/bad grade
tener éxito - to be successful
tomar un examen - to give a test (as a teacher)

Así se dice 8: Las reglas en la escuela

cuidar el salón y los materiales - to take care of the classroom and materials
cumplir con las tareas - to do homework
llegar a tiempo - to arrive on time
pedir permiso para... - to request permission to...
prestar atención - to pay attention
respetar - to respect

Así se dice 9

El ambiente de la escuela

abierto/a - open
académico/a - academic
acogedor/a - welcoming; nurturing
inclusivo/a - welcomes all types of students
respetuoso/a - respectful
tolerante - tolerant
tranquilo/a - peaceful; calm

Problemas en la escuela

el acoso escolar - bullying
faltar el respeto - to be disrespectful
insultar - to offend; to insult
interrumpir - to interrupt
llegar tarde - to arrive late
obedecer/desobedecer - to obey; to disobey

Unidad 1 | Comunica y Explora B 55

SÍNTESIS DE GRAMÁTICA

The summary contains helpful explanations of grammatical structures.

Find more practice in context in Explorer.

Evaluaciones: En camino y Vive entre culturas

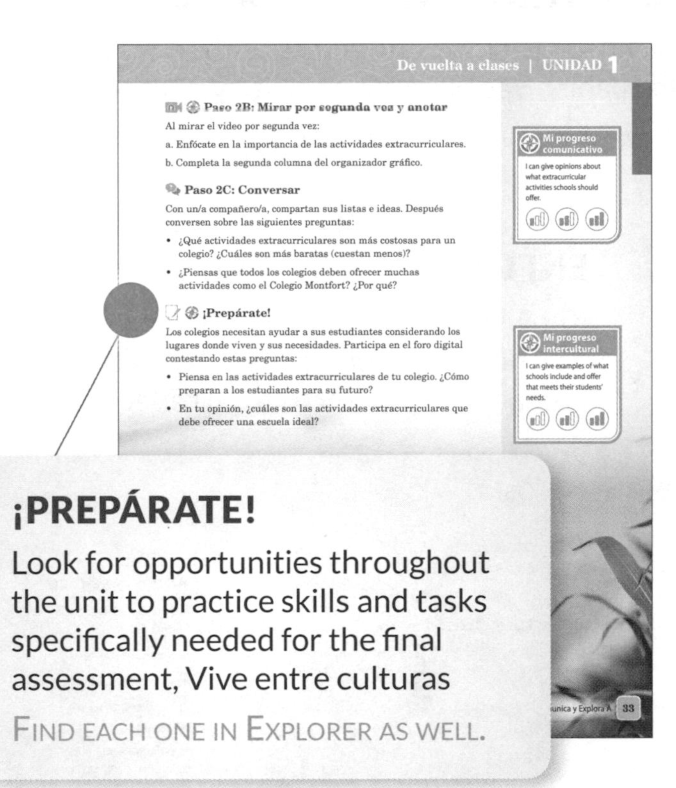

De vuelta a clases | UNIDAD 1

Paso 2B: Mirar por segunda vez y anotar

Al mirar el video por segunda vez:

a. Enfócate en la importancia de las actividades extracurriculares.

b. Completa la segunda columna del organizador gráfico.

Paso 2C: Conversar

Con un/a compañero/a, compartan sus listas e ideas. Después conversen sobre las siguientes preguntas:

- ¿Qué actividades extracurriculares son más costosas para un colegio? ¿Cuáles son más baratas (cuestan menos)?
- ¿Piensas que todos los colegios deben ofrecer muchas actividades como el Colegio Montfort? ¿Por qué?

¡Prepárate!

Los colegios necesitan ayudar a sus estudiantes considerando los lugares donde viven y sus necesidades. Participa en el foro digital contestando estas preguntas:

- Piensa en las actividades extracurriculares de tu colegio. ¿Cómo preparan a los estudiantes para su futuro?
- En tu opinión, ¿cuáles son las actividades extracurriculares que debe ofrecer una escuela ideal?

Mi progreso comunicativo

I can give opinions about what extracurricular activities schools should offer.

Mi progreso intercultural

I can give examples of what schools include and offer that meets their students' needs.

33

¡PREPÁRATE!

Look for opportunities throughout the unit to practice skills and tasks specifically needed for the final assessment, Vive entre culturas

FIND EACH ONE IN EXPLORER AS WELL.

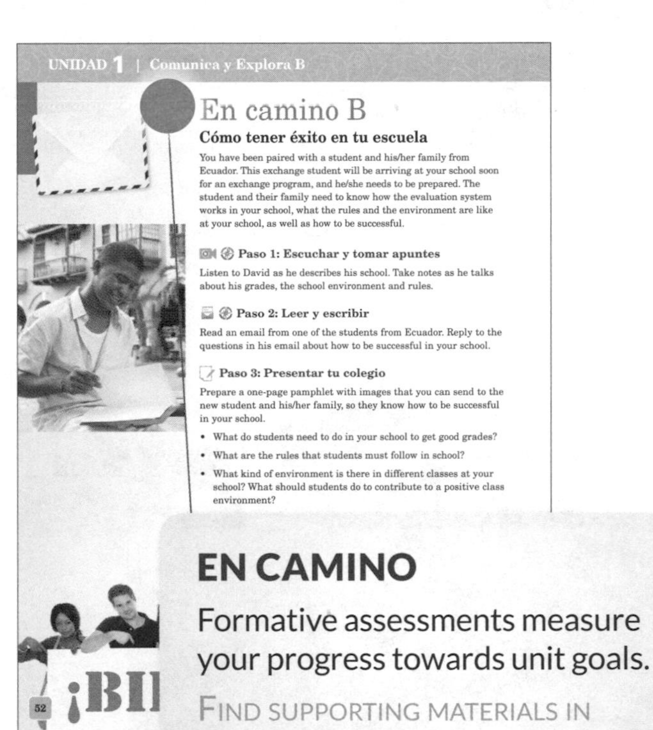

UNIDAD 1 | Comunica y Explora B

En camino B

Cómo tener éxito en tu escuela

You have been paired with a student and his/her family from Ecuador. This exchange student will be arriving at your school soon for an exchange program, and he/she needs to be prepared. The student and their family need to know how the evaluation system works in your school, what the rules and the environment are like at your school, as well as how to be successful.

Paso 1: Escuchar y tomar apuntes

Listen to David as he describes his school. Take notes as he talks about his grades, the school environment and rules.

Paso 2: Leer y escribir

Read an email from one of the students from Ecuador. Reply to the questions in his email about how to be successful in your school.

Paso 3: Presentar tu colegio

Prepare a one-page pamphlet with images that you can send to the new student and his/her family, so they know how to be successful in your school.

- What do students need to do in your school to get good grades?
- What are the rules that students must follow in school?
- What kind of environment is there in different classes at your school? What should students do to contribute to a positive class environment?

52

EN CAMINO

Formative assessments measure your progress towards unit goals.

FIND SUPPORTING MATERIALS IN EXPLORER.

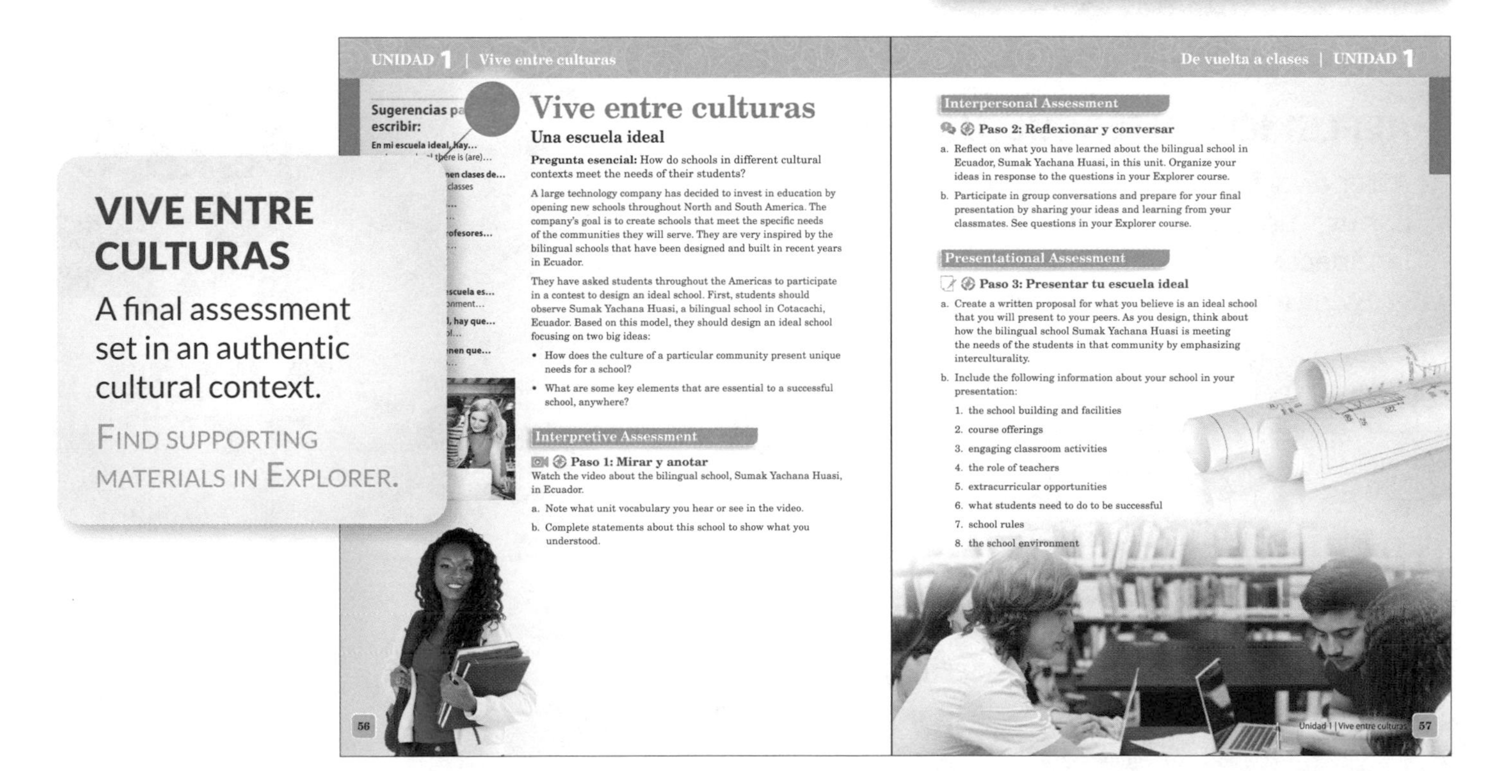

UNIDAD 1 | Vive entre culturas

Sugerencias para escribir:

Vive entre culturas

Una escuela ideal

Pregunta esencial: How do schools in different cultural contexts meet the needs of their students?

A large technology company has decided to invest in education by opening new schools throughout North and South America. The company's goal is to create schools that meet the specific needs of the communities they will serve. They are very inspired by the bilingual schools that have been designed and built in recent years in Ecuador.

They have asked students throughout the Americas to participate in a contest to design an ideal school. First, students should observe Sumak Yachana Huasi, a bilingual school in Cotacachi, Ecuador. Based on this model, they should design an ideal school focusing on two big ideas:

- How does the culture of a particular community present unique needs for a school?
- What are some key elements that are essential to a successful school, anywhere?

Interpretive Assessment

Paso 1: Mirar y anotar

Watch the video about the bilingual school, Sumak Yachana Huasi, in Ecuador.

a. Note what unit vocabulary you hear or see in the video.

b. Complete statements about this school to show what you understood.

56

De vuelta a clases | UNIDAD 1

Interpersonal Assessment

Paso 2: Reflexionar y conversar

a. Reflect on what you have learned about the bilingual school in Ecuador, Sumak Yachana Huasi, in this unit. Organize your ideas in response to the questions in your Explorer course.

b. Participate in group conversations and prepare for your final presentation by sharing your ideas and learning from your classmates. See questions in your Explorer course.

Presentational Assessment

Paso 3: Presentar tu escuela ideal

a. Create a written proposal for what you believe is an ideal school that you will present to your peers. As you design, think about how the bilingual school Sumak Yachana Huasi is meeting the needs of the students in that community by emphasizing interculturality.

b. Include the following information about your school in your presentation:

1. the school building and facilities
2. course offerings
3. engaging classroom activities
4. the role of teachers
5. extracurricular opportunities
6. what students need to do to be successful
7. school rules
8. the school environment

Unidad 1 | Vive entre culturas 57

VIVE ENTRE CULTURAS

A final assessment set in an authentic cultural context.

FIND SUPPORTING MATERIALS IN EXPLORER.

Interculturalidad/Interculturality

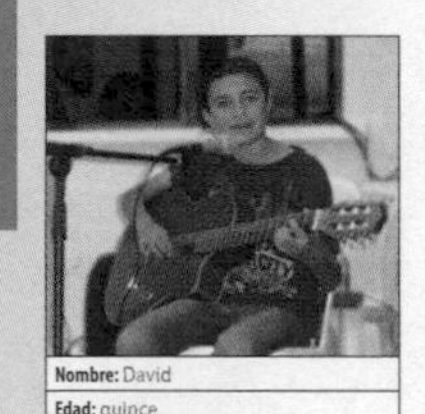

Nombre:	David
Edad:	quince
Idiomas:	español e inglés
Origen:	Quito, Ecuador

Encuentro intercultural

David vive en Quito, Ecuador. Tiene 15 años y está en grado 11 en el Colegio José Engling. Tiene dos hermanos meno Daniel y Andrés. También tiene una hermana mayor que se lla Ana Francisca. A David le gusta jugar con su perro, tocar la guitarra y cantar con su familia.

David describe su colegio en una conversación con una amiga, Paulina. El colegio de David es un colegio mixto *(co-ed)* y catól que va desde pre-kinder hasta duodécimo grado.

Información sobre Ecuador

Ecuador es un país pequeño en Sudamérica. Está entre Colombia y Perú y es uno de los países con más biodiversidad en el continente americano. Puedes visitar montañas y volcanes activos en los Andes. También puedes conocer la selva amazónica y playas hermosas en el océano Pacífico. La capital del Ecuador es Quito y el puerto *(port)* principal es Guayaquil.

ENCUENTRO INTERCULTURAL

Available on Explorer only, these authentic videos from Spanish-speaking teens invite you to share their world.

ENFOQUE CULTURAL

Knowing about cultural products, practices, and perspectives lays a foundation for intercultural reflections.

SHARE YOUR REFLECTIONS IN THE EXPLORER DISCUSSION FORUM.

Enfoque cultural

Producto cultural: Escuelas bilingües en Ecuador

In Ecuador there are some bilingual schools, where students who are native speakers of Quichua can learn in their native language. Members of the community, who are native speakers as well, teach these classes. Subjects are taught in both languages and all students learn about academics, culture and language.

Conexiones

What do you think are the benefits of a bilingual education?

Paso 2B: Ver y comprender

a. Lee las siguientes oraciones y escribe si el hecho es cierto (C) o falso (F).

b. Si la información subrayada con línea es falsa, escribe la información correcta.

1. Los indígenas se sentían orgullosos *(proud)* de su vestimenta en sus otras escuelas.
2. El idioma natal de los estudiantes indígenas es el español.
3. Todos los estudiantes en el colegio Sumak Yachana Huasi toman clases en quichua.
4. El ambiente en esta escuela es más inclusivo que otras escuelas que no son bilingües.

Reflexión intercultural

1. Have you ever attended a school that provided all instruction in a language other than your mother tongue? If yes, describe what that was/is like. If not, take a few moments to reflect on what it might be like to learn science, math or history in a second language.
2. Do you think that bilingual schools in Ecuador, like Sumak Yachana Huasi, are improving educational opportunities for all students by conducting classes in the different languages spoken throughout the country instead of solely in Spanish?
3. How might teaching all students quichua create a more positive learning environment for the indigenous students?
4. How is this bilingual school meeting the needs of the students in the community it serves?

Además se dice

indígenas - indigenous (native to a region)

rechazados - rejected

vestimenta - clothes

idioma natal - native language

mestizos - someone of indigenous and European heritage

quichua - one of the indigenous languages spoken in Ecuador

Quito, Ecuador

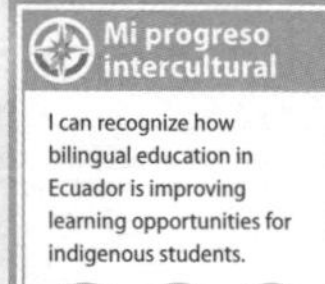

REFLEXIÓN INTERCULTURAL

After a variety of experiences with cultural products, practices, and perspectives, you will reflect on your growing intercultural awareness.

SHARE REFLECTIONS IN THE EXPLORER DISCUSSION FORUM.

MI PROGRESO INTERCULTURAL

This unique self-assessment feature clarifies intercultural goals.

Explorer/Guía digital

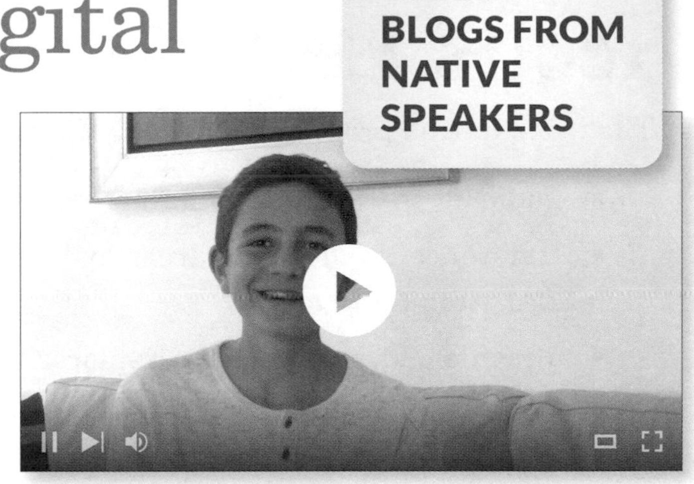

The online Explorer is the other half of your textbook, connecting you with language learning resources that inspire continued exploration.

Whether learning about Ecuador through David's video blog, studying grammar through flipped classroom videos, or updating your language learning portfolios with new achievements, you can practice all modes of communication at your own pace and within your own comfort zone.

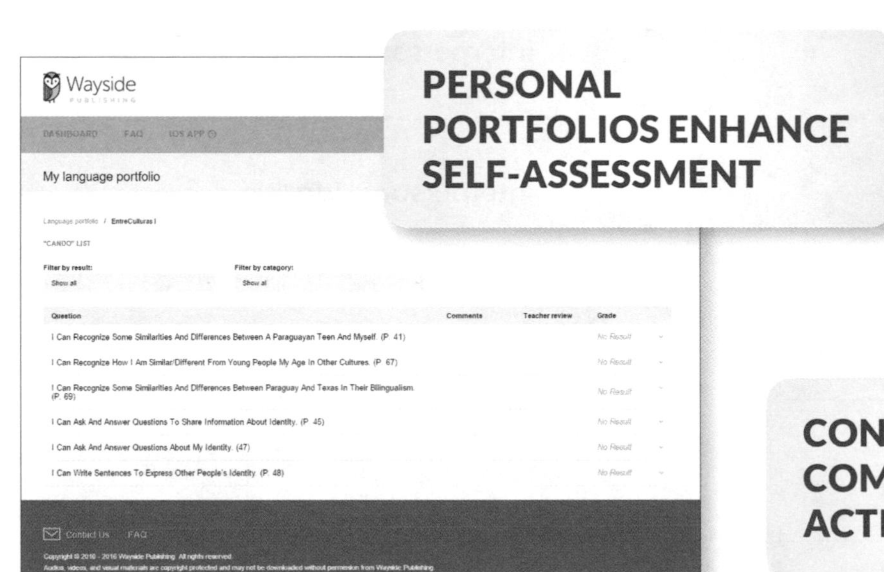

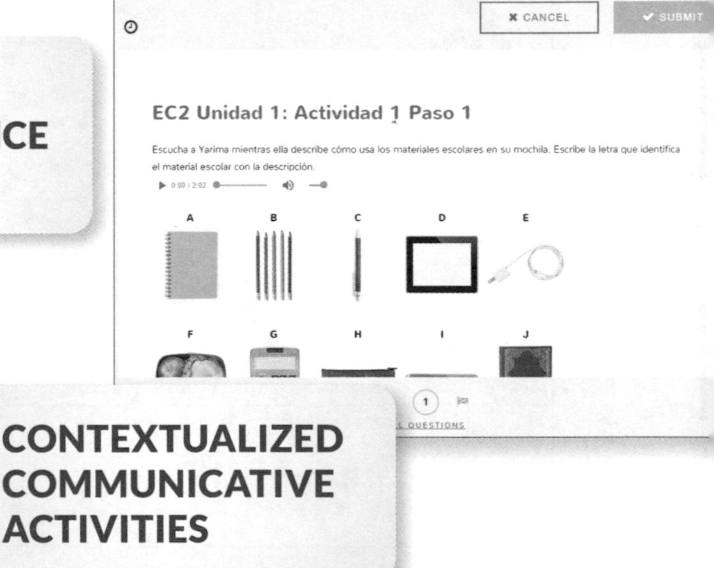

FlexText®

FlexText is Wayside's unique e-textbook platform. Built in HTML5, our digital textbook technology automatically adjusts the book pages to whatever screen you're using for optimal viewing.

Your FlexText can be accessed across all of your devices. And page by page, just like the printed textbook, FlexText allows students and teachers to use *EntreCulturas* on the go.

Icons Legend

The icons in this program:

- Indicate the mode of communication
- Reference the five goal areas as listed in the *World-Readiness Standards for Learning Languages*
- Provide a signpost where Explorer offers more support
- Prepare teachers and learners for the type of each task/activity

Linguistic or cultural comparisons	Interpretive Visual
Connections	Interpersonal Speaking
Communities	Interpersonal Writing
Cultures	Presentational Speaking
Explorer	Presentational Writing
Interpretive Print	External link in Explorer
Interpretive Audio	Grammar
Interpretive Print and Audio	Vocabulary
Interpretive Audiovisual	Journal

Table of Contents

UNIDAD 1: De vuelta a clases

Contexto comunicativo e intercultural

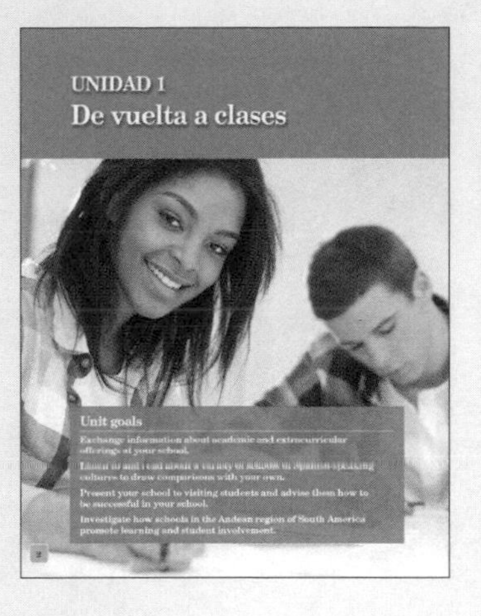

Unit Goals

Exchange information about academic and extracurricular offerings at your school.

Read and listen to information about a variety of schools in Spanish-speaking cultures to draw comparisons with your own.

Present your school to visiting students and advise them how to be successful in your school.

Investigate how schools in the Andean region of South America promote learning and student involvement.

Essential Questions

What helps students engage in their school community?

What factors support student learning and success?

How do schools in different cultural contexts meet the needs of their students?

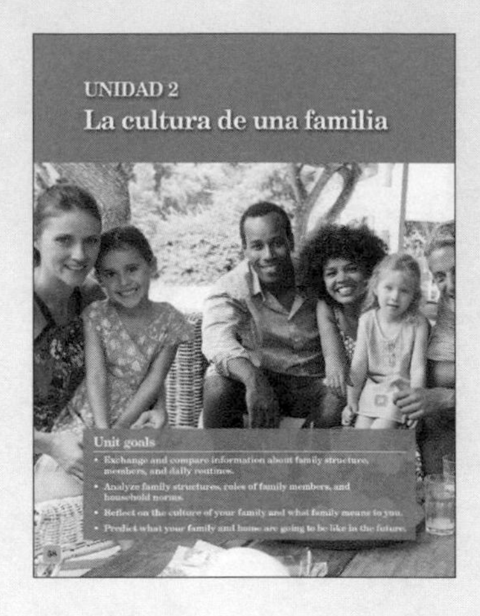

Unit Goals

Exchange and compare information about family structure, family members, routines, and daily responsibilities.

Analyze family structures, roles of family members, and household norms.

Reflect on the culture of your family and what family means to you.

Predict what your family and home are going to be like in the future.

Preguntas esenciales

What do families and households look like?

What is the culture of your family like and how has it changed from past generations?

What do you want in a home or family unit in the future?

UNIDAD 2: La cultura de una familia

Contexto comunicativo e intercultural

SUMMATIVE ASSESSMENT

UNIDAD 3: Un mundo hecho por comunidades

Contexto comunicativo e intercultural

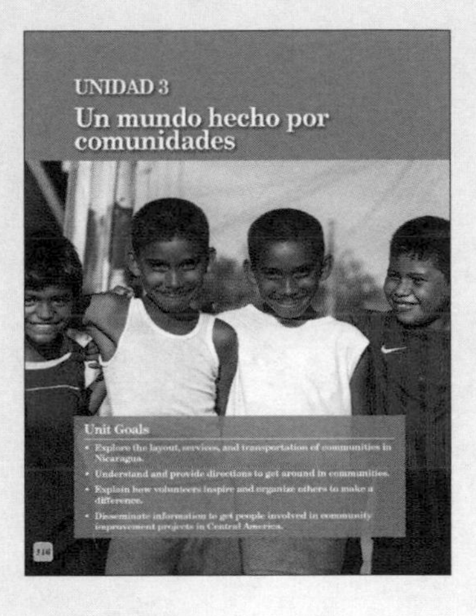

Unit Goals

Explore the layout, services, and transportation of communities in Nicaragua.

Understand and provide directions to get around in communities.

Explain how volunteers inspire and organize others to make a difference.

Disseminate information to get people involved in community improvement projects in Central America.

Preguntas esenciales

How does culture shape where people go and what they do in their communities?

How do people come together to celebrate their cultural identity and communities?

How can community members work together to improve their quality of life?

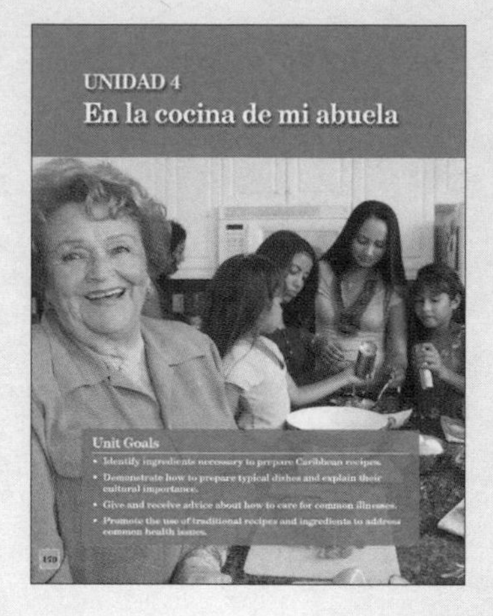

Unit Goals

Identify ingredients necessary to prepare Caribbean recipes.

Demonstrate how to prepare typical dishes and explain their cultural importance.

Give and receive advice about how to care for common illnesses.

Promote the use of traditional recipes and ingredients to address common health issues.

Preguntas esenciales

How does food connect cultures, communities and families?

How can food help address health issues?

How can traditional health practices inform our modern lifestyle?

UNIDAD 4: En la cocina de mi abuela

Contexto comunicativo e intercultural

UNIDAD 5: Vida social

Contexto comunicativo e intercultural

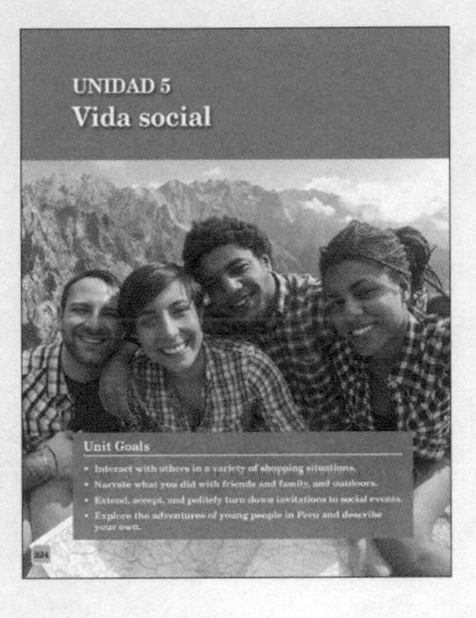

Unit Goals

Interact with others in a variety of shopping situations.

Narrate what you did with friends and family, and outdoors.

Extend, accept, and politely turn down invitations to social events.

Explore the adventures of young people in Peru and describe your own.

Preguntas esenciales

How do friends, family and culture influence how I spend my free time?

How do my shopping choices reflect who I am?

What outdoors experiences can young people have in Peru?

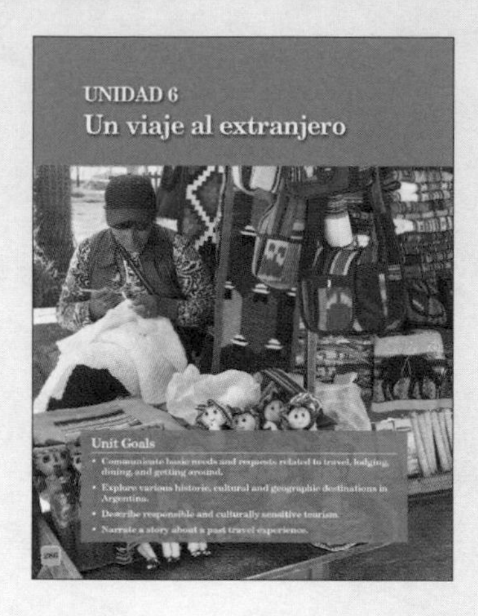

Unit Goals

Communicate basic needs and requests related to travel, lodging, dining, and getting around.

Explore various historic, cultural, and geographic destinations in Argentina.

Describe responsible and culturally sensitive tourism.

Narrate a story about a past travel experience.

Preguntas esenciales

What do I need to know to travel to another culture?

What can you learn about yourself and another culture by traveling?

How do travel experiences shape our intercultural understanding and respect for the communities we visit?

UNIDAD 6: Un viaje al extranjero

Contexto comunicativo e intercultural

San Juan Del Sur, Nicaragua

UNIDAD 1
De vuelta a clases

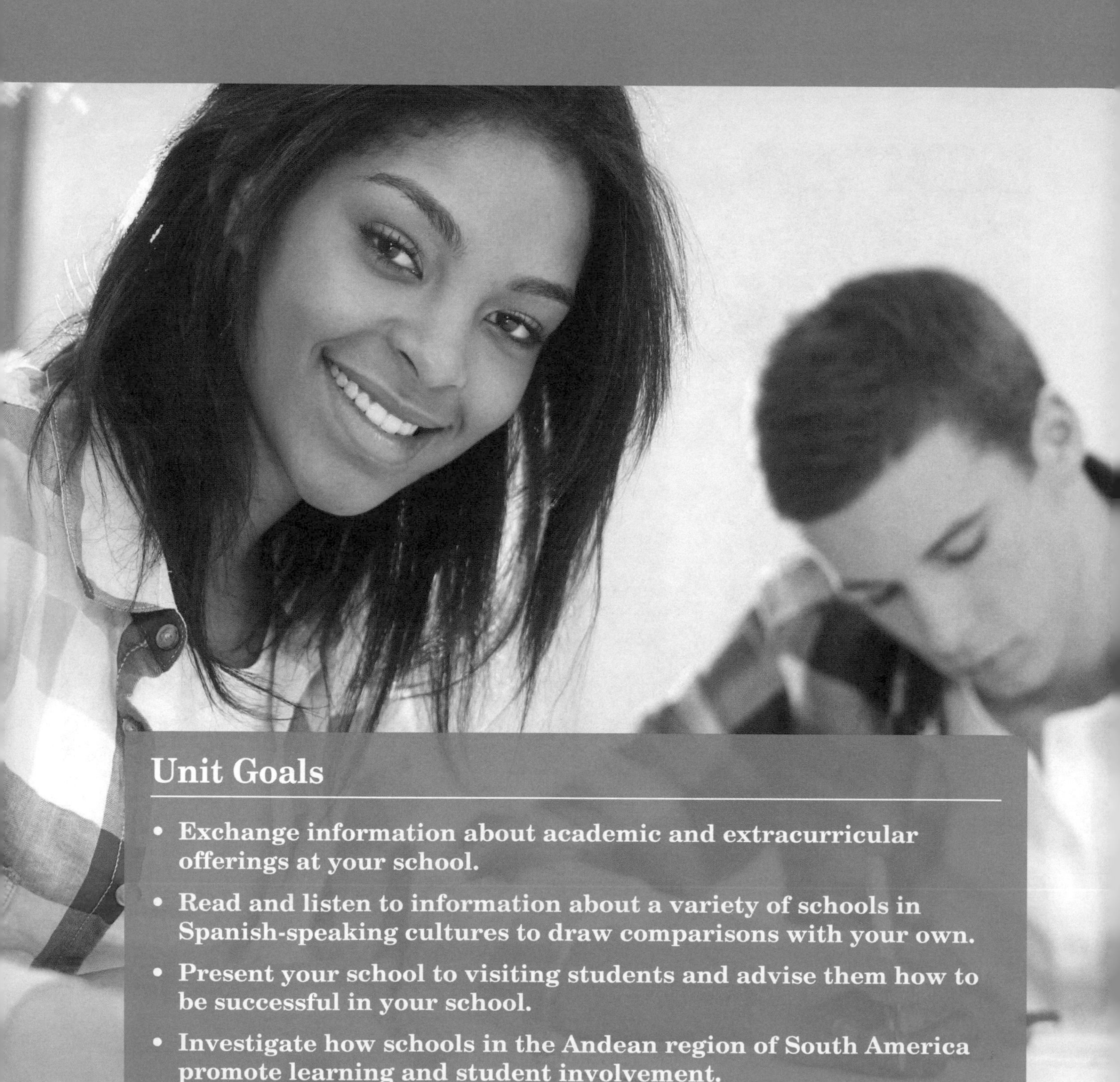

Unit Goals

- Exchange information about academic and extracurricular offerings at your school.
- Read and listen to information about a variety of schools in Spanish-speaking cultures to draw comparisons with your own.
- Present your school to visiting students and advise them how to be successful in your school.
- Investigate how schools in the Andean region of South America promote learning and student involvement.

Preguntas esenciales

What helps students engage in their school community?

What factors support student learning and success?

How do schools in different cultural contexts meet the needs of their students?

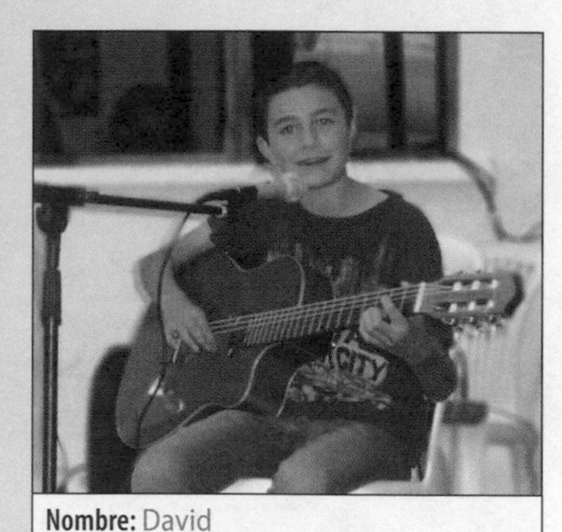

Nombre: David
Edad: quince
Idiomas: español e inglés
Origen: Quito, Ecuador

Encuentro intercultural

David vive en Quito, Ecuador. Tiene 15 años y está en el grado 11 en el Colegio José Engling. Tiene dos hermanos menores, Daniel y Andrés. También tiene una hermana mayor que se llama Ana Francisca. A David le gusta jugar con su perro, tocar la guitarra y cantar con su familia.

David describe su colegio en una conversación con una amiga, Paulina. El colegio de David es un colegio mixto *(co-ed)* y católico, que va desde pre-kinder hasta duodécimo grado.

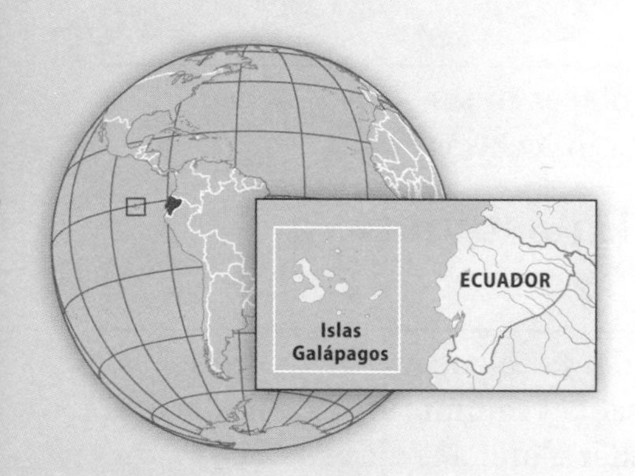

Información sobre Ecuador

Ecuador es un país pequeño en Sudamérica. Está entre Colombia y Perú y es uno de los países con más biodiversidad en el continente americano. Puedes visitar montañas y volcanes activos en los Andes. También puedes conocer la selva amazónica y playas hermosas en el océano Pacífico. La capital del Ecuador es Quito y el puerto *(port)* principal es Guayaquil.

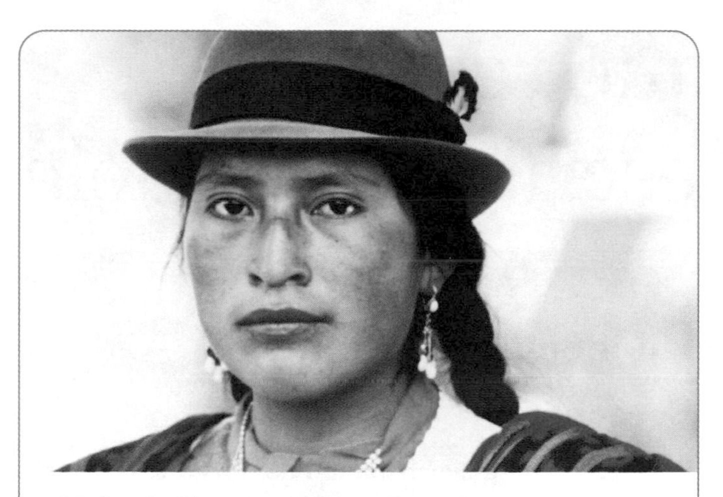

Mujer indígena - Paute - Ecuador

El idioma oficial de Ecuador es el español, pero se hablan también **quichua** (un dialecto del quechua) y otras 20 lenguas entre las diferentes comunidades indígenas (*indigenous*). Los pueblos indígenas son la gente nativa de un país. Muchos niños ecuatorianos hablan dos idiomas: el español y una lengua indígena.

Juan León Mera (1832–1894)

Novelista, político y pintor ecuatoriano. Escribió poesía, ensayos y novelas. Sus obras más importantes son la novela "Cumandá" y el himno nacional del Ecuador.

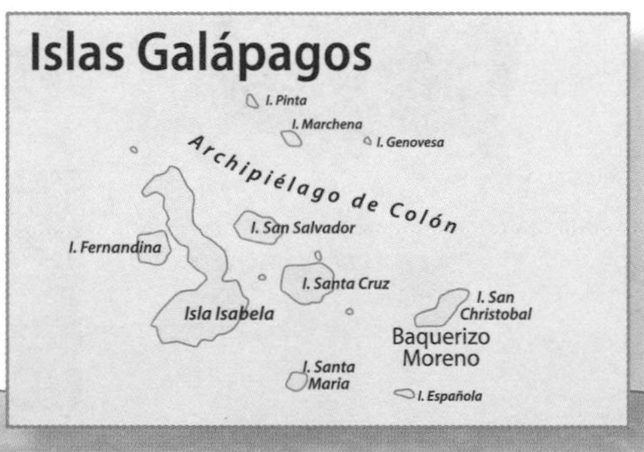

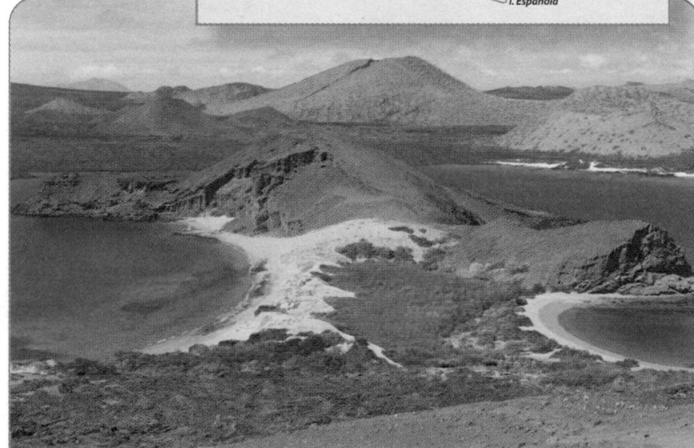

Isla Bartolomé - Galápagos

Charles Darwin viajó a las islas Galápagos para estudiar la teoría de la evolución de las especies.

Jefferson Pérez (1974–) Atleta olímpico

Ganó medallas en los juegos olímpicos; de oro en Atlanta en 1996 y de plata en Pekín en 2008 en marcha atlética.

Manuela Sáenz (1795–1856) "La Libertadora del Libertador"

Luchó junto a Simón Bolivar para obtener la independencia de España.

A ver qué recuerdas para describir la escuela

Actividad 1

¿Qué hay en tu mochila o casillero?

 **Paso 1: Escuchar**

Escucha a Yarima mientras ella describe cómo usa los materiales escolares en su mochila. Escribe la letra que identifica el material escolar con la descripción.

A.

B. 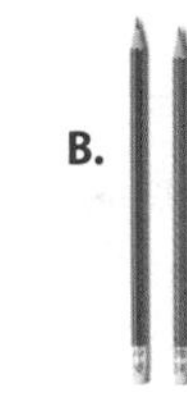

C. 

D. 

E. 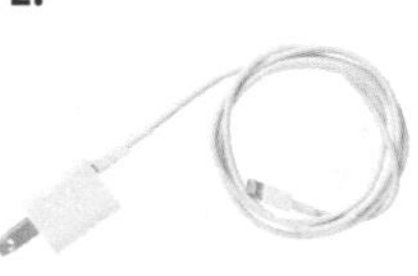

F.  

G.  

H. 

I. 

J. 

 **Paso 2: Escribir**

a. Toma una foto o crea una ilustración de todos los útiles (*materiales*) escolares que siempre llevas en tu mochila o que tienes en tu casillero.

b. Identifica todos los útiles.

c. Escribe una descripción de cada uno.

Modelo

Hay un bolígrafo anaranjado en mi mochila porque me gusta escribir con mi color favorito.

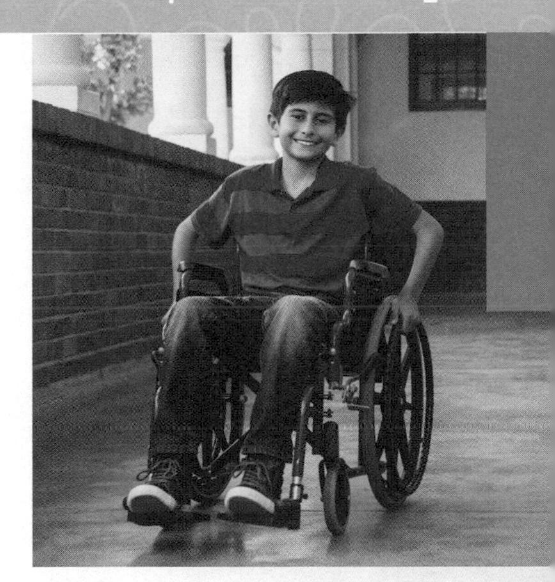

Actividad 2

¿Qué hay en el salón de clase?

Paso 1: Observar y conversar

Con un/a compañero/a, túrnense para hacer las siguientes preguntas sobre las cosas que hay en el aula de español. Sigan el modelo.

Modelo

Estudiante A: ¿Hay ventanas en el salón de clase?

Estudiante B: Sí, hay tres ventanas.

Enfoque cultural

Práctica cultural: Variedad lingüística

Spanish-speaking regions and countries have varieties of Spanish with distinct names for common vocabulary. Here are some examples of different words for school supplies:

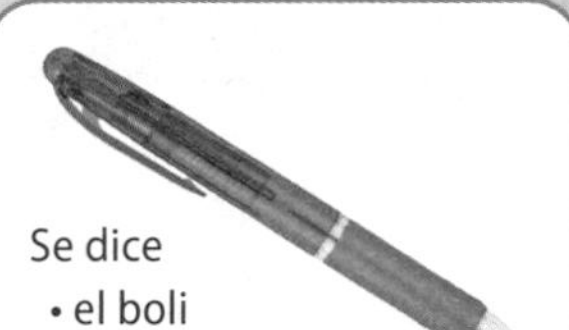

Se dice
- el boli
- el lapicero
- el esfero
- la birome

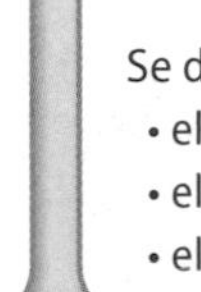

Se dice
- el marcador
- el plumón
- el rotulador

Se dice
- la mascota
- el cuaderno
- el bloc de notas

  **Conexiones**

Why do you think a language has different words for the same items?

Recuerda: Usos del verbo estar

The verb **estar** is used with prepositions (like encima de, debajo de, delante de, and en) to describe the location of objects.

- Los libros **están** en el escritorio.
- La pantalla **está** delante de los pupitres.

Estar is also used to talk about where people are located.

- La maestra **está** en el gimnasio.
- Los estudiantes **están** en la oficina del director.

Expresiones útiles

a la derecha de - to the right of

a la izquierda de - to the left of

enfrente de - facing

al lado de - next to, beside

delante de - in front of, opposite of

en - in, inside

encima de - on top of

debajo de - underneath of

cerca de - near

lejos de - far from

Paso 2: Preguntar y responder

Tomen turnos con un/a compañero/a y hagan preguntas. Intercambia información con tu compañero/a para saber dónde están los objetos en la clase de español. Sigan el modelo.

Modelo

Estudiante A:	¿Dónde están las tijeras?
Estudiante B:	Las tijeras están encima del escritorio del profesor.

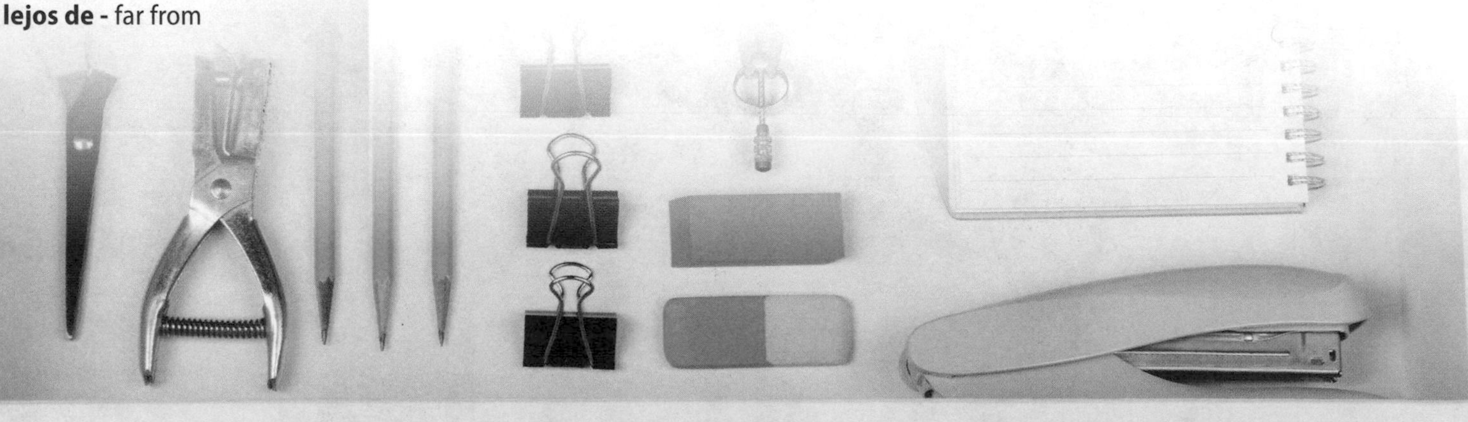

Actividad 3

¿Cómo puede ser diferente el calendario escolar?

Paso 1A: Recordar

Describe tu calendario escolar, mencionando los días feriados y las vacaciones.

- Comienza el...
- Termina el...
- Hay vacaciones _____ veces al año.
- Las vacaciones duran _____ días.

Calendario anual del año escolar 2015–2016 Colegio 9 de Octubre.
Guayaquil – Ecuador

Inicio del año escolar 4 de mayo	Vacaciones de medio año del 3 al 18 de octubre
Fin de año escolar 9 de marzo	Día feriado: Día de la Raza el 12 de octubre
Vacaciones de Carnaval del 7 al 10 de febrero	Día feriado: Día de los Muertos el 2 de noviembre
Vacaciones de Semana Santa del 30 de marzo al 3 de abril	Exámenes finales del 2 al 9 de marzo
Día feriado: Día del Trabajo El primero de mayo	Actos de graduación 12 de marzo

Paso 1B: Leer y comparar

Lee el calendario escolar del primo de David, quien estudia en el Colegio 9 de Octubre. Compáralo con el horario de tu escuela, y completa un diagrama de Venn con las diferencias y semejanzas entre los dos calendarios.

¿Te acuerdas?

Los meses del año

En parejas, túrnense para nombrar los meses del año en voz alta. La primera persona empieza con "enero", la segunda persona sigue con "febrero" hasta terminar el año.

Ahora comparte esta información con tu compañero/a.

- Mi cumpleaños es...
- Mi mes favorito del año es... porque...

Enfoque cultural

Práctica cultural: Crear un "puente"

There are many holidays in the yearly school calendar for Colegio 9 de Octubre. In many countries in Latin America and Spain, if there is a holiday in the middle of the week, for example on a Tuesday, the government makes the Monday before a day of celebration as well to create what is called a "puente" or a long holiday weekend.

  **Conexiones**

Do you think having an extra day off school between a national holiday and a weekend is a good idea? What are the advantages and disadvantages?

No hay clases durante las Vacaciones de Carnaval, porque muchas personas participan en las celebraciones.

Enfoque cultural

Práctica cultural: El año escolar en el Ecuador

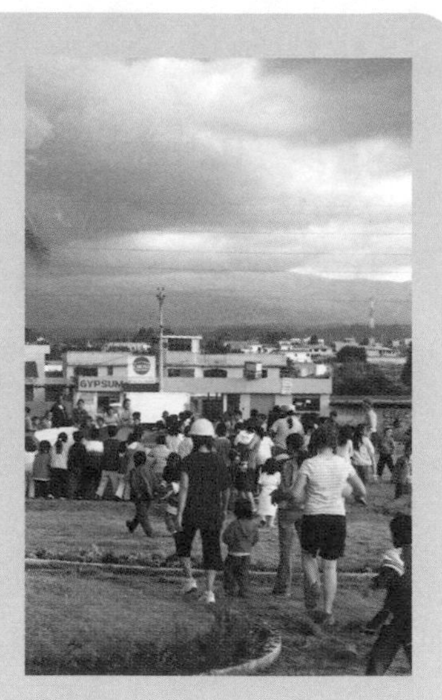

In Ecuador the school year is divided in ***quimestres*** (two periods of five months each). There are two different school calendars, one for the coastal region and one for the sierra or mountain region. On the coast, the first quimestre goes from May to September and the second quimestre goes from October to March. In the mountains the first quimestre goes from September to January and the second quimestre goes from February to July. In both regions there are two weeks of vacation between each quimestre, and at the end of the year there is one month of vacation. This variation in schedule is because of the differences in weather between the regions and the difficulties in traveling to school during the rainy season on the coast.

  **Conexiones**

Do schools in your country have different school calendars based on the weather? What are the possible benefits of modifying school schedules based on climate differences in Ecuador?

Paso 1C: Conversar

a. Muestra tu diagrama de Venn a un/a compañero/a.

b. Si tu compañero/a tiene nueva información, añade sus ideas a tu organizador gráfico.

Modelo

Las diferencias son…	En Ecuador… Aquí…
Las semejanzas son…	En los dos colegios…

 Paso 2: Comunicar tus preferencias

¿Crees que tu escuela debe cambiar el calendario escolar? Escribe algunas sugerencias *(suggestions)* para la administración.

- El año escolar debe comenzar en…
- Me gustaría tener vacaciones en…
- ¿Por qué no…?
- Es mejor si…

  Paso 3: Escribir un correo electrónico

David te invita a conocer su ciudad. Necesitas ir durante tus vacaciones escolares.

a. Mira los dos calendarios y decide cuándo puedes visitar.

b. Comunica tu plan a David en un correo electrónico:

- Saluda a David.
- Describe tu clase favorita este año y explica por qué.
- Explica cuándo quieres visitar y por qué es conveniente.
- Explica tu emoción acerca de esta visita y despídete.

Actividad 4

¿Cuál es el horario ideal para tus clases?

  Paso 1A: Escuchar e identificar

Vas a escuchar información de cuándo David tiene algunas de sus clases. Elige el reloj correspondiente.

A

B

C

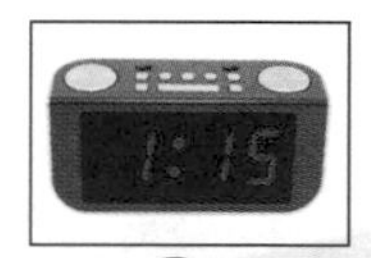

D

E

Expresiones útiles

Tienes vacaciones en...y yo no tengo clases en... - You have vacations in... and I don't have classes in...

¿Qué tal si viajo...? - How about if I travel...?

¿Está bien si...? - Is it OK if...?

Me gustaría... - I would like...

indígenas - indigenous (native to a region)

Saludos y despedidas informales

Querido/a... - Dear

Hola, - Hi

Adiós, - Goodbye

Chao, - Goodbye

Un beso, - A kiss

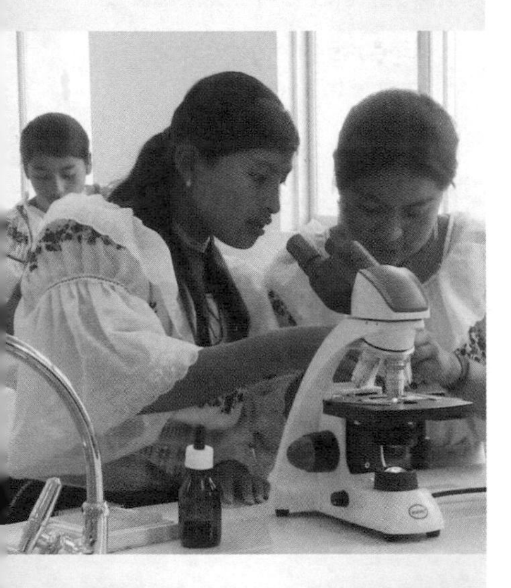

Paso 1B: Practicar en parejas

Elige del siguiente cuadro un día de la semana y una hora. Túrnense y pregunten a su compañero/a qué clase tiene ese día a esa hora.

Días	lunes	martes	miércoles	jueves	viernes
Horas	8:15 a.m.	9:40 a.m.	10:30 a.m.	12:00	1:45 p.m.

Modelo

Estudiante A: ¿Qué clase tienes los miércoles a las 10:30 de la mañana?

Estudiante B: Tengo clase de Matemáticas.

Paso 2A: Escribir

¿A qué hora quieres tener las clases? Escribe tu horario ideal con las clases en el orden que prefieres.

Paso 2B: Conversar y escribir

Con un/a compañero/a, túrnense para describir sus horarios ideales. Escucha a tu compañero/a y escribe su horario ideal. Sigue el modelo.

Modelo

Estudiante A dice: A las ________, tengo la clase de…

Estudiante B escribe: A las ________ él/ella tiene la clase de…

Si necesitas escuchar otra vez, puedes decir "Repite, por favor" o preguntar "¿Qué clase tienes a las ________?"

Paso 2C: Revisar

¿Tienes la información correcta? Describe a tu compañero/a el horario que escribiste y él/ella te va a decir si hay algún error.

Modelo

Estudiante B: En tu horario ideal, tienes la clase de ________ a las ________.

Estudiante A: Sí, es correcto. (No, no es correcto. Tengo la clase de ________ a las ________.)

¿Te acuerdas?

Los lugares en la escuela

el auditorio
el aula de clase
la biblioteca
la cafetería
los campos deportivos
la clínica
el gimnasio
el laboratorio
la oficina
el pasillo
la sala de computadoras
la sala de música
el salón de clase

El ambiente de la escuela

académico
estricto
tranquilo

Expresiones útiles

¿Está bien si… ?
¿Qué tal si viajo… ?
Me gustaría…

Las profesiones en la escuela

el/la asistente del director
el/la director/a
el/la maestro/a
el/la profesor/a
el/la recepcionista
el/la secretario/a

Las actividades extraescolares

el club de…
los deportes
baloncesto
fútbol
vóleibol

Las asignaturas

Álgebra
Arte
Banda
Ciencias Sociales
Coro
Dibujo
Educación Cívica
Educación Física
Francés
Geografía
Geometría
Informática
Matemáticas
Salud

Las descripciones

aburrido/a
agradable (desagradable)
cómico/a
deportivo/a
difícil
divertido/a
estricto/a
fácil
generoso/a
serio/a
sincero/a
trabajador/a

Los materiales escolares

el bolígrafo
la calculadora
la carpeta
la computadora
el cuaderno
un diccionario
el escritorio
el instrumento
el lápiz
los lápices de colores
el libro
la mochila
el móvil
la pantalla
la pelota
el portátil
el pupitre
la tableta
las tarjetas
el teclado
las tijeras

Las actividades en el aula

ayudar a los estudiantes
compañero/a
dibujar
enseñar
escribir
estudiar
hacer gimnasia
intercambiar con
jugar
llevar uniforme
mirar películas
navegar en/por internet
observar
participar en un intercambio
pintar
practicar deportes
prestar atención
tomar apuntes
trabajar
trabajar con los colegas
usar las computadoras

El horario y las tareas

almorzar
empezar
la hora del almuerzo
las notas
el proyecto
el recreo; el receso
terminar

Expresiones útiles

a la derecha de
a la izquierda de
al lado de
cerca de
debajo de
delante de
en
encima de
enfrente de
lejos de

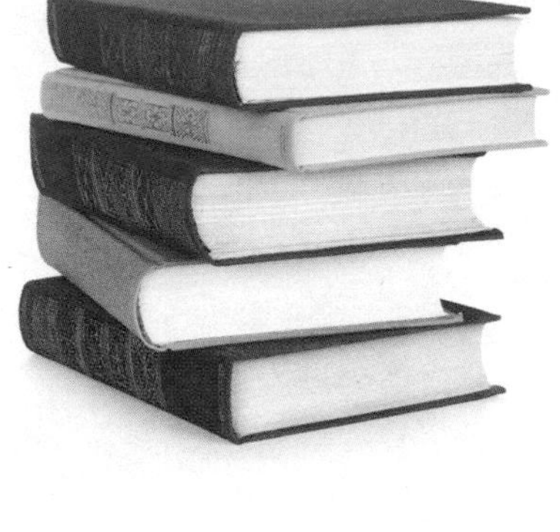

Comunica y Explora A

La estructura de la escuela

Pregunta esencial: What helps students engage in their school community?

Actividad 5

¿Cómo son las escuelas en otros países?

Paso 1: Escuchar y emparejar

Escucha las descripciones de diferentes partes de la escuela. Empareja *(match)* las descripciones con las imágenes y el vocabulario de **Así se dice 1**.

Así se dice 1: Las partes de la escuela

el campo deportivo

la cancha de tenis

los casilleros

el laboratorio de ciencias

el salón de clase

el teatro

Paso 2: Observar

Mientras ves el video sobre la Escuela del Milenio Sumak Yachana Huasi:

a. Observa atentamente para aprender sobre la escuela.

b. Completa la tabla con la información que observas en el video.

Las personas	Las partes de la escuela	¿Qué hacen las personas en la escuela?	¿Cómo es la escuela?

Enfoque cultural

Práctica cultural: Saludar la bandera

In Ecuador and other Spanish-speaking countries, it is common to see the flag in school and school ceremonies. Students learn the anthem's verses in school at a young age, often singing it in chorus at ceremonies and assemblies.

  **Conexiones**

Why do schools use the flag in important ceremonies? Is this similar or different to how the flag is used in ceremonies and activities where you attend school?

  Paso 3A: Comparar

Trabaja con un/a compañero/a para completar el diagrama de Venn con las semejanzas y diferencias entre tu escuela y la escuela ecuatoriana.

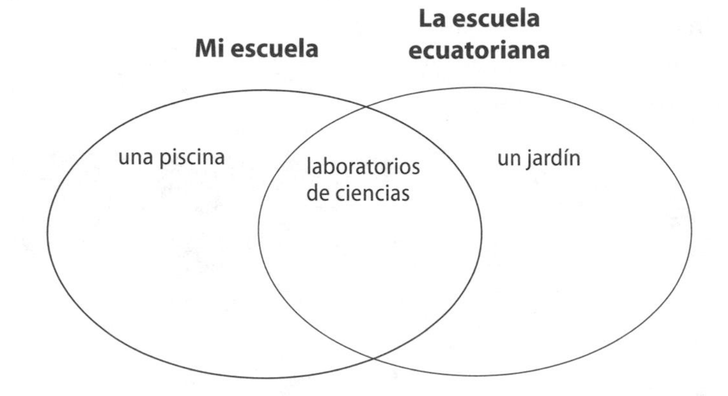

 Paso 3B: Escribir

Escribe cinco oraciones para comparar tu escuela y la escuela ecuatoriana.

Modelo

En mi escuela hay una piscina, no hay una piscina en la escuela ecuatoriana.

La escuela ecuatoriana tiene un jardín, pero mi escuela no tiene un jardín.

Las dos escuelas tienen laboratorios de ciencias.

  ¡Prepárate!

Escribe cuatro oraciones para describir los lugares en una escuela ideal. Incluye:

- Los lugares en la escuela
- ¿Por qué son necesarios estos lugares?

Modelo

Una escuela ideal debe tener un gimnasio o una cancha para la clase de Educación Física y para jugar deportes.

Reflexión intercultural

1. What did you learn about the bilingual schools in Ecuador while viewing the video?
2. What infrastructure does this school have that surprised you? Why?
3. What elements of this school do you wish were present in your school? Why?
4. How has your perspective on schools in Ecuador changed after viewing this video?

Mi progreso intercultural

I can compare my school to schools in Andean Spanish-speaking countries.

Actividad 6

¿Por qué son importantes las bibliotecas?

Paso 1: Mirar

Mientras miras el video del Biblioburro marca las palabras que escuchas.

❑ compromiso ❑ intelectual ❑ investigar ❑ profe
❑ proyecto escolar ❑ carta ❑ consulta ❑ leer ❑ biblioteca
❑ títulos ❑ tareas ❑ kilómetros ❑ libros ❑ ignorancia ❑ casa

Paso 2: Contestar

Lee las siguientes oraciones. Marca C (cierto) o F (falso) según la información del video.

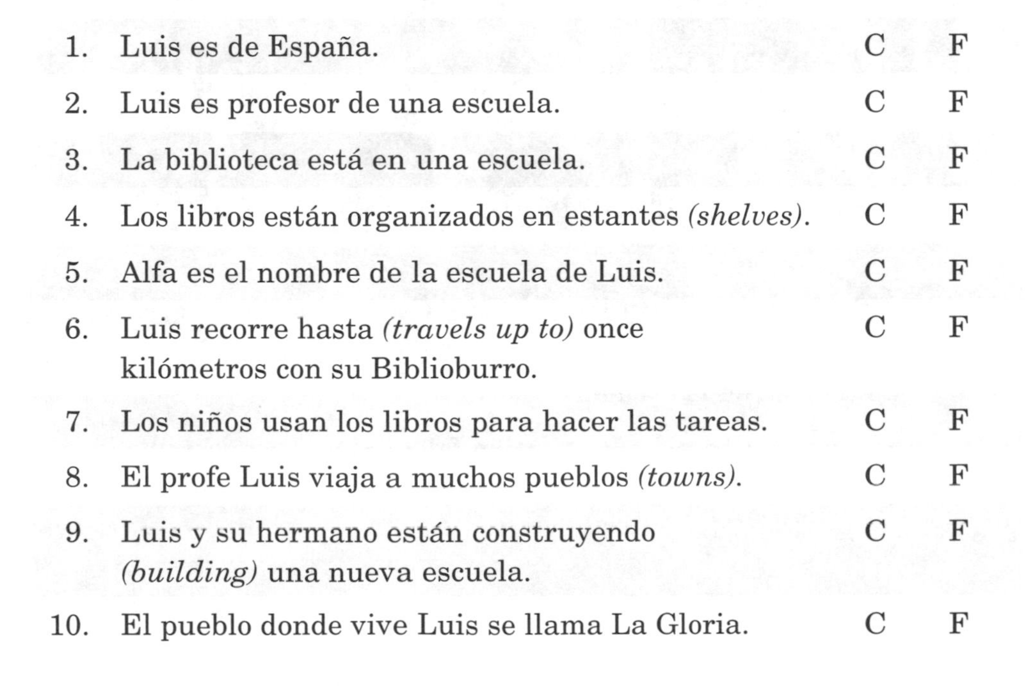

1. Luis es de España. C F
2. Luis es profesor de una escuela. C F
3. La biblioteca está en una escuela. C F
4. Los libros están organizados en estantes *(shelves)*. C F
5. Alfa es el nombre de la escuela de Luis. C F
6. Luis recorre hasta *(travels up to)* once kilómetros con su Biblioburro. C F
7. Los niños usan los libros para hacer las tareas. C F
8. El profe Luis viaja a muchos pueblos *(towns)*. C F
9. Luis y su hermano están construyendo *(building)* una nueva escuela. C F
10. El pueblo donde vive Luis se llama La Gloria. C F

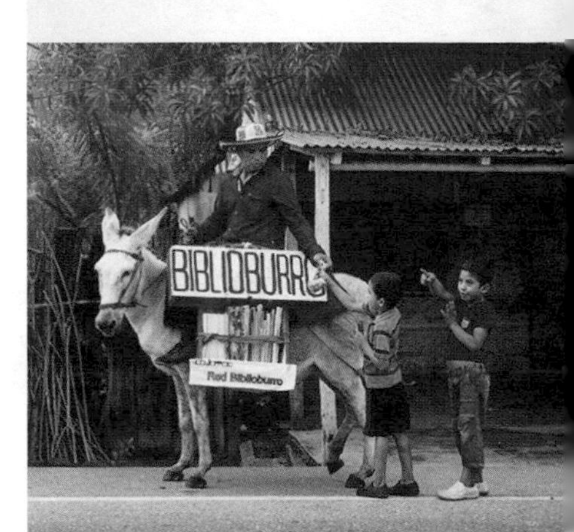

Mira la imagen del Biblioburro. ¿De qué trata el video?

Así se dice 2: Las profesiones en la escuela

el/la consejero/a

el/la enfermero/a

el/la entrenador/a

Además se dice

el/la bibliotecario/a - librarian

el/la cocinero/a - cook

el/la director/a de la banda - band director

el personal de limpieza - janitors

el/la profesor/a de arte - art teacher

el/la secretario/a - secretary

Paso 3: Colaborar y compartir

Con un/a compañero/a piensen en una solución creativa para ayudar a las escuelas que no tienen una biblioteca. Escriban al menos dos ideas y compartan con la clase.

Actividad 7

¿Quién trabaja en un colegio?

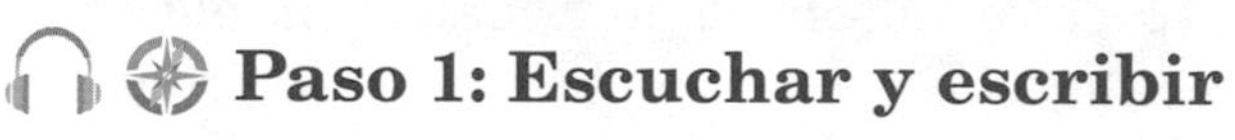

Escucha las descripciones de varias personas que trabajan en un colegio. Escribe el vocabulario que corresponde con cada descripción.

Paso 2: ¿Cierto o Falso?

a. Escucha las oraciones sobre tus profesores o sobre el personal que trabaja en la escuela.

b. Indica si cada oración es cierta o falsa. Si es falsa, escribe la información correcta.

Actividad 8

¿Qué asignaturas se ofrecen en los colegios?

Paso 1: Vocabulario

Lee la lista de asignaturas en **Así se dice 3**. Trabaja con un/a compañero/a para identificar los cognados y clasificar las asignaturas por temas.

- ¿Cuáles son cognados del inglés?
- ¿Qué otros cursos ofrece su colegio? Usen vocabulario que ya saben y busquen otras clases si necesitan.

Paso 2: Leer y conversar

Mira el horario de Jorge, el primo de David y un alumno de secundaria en Ecuador. Después, con tu compañero/a, contesta las preguntas en la guía digital.

HORA	LUNES	MARTES	MIÉRCOLES	JUEVES	VIERNES
7:00 a 7:45	Informática	Matemáticas	Química	Matemáticas	Geografía de Ecuador
7:45 a 8:30	Informática	Matemáticas	Química	Inglés	Geografía de Ecuador
8:30 a 8:50	Receso				
8:50 a 9:35	Educación Física	Educación Cívica	Castellano	Biología	Física
9:35 a 10:20	Educación Física	Educación Cívica	Castellano	Biología	Física
10:20 a 11:05	Inglés	Geografía de Ecuador	Guitarra	Castellano	Biología
11:05 a 11:15	Receso				
11:15 a 12:00	Inglés	Geografía de Ecuador	Dibujo	Castellano	Biología
12:00 a 12:45	Química	Metodología	Física	Dibujo	Metodología
12:45 a 1:30	Química	Metodología	Física	Dibujo	Física

Así se dice 3: Las asignaturas

Biología

Cálculo

Danza

Física

Literatura

Orquesta

Trigonometría

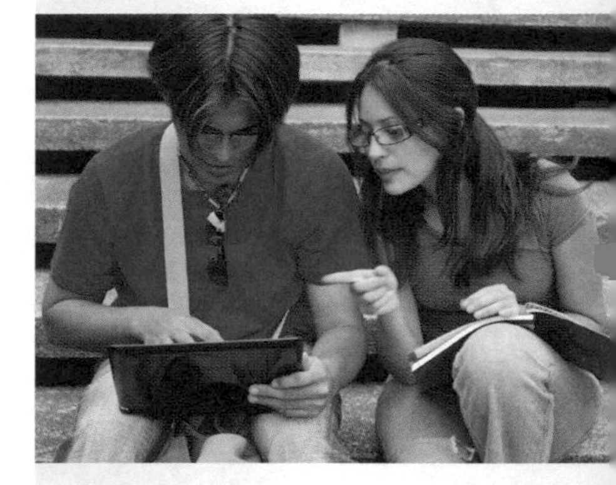

Expresiones útiles

1º/ª - **primero/a** - first

2º/ª - **segundo/a** - second

3º/ª - **tercero/a** - third

4º/ª - **cuarto/a** - fourth

5º/ª - **quinto/a** - fifth

6º/ª - **sexto/a** - sixth

7º/ª - **séptimo/a** - seventh

8º/ª - **octavo/a** - eighth

 Paso 3: Conversar

Conversa con un/a compañero/a sobre tu horario de clases este año, utilizando el organizador gráfico de tus clases en la guía digital

Modelo

Estudiante A:	¿Cuándo tienes la clase de Química?
Estudiante B:	En la segunda hora.
Estudiante A:	¿A qué hora empieza?
Estudiante B:	A las nueve menos diez.

 Paso 4: Comparar

Utiliza el diagrama de Venn para buscar semejanzas y diferencias entre el horario de Jorge y tu horario. Considera el horario, cuántas clases tienen y cuánto tiempo duran las clases. Comparte tus ideas con un/a compañero/a.

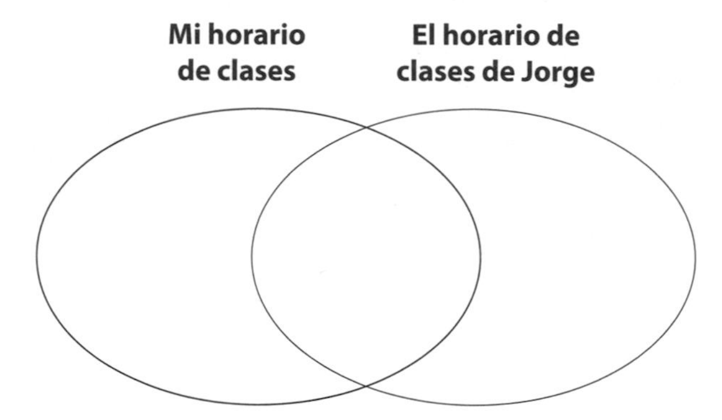

¡Prepárate!

Mira el video en el cual Kuri Farinango habla de las nuevas asignaturas en su colegio, Sumak Yachana Huasi. Participa en el foro digital para debatir:

- ¿Cómo prepara este colegio a sus estudiantes para su futuro?
- ¿Por qué es importante una clase de Interculturalidad?
- ¿Qué asignaturas debe ofrecer una escuela ideal para preparar bien a sus alumnos?

Enfoque cultural

Práctica cultural: Variedad lingüística

The word "subjects" has a variety of words in different Spanish-speaking countries. Depending where you are you can use: **materias** or **asignaturas**.

  **Conexiones**

Are there other words for "subjects" in English? Does this word change in college? Can you think of other examples?

Actividad 9

¿Qué hacen todos en la clase?

Paso 1: Organizar tus ideas

Escribe una lista de verbos que describen lo que hacen los profesores y los estudiantes en las clases.

Los profesores	Los estudiantes
hablar	escuchar

Paso 2: Comparar

Compara tu lista con la lista de un/a compañero/a de clase. Añade la información que te falta *(that you're missing)*.

Paso 3: Observar y describir

Explica a tu compañero/a lo que hacen los estudiantes en las fotos.

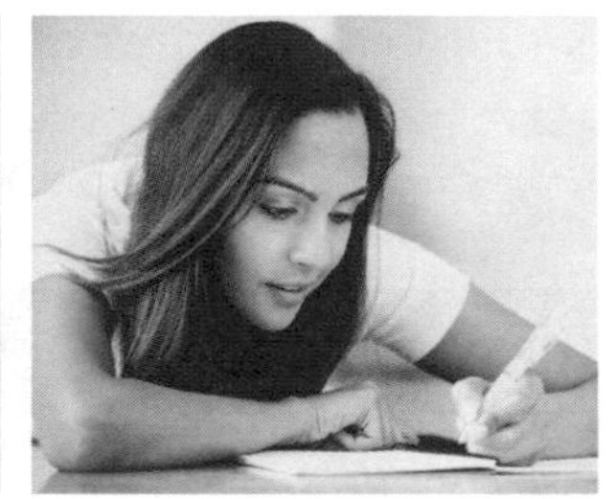

Paso 4A: Expresar tu opinión

a. Completa el organizador gráfico con tus opiniones personales: ¿cuáles son las actividades en clase que te gustan mucho, las que te gustan sólo un poco o las que no te gustan?

b. Menciona las actividades de **Así se dice 4** y del vocabulario de **Además se dice**.

Me gusta mucho	Me gusta	Me gusta un poco	No me gusta	No me gusta nada

Así se dice 4: Las actividades del aula

actuar

analizar

aprender de memoria

bajar información del internet

crear una página web

debatir

entrenar

escribir ensayos

grabar videos

hacer experimentos

hacer presentaciones

hacer un proyecto

investigar

participar en concursos

resolver problemas de matemáticas

tocar un instrumento

Además se dice

ensayar - to rehearse

hacer una búsqueda en Internet - to do a search on the Internet

Recuerda: El verbo gustar

Gustar + verbo infinitivo

- ¿**Te gusta** hacer experimentos?

- Sí, **me gusta** investigar y hacer experimentos.

- A mi amigo no **le gusta** escribir ensayos, pero **le gusta** participar en concursos.

Paso 4B: Compartir

a. Conversa con un/a compañero/a para compartir opiniones.

b. Responde a las preguntas de tu compañero/a usando la información de tu organizador gráfico como una guía.

Modelo

¿Te gusta debatir? *(u otra actividad de la lista)*

¿Qué te gusta mucho/un poco?

¿Qué no te gusta (nada)?

Actividad 10

¿Por qué te gustan o no te gustan las clases?

Paso 1: Escribir

a. Escribe las asignaturas de tu horario en el organizador gráfico.

b. Escribe por qué te gusta o no te gusta cada asignatura. Escribe las actividades que haces y adjetivos para describir esas asignaturas.

Me gusta la clase de...		No me gusta la clase de...	
(clase)	*(descripción)*	*(clase)*	*(descripción)*
Biología	*Es interesante porque hago experimentos.*		

Recuerda: Para conjugar los verbos regulares -ar, -er, -ir

1. Drop ending.
2. Add the verb ending that corresponds to who is doing the action.

Chart for conjugation of regular verbs in the present indicative

	Verbos – ar	Verbos – er	Verbos – ir
yo	-o	-o	-o
tú	-as	-es	-es
usted (Ud.)	-a	-e	-e
él/ella	-a	-e	-e
nosotros	-amos	-emos	-imos
vosotros	*-áis*	*-éis*	*-ís*
ustedes (Uds.)	-an	-en	-en
ellos/ellas	-an	-en	-en

Paso 2: Conversar y comparar

a. Pregúntale a tu compañero/a si le gustan las clases de su horario.

b. Responde a las preguntas que te hace tu compañero/a sobre tus clases.

c. Completa el diagrama de Venn con las semejanzas y diferencias de tus preferencias sobre las clases.

Modelo

Estudiante A: ¿Te gusta la clase de Álgebra?

Estudiante B: No, no me gusta la clase de Álgebra. La clase es aburrida porque resolvemos problemas de matemáticas.

Yo **Nosotros** **Mi compañero/a**

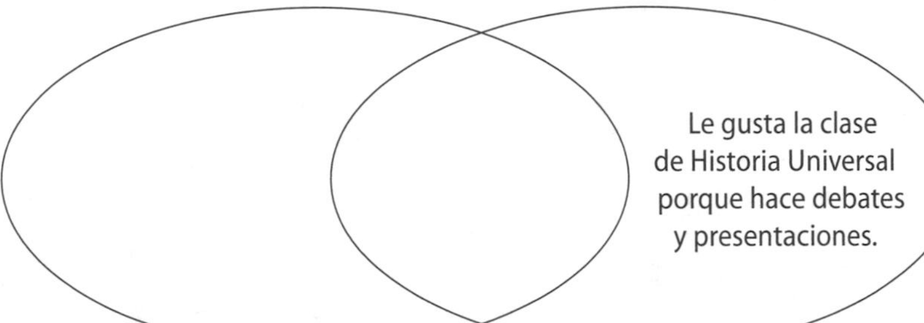

Mi progreso comunicativo

I can express preferences about classes and classroom activities.

Paso 3: Escribir

Escribe cuatro oraciones para describir las clases más interesantes de tu horario. Incluye:

- ¿Qué clases te interesan más? ¿Por qué?
- ¿Qué tipo de actividades haces en las clases que te interesan?

Modelo

La clase de _____ es interesante porque...
En la clase de _____, nosotros...
Me gusta la clase de _____ porque...

Actividad 11

¿Cómo contribuye la tecnología a la educación?

Paso 1: Observar

Mientras miras el video "Escuelas del milenio" anota los tipos de tecnología que ofrece la escuela.

Paso 2: Leer y conversar

a. Hay una parte del video en la cual habla Gloria Vidal, Ministra de Educación. Lee un resumen de lo que dice abajo.

b. Conversa con un/a compañero/a:

- ¿Cómo describen a las comunidades antes de la construcción de las escuelas del milenio?
- ¿Qué mensaje lleva la tecnología a las comunidades?

Estas comunidades tradicionalmente han sido olvidadas (*forgotten*). Son comunidades que no tienen ni esperanzas (*hope*) de una buena educación, por ejemplo con la tecnología. Es llevar un mensaje (*to bring a message*) de esperanza a esas comunidades, decirles a las comunidades: Hoy en día la educación es para todos. Hoy en día la educación cohesiona (*unites*) al país. Hoy en día la educación cierra la brecha (*closes the gap*) económica y social en este país.

Mi progreso intercultural

I can describe how technology meets the needs of students and creates learning opportunities.

Reflexión intercultural

1. What technology does the school in this video offer that is similar or different from the technology you have access to in your school?
2. What advantages does technology provide students and teachers?
3. Do you believe that a lack of technology in schools creates a disadvantage for students?
4. How does providing access to technology give hope to communities that traditionally lack access in our technology-driven world?

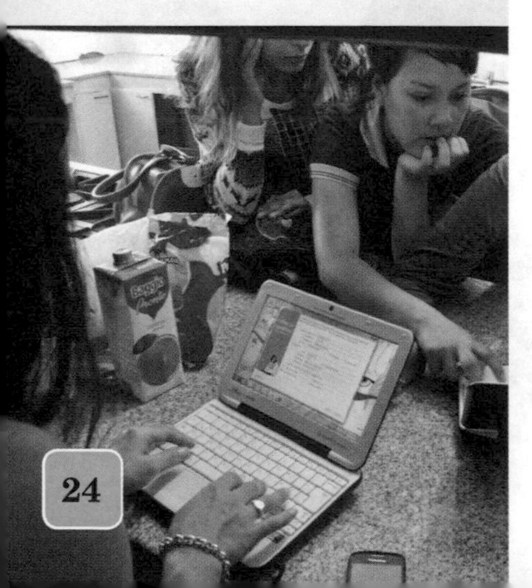

Actividad 12

¿Cómo son algunos profesores?

Paso 1: Vocabulario

Trabaja con un/a compañero/a y túrnense para identificar cada definición con la palabra en **Así se dice 5**.

a. es el profe que pide mucho de sus estudiantes; no puedes aprobar la clase sin trabajar mucho
b. es el profe que es imparcial y trata a todos igual
c. es el profe que pierde todo y no encuentra nada
d. es el profe que no se conecta mucho con sus alumnos
e. es el profe que escucha bien a sus alumnos y los comprende
f. es el profe que tiene alumnos preferidos y no trata a todos igual
g. es el profe divertido que hace a todos reír
h. es el profe que es muy bueno
i. es el profe animado, con mucha energía y pasión
j. es el profe que tiene todo preparado y listo para la clase

Paso 2: Escribir y hablar

a. Escribe tres oraciones positivas para describir a tres profesores.
b. Lee tus oraciones a un/a compañero/a.
c. Túrnese con un/a compañero/a para adivinar *(guess)* quién es.

Modelo

Este profesor es entretenido y le gustan los deportes.

Enfoque cultural

Práctica cultural: El nombre del/de la profesor/a

In Spanish-speaking high schools, students can call their teacher "profe" which is short for "profesor." You can also always call your teacher "profesor/a" or "maestro/a" depending on their gender.

  **Conexiones**

What are respectful ways to get your teacher's attention in English?

Así se dice 5

Para describir a los profesores

amable
comprensivo/a
desorganizado/a
dinámico/a
distante
entretenido/a
exigente
injusto/a
justo/a
organizado/a

Lo que hace un/a profesor/a

animar a los estudiantes
explicar
repasar

Además se dice

calificar - to grade
dar ejemplos - to give examples
evaluar - to evaluate

Mi progreso comunicativo

I can exchange information to describe my teachers.

Recuerda: El verbo ser y los adjetivos

The verb **ser** *(to be)* is used to describe traits that generally do not change.

yo **soy**	nosotros **somos**
tú **eres** Ud. **es**	*vosotros sois* Uds. **son**
él/ella **es**	ellos/ellas **son**

Remember to make adjectives agree with the noun(s) they are describing (feminine/masculine, singular/plural).

- Mi amiga **Julia es** alt**a** y simpátic**a**.
- **Esteban es** muy divertid**o**.
- **Mis hermanos y yo somos** muy atlétic**os**.
- **Sara y Emilia son** comunicativ**as** con sus padres.

Actividad 13

¿Cómo son similares y diferentes tus profesores?

Paso 1: Describir

Añade una descripción de cada profesor(a) a tu organizador gráfico de Actividades 8 y 9.

Paso 2: Conversar

Entrevista a un/a compañero/a sobre sus profesores y escucha mientras los describe.

Modelo

Estudiante A:	¿Cómo se llama tu profesor/a?
Estudiante B:	Es la profesora Harris.
Estudiante A:	¿Qué clase enseña?
Estudiante B:	La clase de Biología.
Estudiante A:	¿Cómo es ella?
Estudiante B:	Es una profesora muy creativa, pero no tiene mucha paciencia.

Observa 1

Making comparisons in Spanish

"Me gusta más la profesora de Álgebra, porque es **más divertida que** mi profesora de inglés."

"La clase de inglés es **menos interesante que** las otras clases y es más difícil."

"Mi profesora de Español es **tan divertida como** mi profesora de Álgebra. Ellas dos hacen juegos en la clase con nosotros."

" Mi profesor de Biología es **tan estricto como** mi profesor de Educación Física. No puedes hablar con amigos en ninguna de las dos clases."

¿Qué observas?

1. What language are David and Andrés using to describe differences and similarities between their teachers?

2. Discuss what you notice with a partner and note your observations on the graphic organizer you'll find in Explorer.

  Paso 3A: Escribir y compartir

¿Cómo son similares tus profesores? Escribe dos o tres semejanzas entre dos de tus profesores. Después comparte con tu compañero/a.

Modelo

Mi profesor(a) de... es **tan** _____ **como** mi profesor(a) de...

Detalle gramatical

Recuerda que la forma negativa es:

"Mi profesor de matemáticas **no** es tan… como… "

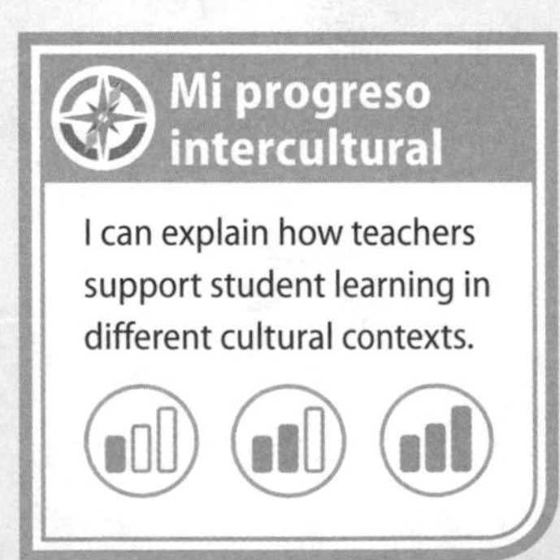

Paso 3B: Conectar

Ahora escribe por lo menos tres oraciones en las cuales vas a comparar a tus profesores con los de tu compañero/a.

Modelo

Mis profesores son más exigentes que los profes de David. También son más dinámicos porque tienen mucha pasión y energía.

Actividad 14

¿Cómo es el/la profesor/a ideal?

Paso 1: Imaginar y describir

Todo el mundo quiere tener un/a profesor/a ideal en su clase. Tu escuela está buscando a un/a profesor/a de español. Usa el organizador gráfico en la guía digital para pensar y escribir sobre las características del profesor ideal.

- ¿Qué cosas hace siempre un/a profesor/a ideal?
- ¿Qué cosas hace a veces un/a profesor/a ideal?
- ¿Qué cosas no hace nunca un/a profesor/a ideal?

Paso 2: Compartir y comparar

Con un/a compañero/a, compartan tus respuestas. ¿Qué ideas tienen en común? ¿Qué ideas son diferentes?

Paso 3: Escuchar y observar

El director de la Escuela del Milenio Sumak Yachana Huasi, Wilmer Santa Cruz, describe el papel *(the role)* de los profesores en su escuela.

a. Escucha la descripción de lo que hace el/la profesor/a (o docente) según el Sr. Santa Cruz.

b. Conversa con tu compañero/a sobre esta pregunta: ¿Es similar o diferente al papel de los profesores en tu escuela?

Reflexión intercultural

1. What do you think about the role of teachers at the bilingual schools in Ecuador?
2. Is this similar or different to the role of teachers in your school?
3. How has watching this video helped broaden your perspective of what teachers do in classrooms around the world?

  Paso 4: Escribir un correo electrónico

Escribe un correo electrónico al director de tu escuela para explicar las características de dos profesores excelentes en tu escuela.

a. Elige dos de tus profesores favoritos.

b. Describe a los profesores y explica por qué son buenos.

c. Utiliza las **Expresiones útiles** para una comunicación formal.

Modelo

El profesor Bedregal es uno de mis profesores favoritos. Es mi maestro de Trigonometría este año. Es paciente, tranquilo e inteligente.

Actividad 15

¿En qué actividades extracurriculares participas o quieres participar?

  Paso 1: Escuchar y adivinar

Escucha a varios amigos de David en Ecuador hablar sobre las actividades extracurriculares que les interesan. Para cada uno, señala la imagen que corresponde.

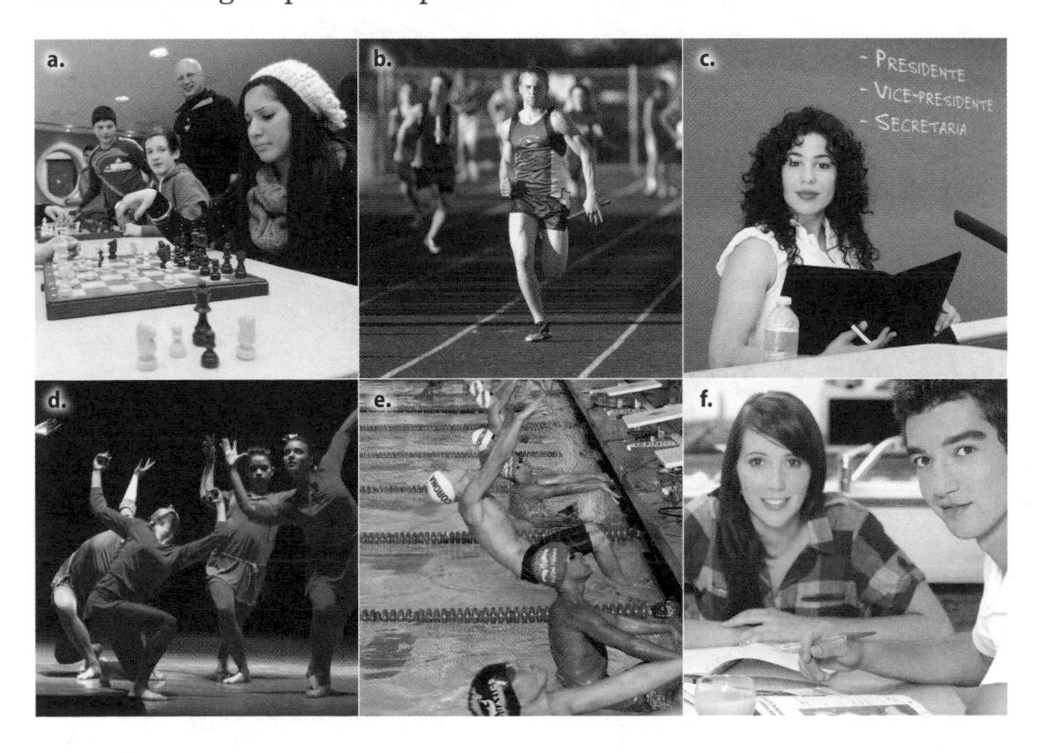

Expresiones útiles

Saludos y despedidas formales

Estimado señor.../Estimada señora... - Esteemed Sir.../ Madam

Buenos días, - Good morning

Atentamente, - Sincerely

Saludos, - Regards

Así se dice 6: Las actividades extracurriculares

el club de ajedrez

el club de periodismo (escribir para el periódico)

el equipo de natación

el gobierno estudiantil

formar parte de un equipo/ club

hacer atletismo

jugar en un partido de...

participar en una función de teatro

  Paso 2A: Escuchar y nombrar

Escucha las descripciones por segunda vez y encuentra el nombre de la actividad en la lista de **Así se dice 6**. Verifica tus respuestas con un/a compañero/a.

Modelo

Estudiante A: Está describiendo el club de...

Estudiante B: Sí, es una descripción del club de...
No, creo que es una descripción del club de...

Paso 2B: Vocabulario

Mira las imágenes del Paso 1 y conversa con tu compañero/a.

- ¿Qué actividades extracurriculares ofrece tu colegio?
- ¿Qué otras actividades debe ofrecer tu colegio?

Modelo

Nuestro colegio ofrece...

Nuestro colegio debe ofrecer...

Quiero un club de... en nuestro colegio.

Paso 3A: Conversar

Con un/a compañero/a, conversen de las actividades extracurriculares que les gustan.

a. Empiecen con las siguientes preguntas. Pueden hacer sus propias preguntas también.
   - ¿En qué actividades extracurriculares participas?
   - ¿Por qué te interesa __________?

b. Anota la información de tu compañero/a para compartir con la clase después.

Paso 3B: Presentar

Comparte lo que ahora sabes de tu compañero/a.

Modelo

Mi compañero/a es miembro de... / Mi compañero/a participa en...

A _____ le gusta... / A _____ le interesa...

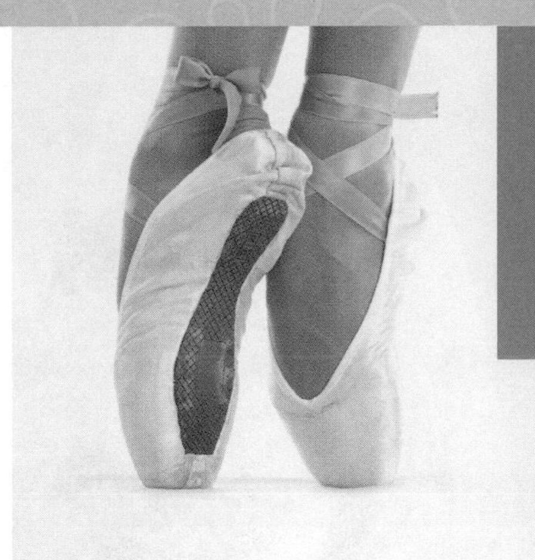

Paso 4: Presentar

La administración de tu colegio necesita dar la bienvenida a un grupo de estudiantes de Ecuador que van a visitar pronto. Necesitan explicar las actividades extracurriculares del colegio. Elige una actividad extracurricular en que participas o que te interesa y escribe una breve descripción para ser incluida en la guía de orientación:

1. ¿Qué actividad es?
2. ¿En qué época del año se reúne o entrena el grupo? ¿Todo el año o ciertos meses o estación *(season)*?
3. ¿Qué días de la semana se reúne o entrena el grupo? ¿A qué hora?
4. ¿Quién es el entrenador/coordinador?
5. ¿Qué hacen en las reuniones/prácticas?

Actividad 16

¿Por qué son importantes las actividades extracurriculares?

Paso 1A: Leer y conversar

a. Lee este fragmento de una entrevista con el director del Colegio Montfort, en Madrid.

> "Creemos que la formación del ser humano va más allá de la mera instrucción [académica]. Nosotros creemos que el aprender música, el aprender danza, el desarrollarse deportivamente en el tenis, en el baloncesto, en el fútbol, en la natación es un aporte* que complementa ya casi en un cien por cien la formación integral que queremos dar a los alumnos en el colegio".
>
> *contribución Wilmer Santa Cruz, Colegio Montfort y Madridiario. (2014). *Las actividades extraescolares: un refuerzo para la educación integral.*

b. Conversa con un/a compañero/a:
   - ¿Qué actividades extracurriculares ofrece el colegio?
   - ¿Por qué dice que son importantes las actividades extracurriculares?

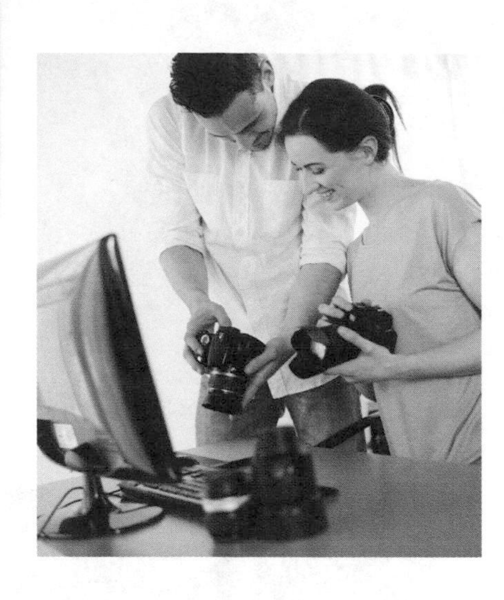

 Paso 1B: Conexión personal

¿Cómo te ayudan las actividades extracurriculares a desarrollar tus habilidades? Elige dos o tres actividades en que participas o quieres participar y escribe los beneficios para ti.

Modelo

No soy muy sociable. Participo en el club de debate y es bueno para mí porque aprendo a hablar enfrente de otras personas y comunicar mis ideas.

 Paso 1C: Conversar y compartir

Conversa con un/a compañero/a sobre los beneficios de sus actividades extracurriculares y comparte los beneficios de tus actividades. Después comparte la información sobre tu compañero/a con la clase.

Modelo

Mariana participa en el club de periodismo. Ella aprende como escribir mejor, organizarse y trabajar con fechas límites (deadlines).

 Paso 2A: Mirar por primera vez y anotar

Mientras miras el video sobre las actividades que se ofrecen en el Colegio Montfort, un colegio privado en Madrid, España, haz una lista de las actividades extracurriculares que ves en la primera columna.

Actividades extracurriculares	¿Cómo ayudan estas actividades a los estudiantes?

Paso 2B: Mirar por segunda vez y anotar

Al mirar el video por segunda vez:

a. Enfócate en la importancia de las actividades extracurriculares.

b. Completa la segunda columna del organizador gráfico.

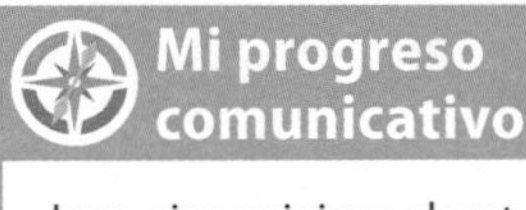

Mi progreso comunicativo

I can give opinions about what extracurricular activities schools should offer.

Paso 2C: Conversar

Con un/a compañero/a, compartan sus listas e ideas. Después conversen sobre las siguientes preguntas:

- ¿Qué actividades extracurriculares son más costosas para un colegio? ¿Cuáles son más baratas (cuestan menos)?
- ¿Piensas que todos los colegios deben ofrecer muchas actividades como el Colegio Montfort? ¿Por qué?

¡Prepárate!

Los colegios necesitan ayudar a sus estudiantes considerando los lugares donde viven y sus necesidades. Participa en el foro digital contestando estas preguntas:

- Piensa en las actividades extracurriculares de tu colegio. ¿Cómo preparan a los estudiantes para su futuro?
- En tu opinión, ¿cuáles son las actividades extracurriculares que debe ofrecer una escuela ideal?

Mi progreso intercultural

I can give examples of what schools include and offer that meets their students' needs.

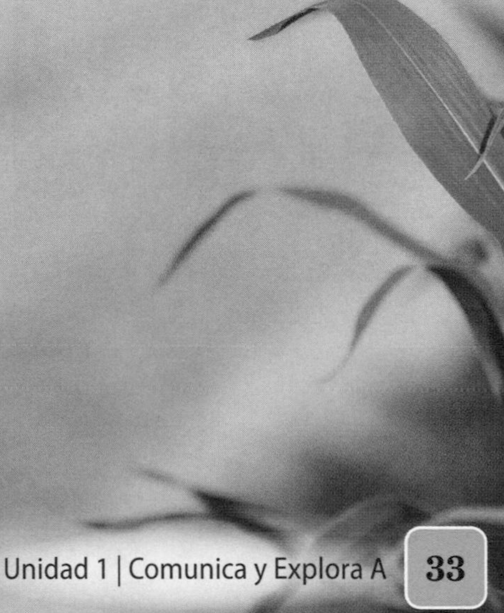

En camino A

¡Bienvenidos a nuestro colegio!

You have been paired with a student from a high school in Ecuador. This exchange student will be arriving at your school soon for an exchange program, and he/she needs to be prepared. First you want to learn a bit about his/her home school so you can better understand what the student might be expecting in a new school. You will also receive an email from your exchange student asking you a few questions about your school. In the end, you decide to put together a little "¡Bienvenido/a a nuestro colegio!" resource to help him/her learn basic information about the school, classes and teachers awaiting his/her arrival!

Quito, Ecuador

  Paso 1: Leer y comparar

Read the pamphlet with information about your exchange student's home school. Complete notes and a Venn diagram about the school building, classes offered, course descriptions, teacher profiles and extracurricular activities. Compare the student's home school with your own.

 Paso 2: Leer y escribir

Read the email you have received in Explorer from the exchange student who will be living with your family as part of the exchange program. Respond to the questions he asks about your school.

  Paso 3: Diseñar y presentar

Create a resource that presents important basic information about your school for your exchange student. Include the following:

1. a list of the important places in your school
2. a schedule this student might have
3. descriptions of two engaging classes the student will take
4. teacher profiles to describe two of his/her future teachers
5. a list of extracurricular activities your school offers: give information about at least two extracurriculars, detailing where and when they meet and/or practice
6. at least four comparisons between your school and your exchange student's school in Ecuador, describing what is similar and different.

Vocabulario

Así se dice 1: Las partes de la escuela

el campo deportivo - sports field
la cancha de... (tenis) - court
los casilleros - lockers
el laboratorio de... - laboratory
el teatro - theater

Así se dice 3: Las asignaturas

Biología - biology
Cálculo - calculus
Danza - dance
Física - physics
Literatura - literature
Orquesta - orchestra
Trigonometría - trigonometry

Así se dice 5: Para describir a los profesores

amable - nice
comprensivo/a - understanding
desorganizado/a - disorganized
dinámico/a - dynamic
distante - distant
entretenido/a - entertaining
exigente - demanding
injusto/a - unfair
justo/a - fair
organizado/a - organized

Así se dice 6: Las actividades extracurriculares

el club de ajedrez - chess club
el club de periodismo (escribir para el periódico) - journalism club (write for the school newspaper)
el equipo de natación - swim team
el gobierno estudiantil - student government
formar parte de un equipo/club - to be part of a team/club
hacer atletismo - to do track
jugar en un partido de... - to play in a game of/ in a match of
participar en una función de teatro - to participate in a theatre performance

Así se dice 2: Las profesiones en la escuela

el/la consejero/a - school counselor
el/la enfermero/a - nurse
el/la entrenador/a - coach; trainer

Así se dice 4: Las actividades del aula

actuar - to act
analizar - to analyze
aprender de memoria - to memorize
bajar información del internet - download information from the Internet
crear una página web - to create a web page
debatir - to debate
entrenar - to train
escribir ensayos - to write essays
grabar videos - to record videos
hacer experimentos - to do experiments
hacer presentaciones - to do presentations
hacer un proyecto - to do a project
investigar - to research
participar en concursos - to participate in contests
resolver problemas de matemáticas - to solve math problems
tocar un instrumento - to play an instrument

Expresiones útiles

Saludos y despedidas — formales

Estimado señor... /Estimada señora... - Esteemed Sir/Madam,
Buenos días, - Good morning,
Atentamente, - Sincerely,
Saludos, - Regards,

Saludos y despedidas — informales

Querido/a ... - Dear...,
Hola, - Hello,
Adiós, - Goodbye,
Chao, - Bye,
Besos, - Kisses,

Síntesis de gramática

To make comparisons:

You can compare adjectives, adverbs, and nouns that are similar or different.

To compare **differences** between people or things use: **más... que** or **menos... que**

- If you want to compare **nouns:**
  Hay **más chicos que chicas** en la clase de la profesora Polanco. Tengo **menos tarea que** mi hermano que está en el sexto grado
- If you want to compare **adjectives:**
  ¡El profesor de Biología es **más creativo que** el profesor de Arte! El director de la escuela es **menos simpático que** la subdirectora.

To compare adjectives that are the **same** use: **tan... adj... como**

- Yo soy **tan atlético como** mi hermana mayor.
  Mi madre es **tan simpática como** mi padre.

Comunica y Explora B

Un ambiente escolar que facilita el éxito académico

Pregunta esencial: What factors support student learning and success?

Actividad 17

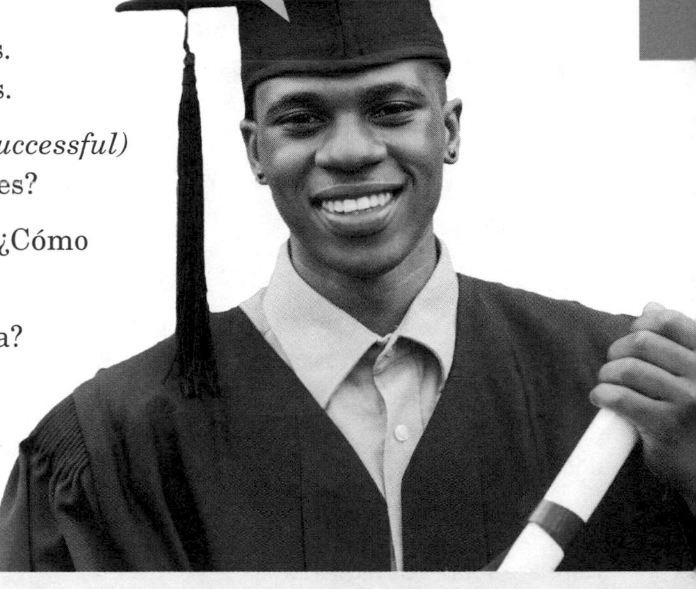

¿Cómo sabes si tienes éxito en la escuela?

Paso 1: Reflexionar y compartir

Primero escribe tus respuestas a las siguientes preguntas. Después, con un/a compañero/a compartan sus respuestas.

- A todos los estudiantes les interesa tener éxito *(to be successful)* en la escuela. ¿Cómo sabes que tienes éxito en tus clases?
- ¿Es importante para tu familia tu éxito en la escuela? ¿Cómo sabes?
- ¿Por qué es importante para ti tener éxito en la escuela?

Así se dice 7: Las evaluaciones y las tareas

aprobar un examen/una clase

evaluar (la evaluación)

tener éxito

las calificaciones

pedir ayuda

tomar un examen

dar un examen

reprobar un examen/una clase

los deberes

sacar una buena o mala nota

Estrategias

Interpretive Listening and Reading

Sometimes it can be overwhelming to read or listen to something in Spanish. We often get distracted by the information we don't understand and it prevents us from making sense of what we have the skills to comprehend. **Here are some strategies to help you when listening and reading in Spanish:**

- Listen and look for words you already know.
- Make predictions from titles and images that can give you clues.
- Listen or look for cognates.
- Use context to guess the meaning of what you see or hear.
- Visualize what you see or hear to create a mind movie.

Watch the listening and reading strategies video in Explorer for more tips to help you understand spoken and written Spanish.

Paso 2A: Leer y escribir

Lee el cuento sobre Andrés, un amigo del colegio de David. Utiliza las imágenes de la página anterior para entender el vocabulario nuevo de **Así se dice 7**.

Es miércoles y como siempre, Andrés llega al colegio sin hacer **los deberes**. Sus profes no están contentos con él. Le dicen casi todos los días que sus **calificaciones** van a ser malas si no empieza a estudiar más.

Andrés está triste también porque quiere ser veterinario un día y necesita aprender y tener éxito en todas las asignaturas si quiere ir a la universidad.

Hay **una evaluación** hoy en la clase de Biología pero Andrés no tiene miedo porque es sobre los animales. Le gustan mucho los animales y presta mucha atención en esta clase. Por eso no necesita estudiar. Su profe **evalúa** a los alumnos por escrito y oralmente. Cuando Andrés **da exámenes** en esta clase, siempre **saca buenas notas**.

En sus otras clases **reprueba muchos exámenes** pero no en Ciencias. **Aprueba** todos los exámenes de Ciencias porque son importantes para su futuro. ¡Menos mal que los profesores de sus otras asignaturas no **le toman un examen** hoy!

Paso 2B: Conversar y justificar

a. Conversa con un/a compañero/a y respondan a las siguientes preguntas.

b. Busquen evidencia en el texto para justificar sus respuestas.

1. ¿Qué día es?
2. ¿Por qué están enfadados con él los profesores de Andrés?
3. ¿Qué va a pasar si Andrés no empieza a trabajar?
4. ¿Cuál es la profesión que le gusta a Andrés?
5. ¿En qué clase tiene una evaluación hoy?
6. ¿Cómo evalúa su profe de Ciencias?
7. ¿En qué clase aprueba los exámenes casi siempre y por qué?

Enfoque cultural

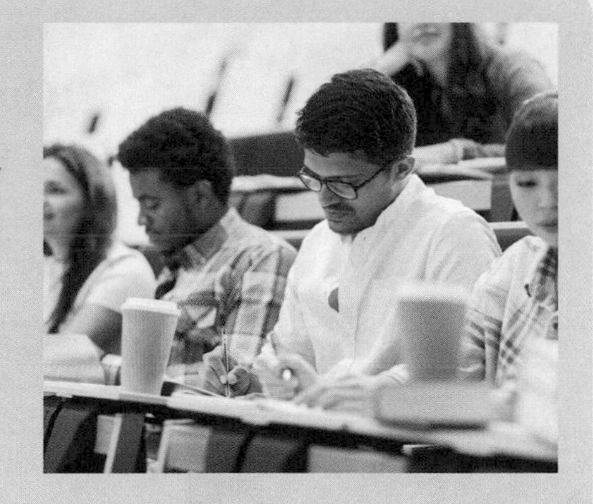

Práctica cultural: Dar un examen vs. tomar un examen

Several countries in South America, including Argentina, Chile, Ecuador, Peru, and Urguay, use the term "dar un examen" is used when a student takes a test, and the term "tomar un examen" is used by the teacher when he/she gives a test to the students.

At the same time, in Spanish you would say that the student "saca buenas/malas notas", gets good/bad grades, which means the student earns the grades. You would never say, "La profesora me da una F en el examen" (*The teacher gives me an F on the exam*), you would say, "Yo saco una F en el examen."

  Conexiones

How do you think these differences in language reflect how students take responsibility for their learning in Latin American countries?

 Paso 3: Practicar con el vocabulario

Decide cuál de estas explicaciones o sinónimos corresponde con los términos de vocabulario de **Así se dice 7**.

1. no tener la nota aceptable para pasar
2. tener una nota aceptable para pasar
3. tener entre el 0 y el 100%
4. la tarea
5. las notas
6. un examen

 ¡Prepárate!

Los estudiantes de Ecuador necesitan saber cómo es el sistema de evaluación en tu colegio para tener éxito durante su tiempo en la escuela.

a. Utiliza el vocabulario de **Así se dice 7** para explicar cómo los profesores en tu escuela evalúan a sus estudiantes.

b. Explica en dos oraciones: ¿Qué haces para preparar tus evaluaciones?

Guayaquil, Ecuador

Recuerda: Los verbos que cambian de raíz

Do you remember the pattern for stem-changing verbs? Why does **reprobar** change?

- "En sus otras clases **reprueba** muchos exámenes…"

Why does **aprobar** change?

- "**Aprueba** todos los exámenes de Ciencias…"

Actividad 18

¿Qué necesitas hacer para sacar buenas notas?

Paso 1A: Conversar:

Entrevista *(interview)* a tu compañero/a con las siguientes preguntas. Toma apuntes de sus respuestas.

Estudiante A	Estudiante B
1. ¿Qué haces para organizar tus deberes y materiales para estudiar?	1. ¿Qué haces cuando vas a tener una evaluación en una clase?
2. ¿Cuánto tiempo estudias para una evaluación?	2. ¿En qué asignatura tienes buenas calificaciones siempre? ¿Por qué?
3. ¿En qué clases tienes muchos deberes?	3. ¿Qué asignatura evalúa más frecuentemente?

Paso 1B: Escribir y presentar

Prepárate para compartir con la clase la información que sabes ahora de tu compañero/a. Escribe cuatro oraciones sobre sus hábitos de estudio.

I can recognize ways to be successful in school from someone speaking about the topic.

Paso 2A: Observar

a. Escucha a David mientras habla de sus notas y cómo tener éxito en su escuela.

b. Anota lo que escuchas sobre los siguientes temas:

- las materias que le gustan y no le gustan a David
- cómo son las notas en su escuela
- qué tiene que hacer un estudiante en su escuela para sacar buenas notas

Escuela del Milenio
Sumak Yachana Huasi
Cotacachi, Ecuador

Paso 2B: Conversar

Con un/a compañero/a, hablen sobre estas preguntas:

1. ¿Cuál de sus materias (asignaturas) le gusta más a David y por qué?
2. ¿Cuál de las materias le gusta menos a David y por qué?
3. ¿Sobre cuánto *(out of what number)* son las notas en su colegio?
4. ¿Con qué nota aprueba una materia?
5. ¿Cuántas oportunidades tiene para aprobar una materia?
6. ¿Qué pasa si no aprueba una materia?

Paso 3A: Comparar

Utiliza el diagrama de Venn para comparar las evaluaciones en tu colegio con el de David.

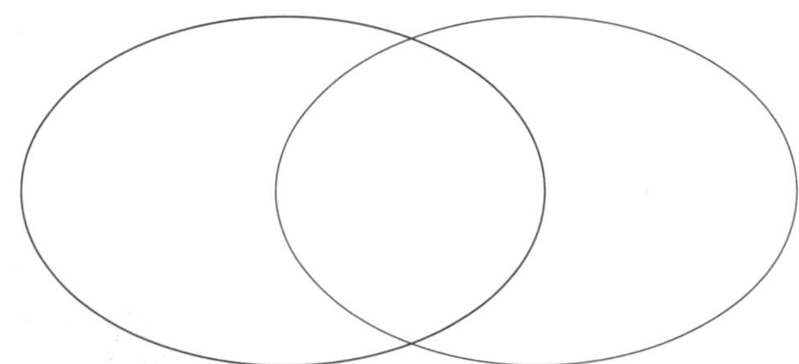

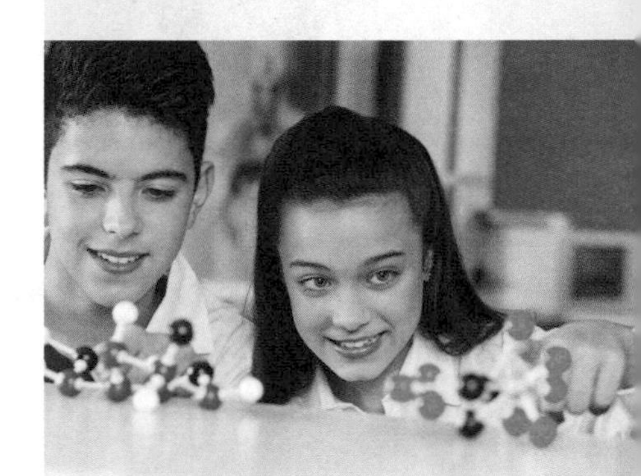

Paso 3B: Hablar en grupo

a. Conversa con tus compañeros en un grupo pequeño sobre las siguientes preguntas.
b. Justifica tus respuestas con ejemplos de tu escuela y de la escuela de David.
   - ¿En qué se parecen (son similares) los dos colegios?
   - ¿Qué diferencias hay entre los dos sistemas de evaluación?
   - ¿En qué colegio es más difícil aprobar una materia?

Enfoque cultural

Práctica cultural: El uso de tecnología para tener éxito en la escuela

When students in Latin America have smartphones, many develop ways to use their phones to help stay organized and motivate them to study and get good grades. Watch this student explain her methods and come up with your own!

  **Conexiones**

How can technology hinder us from getting good grades? How can it help?

Observa 2

Expressing obligation

¿Qué observas?

1. What do you notice about the words in bold used to talk about what students "have to" or "should" do to be successful in their classes?

2. Discuss what you notice with a partner and note your observations on the graphic organizer you'll find in Explorer.

 ¡Prepárate!

Una nueva estudiante de Ecuador, Elena, te va acompañar a tus clases mañana para conocer mejor a los profesores y aprender cómo puedes tener éxito en las clases este año escolar. Al final del día Elena te llama para hacerte unas preguntas sobre el éxito escolar.

a. En la guía digital, escucha sus preguntas.

b. Después graba una respuesta en que le ofreces consejos *(advice)* para tener éxito.

Modelo

Elena: ¿Qué necesito hacer en la clase de Ciencias para sacar una buena nota?

Tú: Siempre hay que hacer los deberes y prestar atención al profesor durante las lecciones. También debes escribir apuntes y hacer preguntas si no entiendes algo.

Mi progreso comunicativo

I can explain how to be successful in school.

Actividad 19

¿Sigues las reglas en tu escuela?

Paso 1A: Emparejar

Todas las escuelas y clases tienen reglas (o normas) para crear un ambiente positivo y productivo. Tenemos normas porque queremos una estructura en la escuela para poder aprender bien y tener éxito.

a. Mira la columna a la derecha. ¿Cuáles son las normas en tu escuela?

b. Empareja las siguientes frases con la palabra correspondiente.

1.	la clase comienza a las 8:00 a.m.	a.	levantar la mano
2.	contestar una pregunta	b.	cuidar
3.	sacar buenas notas	c.	respetar
4.	ir al baño	d.	pedir permiso
5.	en las clases de Álgebra, Español, Historia	e.	cumplir con la tarea
6.	a los profesores y compañeros	f.	prestar atención
7.	los libros y materiales	g.	llegar a tiempo

Así se dice 8: Las reglas en la escuela

cuidar el salón y los materiales

cumplir con las tareas

llegar a tiempo

pedir permiso para . . .

prestar atención

respetar

Enfoque cultural

Producto cultural: El uso de los uniformes escolares

In Latin America school uniforms are just as common in public schools as in private schools. Generally public school uniforms are very simple; the students wear navy blue or beige pants or skirts, and white shirts. Private school uniforms are more sophisticated.

  **Conexiones**

What are some reasons to wear school uniforms?

 Paso 1B: Imaginar

Lee las siguientes preguntas y selecciona la respuesta correcta. ¿Qué hay que hacer en cada escenario?

1. Quieres hacer una pregunta a tu profesor/a de Ciencias.
   - ❍ Hay que pedir permiso y salir al baño.
   - ❍ Hay que levantar la mano.
2. Te dan tus nuevos libros para la clase de Español.
   - ❍ Hay que llegar a tiempo a la clase de Español.
   - ❍ Hay que poner el nombre en los libros y cuidarlos.
3. Necesitas ir a la oficina de la consejera.
   - ❍ Hay que pedir permiso para salir de clase.
   - ❍ Hay que hablar por teléfono a la consejera.
4. Quieres sacar buenas notas en la clase.
   - ❍ Tienes que cuidar el salón.
   - ❍ Tienes que completar todas las tareas.
5. La clase de música empieza a las 10:45 de la mañana.
   - ❍ Hay que llegar a tiempo a clase.
   - ❍ Hay que poner tu instrumento en el casillero.

Enfoque cultural

Práctica cultural: Los profesores cambian aulas

In Ecuador and other Spanish-speaking countries, students do not change classrooms during the day. Rather, students stay in the same room all day and their different teachers come to their classroom to teach their specific subject.

That's why David says, *"Mi colegio es muy bueno porque los profesores vienen organizados, son puntuales. Claro que hay veces que no, por la razón que tienen algún problema familiar o se olvidaron o algo así".* So in this case, coming to class on time is a rule that teachers have to follow!

When the teacher comes into the room, the students (who are already there) stand up next to their desks to show respect for the teacher. In colleges and universities in South America, students also stand up when their professor enters the room.

  **Conexiones**

What do you think about a school day when you don't move around and the teachers come to you? How is standing up next to your desk a sign of respect for teachers?

Quilotoa, Ecuador

  Paso 2: Asociaciones

¿Cómo se relacionan las normas de la escuela con el aprendizaje *(learning)*? Empareja las frases de la izquierda con la acción de la derecha.

1. Para mostrar respeto al profesor	a. debes pedir permiso.
2. Para sacar buenas notas en el examen	b. debes llegar a tiempo.
3. Para mantener un buen ambiente en la clase	c. debes hacer preguntas en clase.
4. Para entender mejor cuando estás confundido	d. debes saludar al entrar a clase.
5. Para reusar los libros el próximo año	e. debes estudiar.
6. Para no perder los primeros minutos de la clase	f. debes seguir las normas.
7. Para salir de la clase	g. debes hacer las tareas.
8. Para seguir la información de la clase	h. debes cuidar los materiales.

Claro que siempre un profesor te va a poner a veces los exámenes medio difíciles, pero hay que estudiar.

Tú siempre tienes que obedecer al profesor, hacer los deberes, respetar a los directivos…

 Paso 3: Reflexionar

a. Piensa honestamente en tu comportamiento *(behavior)* en tus clases. Utiliza la reflexión en la guía digital para ayudarte.

b. Responde a las siguientes preguntas:

- ¿Cuáles son algunas de las normas que debes seguir en tu escuela?
- ¿Qué reglas sigues en tus clases?
- ¿Qué puedes hacer para participar y ayudar más en tus clases?

c. Deja un mensaje de voz para tu profesor/a con la autoevaluación de tu comportamiento en tus clases.

Enfoque cultural

Producto cultural: Llevar el carnet estudiantil

In Ecuador and other Spanish-speaking countries, students must have their student identification card (carnet de estudiante) with them at all times. Students can use this as a library card or to enter school events, but it also ensures them access to benefits for students like reduced fare on the local buses that many students take to school.

  Conexiones

When and how do you use your student ID card? Is this similar or different to how student ID cards are used by Ecuadorian students?

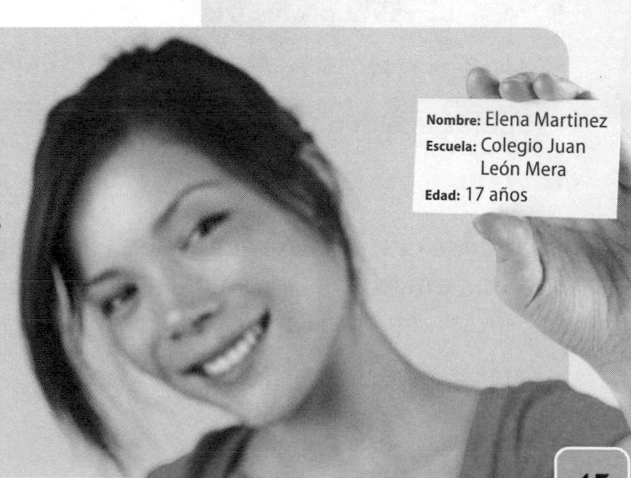

Actividad 20

¿Por qué es importante seguir las reglas de la escuela?

Paso 1: Observar y escribir

a. Mira las fotos de las dos clases.

b. Completa el organizador gráfico con las acciones (o verbos) para describir qué hacen los estudiantes y la profesora en las fotos.

CLASE A

CLASE B

Paso 2: Conversar

Con un/a compañero/a, hablen sobre estas preguntas:

1. ¿Qué hacen los estudiantes y la profesora en la clase A?
2. ¿Qué hacen los estudiantes y la profesora en la clase B?
3. ¿Qué clase es más tranquila? ¿Más desorganizada?
4. ¿En qué clase pueden los estudiantes aprender mejor? ¿Por qué?

Paso 3: Escribir

Escribe una oración para describir cómo las siguientes reglas influyen en el éxito escolar de los estudiantes en una clase.

- respetar al/la profesor/a y a los otros estudiantes
- prestar atención cuando alguien habla
- cuidar el salón y los materiales

Modelo

Cuando los estudiantes cumplen con las tareas, el profesor no tiene que repasar y puede enseñar nueva información.

Mi progreso comunicativo

I can give examples of how classroom rules impact learning.

Actividad 21

¿Cómo te sientes en las clases?

Paso 1: Escribir y compartir

El ambiente (*environment*) en las clases depende de las acciones del profesor y de los estudiantes.

a. Revisa el vocabulario de **Así se dice 9** para completar el organizador gráfico según el modelo.

b. Añade otras acciones que contribuyen a un ambiente positivo o negativo en la clase.

c. Comparte tus ideas adicionales con un/a compañero/a.

Acciones que contribuyen a un ambiente positivo	
Estudiantes	Profesores
respetan al/a la profesor/a	son acogedores

Acciones que contribuyen a un ambiente negativo	
Estudiantes	Profesores
interrumpen al/a la profesor/a	no prestan atención a sus estudiantes

Así se dice 9

El ambiente de la escuela

abierto/a

académico/a

acogedor/a

inclusivo/a

respetuoso/a

tolerante

tranquilo/a

Problemas en la escuela

el acoso escolar

faltar el respeto

insultar

interrumpir

obedecer/desobedecer

portarse mal

¿Te acuerdas de las emociones?

cómodo/a

confundido/a

contento/a

incómodo/a

nervioso/a

preocupado/a

seguro/a

tranquilo/a

Paso 2: Imaginar

Piensa en las situaciones anteriores, mencionadas en Paso 1. ¿Cómo te sientes *(How do you feel)* cuando los estudiantes y profesores hacen una de estas cosas? Conversa con un/a compañero/a.

Modelo

Cuando los estudiantes interrumpen al profesor, me siento…

Cuando la profesora sonríe a la clase, me siento…

Paso 3: Describir

Conversa con un/a compañero/a sobre tus experiencias en las clases: ¿Cuáles son las clases que en tu opinión tienen un ambiente positivo?

- ¿Qué hacen o NO hacen los profesores para crear y mantener un ambiente positivo en la clase?
- ¿Qué hacen o NO hacen los estudiantes para crear y mantener un ambiente positivo en la clase?

¡Prepárate!

¿Puedes describir el ambiente en tus clases? ¿Puedes explicar qué hacen tus profesores y los estudiantes para crear un ambiente positivo en la clase? Da ejemplos en la guía digital.

Cuenca, Ecuador

Actividad 22

¿Cómo es un ambiente positivo en la clase?

Paso 1: Pensar y escribir

Piensa en cómo es un ambiente positivo en la clase. Escribe tus ideas en el organizador gráfico de "Veo / Escucho / Me siento".

- ¿Qué ves en una clase con un ambiente positivo? ¿Qué hacen los estudiantes y qué hace el profesor?
- ¿Qué escuchas, qué dice el profesor y qué dicen los estudiantes?
- ¿Cómo te sientes en una clase con un ambiente positivo?

En una clase con un ambiente positivo…

Paso 2: Conversar

a. Comparte tus ideas con un/a compañero/a.

b. Si tu compañero/a tiene otras ideas, añádelas a tu organizador gráfico.

Paso 3A: Pensar y organizar

Mañana vas a participar en una presentación para los estudiantes internacionales de Ecuador. Para preparar la presentación escribe tus ideas sobre estos temas:

- ¿Qué hacen los estudiantes en una clase con un ambiente positivo?
- ¿Qué hace el profesor en una clase con un ambiente positivo?

Paso 3B: Practicar

Visita la guía digital para grabar una práctica de la información que vas a presentar mañana a los estudiantes internacionales de Ecuador. Incluye:

1. ¿Cómo es una clase con un ambiente positivo?
2. ¿Qué debe hacer un/a profesor/a para contribuir a un ambiente positivo?
3. ¿Qué tienen que hacer los estudiantes para crear un ambiente positivo?
4. ¿Qué no deben hacer los estudiantes para mantener un ambiente positivo?

Actividad 23

¿Cómo aprendes en diferentes tipos de ambientes?

Paso 1: Conversar

Con un/a compañero/a conversen acerca de los siguientes temas:

1. ¿Es más fácil para ti enfocarte en ciertas clases? ¿Por qué?
2. ¿Prefieres ir a unas clases más que a otras? ¿Por qué?
3. Describe las acciones de los profesores en las clases en las que aprendes mejor.
4. Describe las acciones de los estudiantes en las clases en las que aprendes mejor.
5. ¿Qué clases te parecen más prácticas para tu vida?
6. ¿En qué clases crees que la mayoría de los estudiantes pone más esfuerzo? ¿Por qué?
7. ¿Crees que los profesores más estrictos tienen un mejor ambiente en la clase o es lo opuesto?

Paso 2A: Observar y anotar

Mientras ves el video de la Escuela del Milenio Sumak Yachana Huasi presta atención a Kuri Farinango, un estudiante de esta escuela, cuando describe el ambiente de su escuela.

Escuela del Milenio Sumak Yuchana Huasi
Tunimamba Llacta, Cotacachi, Ecuador

Enfoque cultural

Producto cultural: Escuelas bilingües en Ecuador

In Ecuador there are some bilingual schools, where students who are native speakers of Quichua can learn in their native language. Members of the community, who are native speakers as well, teach these classes. Subjects are taught in both languages and all students learn about academics, culture and language.

  **Conexiones**

What do you think are the benefits of a bilingual education?

Paso 2B: Ver y comprender

a. Lee las siguientes oraciones y escribe si el hecho es cierto (C) o falso (F).

b. Si la información subrayada con línea es falsa, escribe la información correcta.

1. Los indígenas se sentían orgullosos *(proud)* de su vestimenta en sus otras escuelas.
2. El idioma natal de los estudiantes indígenas es el español.
3. Todos los estudiantes en el colegio Sumak Yachana Huasi toman clases en quichua.
4. El ambiente en esta escuela es más inclusivo que otras escuelas que no son bilingües.

Reflexión intercultural

1. Have you ever attended a school that provided all instruction in a language other than your mother tongue? If yes, describe what that was/is like. If not, take a few moments to reflect on what it might be like to learn science, math or history in a second language.
2. Do you think that bilingual schools in Ecuador, like Sumak Yachana Huasi, are improving educational opportunities for all students by conducting classes in the different languages spoken throughout the country instead of solely in Spanish?
3. How might teaching all students quichua create a more positive learning environment for the indigenous students?
4. How is this bilingual school meeting the needs of the students in the community it serves?

Además se dice

indígenas - indigenous (native to a region)

rechazados - rejected

vestimenta - clothes

idioma natal - native language

mestizos - someone of indigenous and European heritage

quichua - one of the indigenous languages spoken in Ecuador

Quito, Ecuador

Mi progreso intercultural

I can recognize how bilingual education in Ecuador is improving learning opportunities for indigenous students.

En camino B

Cómo tener éxito en tu escuela

You have been paired with a student and his/her family from Ecuador. This exchange student will be arriving at your school soon for an exchange program, and he/she needs to be prepared. The student and their family need to know how the evaluation system works in your school, what the rules and the environment are like at your school, as well as how to be successful.

Paso 1: Escuchar y tomar apuntes

Listen to David as he describes his school. Take notes as he talks about his grades, the school environment and rules.

Paso 2: Leer y escribir

Read an email from one of the students from Ecuador. Reply to the questions in his email about how to be successful in your school.

Paso 3: Presentar tu colegio

Prepare a one-page pamphlet with images that you can send to the new student and his/her family, so they know how to be successful in your school.

- What do students need to do in your school to get good grades?
- What are the rules that students must follow in school?
- What kind of environment is there in different classes at your school? What should students do to contribute to a positive class environment?

Síntesis de gramática

Verbos regulares terminados en: -ar, -er & -ir. To conjugate regular verbs, you need to drop the ending (ar, er, ir) and add a new ending for each form. Here you can find some examples:

caminar

yo camino	nosotros caminamos
tú caminas	*vosotros camináis*
Ud. camina	Uds. caminan
él/ella camina	ellos/ellas caminan

Modelo

Nosotros **caminamos** a la escuela todos los días.

comer

yo como	nosotros comemos
tú comes	*vosotros coméis*
Ud. come	Uds. comen
él/ella come	ellos/ellas comen

Modelo

¿**Comes** en la cafetería de la escuela?

vivir

yo vivo	nosotros vivimos
tú vives	*vosotros vivís*
Ud. vive	Uds. viven
él/ella vive	ellos/ellas viven

Modelo

Vivo cerca de la escuela.

Verbos con cambios en la raíz: These verbs have changes in the stem (root) in all the forms except in the nosotros and vosotros forms. They are also called "boot verbs," due to the shape of the conjugation chart. There are different kinds:

Verbs that change e ⟶ ie

pensar (to think)

yo pienso	nosotros pensamos
tú piensas	*vosotros pensáis*
Ud. piensa	Uds. piensan
él/ella piensa	ellos/ellas piensan

Modelo

Yo **pienso** jugar fútbol en el otoño.

Verbs that change o ⟶ ue

aprobar (to pass a class/exam)

yo apruebo	nosotros aprobamos
tú apruebas	*vosotros aprobáis*
Ud. aprueba	Uds. aprueban
él/ella aprueba	ellos/ellas aprueban

Modelo

Mis compañeros **aprueban** el examen de español.

Verbs that change e ⟶ i

pedir (to ask for)

yo pido	nosotros pedimos
tú pides	*vosotros pedís*
Ud. pide	Uds. piden
él/ella pide	ellos/ellas piden

Modelo

Daniel **pide** permiso para ir al baño en todas las clases.

Uso del verbo gustar: If you want to express likes/dislikes in Spanish, use the verb **gustar**. The verb gustar is conjugated differently.

- Use **gusta** when talking about a singular item that you like.
- Use **gustan** when talking about more than one thing that you like.
- If you want to say that you do not like something you need to use the word "no" before the pronoun.
- To talk about what other people like, use the appropriate pronoun.

me gusta(n)	nos gusta(n)
te gusta(n)	*os gusta(n)*
le gusta(n)	les gusta(n)

Modelo

Me **gusta** aprender español.

A Pedro no le **gustan** las clases de Ciencias.

No nos **gustan** los colegios muy grandes.

There are other verbs that are similar to **gustar**, like **encantar** (to love).

To express obligation: Use **hay que** + infinitive or **tener que** + infinitive when you need to express the obligation to do something.

Modelo

- Hay que estudiar para sacar buenas notas.
- Tengo que tomar una clase de Química este año.

Vocabulario

Así se dice 7: Las evaluaciones y las tareas

aprobar un examen/una clase - to pass an exam/class
las calificaciones - grades
dar un examen - to take a test (as a student)
los deberes - homework
evaluar (la evaluación) - evaluation; exam
pedir ayuda - to ask for help
reprobar un examen/una clase - to fail an exam/class
sacar una buena o mala nota - to earn a good/bad grade
tener éxito - to be successful
tomar un examen - to give a test (as a teacher)

Así se dice 8: Las reglas en la escuela

cuidar el salón y los materiales - to take care of the classroom and materials
cumplir con las tareas - to do homework
llegar a tiempo - to arrive on time
pedir permiso para... - to request permission to...
prestar atención - to pay attention
respetar - to respect

Así se dice 9

El ambiente de la escuela

abierto/a - open
académico/a - academic
acogedor/a - welcoming; nurturing
inclusivo/a - welcomes all types of students
respetuoso/a - respectful
tolerante - tolerant
tranquilo/a - peaceful; calm

Problemas en la escuela

el acoso escolar - bullying
faltar el respeto - to be disrespectful
insultar - to offend; to insult
interrumpir - to interrupt
llegar tarde - to arrive late
obedecer/desobedecer - to obey; to disobey

Sugerencias para escribir:

En mi escuela ideal, hay...
- In my school there is (are)...

Los estudiantes tienen clases de...
- Students have...classes

Los profesores son...
- The teachers are...

En las clases, los profesores...
- In class, teachers...

Los estudiantes...
- Students...

El ambiente de la escuela es...
- The school environment...

En mi escuela ideal, hay que...
- In my ideal school...

Los estudiantes tienen que...
- Students have to...

Vive entre culturas

Una escuela ideal

Pregunta esencial: How do schools in different cultural contexts meet the needs of their students?

A large technology company has decided to invest in education by opening new schools throughout North and South America. The company's goal is to create schools that meet the specific needs of the communities they will serve. They are very inspired by the bilingual schools that have been designed and built in recent years in Ecuador.

They have asked students throughout the Americas to participate in a contest to design an ideal school. First, students should observe Sumak Yachana Huasi, a bilingual school in Cotacachi, Ecuador. Based on this model, they should design an ideal school focusing on two big ideas:

- How does the culture of a particular community present unique needs for a school?
- What are some key elements that are essential to a successful school, anywhere?

Interpretive Assessment

Paso 1: Mirar y anotar

Watch the video about the bilingual school, Sumak Yachana Huasi, in Ecuador.

a. Note what unit vocabulary you hear or see in the video.

b. Complete statements about this school to show what you understood.

Interpersonal Assessment

Paso 2: Reflexionar y conversar

a. Reflect on what you have learned about the bilingual school in Ecuador, Sumak Yachana Huasi, in this unit. Organize your ideas in response to the questions in your Explorer course.

b. Participate in group conversations and prepare for your final presentation by sharing your ideas and learning from your classmates. See questions in your Explorer course.

Presentational Assessment

Paso 3: Presentar tu escuela ideal

a. Create a written proposal for what you believe is an ideal school that you will present to your peers. As you design, think about how the bilingual school Sumak Yachana Huasi is meeting the needs of the students in that community by emphasizing interculturality.

b. Include the following information about your school in your presentation:

1. the school building and facilities
2. course offerings
3. engaging classroom activities
4. the role of teachers
5. extracurricular opportunities
6. what students need to do to be successful
7. school rules
8. the school environment

UNIDAD 2
La cultura de una familia

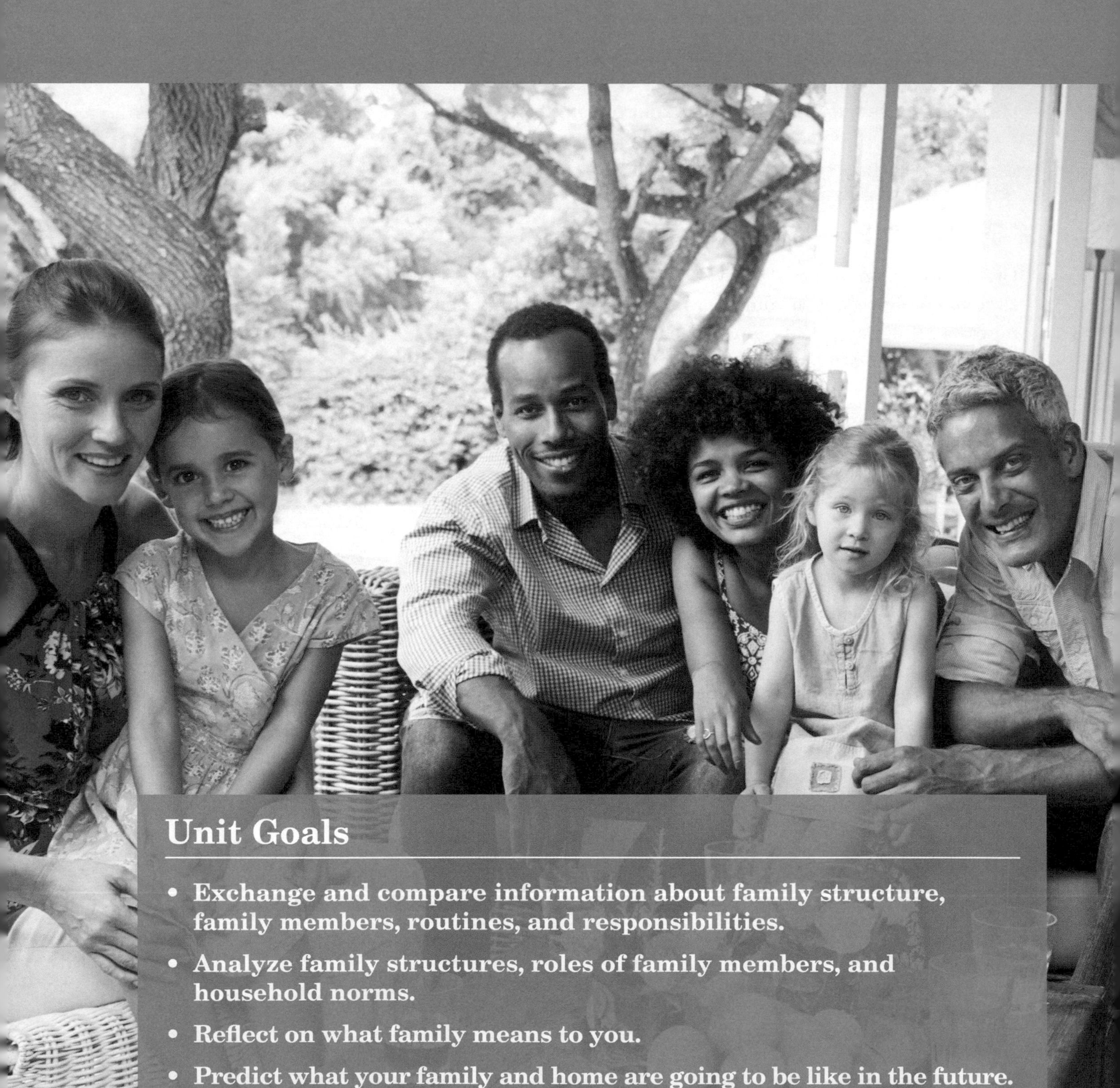

Unit Goals

- Exchange and compare information about family structure, family members, routines, and responsibilities.
- Analyze family structures, roles of family members, and household norms.
- Reflect on what family means to you.
- Predict what your family and home are going to be like in the future.

Preguntas esenciales

What do families and households look like?

How have families changed from one generation to another?

What do you want in a home or family unit in the future?

Nombre: Nayeli
Edad: dieciséis
Idiomas: español e inglés
Origen: Tijuana, México

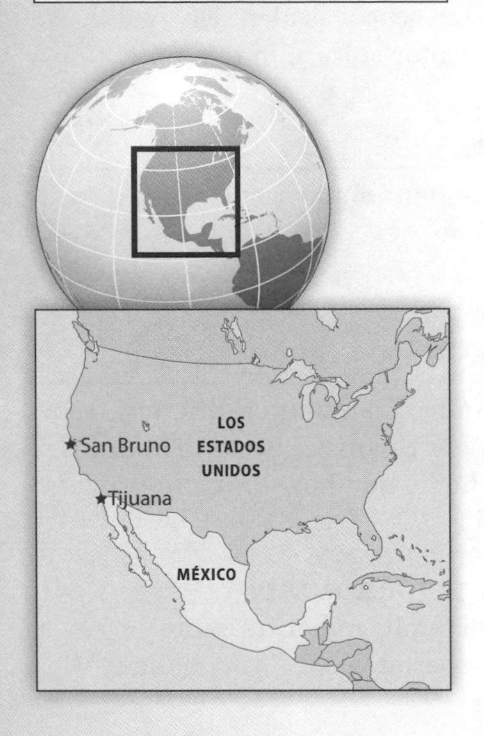

Encuentro intercultural

Nayeli es una estudiante mexicoamericana en un colegio público en San Bruno, cerca de la ciudad de San Francisco. Tiene 16 años y es bilingüe: habla español e inglés. Ella es de Tijuana, una ciudad mexicana cerca de la frontera con los Estados Unidos.

Hay una gran comunidad hispanohablante bilingüe en California, es la mayor de los Estados Unidos. Por ejemplo, en el pueblo donde vive Nayeli, un 30% de la población es de herencia cultural mexicana.

En esta unidad, Nayeli nos cuenta sobre la cultura de su familia: sus tradiciones, costumbres y rutinas diarias.

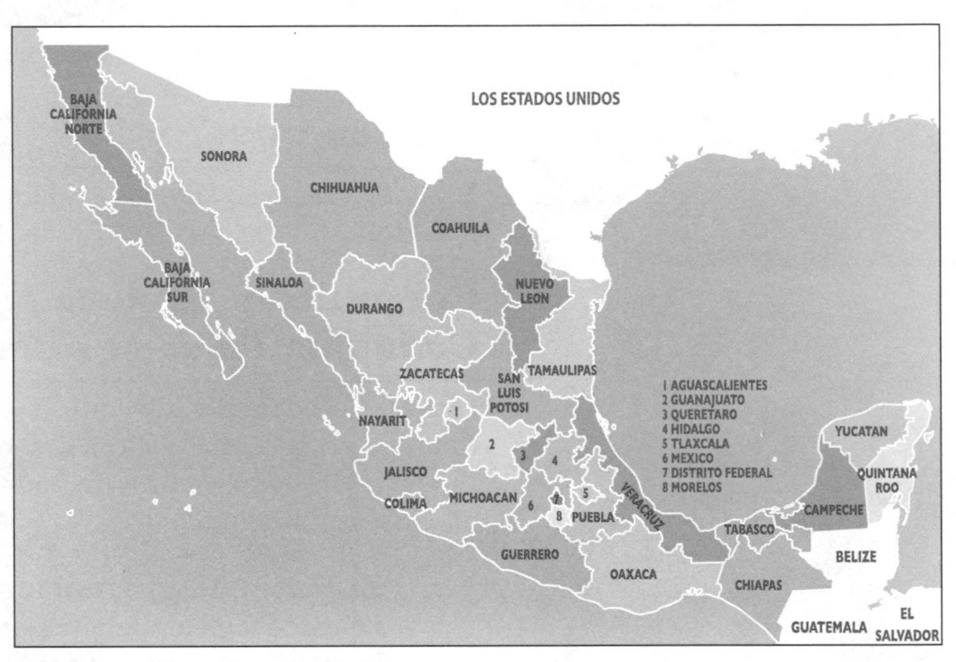

Información sobre México

México tiene 31 estados, algunos grandes y otros pequeños, igual que los Estados Unidos. Es un país enorme con montañas, ríos, desiertos y bosques tropicales. México tiene costas en el océano Pacífico al oeste y el mar Caribe y el Golfo de México al este. La gente mexicana tiene herencia cultural azteca, española y de otros grupos indígenas; un 1,5 millones de personas hablan náhuatl, la lengua indígena de los aztecas.

Lucha libre es un deporte y espectáculo muy popular en Mexico.

Frida Kahlo (1907–1954) y **Diego Rivera** (1886–1957) son dos artistas muy famosos de México. Frida Kahlo es muy famosa por sus autorretratos (*self-portraits*) y Diego Rivera es conocido por ser un muralista famoso.

Tenochtitlán

Al visitar la ciudad de México, en el centro de la ciudad están las ruinas de Tenochtitlán. Estas ruinas pertenecen a la civilización Azteca. Tenochtitlán fue la capital del imperio y fue fundada en 1325.

Elena Poniatowska (1933–)

Es escritora y ensayista mexicana. Nació en Francia. Su padre es polaco y su madre es mexicana. Emigró a México a los 10 años. Escribe sobre el racismo, las costumbres y las tradiciones mexicanas.

Maná

El grupo Maná es un grupo de rock latino muy popular en México y en toda América Latina. El grupo se formó en 1987 y sigue cantando hasta ahora.

Actividad 1

¿Recuerdas cómo describir la familia?

Paso 1: Lluvia de ideas

Con un/a compañero/a usen el organizador gráfico de la guía digital para crear una lista de vocabulario para describir a la familia y la casa.

Paso 2: Describir a la familia

Mira las fotos de familias y piensa en el vocabulario que necesitas para describirlas.

a. Con un/a compañero/a, túrnense para describir a las familias.

b. Usen las siguientes frases:

- En esta familia hay…
- Esta familia tiene…
- La chica en esta familia tiene…

Modelo

Los padres tienen tres hijos.

En esta familia hay dos hermanos.

Paso 3: Describir a personas

Observa a las personas en las fotos. ¿Cómo son físicamente?

a. Escoge a tres personas y escribe una oración para describir a cada una.

b. Después lee la descripción a tu compañero/a. ¿Puede tu compañero/a identificar quién es?

Modelo

Estudiante A: Ella tiene el pelo rubio y ojos azules.

Estudiante B: ¿Es la mamá de esta familia?

Paso 4: Presentar a una familia

Presenta una descripción breve de una familia. Menciona los temas siguientes en tu descripción:

- ¿Cómo es la familia?
- ¿Quiénes son los miembros de la familia? ¿Hay mascotas?
- ¿Cómo son las personas en la familia?

Modelo

Tengo una familia pequeña. Vivo con mi mamá, mi abuela y mi hermano menor. Mi hermano es bajo y rubio. Mi mamá es amable y divertida. Mi abuela es amable también pero es un poco seria.

Actividad 2

¿Cuántas personas hay en tu familia?

  Paso 1: Preguntar

Usa el verbo **tener** para escribir cinco preguntas para aprender más sobre la familia del **Paso 4** de un/a compañero/a en tu clase.

Modelo

1. ¿Cuántos primos tienes?
2. ¿Tienes un gato?
3. ¿Cuántos años tienen tus hermanos?

  Paso 2: Responder

Escribe una respuesta a cada pregunta de tu compañero/a. Después devuelve *(return)* tus respuestas a tu compañero/a.

Modelo

1. Tengo ocho primos.
2. La familia no tiene un gato, tengo dos perros.
3. Mi hermano mayor tiene dieciocho años y mi hermana menor tiene once años.

Paso 3: Compartir

a. Lee las respuestas de tu compañero/a. ¿Hay algo similar o diferente entre tu familia y su familia?

b. Comparte con la clase algunas semejanzas y diferencias usando la información en sus respuestas.

Modelo

- Mariana tiene un gato, pero yo tengo un perro.
- Mariana y yo tenemos una hermana menor.
- Mariana tiene quince años y yo tengo dieciséis.

Recuerda: El verbo tener

Tener has an unusual conjugation. **Tener** is a stem-changing e → ie verb and an irregular "**go verb**".

Tener ends in **-go** in the first person singular form and changes e → ie in the second and third singular and third plural forms.

yo ten**go**	nosotros tenemos
tú t**ie**nes Ud. t**ie**ne	*vosotros tenéis* Uds. t**ie**nen
él/ella t**ie**ne	ellos/ellas t**ie**nen

- Yo **tengo** una hermana.
- **¿Tienes** un perro como mascota?
- Mi familia y yo **tenemos** un gato.

In English we use the verb "to be" to say I am 10 years old. In Spanish, we use the verb "tener" to say someone's age.

- Emilia **tiene** 17 años.

¿Te acuerdas?

almorzar

comenzar

dormir

entender

jugar

pedir

pensar

preferir

repetir

resolver

servir

volver

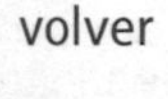

Recuerda

Los verbos con cambios de raíz

Stem-changing verbs change from:

o ⟶ **ue**

dormir (yo **duermo**)

e ⟶ **ie**

preferir (yo **prefiero**)

e ⟶ **i**

pedir (yo **pido**)

u ⟶ **ue**

jugar (yo **juego**)

We use the stem-changing verb **soler** to say that we usually do something. For example:

- **Mi familia** suele ir al parque los domingos.
- *My family usually goes to the park on Sundays.*

Actividad 3

¿Qué prefieres hacer con tu familia?

Paso 1: Conversar

Con un/a compañero/a, túrnense para hacer y responder a las siguientes preguntas. Mientras conversas, toma apuntes.

- ¿Qué te gusta hacer cuando estás con familia?
- ¿Qué suele hacer tu familia los fines de semana?
- ¿Qué prefieres hacer con tu familia para las vacaciones?
- ¿Qué suele hacer tu familia para celebrar los cumpleaños?

Paso 2: Comparar y escribir

Después de conversar con tu compañero/a, escribe por lo menos tres oraciones para comparar qué prefieren o suelen hacer ustedes con sus familias.

Modelo

Yo prefiero montar en bicicletas con mi familia, pero Mariana y su familia suelen correr.

Mis padres suelen ver la tele los viernes, pero los padres de Mariana prefieren ir a un restaurante.

Enfoque cultural

Práctica cultural: Los dos apellidos

En América Latina y España se usan dos apellidos para identificarse legalmente, el apellido paterno y el apellido materno. El primer apellido es del lado paterno y el segundo apellido es del lado materno.

Alexander Arce Manresa es hijo del señor Elías Arce Hidalgo y la señora Sara Manresa Díaz.

En el caso de un matrimonio:

Además cuando una mujer se casa, ella no cambia su apellido para usar el de su esposo. A veces se usa la palabra **de** entre los dos apellidos, el suyo y el de su nuevo esposo.

Ejemplo: Juan Pérez López se casa con Sofía Vaca Hernández.

El nombre legal de la mujer puede ser:

a. Sofía Vaca **de** Pérez b. Sofía Vaca Hernández

 **Conexiones**

How are last names formed in your community? What role do last names play in choosing children's names in your community? Why do you think families from the Spanish-speaking world use two last names?

Actividad 4

¿Qué comunican los apellidos sobre la estructura de una familia?

Paso 1: Escuchar y anotar

a. Escucha la descripción de la familia paterna de Juan Andrés.

b. Completa un árbol familiar con los nombres y apellidos de los miembros de la familia.

Paso 2: Escuchar y comparar

a. Escucha otra vez y usa la tabla para completar el árbol familiar con los nombres y apellidos de todos los miembros de la familia.

b. Compara tu trabajo con un/a compañero/a para saber si toda la información es correcta.

Los nombres de mujer	Los nombres de hombre	Los apellidos
Lucía	Jose Julián	Zapatero
Rosalía	Renato	Martínez
María de los Angeles (Angelita)	Salomón	Correa
Ana María	Esteban	Vélez
Elena	Roberto	Jaramillo
Paula	Pablo José	Montero
Raquel	Julián	Centeno
María Cristina	Miguel	
María Teresa (Marité)		

¡OJO! Juan Andrés no dice los apellidos de sus hermanos ni los de sus primos.

¿Te acuerdas?

La familia

el/la abuelo/a
el/la esposo/a
el/la hermano/a
el/la hermanastro/a
el/la hijo/a
la madre
la mamá
el/la medio/a hermano/a
el padre
el papá
los padres
el/la primo/a
soltero/a
el/la tío/a

Para comparar

mayor
más grande que . . .
más pequeño/a que . . .
menor

Las características físicas

alto/a
bajo/a
delgado/a
feo/a
gordo/a
guapo/a
moreno/a
pelirrojo/a
rubio/a

Las características de la personalidad

acogedor/a
adolescente
adulto/a
alegre
amable
callado/a
cómico/a
divertido/a
educado/a
gracioso/a
honesto/a
impaciente
joven
ordenado/a
serio/a
simpático/a
viejo/a

Las actividades en familia

andar en bicicleta
ayudar en casa o en la comunidad
comer platos exóticos
comer juntos
cuidar a los niños
dar un paseo
explorar la ciudad/el campo
hacer deporte
leer cómics
preparar la comida
ver la televisión

Las mascotas

gato
perro

Comunica y Explora A

Cada familia se ve diferente

Pregunta esencial: What do families and households look like?

Actividad 5

¿Quiénes son las personas en una familia?

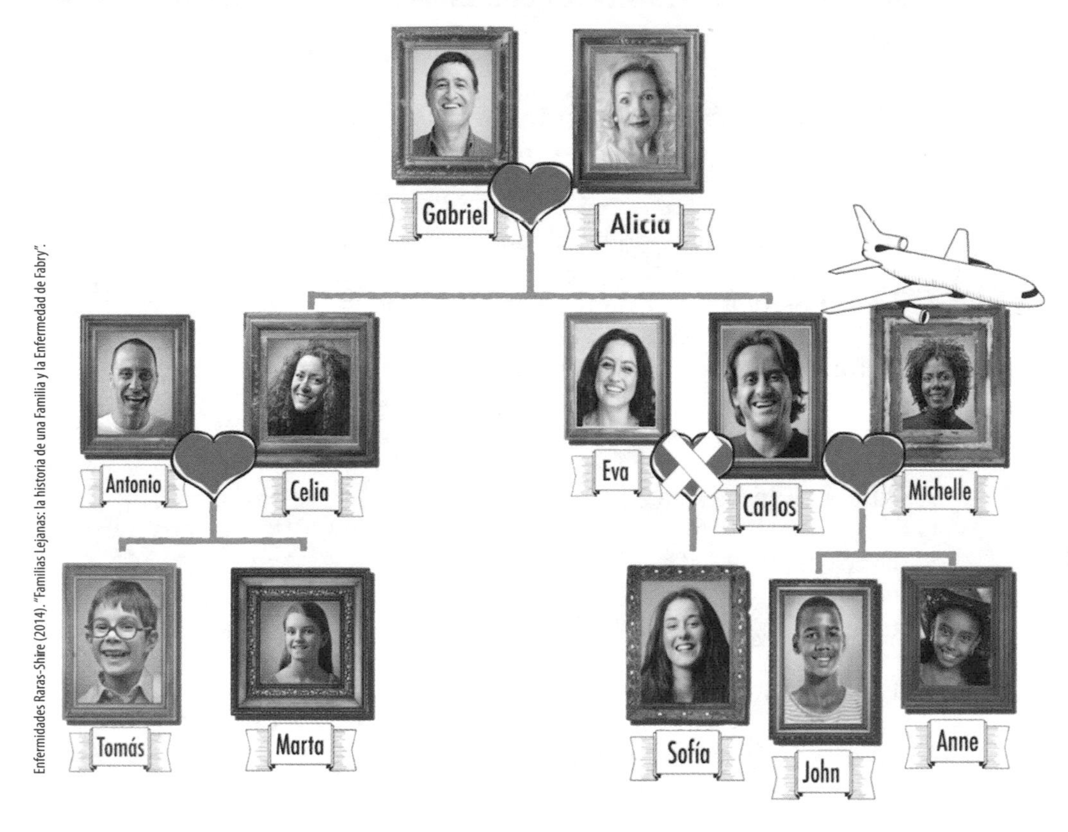

Enfermidades Raras-Shire (2014). "Familias Lejanas: la historia de una Familia y la Enfermedad de Fabry".

Paso 1: Observar y escuchar

Mientras miras el video, presta atención a la estructura y las personas en la familia.

Enfoque cultural

Práctica cultural: Variedad lingüística

How do you refer to boyfriends/girlfriends in different countries in Latin America?

- In Ecuador, Colombia and Peru you say ***enamorado/a*** when a couple is dating to say boyfriend/girlfriend; when the couple is engaged you use ***novio/a*** to say fiancé.
- In Chile you say ***pololo/a*** (and the verb to say you are going out is ***pololear***).
- In Venezuela you say ***pavo/a***.
- In Nicaragua you say ***jaña*** or ***maje***.
- In the Dominican Republic you say ***mangue***.

Eres mi media naranja.

Conexiones

What kinds of words are used to explain that people are a couple in English? Do older generations use different words for this than you and your friends?

Así se dice 1: Los miembros y la estructura de la familia

el árbol familiar
casado/a
el/la hermanastro/a
el/la hijo/a del medio
el/la hijo/a mayor
el/la hijo/a menor
el/la hijo/a único/a
la madrastra
el/la medio/a hermano/a
el padrastro
la pareja
los parientes

Además se dice

divorciado/a - divorced
el marido - husband
la mujer - wife

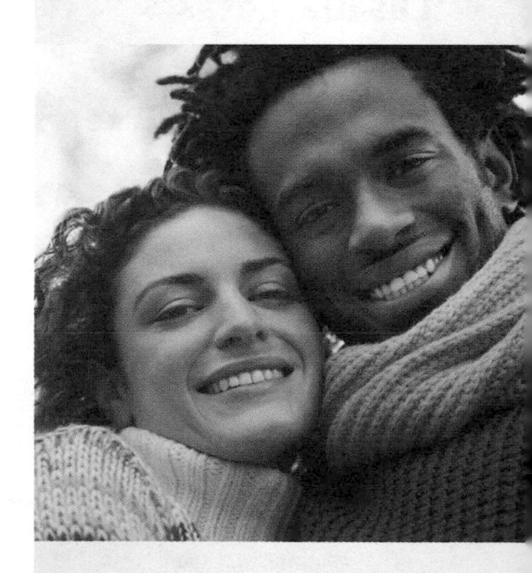

Además se dice: Los miembros de la familia

el/la bisabuelo/a - great-grandfather/ great-grandmother

el/la bisnieto/a - great-grandchild

el/la tío/a abuelo/a - great-uncle/great-aunt

Además se dice: Las mascotas

el pájaro - bird

el pez/los peces - fish/fishes

la lagartija - lizard

la serpiente - snake

la tortuga - turtle

Paso 2: Cierto o falso

Lee las oraciones sobre la familia del video. ¿Son estas afirmaciones ciertas o falsas? Si el hecho es falso, escríbelo de nuevo con la información correcta.

1. Marta y Tomás son bisnietos de Juan y Maria.
2. Luis es soltero.
3. Antonio es el marido de Celia.
4. Laura es la única hija de Berta y Alex.
5. Sofía y Anne son hermanastras.
6. Andrés es el tío abuelo de Laura.
7. Alicia es la pareja de Peter.
8. Eva y Carlos están divorciados.
9. Gabriel es el abuelo de Sofía.
10. Berta y Alex están casados.
11. Ana es la tía abuela de Laura.
12. Tomás es el primo hermano de Sofía.

Paso 3A: Crear un árbol familiar

Crea un árbol familiar con todos los miembros de tu familia. Escribe la relación que cada persona tiene contigo.

- Piensa en las personas de tu familia a quienes conoces bien (abuelos, padres, hermanos, tíos, primos...).
- ¿Hay una mascota en tu familia? ¿La mascota es como un hijo o una hermana? Inclúyela en el árbol familiar.

Enfoque cultural

Práctica cultural: Las mascotas

It is common in Hispanic countries for families to have pets, like cats and dogs, much like in the US. In Latin America pets generally do not live inside the house. Dogs and cats spend a lot of time outdoors, and if they get inside the house, they may be restricted to specific areas.

  **Conexiones**

How are pets treated in your family or in families in your community?

Paso 3B: Describir a tu familia

Escribe por lo menos seis oraciones para describir la estructura de tu familia. Visita la guía digital para entregar la descripción de tu familia.

Modelo

Mi mamá y mi papá solo tienen una hija, yo. Ahora, mi mamá está divorciada de mi papá. Mi papá está casado con mi madrastra Mariela y mi mamá está casada con mi padrastro Antonio. Tengo tres hermanastros: mi hermanastra, Azucena, es la hija de mi madrastra y mis dos hermanastros, Pedro e Ignacio, son los hijos de mi padrastro.

¡Prepárate!

¿Qué tipo de familia te llama la atención? Visita la guía digital y graba un mensaje oral en el que describes qué tipo de familia te interesa o te gustaría *(would like)* tener en el futuro.

Modelo

Tengo una familia pequeña, pero me fascinan las familias grandes. Me gustaría tener muchos hijos, como cinco o seis. En una familia con muchos hijos, siempre hay otro niño con quien jugar. A veces estoy aburrida en mi casa porque solo tengo un hermano mayor y no jugamos juntos.

Enfoque cultural

Práctica cultural: Hablar de la familia

In Spanish, when referring to a family member, for example a parent, people often say "mi mamá" or "mi papá" even when talking to a sibling. For example, you could ask your brother or sister, "¿Cómo está mi mamá?" or "¿Cómo está mi abuelita?"

A parent will call their child "mi hijo" or "mi hija" on a regular basis as well. The short word for that is *mijo* or *mija*.

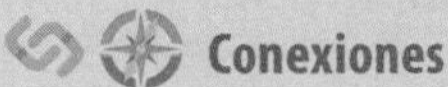

Conexiones

Do your parents ever address you as "my son" or "my daughter"? What does this tell you about family relationships in Spanish-speaking cultures?

mi abuelo,
Juan Carlos Calderón

Expresiones útiles

Me interesa(n)... - It/they interests (interest) me...

Me fascina(n)... - It/they fascinates (fascinate) me...

Me encanta(n)... - I love it/ them...

Me gustaría... - I would like to...

Observa 1

Comparaciones de igualdad

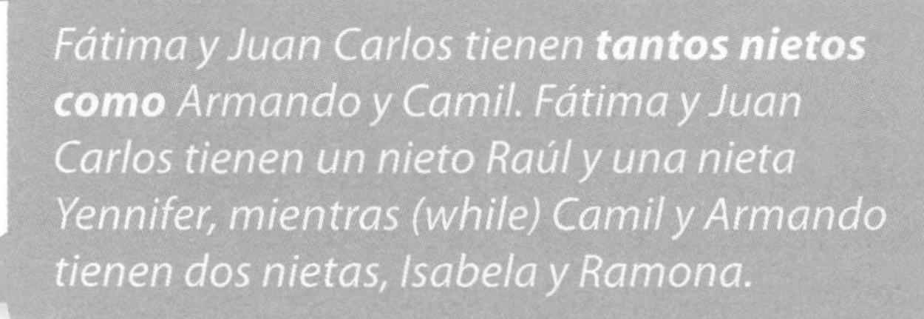

Maribel tiene ***tantas hijas como*** *su hija, Camil. Ambas (both) tienen dos hijas.*

Diego tiene ***tantos hijos como*** *su prima, Gabriela. Diego tiene un hijo y una hija y Gabriela tiene dos hijas.*

Raúl no tiene ***tantas hermanas como*** *Juan Carlos. Raúl tiene una hermana y Juan Carlos tiene dos.*

Diego tiene ***tanta paciencia*** *con su hijos* ***como*** *Gabriela con sus dos hijas.*

Marisol tiene ***tanto amor*** *por sus sobrinos* ***como*** *Valeria por sus dos sobrinas.*

¿Qué observas?

1. What do you notice about how comparisons are made using expressions of equality?
2. What do you notice about when comparisons are made using nouns?
3. What about when making comparisons using adjectives?

Actividad 6

¿Cómo son similares o diferentes nuestras familias?

Mi progreso comunicativo

I can compare family structures.

  Paso 1: Hablar

Describe a tu familia a un/a compañero/a usando tu árbol familiar. Utiliza un diagrama de Venn durante la conversación y anota las semejanzas y diferencias entre tu familia y la suya.

  Paso 2: Comparar

¿Cómo son similares o diferentes tu familia y la familia de tu compañero/a? Comparte con la clase una semejanza y una diferencia entre tu familia y la familia de tu compañero/a.

Modelo

Julia tiene tantas primas como yo, tenemos cinco primas.

No tengo tantas tías como Julia. Ella tiene tres tías y yo una.

Paso 3: Expresar preferencias

Pronto tu escuela va a participar en un programa de intercambio y tu familia puede recibir a un estudiante mexicano en la casa para vivir con ustedes por un tiempo.

a. Piensa en la estructura de tu familia y las preferencias para quién recibir en tu casa.

b. Conversa con un/a compañero/a:

- ¿Prefieres un hijo mayor o menor o del medio? ¿Por qué?
- ¿Prefieres una persona mayor o menor que tú? ¿Por qué?
- ¿Prefieres un estudiante con tantos hermanos como tú? ¿Por qué?

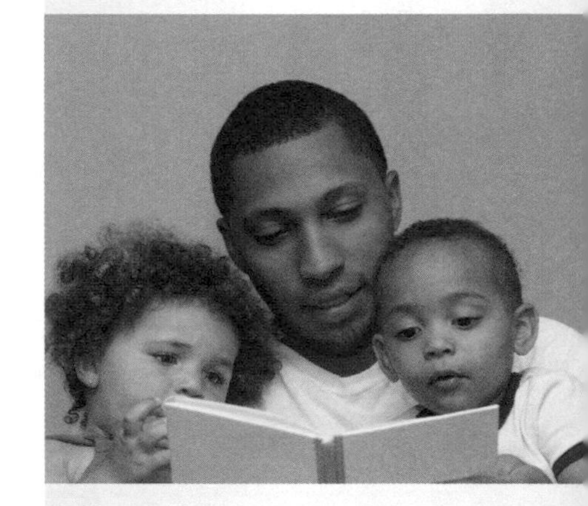

Modelo

Prefiero un hijo mayor porque ahora soy el hijo mayor y quiero un chico mayor que yo en la casa.

Enfoque cultural

Práctica cultural: "Los primos hermanos"

In Hispanic countries, cousins are very important in the life of children. However, there is a BIG difference between types of cousins. First cousins are called **primos hermanos** and they are like siblings. Primos hermanos grow very close together in the family. Second cousins are important too, but they are not as close as primos hermanos. If **primos hermanos** are like your *hermanos* then your aunt is your second mother! How do you like that?

  Conexiones

Do you consider your cousins as siblings? What does the term "**los primos hermanos**" tell us about family relationships in many Spanish-speaking families?

Observa 2

Los superlativos

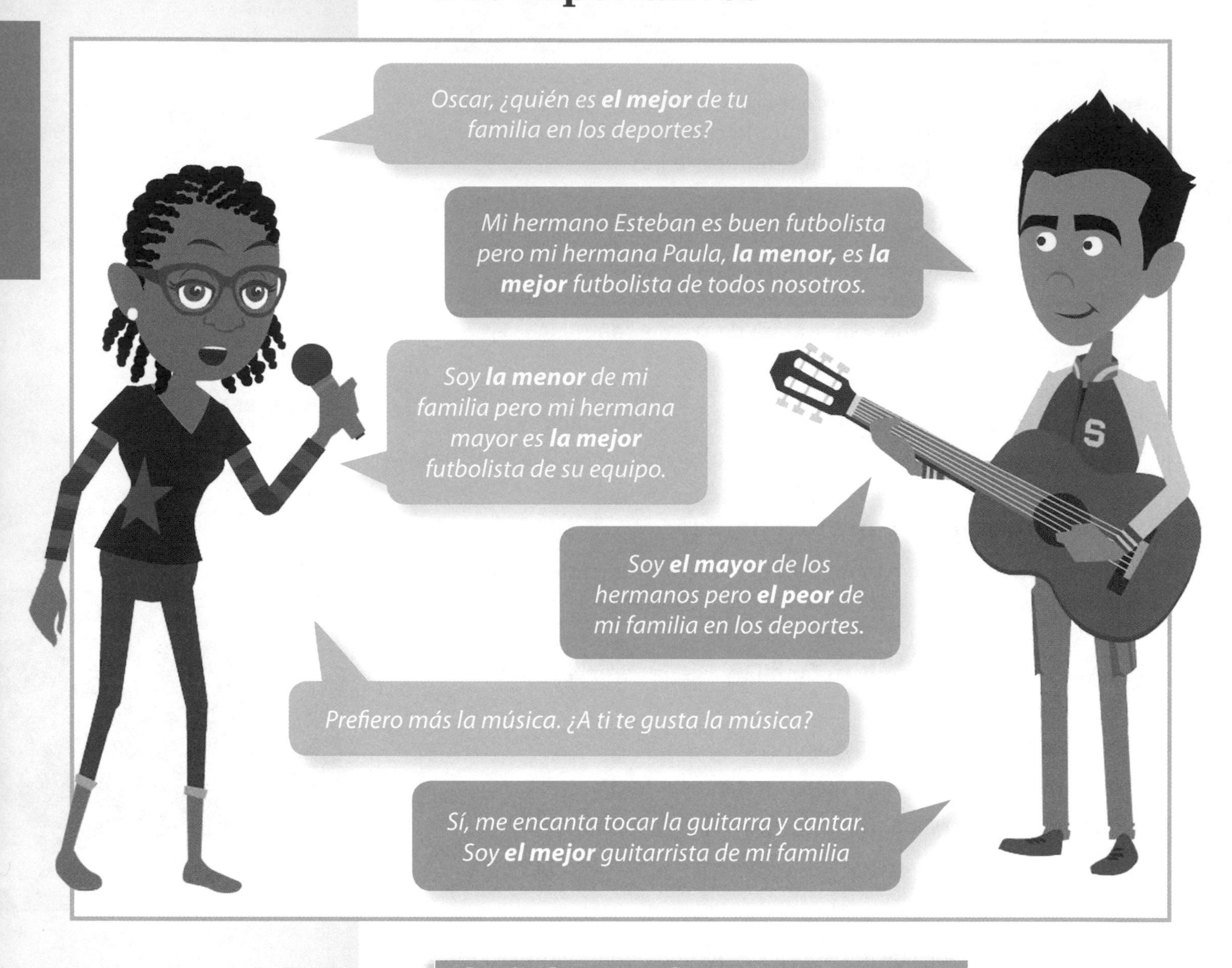

¿Qué observas?

What do you notice about the bold words? What do they have in common? Write your observations on the graphic organizer provided in your Explorer course, then work with a classmate to compare your observations.

Enfoque cultural

Práctica cultural: "El benjamín"

Se llama el "benjamín de la familia" al menor de la casa. Por ejemplo si hay 4 hermanos el menor de todos es "el benjamín".

  **Conexiones**

How do people in your community refer to the youngest child in a family? Who is the "benjamín" in your family or among the people important to you?

Actividad 7

¿Cómo comparamos a los miembros de la familia?

  **Paso 1: Contestar**

Observa los diferentes árboles familiares, y escribe una respuesta para las siguientes preguntas:

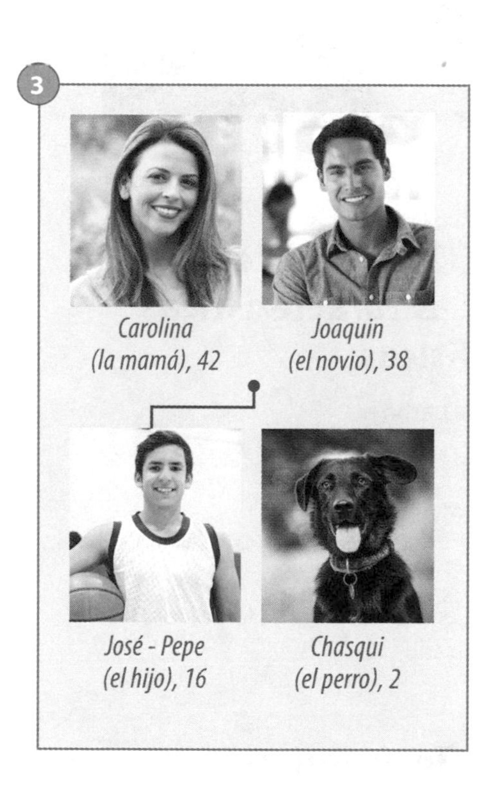

1. ¿Quién es mayor: Carolina o Trinidad?
2. ¿Cuántos años tiene María José? ¿Quién es la hija mayor de Trinidad, María José o Lola?
3. ¿Cuántos años más tiene Pancho que Pepe?
4. ¿Cuál de las familias tiene una mascota? ¿Cómo se llama?
5. ¿Quién es el menor de los chicos?

Así se dice 2: Las características físicas

la barba

el bigote

calvo/a

tiene canas

tiene el pelo: corto, largo, liso, rizado

¿Te acuerdas?

la boca

la cara

la nariz

los ojos

las orejas

el pelo

Paso 2A: Presentar

Comparte una foto o dibujo de tu familia con un/a compañero/a. Presenta tu familia a tu compañero/a. Incluye:

- ¿Cómo se llaman los miembros de tu familia y cuántos años tienen?
- ¿Quién es el menor de tu familia?
- ¿Quién es el mayor de tu familia?

Paso 2B: Conversar

Con un/a compañero/a, túrnense para responder a las siguientes preguntas sobre su familia.

1. ¿Quién es el mejor músico de la familia? ¿Y el peor?
2. ¿Quién es el mejor en los deportes de la familia? ¿Y el peor?
3. ¿Quién es el mejor con la tecnología de la familia? ¿Y el peor?
4. ¿Quién es el mejor estudiante de la familia? ¿Y el peor?
5. ¿Quién es el mejor artista de la familia? ¿Y el peor?

Actividad 8

¿Cómo son las personas en tu familia?

Paso 1: Observar y conversar

Las personas que componen una familia son distintas y cada persona tiene su propia personalidad y apariencia.

a. Mira la foto de la familia.

b. Con un/a compañero/a, túrnense para hacerse preguntas y responder sobre las características físicas de cada persona en la familia.

Modelo

Estudiante A: ¿Cómo es el pelo de la mamá?

Estudiante B: La mamá tiene el pelo largo y negro.

Estudiante B: ¿Cómo es el abuelo?

Estudiante A: El abuelo tiene el pelo corto y es canoso. Es más gordito que el hijo.

*Mi mamá **es** muy **bonita**. Ella es muy **buena**, tiene el cabello rubio y los ojos negros.*

Paso 2: Describir a las personas en tu familia

a. Trabaja con un/a compañero/a e intercambien sus árboles familiares de la **Actividad 5 Paso 3A**.

b. Túrnense para describir las características físicas.

c. No debes decir su nombre.

d. Escuchen solo las descripciones y traten de adivinar quién es.

Modelo

Estudiante A: Es joven y tiene el pelo corto y rojo. Tiene ojos verdes.

Estudiante B: ¿Es tu hermana, Melinda?

Estudiante B: Es mayor que yo, pero menos alto. Es moreno. Tiene el pelo liso y negro. También tiene los ojos cafés.

Estudiante A: ¿Es tu tío, Juan Pedro?

Paso 3: Grabar un mensaje

Visita la guía digital y graba un mensaje para tu profesor/a en el que respondes a la pregunta: ¿A quién te pareces en tu familia?

Modelo

Me parezco a mi mamá y a mi papá también. Tengo los ojos azules de mi mamá. Pero tengo el pelo rizado y café de mi papá. Tengo la misma nariz que mi mamá, pero la boca de mi papá.

Recuerda: tener y ser

There are two verbs that we typically use to describe a person: **tener** and **ser**.

We use **tener** to talk about various physical traits that someone has, like blue eyes or long hair. **Tener** is followed by a noun.

- Mi mamá **tiene** el pelo largo y rojo.
- En mi familia todos **tenemos** los ojos azules.
- Yo **tengo** quince años.

We use **ser** to describe physical traits, for example, to say someone is blonde or tall. **Ser** can be followed by a noun or adjective.

- Mi mamá **es** pelirroja y muy guapa.
- Mi novio **es** rubio y atlético.

Detalle gramatical

parecerse a: *to resemble, to look alike*

- Yo **me parezco** a mi abuelo. Tengo los mismos ojos verdes que él tiene.

"Pelos" por Sandra Cisneros

Fragmento de "La casa en Mango Street"

Cada uno de la familia tiene pelo diferente. El de mi papá *se para*[1] en el aire como *escoba*[2]. Y yo, el mío es *flojo*[3]. Nunca *hace caso*[4] de broches o *diademas*[5]. El pelo de Carlos es *grueso*[6] y *derechito*[7], no necesita *peinárselo*[8]. El de Nenny es *resbaloso*[9], *se escurre*[10] de tu mano, y Kiki, que es el menor, tiene pelo de *peluche*[11].

Pero el pelo de mi madre, el pelo de mi madre, es de *rositas en botón*[12], como *rueditas de caramelo*[13] todo *rizado*[14] y bonito porque se *hizo anchoas*[15] todo el día, fragante para *meter en él la nariz*[16] cuando ella está abrazándote y te sientes *segura*[17], es el olor *cálido*[18] del pan antes de *hornearlo*[19], es el olor de cuando ella te hace un *campito*[20] en su cama aún *tibia*[21] de su piel, y una duerme a su lado, *cae* la lluvia *afuera*[22] y Papá *ronca*[23]. El *ronquido*[24], la lluvia y el pelo de Mamá *oloroso a*[25] pan.

1 stands up 2 broom 3 loose 4 pays attention 5 headbands or clips 6 thick 7 straight 8 to comb it 9 slippery 10 it runs 11 teddy bear 12 rosebuds 13 candy 14 curly 15 she had it in pincurls 16 to put your nose in it 17 safe 18 the warm scent 19 to bake it 20 space 21 warmth 22 outside 23 snores 24 the snoring 25 smells like

Mi progreso intercultural

I can recognize how descriptive and figurative language is used in literature to describe family.

Reflexión intercultural

1. How do your physical characteristics give you an identity within your family? How do they relate to other members of the family?
2. How does Sandra Cisneros express the endearing physical characteristics of her family members in "Pelos"?
3. Are there ways that people's physical characteristics can be an endearing identifier within the family?

Enfoque cultural

Producto cultural: "Pelos"

Sandra Cisneros es una autora chicana. Ella nació en los Estados Unidos pero su familia es de herencia (*heritage*) mexicana. Escribió *La casa en Mango Street,* una colección de cuentos en inglés inspirados en su niñez (childhood) en Tejas, en 1994. El personaje central del libro es Esperanza. En el fragmento del libro que se encuentra al principio de esta página, Pelos, Esperanza describe los miembros de su familia.

Conexiones

How does Sandra Cisneros use imagery to make a connection between Esperanza's family's physical and personal attributes?

Enfoque cultural

Práctica cultural: El Día Internacional de la Familia

En México y otros países hispanohablantes se celebra el Día Internacional de la Familia. En las culturas hispanohablantes la familia es central en la vida individual y social. Lee la infografía en la guía digital sobre las estadísticas de las familias mexicanas.

  **Conexiones**

Do any of the statistics in the infographic stand out to you? Why? What does this information tell you about families and family values in Mexico? Do you celebrate International Family Day?

Actividad 9

¿Cómo son las personalidades en una familia?

  Paso 1A: Recordar

Con un/a compañero/a, hagan una lista de las palabras que ya saben para describir la personalidad de una persona. Escriban por dos minutos sin parar.

  Paso 1B: Compartir

En grupos pequeños, compartan sus listas. Si alguien tiene vocabulario diferente, añádelo a tu lista.

  Paso 2A: Leer y descubrir

En el siguiente texto busca los adjetivos para describir la personalidad de alguien. Completa el organizador gráfico. Puedes usar las palabras en más de una categoría.

Adjetivos que son cognados del inglés	Adjetivos que no sé y tengo que ver el contexto y/o buscar en el diccionario

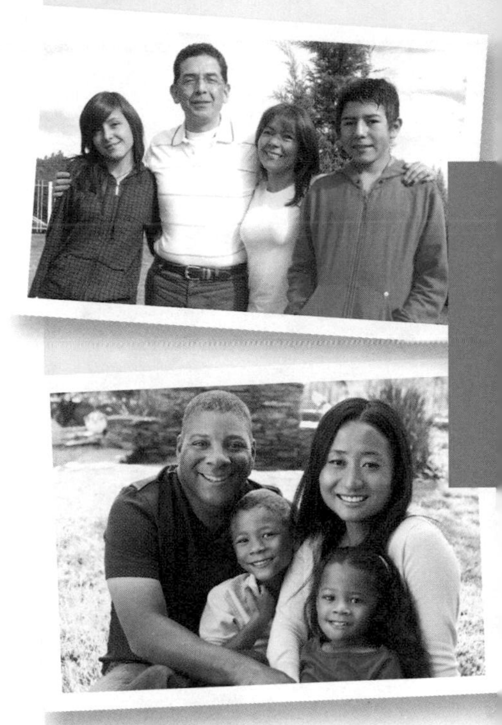

Así se dice 3: Las personalidades

cariñoso/a

desordenado/a

generoso/a

perezoso/a

reservado/a

sensible

tímido/a

trabajador/a

Además se dice

mandón/mandona - bossy

mimado/mimada - spoiled

molestoso/a - annoying

quejón/quejona - whiny

terco/a - stubborn

La familia de Alejandra es pequeña. Ella vive con sus papás y su hermanito Víctor. Las personas en su familia son muy diferentes. Alejandra es tímida y sensible pero no es reservada con su familia, sólo con personas que no conoce. Alejandra tenía problemas en la escuela primaria pero ahora le va bien en el colegio; es trabajadora y siempre hace sus tareas. Es un poco desordenada y su mamá siempre tiene que recordarle limpiar su habitación.

El hermano de Alejandra se llama Víctor y tiene cuatro años. Es mimado porque es el más pequeño de la familia y sus papás le dan lo que él quiere. Es muy pequeño y Alejandra piensa que es quejón por razón de su edad. ¿Pero quizás es porque sus papás lo miman tanto? Víctor sí tiene responsabilidad en la casa pero es bien perezoso, no quiere poner la mesa ni guardar sus juguetes.

El papá de Alejandra es muy cariñoso. Siempre da abrazos y besos a todos y les da la bienvenida a la casa cuando hay visitas. Su mamá también es cariñosa con todos. Los papás de Alejandra y Víctor son generosos e invitan a mucha gente a la casa. En general, su familia es muy acogedora con las visitas y con los amigos en la casa.

Paso 2B: Leer, adivinar y añadir

a. Con un/a compañero/a, examina la lista de cognados en la guía digital. ¿Qué significa cada uno?

b. Añade a tu organizador gráfico los adjetivos que te describen a ti o a algún miembro de tu familia.

Adjetivos que me describen a mí	Adjetivos que describen a alguien en mi familia

Paso 3A: Describir

a. Utiliza tu organizador gráfico del **Paso 2** para crear una descripción de ti y de otras dos personas de tu familia.

b. Incluye sus características físicas y por lo menos *(at least)* tres adjetivos para describir su personalidad.

Modelo

Mi prima es alta, linda y atlética. Ella es inteligente pero no le gusta el colegio. Es un poco rebelde con sus papás. Es cariñosa y paciente con sus hermanitos.

Paso 3B: Hacer conexiones

a. Piensa en las semejanzas y diferencias entre dos o más personas de tu familia. ¿Cómo son similares o diferentes?

b. Escribe por lo menos cuatro oraciones comparando las personas en tu familia.

Modelo

Mi tío y mi abuelo son altos y tienen el pelo corto. Son cómicos y mi tío es sarcástico también. Son extrovertidos y acogedores con todos.

Mi papá es más alto que mi mamá, pero mi mamá es más atlética.

Recuerda

Adjectives must agree in both gender and number with the nouns they modify (describe).

- La **familia** de Alejandra es pequeñ**a**.
- Las **personas** en su familia son muy diferent**es**.
- **Manuel** es creativ**o** y dibuja **ilustraciones** extraordinari**as**.

Adjectives that end in **-e** or **-l** do not change based on gender.

- **Gina** es **leal** a su novio.
- **Estaban** también es **leal** con ella.

For adjectives that end in **-n**, add an **-a** to make it feminine.

- **Manuel** suele ser mandón.
- **Manuela** es mandon**a**.

Observa 3

Los superlativos con "el más"

*¿Quién es **el más ordenado** de tu familia?*

*Oh, definitivamente es mi hermano Josué. Solo Josué hace su cama todos los días. También es **el más trabajador.** Además de hacer todos su quehaceres en la casa cada día, siempre hace sus deberes de la escuela.*

*¿Y el hijo mayor es **el más mandón** de la familia, como suele ser?*

*Bueno, mi hermana Violeta es la hija mayor y sí, es mandona pero **la más mandona** de nuestra familia es mi otra hermana, Adrianita. ¡Ella te dice qué hacer en cada momento del día!*

*¿Y **el más terco**?*

*Mi papá, sin duda. Todos van a estar de acuerdo conmigo en que él es **el más terco** de todos. Nunca cambia de opinión aún si discutes con él por mucho tiempo. ¡Es imposible!*

¿Qué observas?

1. What do you notice about the words in bold? What meaning do they convey?
2. What else is different when using *el más*?

Paso 4: Conversar y describir

Conversa con un/a compañero/a para conocer mejor a su familia.

Modelo

Estudiante A: ¿Quién es el más tranquilo de tu familia?

Estudiante B: Mi hermana es la más tranquila de mi familia.

Actividad 10

¿Qué haces para prepararte?

Paso 1: Escuchar

En la mañana antes de salir de casa, todos tenemos una rutina.

a. Escucha las palabras que menciona tu profesor/a para describir la rutina diaria.

b. Mira los siguientes dibujos y escribe la palabra correspondiente para cada ilustración.

Paso 2: Asociar

Lee las siguientes palabras y elige el verbo que asocias.

1. toalla, baño, ducha: ________________
2. agua caliente, jabón, shampoo: ________________
3. cama, mañana, despertador: ________________
4. pantalones, zapatos, chaqueta: ________________
5. espejo, cara, ver: ________________
6. bañera, agua, burbujas *(bubbles)*: ________________
7. pelo, cepillo, espejo:
8. cepillo, dientes, sonrisa *(smile)*: ________________

Así se dice 4: Las rutinas diarias

acostarse

bañarse

cepillarse (los dientes, el pelo)

despertarse

ducharse

lavarse (la cara, las manos, el pelo)

levantarse

maquillarse

ponerse

secarse

vestirse

Además se dice

arreglarse (el pelo, las uñas) - to fix (your hair, to paint your nails)

el cepillo (de dientes) - the (tooth) brush

el champú - shampoo

el desodorante - deodorant

el jabón - soap

el maquillaje - makeup

mirarse en el espejo - look at yourself in the mirror

peinarse - to comb your hair, to fix your hair

el perfume - perfume

pintarse (las uñas, los labios, el pelo) - to apply makeup, paint nails

el secador de cabello - hair dryer

la toalla - towel

Recuerda: Los verbos con cambios de raíz

Stem-changing verbs are irregular verbs. These verbs have a spelling change in the **yo**, **tú**, **él/ella/usted** and **ellos/ellas/ustedes** forms. The nosotros and the vosotros forms do not change - remember, they are outside the "boot"!

There are four different types of stem-changing verbs: **o → ue, e → ie, e → i,** and **u → ue**

Some reflexive verbs are also stem-changing verbs:

- acostarse (o → ue)
- despertarse (e → ie)
- vestirse (e → i)

For example, here are the forms of the verb **acostarse:**

yo **me** acuesto	nosotros **nos** acostamos
tú **te** acuestas	*vosotros **os** acostáis*
usted **se** acuesta	ustedes **se** acuestan
él/ella **se** acuesta	ellos/ellas **se** acuestan

Observa 4

Los verbos reflexivos

Todas las mañanas antes de ir al colegio, esta es mi rutina: (1) **Me despierto** a las 6:15 de la mañana. (2) **Me levanto** cinco minutos más tarde y (3) **me ducho**. Luego (4) **me seco** y (5) **me visto**. (6) **Me cepillo** los dientes y (7) **me peino**. ¡Estoy lista para ir a desayunar y luego ir al colegio!

¿Y tú, a qué hora te despiertas?

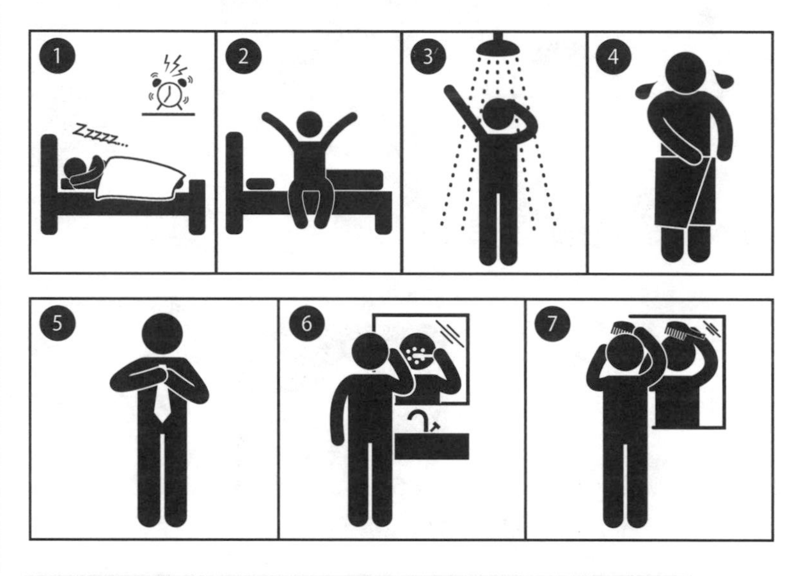

¿Qué observas?

What do you notice about the verbs people use to talk about their daily routines? Write down your observations in the graphic organizer and share your thoughts with a partner.

Paso 3A: Seleccionar

Selecciona la respuesta más lógica para completar cada oración.

1. Antes de secarme,
   a. me peino. b. me ducho.
2. Antes de peinarme,
   a. me lavo el pelo. b. me acuesto.
3. Antes de vestirme,
   a. me levanto. b. me acuesto.
4. Antes de comer,
   a me cepillo los dientes. b. me lavo las manos.
5. Antes de acostarme,
   a. me pongo la pijama. b. me pongo la chaqueta.

Paso 3B: Pensar y organizar

¿Cómo te preparas para la escuela por la mañana? ¿Y qué haces para prepararte antes de dormir por la noche?

a. Completa el organizador gráfico con las rutinas diarias que haces por la mañana y por la noche.

b. Revisa los verbos. ¿Tienes un pronombre reflexivo *(reflexive pronoun)* antes de cada verbo?

Por la mañana	Por la noche
me pongo el perfume	me lavo la cara

Paso 3C: Comparar

a. Conversa con un/a compañero/a para saber más sobre sus rutinas diarias.

b. Completa un diagrama de Venn para indicar las semejanzas y diferencias entre tus rutinas y las de tu compañero/a.

Modelo

Estudiante A: ¿A qué hora te despiertas por la mañana?

Estudiante B: A las seis. ¿Y tú?

Actividad 11

Horarios de familia: ¿Cómo controlar el caos de la mañana?

Paso 1: Escuchar

En esta actividad vas a tener que ayudar a la familia de Isabela a organizar su rutina de la mañana; todos necesitan salir de casa a tiempo. Completa el organizador gráfico en la guía digital para anotar información de sus horarios.

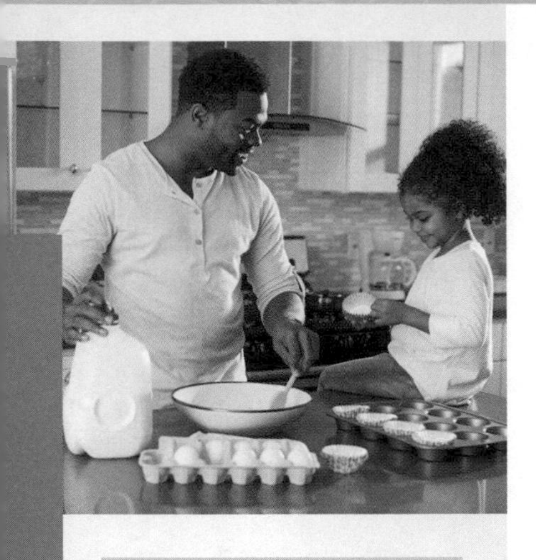

Paso 2: Contestar

Contesta a las siguientes preguntas de comprensión:

1. ¿Quién tiene que salir más temprano al trabajo, el papá o la mamá?
2. ¿A qué hora empieza a trabajar María Mercedes?
3. ¿En qué grado está Nacho?
4. ¿Dónde trabaja Juan David?
5. ¿A qué hora crees que empiezan las clases en la escuela de Camila e Isabela?

Expresiones útiles para conversar

(No) estoy de acuerdo. - I (dis)agree.

¿Qué te parece si…? - How about…?

(No) me parece bien. - It (doesn't) sound(s) good to me.

Creo que… - I believe…

Pienso que… - I think that…

Paso 3A: Hablar y escribir

Vas a ayudar a la familia de Isabela con su horario porque todos necesitan llegar a tiempo a sus obligaciones.

a. Con un/a compañero/a, decidan cómo organizar el horario de la familia. Completen el organizador gráfico en la guía digital con sus ideas.

b. Usen las **Expresiones útiles** mientras conversan.

Modelo

El papá de Isabela **tiene que** levantarse a las 6:00 de la mañana para ducharse más temprano.

Paso 3B: Poner en secuencia

a. Escribe cuáles son los pasos que la familia de Isabela tiene que seguir para controlar el caos de la mañana.

b. Usa los conectores para hablar de la secuencia de las actividades.

Detalle gramatical

Remember that the structures **tener que**, **hay que** and **se prohíbe** are always followed by the *infinitive* of a verb.

- Mis hermanos y yo **tenemos que levantarnos** temprano.
- **Hay que ducharse** solo por 10 minutos.

There are also times when you use two verbs in a row. Verbs like preferir, querer, gustar are followed by the infinitive of a verb. *"I prefer to get up early." "I want to shower first."*

When the second verb is a reflexive verb, the pronoun **-se** (at the end of the infinitive verb) has to reflect the subject of the sentence.

- **Me gusta acostarme** a las nueve porque **tengo que despertarme** temprano para llegar a la escuela a las siete en punto.
- Mi hermano **prefiere ducharse** temprano.

Remember: When there are two verbs in a row, *conjugate the first verb and leave the second verb in the infinitive form.*

Paso 4A: Escribir

Rellena el organizador gráfico en la guía digital con la información sobre las rutinas de tu familia. Después escribe respuestas a las siguientes preguntas:

- ¿Quién sale más temprano?
- ¿Quién sale más tarde?
- ¿Quién se queda en casa?

Miembro de tu familia	1. Sus rutinas y horario 2. ¿A qué hora tiene que salir de la casa?
Mi hermana	*1. Se despierta a las siete, se levanta a las siete y media, se ducha a las ocho menos veinte.* *2. Tiene que salir a las ocho y media.*

Watch the learning strategies video in Explorer for more tips to help you use sequence words.

Estrategias

Connectors and sequencing words

To talk about a sequence of events, you use connectors like:

- **primero** - first
- **antes** - before
- **después** - after
- **más tarde**, **luego** - later
- **finalmente** - finally

There are two conectores that have the preposition *de* afterwards:

- **antes de** - before
- **después de** - after

In both cases, the verb that comes after will always be in the infinitive:

- **Antes de ducharme**, me cepillo los dientes.
- **Después de vestirse**, mi hermana se pone perfume.

Paso 4B: Conversar y comparar

Con un/a compañero/a túrnense para describir las rutinas de las personas en sus familias.

- ¿Hay semejanzas o diferencias entre sus familias?
- ¿Cuáles son las semejanzas y diferencias entre las rutinas de tu familia y la familia de Isabela?

Modelo

¿A qué hora se despierta tu (mamá, hermano, etc.)?

¿A qué hora desayunas?

¿A qué hora sales para la escuela?

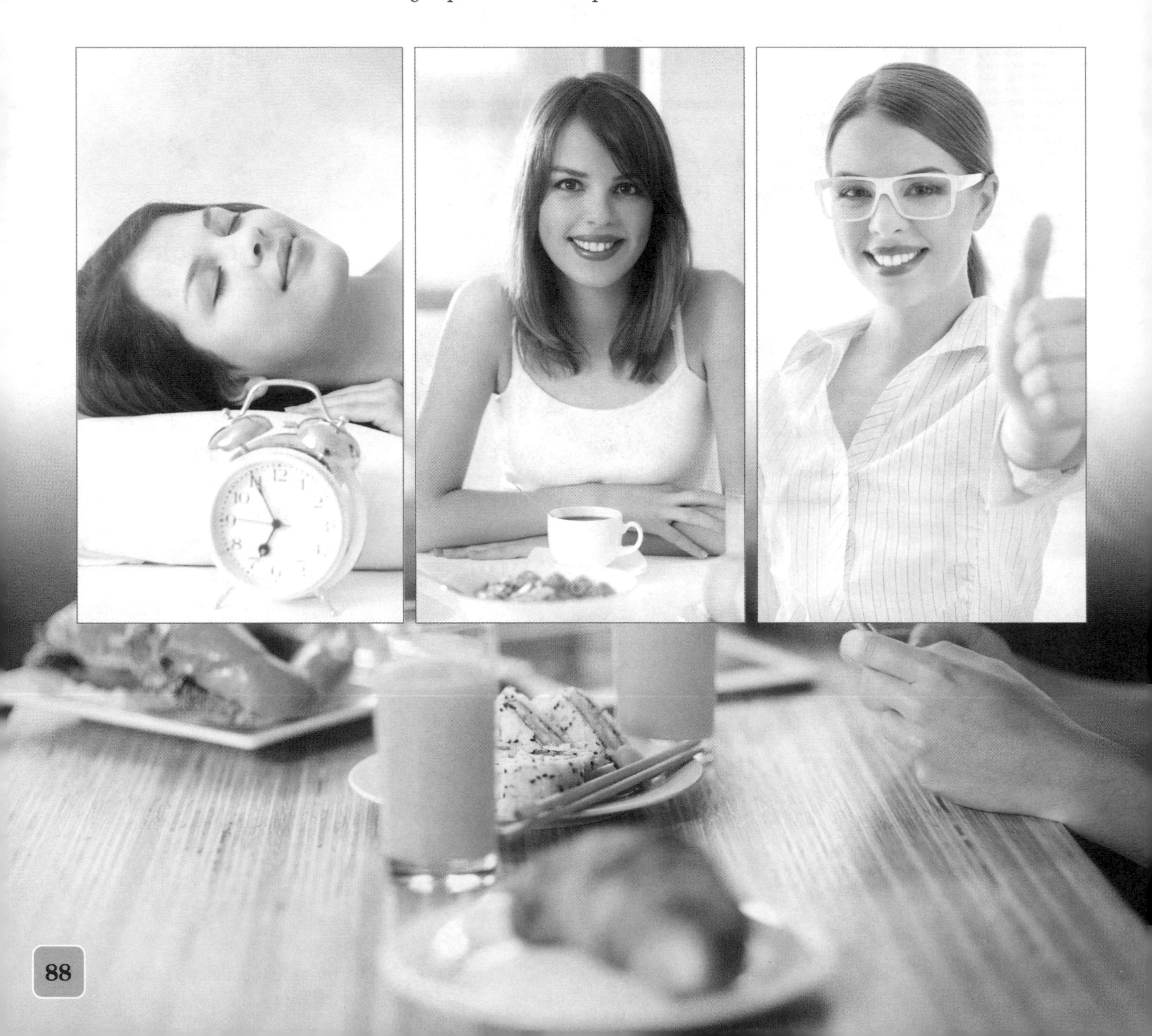

En camino A

El mejor estudiante de intercambio para tu familia

A group study exchange organization, is looking for host families for a group of students arriving soon from Mexico. The organization prioritizes finding a good fit for both host families and exchange students. As the Spanish-speaking representative of your family, you have the opportunity to provide them with information about your family, home, and daily life. You then get to read about a few students to see whose profile would be the best match with your family, and chat with a representative from the organization about your preferences!

Paso 1: Presentar a tu familia para participar en el programa de intercambio

Complete the online intake form to give information about your family: your home, the different personalities, the daily routine, and how the exchange student could fit in.

Paso 2: Conocer a varios estudiantes para decidir a quién prefieres recibir en tu casa

Read these four profiles provided by the agency of students, who are looking to participate in the exchange program. As you read, consider who would be a good fit for you and your family. After you read, explain whom you prefer and why.

Paso 3: Conversar con un representante para explicar tus preferencias

A representative from the agency calls to chat with you about your interest in the program and your preferences among these four students. Practice ahead of time with a friend so you don't feel nervous before the call!

Expresiones útiles para explicar tus preferencias

Prefiero recibir a________ en mi casa, porque... - I prefer to host ________ in my house because...

No me gustaría tanto recibir a________ porque... - I rather not host ________ because...

Expresiones útiles para responder a las preferencias de otro

¡Qué interesante! - How interesting!

(No) Estoy de acuerdo. - I (don't) agree.

A mí me gusta también./ Yo prefiero...también. - I also like/prefer...

A mí no me gustaría tampoco./Yo no prefiero... tampoco. - I would not like/ prefer

Síntesis de gramática

Comparaciones de igualdad

To compare physical characteristics *(adjectives)* between different people or objects, we follow this pattern:

tan + adjetivo + como

Modelo

Rafael es **tan atlético como** Ramón.

To compare *nouns* we follow this pattern:

tanto ______ **como**

Modelo

Mi hermana tiene **tanta tarea** como yo.

Juan Lorenzo tiene diez años y lee **tantos libros** como un adulto.

REMEMBER that in Spanish, adjectives (including **tanto**) need to agree with the number and masculine/feminine gender of the noun.

Superlativos

To talk about superlatives we follow this pattern:

el/la/los/las + más + adjetivo + de

Modelo

Mi primo José es **el más atlético de** todos los primos.

Lorena es **la más trabajadora de** nuestro grupo de estudio.

Superlativos irregulares

- el mayor *(the oldest)*
- el menor *(the youngest)*
- el mejor *(the best)*
- el peor *(the worst)*

Modelo

Mi hermana **menor** siempre se mete en problemas.

Según Juan Lorenzo, **el mejor** libro de Harry Potter es el sexto, *El Misterio del Príncipe*.

Soy la hija **mayor** de mi familia.

Verbos reflexivos

In Spanish there is a specific group of verbs that you can use to talk about your daily routines. These are the reflexive verbs: **despertarse, levantarse, ducharse,** etc. In the infinitive form these verbs end in **se**.

To conjugate these verbs **we need to use a pronoun**. There is a different reflexive pronoun for each form:

yo → **me**	nosotros → **nos**
tú → **te**	*vosotros* → **os**
usted → **se**	ustedes → **se**
él /ella → **se**	ellos/ellas → **se**

Steps to conjugate a reflexive verb: **despertarse**

1. Drop the **se** → despertar
2. Check the subject: Who is performing the action → Yo
3. Add the pronoun that corresponds to the subject: **me**
4. Conjugate the verb according to the subject → **Yo** **me** despiert**o**

REMEMBER: When conjugating a reflexive verb you always need a **pronoun**!

Modelo

Yo **me** despierto a las seis y cuarto.

Tú **te** duchas por 20 minutos.

Vocabulario

Así se dice 1: Los miembros y la estructura de la familia

el árbol familiar - family tree
casado/a - married
el/la hermanastro/a - step brother/sister
el/la hijo/a del medio - middle child
el/la (hijo/a) mayor - oldest child
el/la (hijo/a) menor - youngest child
el/la hijo/a único/a - only child
la madrastra - stepmother
el/la medio/a hermano/a - half brother/sister
el padrastro - stepfather
la pareja - couple
los parientes - relatives

Así se dice 3: Las personalidades

cariñosa/a - affectionate
generoso/a - generous
perezoso/a - lazy
reservado/a - reserved
sensible - sensitive
tímido/a - shy
trabajador/a - hard worker

Conectores para expresar secuencia

primero - first
más tarde, luego - later
próximo - next
antes - before
después - after
finalmente - finally

Así se dice 2: Las características físicas

la barba - beard
el bigote - mustache
calvo/a - bald
canoso/a - gray-haired
tiene el pelo: corto, largo, liso, rizado - has short, long, straight, curly hair

Así se dice 4: Las rutinas diarias

acostarse (o → ue) - to lie down; to go to sleep
bañarse - to take a bath
cepillarse (los dientes, el pelo) - to brush your teeth, hair
despertarse (e → ie) - to wake up
ducharse - to take a shower
lavarse (la cara, las manos) - to wash your hands, your face
levantarse - to get up
maquillarse - to put on make up
ponerse (me pongo) - to put on clothes, make up
secarse (las manos, el pelo) - to dry your hair, hands
vestirse (e → i) - to dress yourself

Expresiones útiles para expresar tus preferencias

Prefiero recibir a ________ en mi casa, porque… - I prefer to host ________ in my house because…

No me gustaría tanto recibir a ________ porque… ________ no es tan… como ________. - I rather not host ________ because…

Expresiones útiles para responder a las preferencias de otro

¡Qué interesante! - How interesting!
A mí me gusta también/Yo prefiero… también. - I also like/prefer…
A mí no me gustaría tampoco/Yo no prefiero… tampoco. - I also don't like/prefer…

Comunica y Explora B

Cada familia funciona de manera diferente

Pregunta esencial: What is the culture of your family like and how has it changed from past generations?

Actividad 12

¿Qué es la familia para ti?

Paso 1: Observar

Algunos niños ecuatorianos comparten lo que la familia significa para ellos. Mientras observas el video, toma apuntes de las palabras que los niños usan para hablar de la familia.

Paso 2: Comparar

Mientras miras el video la segunda vez, usa el organizador gráfico en la guía digital para indicar si estás de acuerdo con los comentarios de los niños.

¿Qué es la familia para ti ?		¿Qué aprendes en tu familia?	
Mis tíos, mis tías, mis primos y mi mamá, mi hermano.	*no*	*Mi mamá me enseña a ser amoroso con toda la gente.*	*sí*
Mi mamá más porque ella me acompaña en todo.	*sí*	*Hay que respetar a las personas, ser educado.*	*?*

Mi familia, para mi son mis tíos, mis tías, mis primos, mi mamá, mis hermanos.

Una familia es un centro de apoyo, de amor y de diversión.

Es el lugar más feliz.

EcuadorTV (2012). "Vivir Juntos. Familia (Ecuador)". Retrieved from https://www.youtube.com/watch?v=tf6eGM6SJPA

Además se dice: La familia para ti

amistad - friendship

apoyo - support

culpar a otros - to blame others

disfrutar - to enjoy

diversión - fun

formar parte de - to be part of

juntos - together

proteger - to protect

regañar - to scold

sordos - deaf

Enfoque cultural

Práctica cultural: Las familias unidas y bilingües

More than one fourth of Mexican-American families in the U.S. only speak English at home. The majority of Mexican-American families speak Spanish or are bilingual (English-Spanish). In many cases the children speak Spanish with their parents, uncles and grandparents, and English with their siblings.

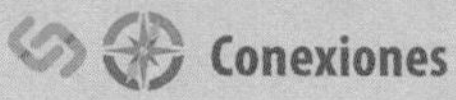

Watch the video as Nayeli talks about her family and why it is so special.

Conexiones

What can families do to maintain ties to their country of origin and also become part of a new country? What would you do in that situation?

Paso 3: Conversar

a. En grupos de dos o tres personas hablen sobre lo que significa la familia para ustedes.

b. Usen las siguientes preguntas para guiar la conversación.

c. Mientras hablan hagan una lista de las semejanzas y diferencias.

1. ¿Quiénes son parte de tu familia?
2. ¿Qué es la familia para ti?
3. ¿Qué cosas hace tu familia por ti?
4. ¿Qué cosas aprendes de tu familia?
5. ¿Por qué te regañan (*scold you*) en tu casa?
6. ¿Qué es lo que más te gusta (y menos te gusta) de tu familia?
7. ¿Qué actividades hacen juntos en familia?

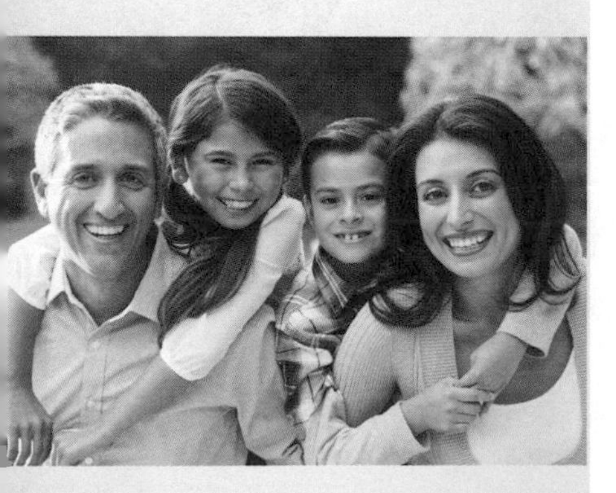

La familia para mí es...

Semejanzas	Diferencias
*Mi familia para **mí** son mi mamá, mi papá y mis hermanos.*	*La familia para mi compañero son su mamá, su abuela y su hermanito.*

Paso 4: Compartir

Compartan algunas diferencias y semejanzas entre sus familias con otro grupo de la clase.

Modelo

Somos cinco en mi familia, yo, mi mamá, mi papá y mis dos hermanos. En la familia de Carlos hay cuatro personas: Carlos, su mamá, su abuela y su hermanito.

¡Prepárate!

Igual que los chicos ecuatorianos, comparte con la clase lo que significa tu familia para ti.

a. Prepara un cartel o una presentación con fotos de tu familia o de una familia importante para ti.

b. Explica qué significa la familia para ti. Usa las siguientes frases como una guía para tu presentación:

- Las cosas que me hacen feliz de mi familia son…
- Las cosas importantes para mi familia son…
- Lo que aprendo de mi familia es…
- Lo que quiero cambiar en mi familia del futuro es…

Reflexión intercultural

Choose at least three of the quotes from the **Paso 2** graphic organizer that resonate with you and reflect on:

1. Does family mean something similar or different for you, than these quotes that you chose? Explain.
2. What beliefs and attitudes are important in a family, no matter the culture?
3. What do you learn from family, in any culture?

Enfoque cultural

Práctica cultural: Pedir la bendición

In Hispanic countries it is very common to ask for the blessing of your parents (**pedir la bendición**) before leaving the house.

Parents make the sign of the cross in the forehead of their kids. It is very common to hear kids saying: " **'ción mami**" (la bendición mami).

  **Conexiones**

What is a custom that you practice before leaving the house? Why do you think the parent's blessing is a custom in Hispanic countries?

¿Te acuerdas?

¿Cómo te sientes?

apoyado/a

contento/a

(in)cómodo/a

feliz

incluido/a

incomprendido/a

importante

respetado/a

solo/a

tranquilo/a

Así se dice 5: Las relaciones en la familia

abrazarse

dar(se) la mano

despedirse

llevarse bien

pelearse

saludarse (con beso, con abrazo, etc.)

Detalle gramatical

Los verbos reflexivos recíprocos

There is a second group of reflexive verbs that are used in Spanish when the action is performed between two or more people, like **abrazarse** (to hug each other), **besarse** (to kiss each other), **pelearse** (to fight with each other). These are called **reciprocal reflexive verbs**.

- Camila y mi mamá **se llevan** muy bien.
- Mi abuela y mi madre **se hablan** por teléfono todos los días.
- Carmen y yo **nos mandamos** mensajes de texto la una a la otra.

Notice that reciprocal reflexive verbs always have **two or more subjects** because the action is performed between multiple people. You still need a **reflexive pronoun (nos, os, se)** and the verb is conjugated for multiple people.

Actividad 13

¿Cómo son las interacciones en las familias?

Paso 1: Identificar

Escucha a tu profesor/a explicar una situación y elige la respuesta más lógica.

1. a. pelearse	b. dar la bendición	c. saludar
2. a. saludar	b. dar la mano	c. comunicarse
3. a. abrazarse	b. comunicarse	c. pelearse
4. a. se dan la mano	b. se tienen confianza	c. se abrazan
5. a. nos tenemos confianza	b. nos respetamos	c. nos besamos
6. a. le doy la mano	b. lo beso	c. lo abrazo
7. a. nos extrañamos	b. nos despedimos	c. nos respetamos
8. a. nos damos la mano	b. nos peleamos	c. nos besamos

Paso 2: Contestar

Contesta a las siguientes preguntas.

1. Cuando se saludan en tu casa, ¿se dan la mano o se abrazan?
2. ¿Por qué se pelean tú y tus hermanos? Si eres hijo único, ¿te peleas con tus primos? ¿Por qué?
3. ¿Se mandan mensajes de texto frecuentemente tú y tus padres?
4. ¿Cómo te comunicas con familiares que viven lejos?

Enfoque cultural

Práctica cultural: Caerle bien vs. gustarle

In English you use the expression "to like someone", when you think someone is nice as a friend, and also when you are attracted to someone. The context is what makes the difference.

In Spanish if you think someone is nice you say, "me cae bien" or if you don't like someone you say, "me cae mal". However, if you feel attracted to someone you would use "me gusta".

Conexiones

In English, are there different phrases to express liking someone romantically vs. liking someone as a friend?

Paso 3: Comparar y compartir

Con un/a compañero/a, comparen y compartan sus respuestas. ¿En qué cosas se parecen? ¿En qué cosas son diferentes?

¡Prepárate!

Escribe una reflexión sobre tu futura familia. Completa las siguientes oraciones con más detalles:

- Mis hijos van a llevarse… (bien/mal) porque … (no/se pelean).
- Si mis hijos se pelean, yo voy a…
- Para tener una buena comunicación con mi familia yo voy a… / es importante…
- Para tener respeto entre todos, voy a…

Reflexión intercultural

1. How would it feel similar or different in your own household if people followed these cultural norms of always saying hello and goodbye in person, upon entering or before leaving the house?
2. What beliefs and attitudes are important in a family, no matter the culture?

Mi progreso intercultural

I can compare greeting and leave-taking practices in Spanish-speaking cultures with those of my culture.

Enfoque cultural

Práctica cultural: Saludarse y despedirse con beso y abrazo

Greeting people in Spanish-speaking cultures is a sign of respect and people always say hello and goodbye when entering a place. It is impolite to arrive at someone's house and not greet everyone there, even if it is the first time you are meeting them.

When people greet each other they do it with a kiss in one cheek, a hug or both.

When kids arrive home or leave the house they always hug and kiss their parents.

If kids go to other people's houses, they are expected to greet everyone with a kiss.

This might be why you can close an email or letter in Spanish to a friend or family member with "Un beso," "Besos," "Un fuerte abrazo".

Conexiones

How do you greet and say goodbye to your parents and friends?

What do greetings tell you about Spanish-speaking cultures?

Así se dice 6: El tiempo en familia

ir de...

caminata

campamento

vacaciones

jugar (con)... muñecas, videojuegos

jugar juegos de mesa

salir a cenar

usar aparatos electrónicos

¿Te acuerdas?

comer juntos

hacer deporte

ver televisión

Actividad 14

¿Qué te gusta hacer con tu familia?

  **Paso 1: Asociar**

Cada familia prefiere diferentes actividades para pasar tiempo juntos. Lee la información que nos da Frederica, la prima hermana de Nayeli, para elegir a cuál familia está describiendo.

A

B

C

1 *A mis tíos les encanta viajar en familia. A menudo cuando van de vacaciones es para ir de campamento con sus hijos, mis primos. Llevan una carpa* (tent) *y todo lo necesario para cocinar al aire libre. Después van de caminata por la montaña. Me interesa ir con ellos en algunas ocasiones, ¡parece bonito!*

2 *A mis parientes les gusta salir a cenar en los restaurantes cerca de nuestra casa. Por ejemplo, cuando comemos juntos para celebrar un cumpleaños, el cumpleañero puede decidir adónde vamos. Prefiero ir a una pizzería entonces siempre nos reunimos allí.*

3 *En mi futura familia, quisiera pasar mucho tiempo juntos en casa haciendo actividades como mirar la televisión, preparar postres y jugar juegos de mesa. Me fascina jugar dominó así que pienso enseñarles a mis hijos.*

Paso 2: Conversar

Con un/a compañero/a, háganse las siguientes preguntas:

- ¿Qué prefieres hacer con tus abuelos? ¿Tus primos? ¿Tus hermanos?
- ¿Qué no haces con tu familia, pero te interesa hacer?
- ¿Te gusta...?

Paso 3A: Imaginar y planificar

Imagina que vas de vacaciones por un fin de semana con algunos parientes.

a. ¿Qué prefieres hacer, adónde y con quién vas?

b. Planifica un viaje ideal con tu familia, explicando las actividades del día.

Modelo

Me encanta pasar los fines de semana con mi familia.

Un fin de semana ideal para mi empieza el viernes en la casa de...

Mis primos y yo...

Después...

No nos acostamos hasta...

Paso 3B: Conversar y anotar

a. Describe tu fin de semana ideal a un/a compañero/a.

b. Escucha mientras tu compañero/a habla de su fin de semana ideal.

c. Hazle preguntas y expresa tus opiniones para responder a lo que escuchas.

Expresiones útiles para conversar

¡Qué interesante! - How interesting!

¡A mí también me interesa! - I am also interested

¿Ya conoces el lugar? - Do you already know the place?

¡Dime más! - Tell me more!

También quisiera saber...- I would also like to know...

Enfoque cultural

Práctica cultural: La sobremesa

La sobremesa is the period of time in a meal that begins after finishing dessert. It is very common especially during weekend lunches when all the family members are together. It can last 30 minutes to an hour, and in the summertime *la sobremesa* could last longer than an hour.

Generally people drink coffee, tea or a little glass of liquor, while chatting. Sometimes they even have a cigar! Most importantly it is a time when you can still sit at the table and chat with family while you digest the big meal you just had.

  **Conexiones**

Do families in your community have a custom to sit at the table after the meal to chat? Why do you think *la sobremesa* continues to be part of many families in the Spanish-speaking world?

Detalle gramatical: Los verbos irregulares en el imperfecto

Hay solo tres verbos en el imperfecto que son irregulares: ir, ver y ser:

IR	SER	VER
iba	era	veía
ibas	eras	veías
iba	era	veía
íbamos	éramos	veíamos
ibais	*erais*	*veíais*
iban	eran	veían

Observa 5

El imperfecto

Lee la descripción de lo que un niño recuerda de la casa de sus abuelos. ¿Cómo era la casa? ¿Qué hacían el niño y sus hermanos? ¿y su hermana? Después de comprender el texto, completa la observación.

La casa de mis abuelos

Cuando **era** niño **vivía** cerca de mis abuelos. **Solíamos** ir a su casa todo el tiempo. Su casa **era** grande y llena de luz y olores *(smells)* deliciosos. **Había** en el jardín árboles de limones y de guayabas. Mis hermanos y yo **íbamos** con el abuelo a sacar miel *(honey)* de los panales *(honey combs)*. Mi hermana menor siempre **tomaba** té con mi abuela por las tardes y **se contaban** historias.

¡Qué lindos recuerdos!

¿Qué hacías cuando ibas a la casa de tus abuelos?

¿Qué observas?

1. What do you notice about how the verbs "soler," "tomar," and "contarse" change in the past?
2. What do you think the verbs "era" and "íbamos" mean?

Actividad 15

¿Cómo era tu tiempo en familia cuando eras pequeño/a?

Paso 1: Escuchar y anotar

Escucha mientras Frederica, la prima de Nayeli, describe lo que hacía con su familia cuando era niña.

a. Primero, empareja el número de la descripción que corresponde con cada foto.

b. Luego, anota los verbos que corresponden con las expresiones en el organizador gráfico.

 Paso 2A: Pensar y organizar tus ideas

a. Piensa en qué hacías con tu familia cuando eras niño/a.

b. Completa el organizador gráfico con las actividades que hacías con tu familia de pequeño. Utiliza el vocabulario de **Así se dice 6** y otros verbos que sabes para hablar de tu tiempo en familia en el pasado.

Profesora: Y antes cuando eras niña y vivías en México, ¿qué hacía tu familia cuando estaban juntos?

Nayeli: Normalmente la misma cosa excepto, yo jugaba más que estar en la casa con mis papás, jugábamos afuera.

Expresiones útiles con el imperfecto

a menudo - often

cada día - daily

cuando era niño/a - when I was a kid

de niño/a - as a child

de pequeño/a - when I was young

de vez en cuando - once in a while

frecuentemente - frequently

generalmente - generally

normalmente - normally

nunca - never

siempre - always

todos los días - every day

Paso 2B: Escribir y conversar

¿Qué quieres saber sobre la niñez de tu compañero/a?

a. Escribe cinco preguntas para tu compañero para saber más sobre cuando era niño/a. Usa el vocabulario de **Así se dice 6** y las **Expresiones útiles** con el imperfecto.

b. Túrnense con tu compañero/a para hacer y responder a las preguntas.

Modelo

Estudiante A:	¿Iban al parque mucho cuando eras joven?
Estudiante B:	Sí, íbamos al parque a menudo. ¿Ibas tú de compras cuando eras joven?
Estudiante A:	No, nunca iba de compras; mis papás siempre iban sin mí.

Paso 3: Describir cambios

¿Cómo era tu tiempo en familia cuando eras niño/a? ¿Y ahora cómo es diferente?

a. Completa un diagrama de Venn con las actividades que hacías con tu familia cuando eras niño/a y las que haces con tu familia hoy en día.

b. Escribe cinco oraciones sobre los cambios en tu tiempo en familia por los años. Utiliza las **Expresiones útiles.**

Actividad 16

¿Cómo influye la tecnología en el tiempo en familia?

Paso 1A: Observar y escribir

El uso de la tecnología es una gran parte de la cultura de las familias hoy en día e influye en el tiempo en familia. Mira el video la primera vez y escribe todos los tipos de tecnología que observas.

Paso 1B: Observar y anotar

Mira el video otra vez y escribe en el organizador gráfico lo que hacen todos en la familia y las cosas que no hacen.

¿Qué hacen todos en la familia?	¿Qué no hacen las personas en la familia?

Paso 2: Presentar

Comparte algunas observaciones con la clase. ¿Qué efecto tiene la tecnología en el tiempo en familia?

Modelo

La hija siempre escucha música con sus audífonos. Ella no puede escuchar a los demás en la familia cuando escucha música.

Paso 3: Conversar

Con un/a compañero/a, hablen sobre los siguientes temas:

1. ¿Quiénes en tu familia utilizan mucho la tecnología?
2. ¿Cómo influye la tecnología en el tiempo en familia en tu casa?
3. ¿Hay una falta de comunicación en tu familia a causa del uso de tecnología?
4. ¿Hay expectativas en tu familia sobre el uso de tecnología en general?
5. ¿Hay expectativas en tu familia sobre el uso de tecnología cuando todos pasan tiempo juntos? Por ejemplo: durante la hora de cenar, cuando ven la tele juntos, cuando van de vacaciones.

¡Prepárate!

La tecnología siempre está cambiando y a la misma vez cambia cómo nos relacionamos, especialmente dentro de la familia.

a. Responde a la pregunta: En tu futuro hogar, ¿qué expectativas vas a tener sobre el uso de tecnología? ¿Por qué?

b. Graba un mensaje en la guía digital con al menos tres expectativas acerca del uso de tecnología en la casa.

Modelo

En mi futuro hogar, no voy a permitir el uso de los aparatos electrónicos en los dormitorios. Todos pueden usar la tecnología en los cuartos comunes, porque quiero saber qué hacen mis hijos en línea.

Además se dice

entrar en línea - to go online

expectativas - expectations

las redes sociales - social media

mandar mensajes de texto - send text messages

Así se dice 7: Los valores de la familia

compartir con

decir la verdad

decir "por favor" y "gracias"

desobedecer a

mentir (e-ie)

obedecer a

los valores

Además se dice: Los valores de la familia

conversar con la familia - chat with family

cuidar a los pequeños - to babysit

golpear - to hit

gritar - to yell

pelear - to fight

Actividad 17

¿Cuáles son algunos valores de las familias?

Paso 1: Observar

Todas las familias tienen valores, cosas importantes que definen quienes son y motivan sus decisiones. Lee el cartel de valores de la familia. ¿Hay las mismas expectativas en tu familia?

EN ESTA FAMILIA

Hay que...

respetar a los mayores decir "por favor" y "gracias"

decir la verdad COMPARTIR CON TUS HERMANOS

obedecer a tus padres cuidar a los demás

Se prohíbe...

GOLPEAR A TUS HERMANOS CUANDO TE ENFADES

pelearse con tus hermanos GRITAR A LOS DEMÁS

mentir

Paso 2A: Escribir

Haz una lista de los cinco valores más importantes en tu familia.

Modelo

Hay que escuchar y obedecer a mis padres.

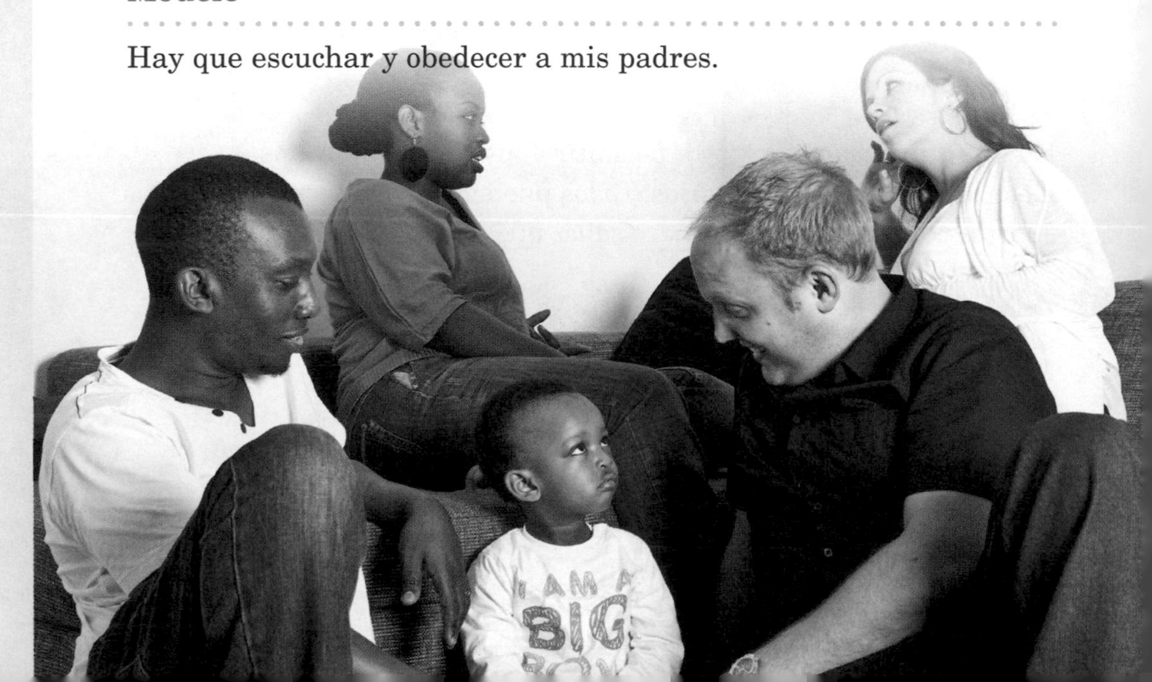

Paso 2B: Comparar y compartir

a. Con un/a compañero/a, compartan sus listas.

- ¿Sus familias tienen los mismos valores?
- ¿Qué pasa cuando no respetan los valores?

b. Anoten las semejanzas y diferencias en el organizador gráfico.

c. Después, compartan algunas semejanzas o diferencias con la clase.

Modelo

Estudiante A: En mi familia siempre hay que decir la verdad.

Estudiante B: En mi familia también es importante ser honesto. Cuando miento, mis padres me quitan el celular.

Estudiante A: Cuando yo miento, mis padres no me permiten ver la tele.

Expresiones útiles

Me castigan por... - I get punished/grounded for...

Me quitan... - They take... away from me

No me permiten... - They don't allow me to...

Paso 3: Escuchar y contestar

¿Eran las familias de antes muy diferentes a las familias de ahora?

a. Mira el video sobre como ha cambiado (*has changed*) la familia mexicana en los últimos años.

b. Visita la guía digital para completar un ejercicio sobre el video.

Reflexión intercultural

1. How have family values changed in recent generations in Mexico?
2. Do you think family values are changing in your own culture? How so?
3. Are those changes similar or different to the changes in family values in Mexico discussed in the video?

¡Prepárate!

Crea un cartel con los valores para tu futuro hogar.

- ¿Qué va a ser importante en tu hogar?
- ¿Qué expectativas vas a tener para ti y para las otras personas en tu hogar?

Lo más importante para ellos es su educación. Hay que ganar buenas notas e ir al colegio. Si mi hermano o yo no ganamos buenas notas, me quitan el celular. Y si hay una visita, tenemos que ayudar en la casa.

Enfoque cultural

Perspectiva cultural: La importancia de la educación

For many Mexican and other Spanish-speaking families, the children's education is a very important value and a priority for the parents. For many immigrant families, as Nayeli's, education and better opportunities for the children are the main reasons for leaving their countries.

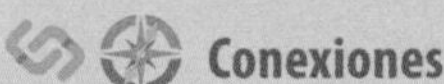

Conexiones

Do you think education is a value common to many families and cultures? Why?

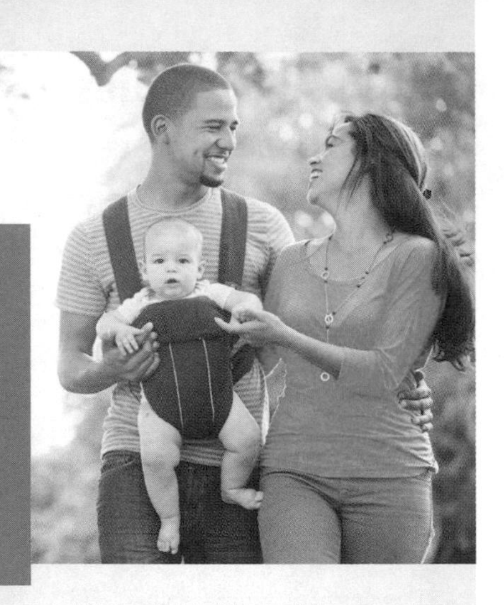

¿Te acuerdas?

ayudar en casa

hacer la cama

pasear el perro

poner la mesa

Actividad 18

¿Qué hay que hacer para mantener la casa?

Paso 1: Observar y conversar

En todas las familias hay que compartir las responsabilidades necesarias para mantener la casa. Observa a cada persona en la imagen para ver cómo ayuda en casa. Con un/a compañero/a, conversen de lo que ven:

- ¿Qué hace cada persona?
- ¿En qué parte de la casa está cada persona?

Paso 2: Escuchar y encontrar

a. Escucha mientras María José, la amiga de Nayeli, describe los quehaceres de las personas en su familia y cómo ayudan en casa.

b. Busca en la ilustración a todas las personas que María José menciona.

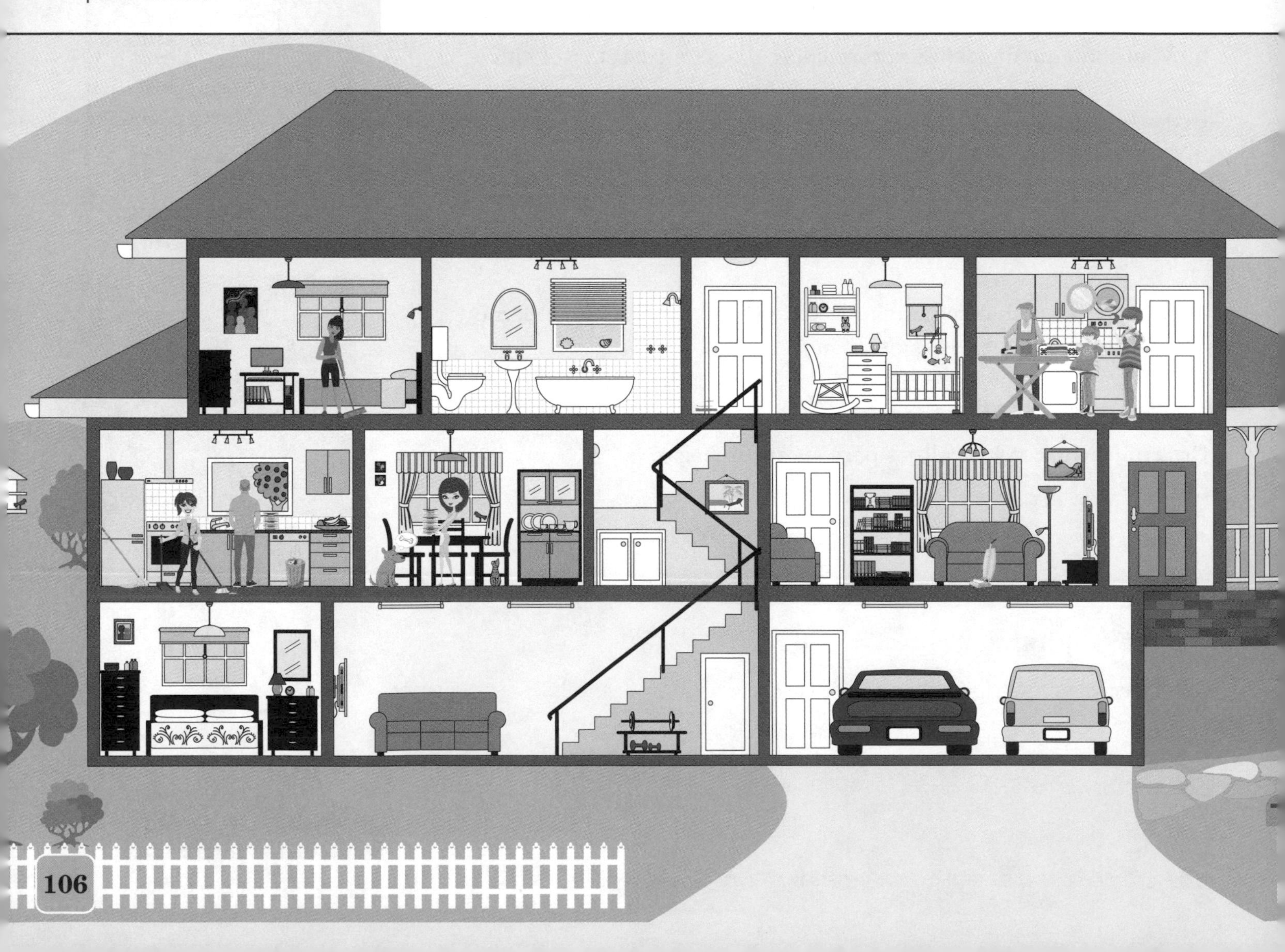

 Paso 3: Cierto o Falso

Después de escuchar a María José y examinar la imagen, decide si las siguientes oraciones son ciertas o falsas. Si una oración es falsa, escríbela otra vez con la información correcta.

1. El papá de María José lava la ropa en la cocina.
2. Su hermanita tiene que alimentar a las mascotas.
3. María José ordena su habitación.
4. La abuela dobla la ropa.
5. Su mamá usa la aspiradora en la cocina porque hay líquido en el suelo.

Paso 4: Adivinar y asociar

a. Con un/a compañero/a, túrnense para dibujar y adivinar un quehacer de la lista de vocabulario en **Así se dice 8.**

b. Después de adivinar la acción, el estudiante debe explicar el lugar donde se hace ese quehacer en la casa.

Modelo

Estudiante A dibuja:

Estudiante B dice:

¡Hay que barrer! ¡Hay que barrer la cocina, el pasillo, la sala y el comedor!

Así se dice 8: Los quehaceres de la casa

barrer

cocinar

cortar el césped

doblar la ropa

hacer la cama

lavar los platos/la ropa

limpiar el polvo

pasar la aspiradora

poner la mesa

quitar la mesa

sacar la basura

Mi progreso comunicativo

I can comprehend descriptions of family members doing household chores.

Además se dice: Los quehaceres de la casa

alimentar a la(s) mascota(s) - to feed the pets

arreglar la habitación - to clean, organize the bedroom

preparar la comida - to prepare the food

quitar la mesa - to clear the table

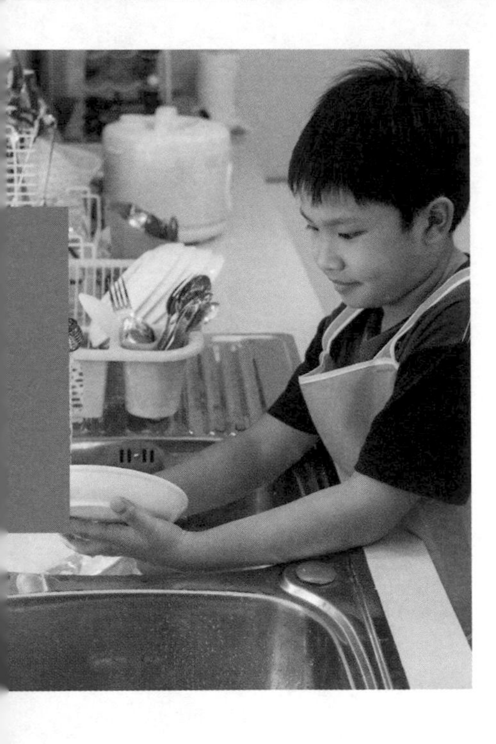

Actividad 19

¿Cómo se comparten las responsabilidades en tu familia?

Paso 1A: Escuchar por primera vez

Las familias se dividen los quehaceres de muchas maneras.

a. Escucha mientras Nayeli explica las responsabilidades en su familia.

b. Escribe quién hace estos quehaceres:

1. lavar los trastes (los platos)
2. cocinar
3. tender la ropa (secar al aire)
4. limpiar

Paso 1B: Escuchar por segunda vez y conversar

a. Antes de escuchar a Nayeli, mira las preguntas abajo.

b. Toma apuntes para recordar mejor la información.

c. Después, túrnense con un/a compañero/a para contestar a estas preguntas:

Estudiante A	Estudiante B
1. ¿Qué tiene que hacer Nayeli para ayudar en casa?	1. ¿Qué hace su hermano?
2. ¿Hay una diferencia entre las responsabilidades de chicos y chicas en su familia?	2. ¿Quién lava la ropa en la casa de Nayeli?
3. ¿Quién cocina en su casa?	3. ¿Quién limpia su casa?
4. ¿Qué pasa cuando uno de sus papás está trabajando?	4. ¿Cómo puedes comparar los quehaceres de su mamá y de su papá?

Paso 2A: Describir

Describe cuáles son las responsabilidades de los miembros de tu familia.

Modelo

Mi mamá suele cocinar por la tarde pero mis hermanos y yo nos preparamos el almuerzo. Mi papá suele limpiar la cocina y siempre saca la basura. Normalmente, mis papás lavan la ropa y mis hermanos suelen doblar la ropa.

Paso 2B: Comparar

Algunos miembros de la familia contribuyen más que otros. ¿Qué comparaciones puedes hacer entre los miembros de tu familia? Haz por lo menos tres comparaciones entre los quehaceres que tienen diferentes personas en tu familia.

Modelo

Mi hermana tiene tantos quehaceres como yo porque ella limpia y barre y yo pongo y quito la mesa. Mi hermano no tiene tantos quehaceres como nosotras. Él solo ordena su habitación.

Expresiones útiles

siempre - always

a menudo - often

a veces - sometimes

nunca - never

Paso 3A: Investigar

Conversa con los adultos de tu familia para preguntarles cuáles eran las responsabilidades en la casa cuando eran pequeños:

- ¿Cuál era el papel del hombre en la casa? ¿Cuál era el papel de la mujer?
- ¿Qué hacían tus padres o tíos para ayudar en casa? ¿tus abuelos?

Enfoque cultural

Práctica cultural: Tender la ropa

In Spanish-speaking countries laundry is done in a different way. Even though many houses have washers, dryers are not a big thing, and they are considered an expensive commodity. If people have a place, like a backyard, to hang the clothes, that is where they are going to dry their clothes. Also, weather, in general, in these countries is not extreme, so people like the idea of hanging clothes out in the sun.

  **Conexiones**

Why do you think some people who have a dryer still hang their clothes out in the sun?

Expresiones útiles

Antes, las mujeres tenían que... - Before, women had to...

Los hombres (no) tenían que... - Men (didn't) have to...

Hoy en día - Nowadays

(No) es necesario cambiar porque... - It's (not) necessary to change because...

Detalle gramatical: El futuro simple con ir + a

ir + a + infinitivo (to be going to do something)

- **Voy a lavar** los platos en mi futuro hogar.
- Mi familia **va a ir** al parque juntos a menudo.

Paso 3B: Compartir

Visita la guía digital para responder a las siguientes preguntas en forma de párrafo. Usa las **Expresiones útiles** para organizar tus ideas.

- ¿Cuál era el papel del hombre en la casa? ¿Cuál era el papel de la mujer?
- ¿Cómo es diferente ahora el papel del hombre? ¿y de la mujer?

¡Prepárate!

¿Cómo quieres dividir las responsabilidades en tu futuro hogar? Anota tus ideas y compártelas con un/a compañero/a.

- ¿Quieres mantener o cambiar la división de los quehaceres?
- ¿Te gusta cómo eran las responsabilidades antes?
- Describe la división de los quehaceres en tu futuro hogar.

Modelo

En mi futuro hogar, voy a lavar y doblar la ropa. Mi pareja va a cocinar y mis hijos van a lavar y secar los platos. Un hijo va a poner la mesa y su hermano va a quitar la mesa.

Enfoque cultural

Práctica cultural: Responsabilidades entre los hermanos

In many Spanish-speaking countries older siblings have more responsibilities than younger ones. They have to take care of the house, animals and in many cases prepare meals for the family when parents are away.

Conexiones

Do you think older siblings in your community have the same responsibilities as in Spanish-speaking cultures?

En camino B

¿Cómo eran las familias antes, cómo son ahora?

Over the last few generations, many Spanish-speaking families have seen a variety of changes: in the size of family, the roles and responsibilities for men and women, and the way we communicate with one another. In this assessment, you will talk about how families have changed in Mexico and in your community.

Paso 1: Mirar y anotar

Watch the video *¿Cómo ha cambiado la familia mexicana?* in your Explorer course and make a list of the changes that Carlos and América see in the Mexican family.

Paso 2: Observar y conversar

Look at the pictures provided in Explorer. How do these images remind you of how families have changed in the last two generations? With a partner make comparisons as you discuss the topics in Explorer, using the **Expresiones útiles.**

Paso 3A: Preparar

Use the talking points in Explorer to interview someone from a previous generation (a family member, a teacher, or community member). Make sure you take notes and pay attention to the details and examples they give you.

Paso 3B: Diseñar y presentar

With the information you have collected, create a visual to present in class where you compare:

- How has family changed over the last few generations?
- How is your family different now in comparison with previous generations? Are there any similarities?
- What are some things that have not changed or that have stayed the same over the generations?

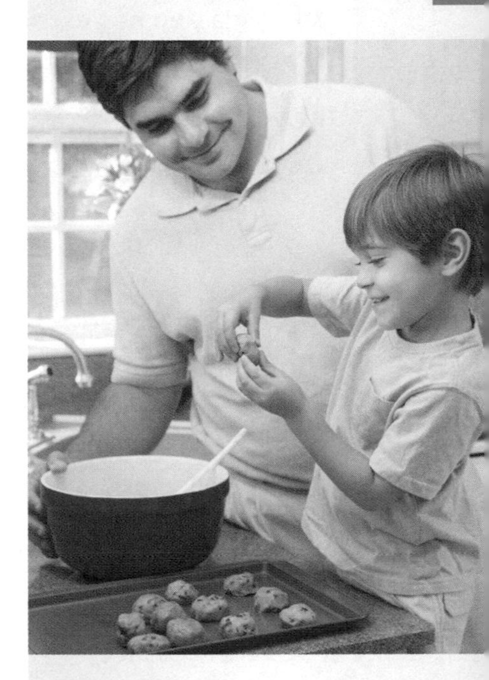

Expresiones útiles

En las familias antes, las mujeres… los hombres… - Before in families, the women… the men…

En muchas familias ahora, los hombres… las mujeres… - In many families today the men… the women…

Los hombres en familias modernas… - The men in modern families…

Las mujeres en familias tradicionales… - The women in traditional families…

Síntesis de gramática

Reflexivos recíprocos

- Reciprocal reflexive verbs are used when you want to express what people do to each other.
- Use reflexive pronouns: **se** and **nos**

Modelo

escribirse

Mi amiga y yo **nos escribimos** mensajes de texto.

abrazarse

Mis padres **se abrazan** cuando salen juntos.

Conjugación de verbos regulares en el imperfecto

Verbos – ar (hablar)

yo habl**aba**	nosotros habl**ábamos**
tú habl**abas**	*vosotros habl**abais***
usted habl**aba**	ustedes habl**aban**
él/ella habl**aba**	ellos/ellas habl**aban**

Verbos – er (comer)

yo com**ía**	nosotros com**íamos**
tú com**ías**	*vosotros com**íais***
usted com**ía**	ustedes com**ían**
él/ella com**ía**	ellos/ellas com**ían**

Verbos – ir (vivir)

yo viv**ía**	nosotros viv**íamos**
tú viv**ías**	*vosotros viv**íais***
usted viv**ía**	ustedes viv**ían**
él/ella viv**ía**	ellos/ellas viv**ían**

El imperfecto: Rules for the use of the imperfect

1. Descriptions of people or things in the past.
   - Mi abuela **era** muy cariñosa conmigo.
   - La casa de mis abuelos **tenía** árboles frutales.
2. Repeated or habitual actions in the past.
   - Siempre íbamos a la playa con mis primos.
   - Yo jugaba con mis primos mayores.

Conjugación de verbos irregulares en el imperfecto

Ser

yo **era**	nosotros **éramos**
tú **eras**	*vosotros **erais***
usted **era**	ustedes **eran**
él/ella **era**	ellos/ellas **eran**

Ir

yo **iba**	nosotros **íbamos**
tú **ibas**	*vosotros **ibais***
usted **iba**	ustedes **iban**
él/ella **iba**	ellos/ellas **iban**

Ver

yo **veía**	nosotros **veíamos**
tú **veías**	*vosotros **veíais***
usted **veía**	ustedes **veían**
él/ella **veía**	ellos/ellas **veían**

Vocabulario

Así se dice 5: Las relaciones en la familia

abrazarse - to embrace
darse la mano - to shake hands
despedirse - to say goodbye
llevarse bien - to get along
pelearse - to fight with each other
saludarse con (un beso, un abrazo) - to greet each other with a kiss, an embrace

Así se dice 6: El tiempo en familia

ir de…
caminata - to take a walk
campamento - to go camping
vacaciones - to go on vacation
jugar con… (muñecas, videojuegos) - play with … (dolls, video games)
jugar juegos de mesa - to play table games
salir a cenar - to go out for dinner
usar aparatos electrónicos - to use electronic devices

Expresiones útiles para conversar

¡Qué interesante! - How interesting!
¡A mí también me interesa! - I find that interesting too!
¿Ya conoces el lugar? - Do you know that place?
¡Dime más! - Tell me more!
También quisiera saber … - I also wanted to know …

Expresiones útiles para conversar

¡Fenomenal! - Phenomenal!
¡Qué genial! - How cool!
¡Cuéntame más! - Tell me more!
¿En serio? - Really?; For real?
¡Qué chévere! - How cool!
¡No me digas! - You don't say!

Así se dice 7: Los valores de la familia

compartir con - to share with
decir (e → i) la verdad - to tell the truth
decir "por favor" y "gracias "- to say "please" and "thank you"
desobedecer a - to disobey
mentir (e → ie) - to lie
obedecer a - to obey
los valores - values

Así se dice 8: Los quehaceres de la casa

barrer - to sweep
cocinar - to cook
cortar el césped - to mow the lawn
doblar la ropa -to fold clothes
hacer la cama - to make the bed
lavar (los platos, la ropa) - to wash (the dishes to do laundry
limpiar (el polvo) - to dust
pasar la aspiradora - to vacuum
poner la mesa - to set the table
quitar la mesa - clear the table
sacar la basura - to take out the trash

Expresiones útiles con el imperfecto

a menudo - often
cada día - daily
cuando era niño/a - when I was a kid
de niño/a - as a child
de pequeño/a - when I was young
de vez en cuando - once in a while
frecuentemente - frequently
generalmente - generally
normalmente - normally
nunca - never
siempre - always
todos los días - every day

Vive entre culturas

Mi familia del futuro

Pregunta esencial: What do you want in a home or family unit in the future?

You are dreaming about what your future will bring you in terms of a family of your own. Some people want a partner; others don't. Some want many kids; others don't want any. Some people want pets; others don't like animals at all. What about you? How do you see your future family?

Interpretive Assessment

  **Paso 1: Escuchar**

Listen as Nayeli and her friend Brayan share ideas about their future families. Pay attention as they describe their dreams for the future and show what you understand using the statements provided in Explorer.

 **Comparaciones culturales**

Which of the Spanish-speaking students you heard talking about family is the most similar to you? Write two to three sentences about how what they said connected with you. Go to your Explorer course for questions to guide your writing.

Interpersonal Assessment

  **Paso 2: Conversar**

Reflect on your own family experiences growing up and relate these experiences to what you want in the future. Share your ideas with a partner. Use the questions in your Explorer course as a guide to help you learn more about your classmate.

Expresiones útiles

¡Fenomenal! - Phenomenal!

¡Qué genial! - How great!

¡Cuéntame más! - Tell me more!

¿En serio? - Seriously?

¡Qué chévere! - How cool!

¡No me digas! - You don't say!

¡Qué interesante! - How interesting!

Presentational Assessment

  Paso 3: Escribir sobre tu familia del futuro

Using your answers from **Paso 2**, share your thoughts about your future household in an email. You have two options: write the Spanish-speaking student you identified with in **Paso 1** (Option A) or write your future *media naranja* (Option B). Mention at least two cultural practices related to family life in Spanish-speaking countries that you would like or would not like to incorporate into your future family or household.

- **Option A:** Write a letter to the Spanish-speaking student you identified with in **Paso 1**. Share the things that will be important for you and your future family, and explain why. Connect back to some of your own family experiences, as you did in **Paso 2**.
- **Option B:** Write a letter to your future *"media naranja"* about the household you want to establish in the future. Connect back to some of your own family experiences, as you did in **Paso 2**.

    a. In your first paragraph, describe what your family was like when you were growing up. Include information such as: the size of your family, the personalities of various family members, family responsibilities and routines, norms, family customs, and traditions.

    b. In the second paragraph, explain what type of family life you would like in the future. Include some or all of the topics listed above.

Expresiones útiles para conversar

Sé que - I know that

No estoy seguro/a - I'm not sure

Creo que - I think that/ I believe that

Pienso que - I think that

No sé si - I don't know if

UNIDAD 3
Un mundo hecho por comunidades

Unit Goals

- **Explore the layout, services, and transportation of communities in Nicaragua.**
- **Understand and provide directions to get around in communities.**
- **Explain how volunteers inspire and organize others to make a difference.**
- **Disseminate information to get people involved in community improvement projects in Central America.**

Preguntas esenciales

How does culture shape where people go and what they do in their communities?

How do people come together to celebrate their cultural identity and communities?

How can community members work together to improve their quality of life?

Nombre: Nema
Edad: diecisiete años
Idiomas: español e inglés
Origen: Nandaime, Nicaragua

Nema es una compañera de escuela de Nayeli, a quien conociste en la segunda unidad. También vive en el norte de California. La familia de Nema es de Nicaragua (o sea, son nicaragüenses) y Nema vivía en Nicaragua cuando era niña. Ahora visita con frecuencia su país de origen. En esta unidad, Nema nos presenta Nicaragua y sus diferentes tipos de comunidades.

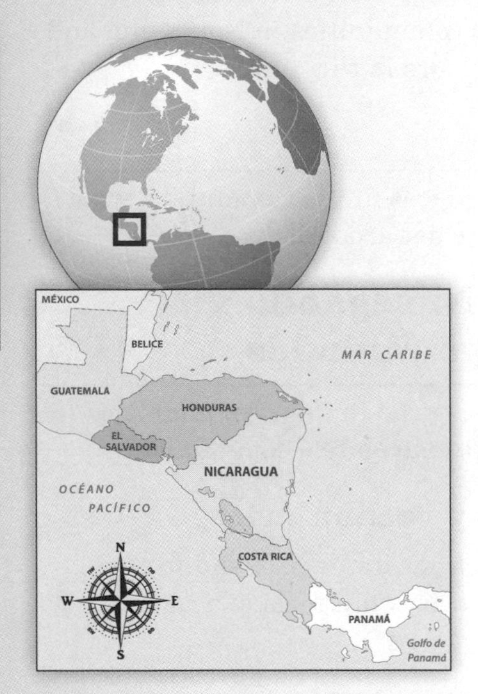

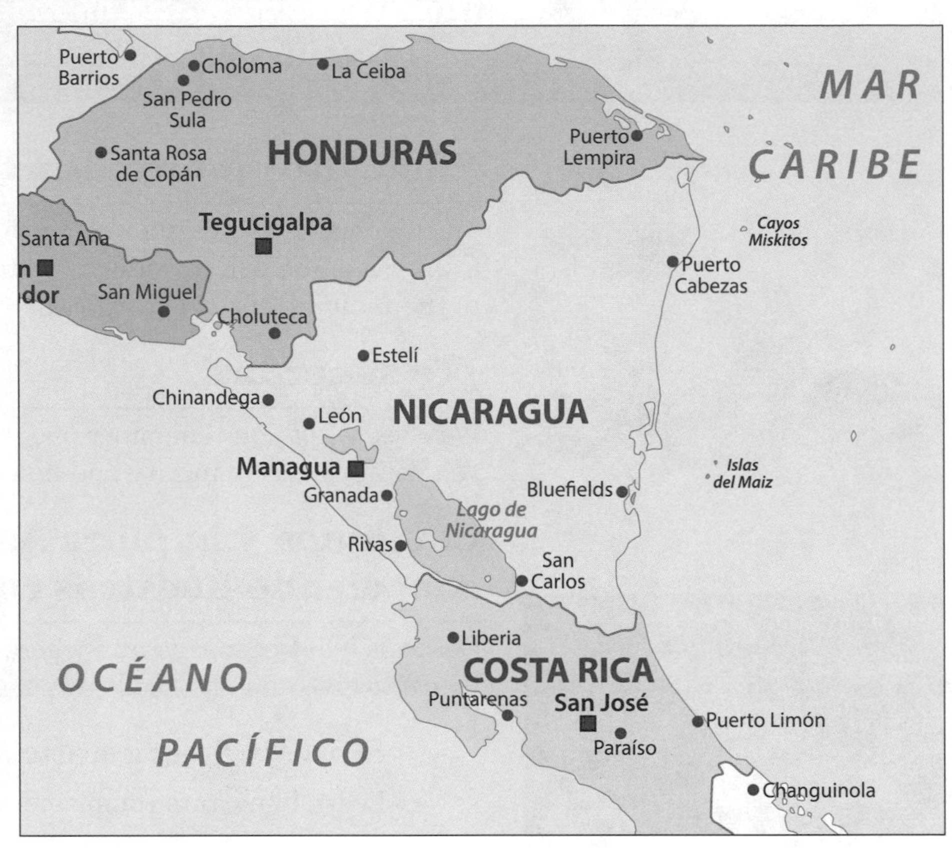

Las distintas comunidades en Nicaragua

Hay tres zonas en Nicaragua y cada una tiene sus distintas comunidades. La mayoría de la población nacional vive en la Región del Pacífico. Aquí vive la familia de Nema en un pueblito cerca de la ciudad colonial de Granada. En la región central del país hay fincas y cultivos de café. La región del Caribe es más tropical y menos poblada. Tiene una cultura diferente con influencias africanas y británicas.

Durante los primeros diez días de agosto se celebran las **Fiestas Patronales** en Managua, capital de Nicaragua. Todos los años, la gente local y los turistas disfrutan del desfile de caballistas.

Luis Enrique es un músico famoso nicaragüense que también vivió en California, como Nema. Es conocido por su álbum Ciclos.

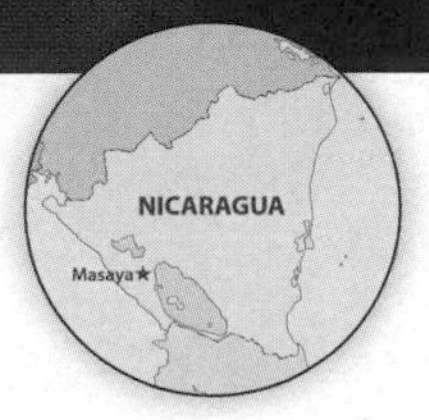

En Masaya, Nicaragua se celebra su santo patrono, **San Jerónimo,** del 27 de septiembre al 8 de octubre.

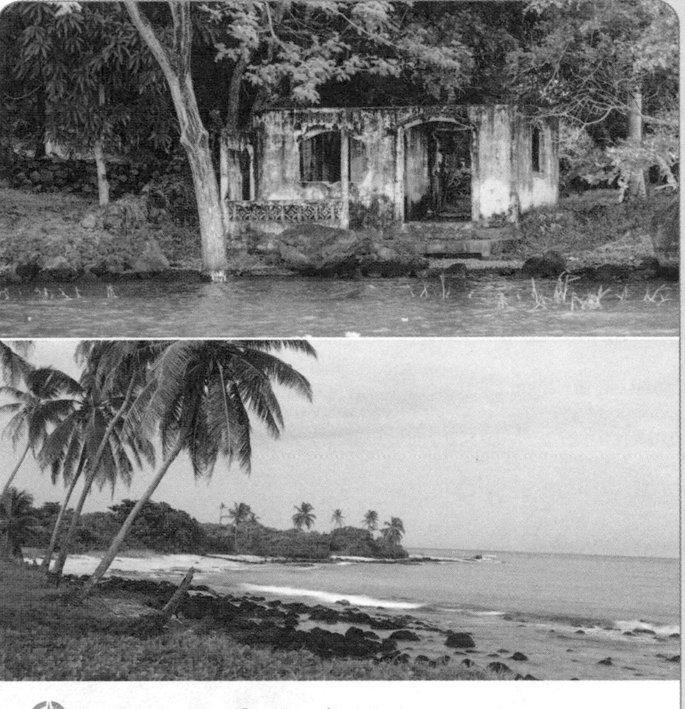

La costa caribeña de Nicaragua tiene mucha influencia africana. La población indígena habla misquito e inglés criollo y se considera independientes de la nación nicaragüense.

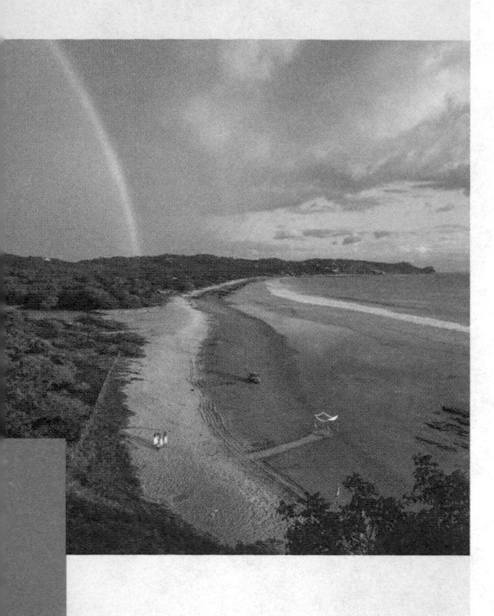

Actividad 1

¿Cómo definimos una comunidad?

Cada individuo es parte de varias comunidades. Algunas personas se identifican por la región en donde viven, el pueblo, o su escuela. Para algunas personas es muy importante su nacionalidad. ¿Con qué comunidad(es) te identificas más?

Paso 1: Leer

Nema quiere conocerte más por email. Lee su correo electrónico y completa el organizador gráfico con su información.

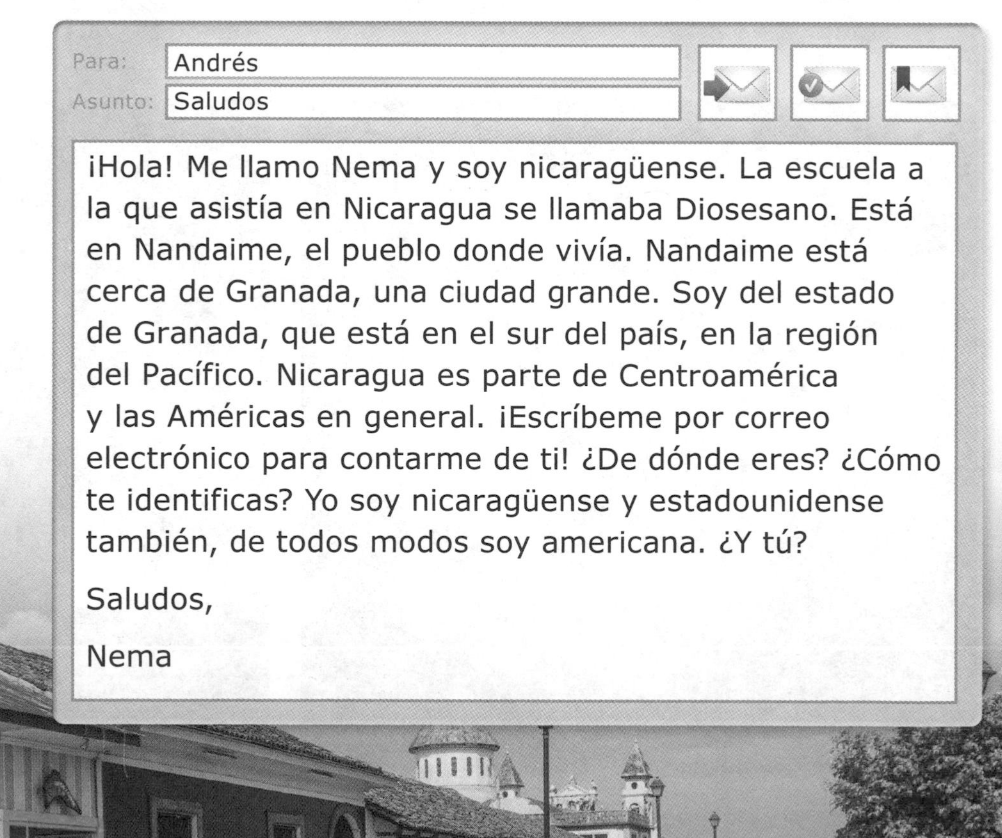

Para: Andrés
Asunto: Saludos

¡Hola! Me llamo Nema y soy nicaragüense. La escuela a la que asistía en Nicaragua se llamaba Diosesano. Está en Nandaime, el pueblo donde vivía. Nandaime está cerca de Granada, una ciudad grande. Soy del estado de Granada, que está en el sur del país, en la región del Pacífico. Nicaragua es parte de Centroamérica y las Américas en general. ¡Escríbeme por correo electrónico para contarme de ti! ¿De dónde eres? ¿Cómo te identificas? Yo soy nicaragüense y estadounidense también, de todos modos soy americana. ¿Y tú?

Saludos,

Nema

Además se dice: Las nacionalidades

americano/a - American

costarricense - Costa Rican

cubano/a - Cuban

dominicano/a - Dominican

guatemalteco/a - Guatemalan

hondureño/a - Honduran

mexicano/a - Mexican

nicaragüense - Nicaraguan

panameño/a - Panamanian

puertorriqueño/a - Puerto Rican

salvadoreño/a - Salvadoran

 Paso 2A: Preparar

Antes de responder a su email, piensa en tus propias comunidades para completar el mismo organizador gráfico para ti mismo/a. ¿Con qué comunidades te identificas?

  Paso 2B: Responder

En un correo electrónico breve, preséntate a Nema. Incluye la siguiente información:

- Me llamo...
- Vivo en...
- Soy de...
- Me identifico como...

Expresiones útiles

Para saludar

¡Hola! - Hello!

¿Qué tal? - How's it going?

¿Cómo estás? - How are you?

¿Cómo andas? - How are you?

Para despedirte

Cuídate, - Take care,

Un abrazo, - A hug

Saludos, - Regards

Enfoque cultural

Perspectiva cultural: Quiénes son "americanos"

"Las Américas" incluyen América del Norte, Centroamérica y América del Sur. Como resultado, personas de todas partes de las Américas se identifican como americanos/as. En inglés a veces se usa "americano/a" de otra manera. En español, se usa para referirse a personas de todos los países y regiones de las Américas. También, en los países hispanohablantes, los niños aprenden en la escuela que hay un sólo continente: América, no dos continentes separados.

  Conexiones

How is the way we teach geography related to how we use words like "American"?

How is this perspective similar and/or different from what you were taught about being "American"?

Do you identify more with "las Américas" or your own country?

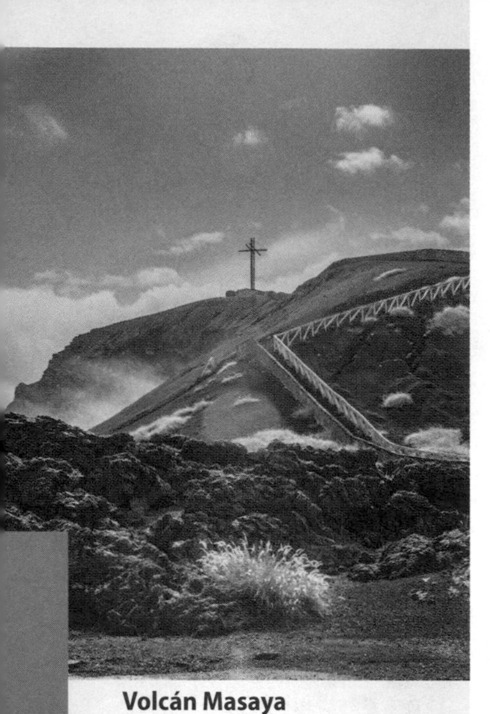
Volcán Masaya

Actividad 2

¿Qué hay en tu comunidad?

 **Paso 1: Leer**

Nema te escribe otra vez queriendo más información. Si te visita, ¿qué va a ver? Lee su correo electrónico para después responder.

Para: Andrés
Asunto: ¡Hola!

¡Hola! ¡Qué chévere saber más de ti, gracias! Quiero viajar pronto y quizás visitarte... ¿Me describes un poco tu comunidad? ¿Cómo es? ¿Qué hay en tu comunidad? ¿Hay muchas avenidas con grandes edificios o calles tranquilas con casas? ¿Tienes un lugar favorito, quizás una tienda favorita? ¿Crees que necesitas algo que no hay ahora en tu comunidad? Me cuentas, de verdad quiero conocer. Seguro es diferente a Nandaime. ¡Muchas gracias!

Un fuerte abrazo,

Nema

 **Paso 2: Responder**

Escribe otra vez a Nema.

a. Responde a sus preguntas y dale más información sobre tu comunidad.

b. ¡No olvides hacerle por lo menos tres preguntas sobre su comunidad en Nicaragua también!

Modelo

Tenemos muchos(as)...
El mejor restaurante se llama...
Cuando voy de compras, voy a (al)...
Mi tienda favorita se llama... porque...
Creo que necesitamos un nuevo / una nueva...

Expresiones útiles

también - also

en general - in general

en mi opinión - in my opinion

Actividad 3

¿Dónde están los lugares favoritos en tu comunidad?

¿Qué tal? Estoy en Managua por dos días visitando a mi tía. Aquí te mando una foto de la calle dónde ella vive.

En una avenida principal de Managua, la capital de Nicaragua, en la Pista de la Municipalidad **hay** muchos restaurantes y tiendas. Por ejemplo aquí **hay** un restaurante **al lado de** otro restaurante. También **a la izquierda**, hay una tienda de teléfonos *Movistar*. Es mi tienda favorita porque me gusta mirar los nuevos modelos de celulares. **Hay** buses y carros pero **no hay** un tren. Mi tía vive en esa avenida. Ella puede caminar para ir de compras. **Debajo** de su apartamento **hay** un restaurante que sirve comida bien rica.

Cuéntame, ¿dónde quedan tus lugares favoritos en tu ciudad?

Paso 1: Observar, leer y preparar tu respuesta

Nema te manda unos mensajes con una foto de Managua, la capital de Nicaragua, donde vive su tía.

a. Crea una ilustración de tus lugares favoritos.

b. Prepárate para escribirle a Nema dónde están estos lugares usando las preposiciones de lugar.

Mis lugares favoritos	Dónde están
1. **Modelo:** *El restaurante Milagros*	*En la avenida Jefferson,* ***cerca de*** *la biblioteca*
2.	
3.	

Nema menciona que las casas están pintadas de muchos colores en su comunidad.

¿Te acuerdas?

a la derecha de

a la izquierda de

al lado de

enfrente de

cerca de

lejos de

debajo de

Expresiones útiles

En la avenida... - In... Avenue

En la calle... - In...Street

Mi casa está... - My house is...

había - there was, there were

- **Había** una tiendita de ropa donde ahora **hay** un restaurante griego.

Expresiones útiles

a menudo - often

a veces - sometimes

casi nunca - almost never

rara vez - rarely

siempre - always

  Paso 2: Escribir

a. Muestra tu ilustración a un grupo de compañeros y explícales dónde están tus lugares favoritos en tu comunidad.

b. Responde a Nema por correo electrónico con la imagen de tu comunidad. Describe tus lugares favoritos y menciona dónde están en tu ciudad.

 Paso 3: Compartir

Describe tu comunidad antes y ahora a tus compañeros de clase.

1. ¿Cómo era tu comunidad antes?
2. ¿Qué hay en tu comunidad ahora que antes no había?

Actividad 4

¿Qué haces y qué hacías en tu comunidad?

  Paso 1: Preparar

Nema quiere comunicarse contigo por mensajes de texto para conocer aún mejor tu vida en tu comunidad. Completa el organizador gráfico para preparar la información que Nema te pide.

¿Adónde vas?	¿Con quién(es)?	¿Con qué frecuencia?	¿Cómo vas?	¿Para qué vas?
Modelo: *restaurantes y cafés*	*mis amigos*	*a menudo*	*camino / monto en bicicleta*	*tomar café*

  Paso 2: Responder

Lee las preguntas que te hace Nema por mensaje de texto. Responde a cada pregunta con una oración completa.

Quiero saber más de la vida en tu comunidad. ¿Es saludable? *(healthy)* Por ejemplo, ¿vas mucho al gimnasio o al parque?

¿Sales de tu casa mucho? ¿Adónde vas normalmente? ¿Para qué?

¿Vas al supermercado o vas a restaurantes?

¿Sueles caminar o correr, o siempre vas en carro?

¿Te gusta explorar tu comunidad u otros lugares? ¿Adónde vas?

San Juan del Sur, Nicaragua

  Paso 3: Escribir y comparar

Ahora vas a comparar lo que haces y lo que hacías cuando eras pequeño/a.

a. Completa el diagrama de Venn con verbos en el presente y el imperfecto.

b. Comparte la información en tu diagrama de Venn con un/a compañero/a. ¿Hacían cosas similares cuando eran niños? Ahora, ¿hacen cosas similares o diferentes?

Modelo

Antes jugaba con bloques y muñecas. Ahora juego videojuegos y baloncesto.

Recuerda: El imperfecto

To talk about how things used to be, remember the endings for:

-ar verbs

yo **jugaba**	nosotros **jugábamos**
tú **jugabas** Ud. **jugaba**	*vosotros* ***jugabais*** Uds. **jugaban**
él/ella **jugaba**	ellos/ellas **jugaban**

-er / -ir verbs

yo **salía**	nosotros **salíamos**
tú **salías** Ud. **salía**	*vosotros* ***salíais*** Uds. **salían**
él/ella **salía**	ellos/ellas **salían**

ser: era, eras, era, éramos, *erais*, eran

ir: iba, ibas iba, íbamos, *ibais*, iban

ver: veía, veías, veía, veíamos, *veíais*, veían

¿Te acuerdas?

La geografía

este
norte
oeste
sur

Los lugares

la avenida
la biblioteca
el café
la calle
la carnicería
el cine
la ciudad
el edificio
la escuela
el gimnasio
el hospital
el mercado
el museo
la panadería
el parque
la plaza
el restaurante
el supermercado
la tienda

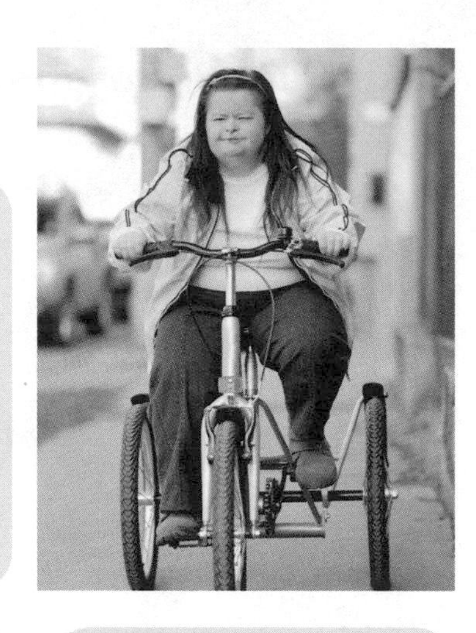

Los modos de transporte

andar en bicicleta (moto)
el bus/el autobús
caminar
el camión
el carro/el coche
correr
el metro
ir a pie
tomar
el tren
ir en tren (bus, carro, taxi)

Las preposiciones

cerca de
debajo de
a la derecha de
enfrente de
a la izquierda de
al lado de
lejos de

Las actividades

ir al cine
ir de compras
comprar
desayunar/almorzar/cenar
explorar
pasar tiempo con familia/amigos
ir de paseo
salir
tomar té/café

Palacio Nacional de Nicaragua

Comunica y Explora A:

Navegando y conociendo nuestras comunidades

Pregunta esencial: How does culture shape where people go and what they do in their communities?

Actividad 5

¿Qué hay en las comunidades en América Latina?

Paso 1: Observar y leer

Mientras lees el texto abajo, encuentra la imagen de Nicaragua que corresponde a cada parte del texto.

A

B

C

D

1 — *En **el centro** de **los pueblitos** y ciudades de América Latina, siempre hay una plaza. La plaza es un espacio central para la comunidad con una **fuente** o **estatua** en el medio y bancas donde se sienta la gente. Este modelo viene de España, donde también hay plazas en el centro de las ciudades y pueblos.*

2 — *La iglesia o **catedral** más importante de la comunidad siempre está frente a la plaza. A veces **la arquitectura colonial** de **la catedral** contrasta con **la arquitectura moderna** de los edificios que están cerca. **Las catedrales** demuestran la influencia española, donde también hay **catedrales** en las plazas principales.*

3 — *Otros edificios importantes en las plazas son los edificios del gobierno (government). Si la ciudad es la capital del país, está también la residencia del/de la presidente/a. En **un pueblito,** quizás está la policía, la corte o la alcaldía, la oficina del alcalde (mayor). En España también hay estos edificios en las plazas.*

4 — *Al lado de la plaza y en muchas partes de los pueblos y ciudades, encuentras cafés al aire libre donde la gente se sienta a comer afuera. Como hace calor o está fresco gran parte del año en Nicaragua, es posible estar afuera para disfrutar la comida. La tradición de tomar café viene de Europa y es muy común ahora en toda América Latina también.*

Paso 2: Comparar

¿Qué tiene tu comunidad en común con las comunidades en América Latina?

a Escribe tus observaciones en el diagrama de Venn.

b. Utiliza las "Sugerencias para escribir".

Paso 3: Observar y leer

Ahora que conoces la influencia española en las comunidades latinoamericanas, vas a investigar algunos iconos en Nicaragua.

a. Escribe una lista de los iconos que ves en esta página y la anterior.

b. Lee la información cultural para aprender más de su importancia.

c. Describe tres de los iconos en una o dos oraciones.

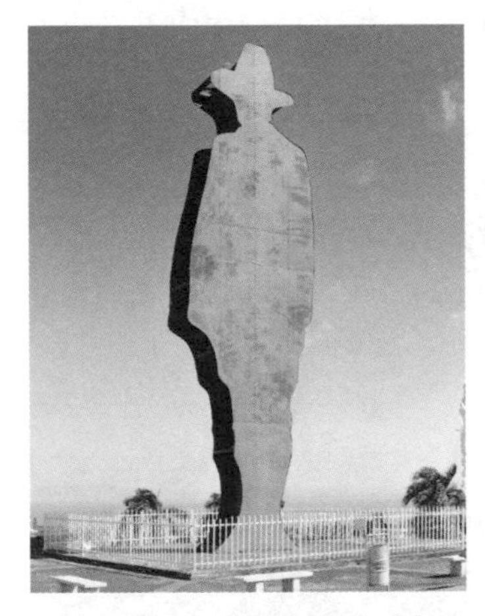

Esta estatua de Augusto César Sandino es un monumento en su honor y está encima de un cerro *(hill)* en Nicaragua.

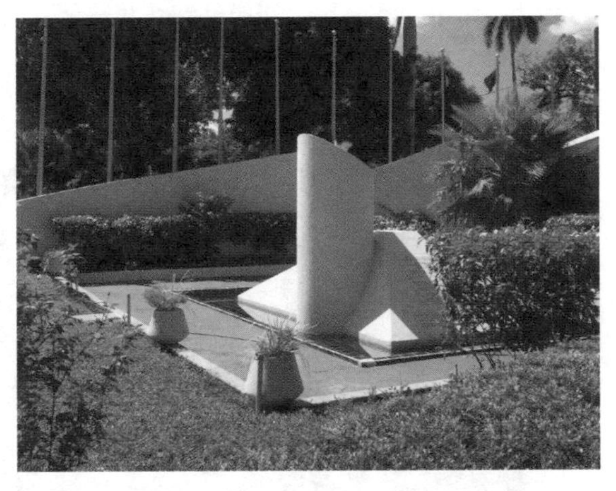

La tumba de Carlos Fonseca Amador es un memorial importante en Managua.

Enfoque cultural

Productos culturales: Los monumentos de nicaragüenses famosos

Augusto César Sandino (1895–1934) fue el líder de la rebelión contra la ocupación militar de los Estados Unidos entre 1927–1933 en Nicaragua. Es un héroe nacional y un símbolo de resistencia y libertad. El movimiento revolucionario sandinista fue llamado así en su honor.

Carlos Fonseca Amador (1936–1976) fue un profesor y bibliotecario quien fundó el Frente Sandinista de Liberación Nacional (FSLN) en 1963. Los sandinistas lucharon *(fought)* para establecer un gobierno revolucionario en 1979.

Conexiones

What do the monuments to these two people tell you is valued in Nicaraguan history? What monuments in your country reflect the value of your culture?

Mi progreso intercultural

I can compare and contrast the layout of my community with that of a Spanish-speaking community.

Expresiones útiles

En mi comunidad hay... - In my community there is (are)...

En las comunidades de América Latina hay... - In Latin American communities there is (are)...

En mi comunidad y en las comunidades de América Latina hay... - In my community and in the communities in Latin America there is (are)...

(No) Tenemos... en mi comunidad... - We (don't) have... in my community...

Así se dice 1: Los lugares en la comunidad

la arquitectura colonial/moderna
el barrio
la catedral
el centro
la estatua
en honor a
el monumento
el pueblo (el pueblito)

Enfoque cultural

Productos culturales: En el dinero y las estampillas

Los productos culturales de un país suelen incluir íconos de su identidad nacional. Observa estos ejemplos nicaragüenses y visita la guía digital para conocer más.

Rubén Darío fue un poeta y escritor nicaragüense muy famoso, con gran influencia en la literatura y el periodismo en español del siglo XIX.

El Castillo de la Inmaculada Concepción que aparece en el billete es parte de una leyenda. Se dice que había un pájaro en el Castillo que cantaba frente a una imagen de la Virgen María.

Conexiones

What do these cultural products say about who and what is valued in Nicaragua? Look at the currency of your country and discuss who or what is valued.

¡Oh, mi adorada niña!

¡Oh, mi adorada niña!
Te diré la verdad:
Tus ojos me parecen
Brasas tras un cristal;
Tus rizos, negro luto,
Y tu boca sin par,
La ensangrentada huella
Del filo de un puñal.

-Rubén Darío

Además se dice

la bandera - flag

la mascota - mascot

representar - to represent

el símbolo/simbolizar - symbol/to symbolize

Paso 4: Hacer conexiones

a. Usa el organizador gráfico de la **Actividad 1** y con un/a compañero/a, identifiquen algunos íconos en su comunidad. ¿Qué representan?

b. Presenten sus ideas a la clase.

¿Qué otros símbolos ves aquí que representan la identidad nicaragüense?

Mi progreso intercultural

I can identify the importance of some icons and celebrations that express the shared identity of a community.

Reflexión intercultural

1. How does Nicaragua convey their cultural beliefs and values through public monuments and other symbols?
2. Do you think all citizens agree with these beliefs and values?
3. If you had the option to build a cultural icon in your community, what would it be?

Actividad 6

¿Cómo son similares y diferentes los distintos tipos de comunidades?

  Paso 1: Describir

En Nicaragua y en todos los países hay muchos tipos de comunidades: hay pueblos pequeños, ciudades pequeñas y ciudades grandes también. ¿Qué hay en estas comunidades?

a. Completa el organizador gráfico con tus ideas para compartir con un/a compañero/a después.

b. Utilicen el vocabulario de **Además se dice** para añadir a sus organizadores gráficos.

¿Qué hay en estos tipos de comunidades?	
los pueblos rurales	**las ciudades**

Paso 2: Escuchar y anotar

a. Escucha a Nema describir el pueblo donde vivía ella y la ciudad que está cerca, Granada. ¿Cómo son diferentes y similares?

b. Completa el diagrama de Venn con tus ideas.

Nandaime **Granada**

Además se dice

los apartamentos - apartments

los condominios - condominiums

los cultivos - crops

la finca - farm; rural property

las mansiones - mansions

el patio de enfrente/de atrás - the front yard/backyard

el piso - flat; apartment

la zona... - zone; area

- **comercial** - shopping
- **industrial** - industrial
- **residencial** - residential
- **rural** - rural
- **urbana** - urban

A veces las calles en el centro histórico son adoquinadas.

Enfoque cultural

Práctica cultural: Comer en la plaza o en la calle

En el video que miraste para el **Paso 2,** Nema menciona que hay comida en la plaza de su pueblo, al lado de la iglesia. Dice que hay un kiosko con bancas y mesas donde puede ir con sus amigos para comer tajadas fritas. En Nicaragua es común comer sánwiches, tostadas, maduros (plátanos fritos), arroz, frijoles, nacatamales (tamales muy grandes), etc.

  **Conexiones**

What is common fast food to eat while out and about in your community?

When and with whom do you eat this kind of food?

 Paso 3: Observar y describir

En todos países hay varias zonas: el centro, las zonas residenciales, las zonas rurales y las zonas industriales.

a. Mira las imágenes A–F:

- ¿Qué puedes decir sobre cada imagen?
- ¿En qué tipo de zona está cada lugar?

b. Ahora toma turnos con tu compañero/a para describir las imágenes.

c. El/La compañero/a que escucha la descripción debe adivinar *(guess)* qué imagen se describe.

Modelo

Estudiante A:	Es una zona rural con playas bonitas. Hay barcos. Posiblemente hay turistas en las playas.
Estudiante B:	Es la imagen F.

Paso 4A: Describir

Empieza a escribir un breve párrafo para describir tu comunidad.

- ¿En qué tipo de comunidad vives?
- ¿Qué lugares hay en tu comunidad?

Paso 4B: Comparar

a. Completa un diagrama de Venn para comparar tu comunidad y otra comunidad cercana.

b. Expande tu párrafo con dos o tres oraciones para comparar las dos comunidades.

Modelo

Donde yo vivo hay…

En otra parte de la ciudad hay…

Hay más/menos ____ que…

Mi ciudad/pueblo es más/menos ____ que…

En mi ciudad/pueblo hay tantos ____ como…

Donde yo vivo es tan ____ como…

Recuerda: Comparaciones

How can you use these structures to compare different communities? Find examples in the Modelo and think of your own.

más… que

menos… que

tan (adjetivo)… como

tanto(a)(s) (sustantivo)… como

Así se dice 2: Las tiendas

el centro comercial

la estación de servicio

la farmacia

la ferretería

la iglesia, el templo, la mezquita

la joyería

la panadería

la pastelería

la pescadería

la zapatería

Además se dice

el cibercafé - cybercafe

regatear - to haggle

Actividad 7

¿En dónde se vende?

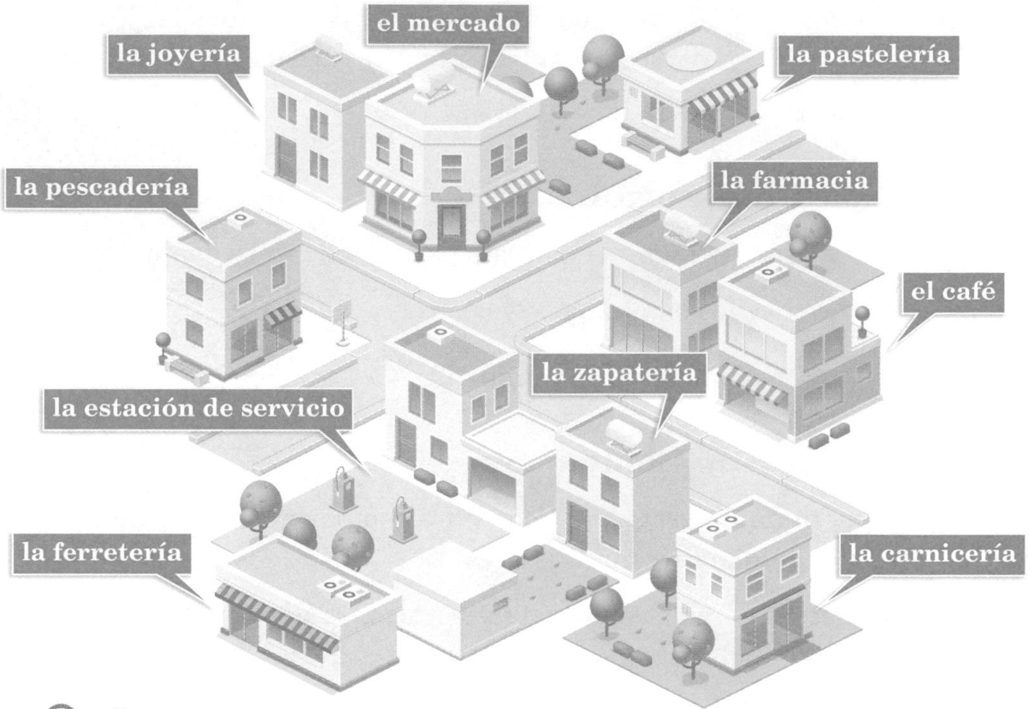

Paso 1: Identificar

Escucha los nombres de los siguientes productos y elige el lugar donde una persona puede comprarlos. Escribe el número en el lugar donde corresponde.

1. la carnicería ______	6. la panadería ______
2. la pastelería ______	7. la joyería ______
3. la farmacia ______	8. la pescadería ______
4. la zapatería ______	9. la ferretería ______
5. el mercado ______	10. la estación de servicio ______

Paso 2: Conversar y compartir

a. Entrevista a un/a compañero/a para saber un poco más sobre su barrio.

b. Comparte con la clase dos cosas que te parecen interesantes sobre los comentarios de tu compañero/a

1. ¿Hay un centro comercial cerca de tu casa? ¿Cuál es? ¿Cuál es tu tienda favorita en el centro comercial?
2. Si quieres comprar un pastel de cumpleaños, ¿adónde vas?
3. ¿Cómo se llama la farmacia que está más cerca de tu casa? ¿Qué cosas compras siempre en la farmacia?
4. En tu ciudad, ¿hay iglesias, mezquitas o templos? ¿Están cerca o lejos de tu casa? ¿Vas a algún servicio religioso durante la semana o en el fin de semana?
5. ¿Vas a veces con amigos a algún café? ¿A cuál? ¿Dónde queda? ¿Qué te gusta tomar?

Paso 3: Hablar

Pregunta a un/a compañero/a si conoce algunas de las tiendas del **Paso 1** y dónde quedan.

Modelo

Estudiante A: ¿Conoces una farmacia?

Estudiante B: Sí, sí conozco una, se llama...

Estudiante A: ¿Sabes dónde queda?

Estudiante B: Queda en la calle...

Detalle gramatical: El verbo "quedar"

The verb **quedar** is used to talk about where a building or a place is located.

Modelo

- ¿Dónde **queda** la farmacia?

- **Queda** en la esquina entre la avenida Naciones Unidas y la calle 6 de Diciembre.

Detalle gramatical: Los verbos "saber" y "conocer"

The verbs **saber** and **conocer** mean *to know*. **Conocer** is used when talking about knowing, or being familiar with, people and places, and **saber** is used when talking about knowing skills, facts, knowledge and how to do something. **Saber** and **conocer** have irregular first person singular forms in the present tense.

Conocer in the preterit has a change in meaning. It means to meet.

Ejemplos:

- Yo **conozco** una panadería en mi barrio en Managua que vende buen pan dulce.
- -¿**Sabes** hacer pan?
  -No **sé**, es muy difícil hacer buen pan.

yo **conozco**	nosotros **conocemos**
tú **conoces** Ud. **conoce**	*vosotros conocéis* Uds. **conocen**
él/ella **conoce**	ellos/ellas **conocen**

yo **sé**	nosotros **sabemos**
tú **sabes** Ud. **sabe**	*vosotros **sabéis*** Uds. **saben**
él/ella **sabe**	ellos/ellas **saben**

Mi progreso comunicativo

I can identify what people do at different places in their community.

 Paso 4: Escuchar y seleccionar

Escucha las descripciones de las diferentes situaciones. Elige la imagen que corresponde a cada descripción.

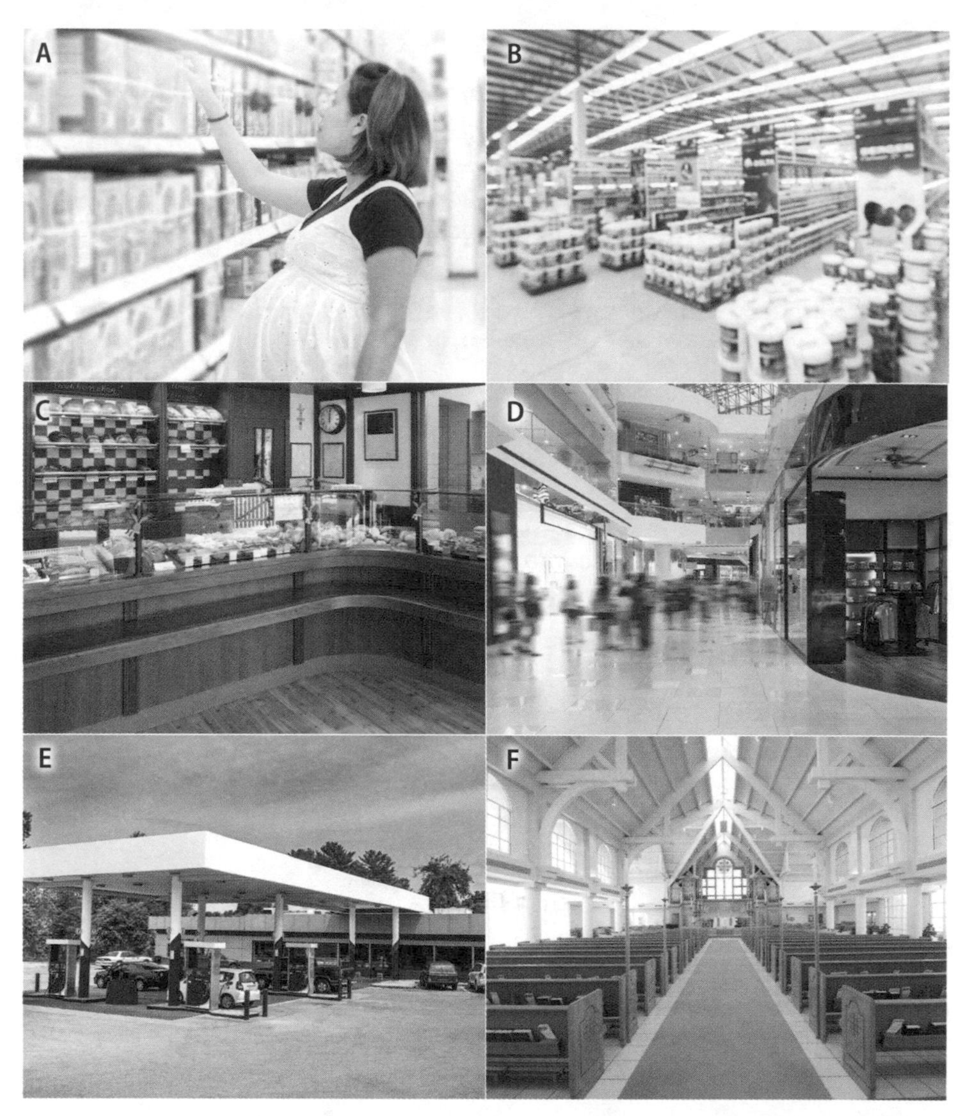

Enfoque cultural

Práctica cultural: Las panaderías

En los países hispanohablantes **las panaderías** son muy populares. Hay panaderías en las ciudades grandes y en **los pueblos** pequeños.

Las panaderías venden pan fresco *(fresh)* todos los días. Cada mañana la gente compra el pan en la panadería y no en el supermercado. El pan es mejor y más fresco en las panaderías.

  **Conexiones**

Are there local **panaderías** in your community?

What store in your community could be similar to this?

Actividad 8

¿En qué tipo de mercado estoy?

Paso 1: Observar y conversar

En muchos países hispanohablantes hay diferencias entre las ciudades y los pueblos pequeños. Por ejemplo, en la ciudad la gente va al supermercado y en las zonas rurales va al mercado al aire libre.

a. Mira las siguientes imágenes.

b. Conversa con un/a compañero/a sobre lo que observan en el mercado al aire libre y en el supermercado.

el supermercado

el mercado al aire libre

Paso 2: Responder

a. Lee las oraciones.

b. Decide si estás en el supermercado o el mercado al aire libre.

1. Pago con tarjeta de crédito.
2. Se vende comida que está preparada y congelada o empaquetada.
3. Se puede regatear.
4. Hay empleados organizando y arreglando estantes.
5. Hay carritos de compras.
6. Encuentras este anuncio:

SE BUSCA

Persona para trabajar en la carnicería.

7. Encuentras este anuncio:

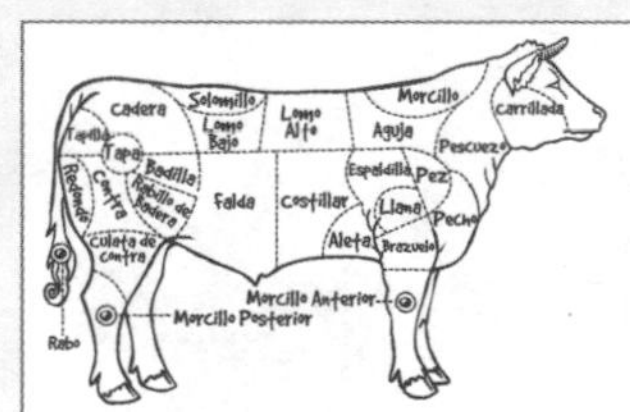

SE VENDE CARNE FRESCA

De res, de cerdo y de pollo **C$ 50./libra**

Mi progreso intercultural

I can identify some of the cultural differences between shopping in an outdoor market or in a supermarket.

Además se dice

empaquetada - packed

regatear - haggle

empleados - employees

estantes - shelves

carritos de compras - shopping carts

Detalle gramatical: El *se impersonal*

The *se impersonal* is used when a **third person singular verb** (*él/ella* form) is used and refers to no particular person.

English uses *one, they* or even *you* when no person is intended.

- **Se vende** carne fresca aquí. *You can buy fresh meat here.*

Enfoque cultural

Práctica cultural: Los mercados al aire libre

En países hispanohablantes hay mercados al aire libre todo el año en las ciudades grandes y en los pueblos pequeños. Aunque los supermercados son populares y muy cómodos, todavía, a la gente le gusta ir al mercado a comprar frutas y vegetales frescos.

En algunos pueblos, donde hay una población indígena muy grande, hay "ferias", generalmente los sábados, donde se venden frutas, vegetales, carnes, ropa, artículos para el hogar ¡e incluso animales!

 **Conexiones**

Are there farmer's markets in your community?

Why do you think people in Spanish-speaking countries still go shopping at outdoor markets although there are supermarkets nearby?

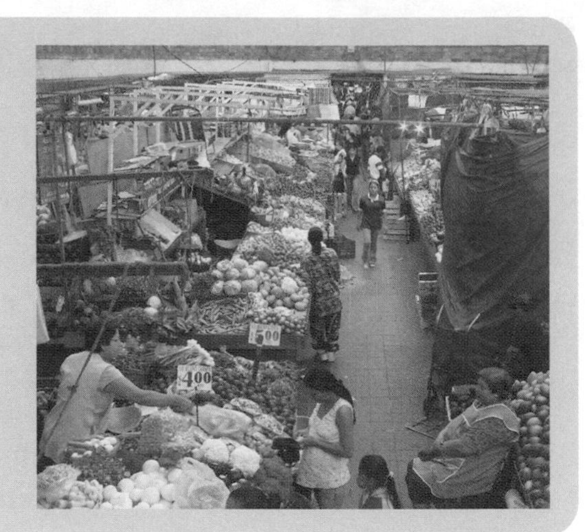

Paso 3: Escribir

Contesta a las siguientes preguntas. Recuerda que tienes que contestar en oraciones completas y usar el vocabulario de **Así se dice 2.**

1. ¿Te gusta ir de compras con las personas importantes en tu vida? ¿Por qué?
2. ¿Adónde van las personas importantes en tu vida para comprar la comida de la semana? ¿Van solo a un lugar o a varios? ¿Tienen alguna tienda en la que compran cosas especiales? ¿carne? ¿pescado?
3. ¿Hay en tu ciudad algún mercado al aire libre? ¿Está abierto todo el año?
4. ¿En los mercados al aire libre de tu ciudad se vende algo más que comida?

 Paso 4: Entrevistar y presentar

a. Usa las preguntas anteriores para entrevistar a un/a compañero/a.

b. Luego presenta a la clase lo que aprendiste sobre las costumbres de tu compañero/a cuando va de compras.

 Paso 5: Escribir

Imagina que vas a hacer un picnic con tus amigos el fin de semana. Usa las imágenes del **Paso 1** para escribir qué compraste en cada lugar.

1. En el mercado al aire libre yo…
2. En el supermercado mi amigo/a y yo…

Actividad 9

El arte del regateo

Paso 1: Mirar y poner en orden

Mira el video sobre el arte del regateo y pon la lista de los pasos para regatear en el orden apropiado.

Paso 2: Practicar

Necesitas un regalo para una fiesta de cumpleaños que tienes este fin de semana.

a. Mira el video por segunda vez.

b. Con un/a compañero/a desarrollen un *skit* en donde uno es el/la comprador/a y el otro el/la vendedor/a.

c. Utilicen las técnicas que aprendieron en el video.

Paso 3: Presentar

Presenten a la clase su *skit*. Pueden usar cualquier tipo de utilería *(props)* para su presentación.

Reflexión intercultural

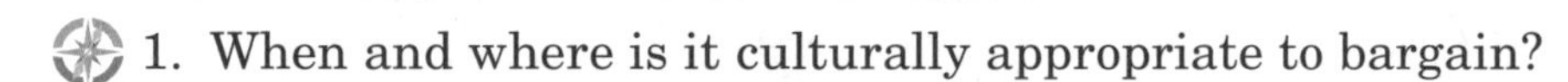

1. When and where is it culturally appropriate to bargain?
2. What do you think about the art of bargaining? Do you think it is a fair practice for buyers and sellers?
3. Which technique do you think is the best for bargaining?

Enfoque cultural

Práctica cultural: El regateo

El regateo es una práctica muy común en los mercados de los países hispanohablantes. El comprador pide una rebaja en el precio de un producto que vende el vendedor. El vendedor acepta o hace una contraoferta. El regateo no ocurre en supermercados o en centros comerciales.

  **Conexiones**

How do you think bargaining benefits both the seller and the buyer? Are there places in your community where you can bargain with the vendors?

Expresiones útiles para regatear

¿Cuánto vale? - How much is it?

Es muy caro, le doy... - It is too expensive, I'll give you...

Si me llevo dos, ¿cuánto cuesta? - If I get two, how much would it cost?

No tengo tanto dinero. - I don't have that much money.

Lo siento - I am sorry

Se lo dejo en... - I'll give it to you for...

De acuerdo, quedemos en... - OK let's agree on...

Además se dice

comprador/a - buyer

contraoferta - counteroffer

oferta - offer

ponerse de acuerdo - agree

regalo - gift

vendedor/a - seller

Observa 1

El pretérito

*Buenas tardes. ¿Cómo **pasaste** la mañana?*

*Primero **compré** las verduras para mis abuelos en el mercado.*

*Después **visité** a mis abuelos. Mi abuela me **preparó** una merienda maravillosa y nosotros **conversamos** un poco.*

*Mi abuela le **escribió** una carta a su amiga, entonces yo **decidí** ir al correo con ella.*

*Cuando **salimos** del correo, mi abuela y yo **bebimos** un café antes de ir a casa.*

*Entonces, tú **compraste** verduras en el mercado, tú **visitaste** a tus abuelos y ¡tu abuela y tú **bebieron** café!*

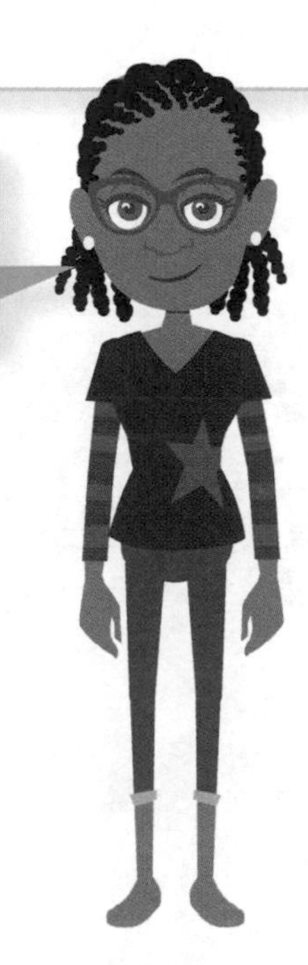

¿Qué observas?

1. What do you notice about these verbs? Do you know when the action takes place?
2. Which ones are the ***-ar*** verbs? What do you notice about the endings of the ***-ar*** verbs?
3. Which ones are the ***-er*** and ***-ir*** verbs? What do you notice about the endings of the ***-er/ir*** verbs?

Detalle gramatical: Los verbos irregulares en el pretérito

The verbs **ser** and **ir** have the same conjugation in the preterit.

Irregular Preterit: Verbs **ir** *(to go)* and **ser** *(to be)*

yo **fui**	nosotros **fuimos**
tú **fuiste** Ud. **fue**	*vosotros **fuisteis*** Uds. **fueron**
él/ella **fue**	ellos/ellas **fueron**

- ¿Adónde **fuiste** este fin de semana?
- **Fui** al centro comercial con mis amigos.

There is a spelling change in one form of ***-car, -gar, -zar*** verbs in the preterit tense. This is to maintain the original sound of the verb.

The following changes occur in the "yo" form only:

Verbs that end in **-gar**: change **g** to **gu**

- Yo **jugué** fútbol ayer. **(jugar)**

Verbs that end in **-car**: change **c** to **qu**

- Yo **saqué** dinero del banco anteayer. **(sacar)**

Verbs that end in **-zar**: change **z** to **c**

- Yo **almorcé** con mi abuela la semana pasada. **(almorzar)**

Enfoque cultural

Producto cultural: Los autobuses en Centroamérica

El 65% de los salvadoreños utilizan transporte público. Hay más de 9.000 autobuses que circulan las ciudades diariamente. Los dueños de los buses los decoran a su gusto para atraer al cliente y definen la ruta que van a recorrer. Lo importante es llamar la atención del cliente.

En varios países hispanohablantes hay diferentes nombres para los buses. En Cuba, Puerto Rico y la República Dominicana se dice **la guagua**, mientras que en Perú hay buses pequeños llamados **combis**, en Colombia hay **chivas** y en Chile se suben a **la micro**.

Adaptado de: www.veintemundos.com

  **Conexiones**

What types of public transportation are commonly used in your community? How are these vehicles decorated? Is it similar or different to how buses are decorated in Central America?

Actividad 10

¿Adónde fuiste?

  Paso 1: Escuchar

La semana pasada fue muy ocupada para Nema. Escucha lo que dice de sus actividades y selecciona el lugar adónde fue.

a. el cine	e. la joyería
b. el consultorio médico	f. el banco
c. la zapatería	g. el mercado
d. la iglesia	h. el correo

Así se dice 3

Los servicios en la comunidad

el banco

el consultorio médico

el correo

Las actividades en la comunidad

dejar un paquete

mandar una carta

sacar dinero del cajero automático

ver una película

Expresiones útiles

Fuimos al mercado... - We went to the market

anteayer - the day before yesterday

el año pasado - last year

ayer - yesterday

hace una semana - a week ago

el mes pasado - last month

la semana pasada - last week

Así se dice 4: Los tipos de transporte

bajar de...

la camioneta

el mototaxi

el peatón/la peatona

subir a...

Paso 2: Hablar

Con un/a compañero/a tomen turnos para hacer y responder a las siguientes preguntas. Utilicen las **Expresiones útiles**.

Modelo

Jugar un deporte. ¿Qué jugaste?

Estudiante A: ¿Cuándo fue la última vez que jugaste algún deporte?

Estudiante B: La última vez que jugué tenis fue el domingo.

1. Ir al cine a ver una película en 3D. ¿Qué película viste?
2. Jugar un partido de fútbol, básquetbol, tenis, etc. ¿Quién ganó?
3. Llegar tarde a casa. ¿A qué hora?
4. Salir con tus amigos al centro comercial. ¿Qué compraron?
5. Sacar dinero del cajero automático. ¿Cuánto?
6. Comprar pan en la panadería ¿Te gustó?
7. Escribir una tarjeta y enviarla por correo. ¿A quién?
8. Ir a la playa. ¿Con quién?

Paso 3: Escuchar

a. Mira las siguientes fotos y escucha mientras varias personas describen sus experiencias con los tipos del transporte en sus comunidades.

b. Empareja el número de la descripción que corresponde con la foto correcta.

¡Prepárate!

Mira las siguientes fotos de lugares en la comunidad. Escribe una oración completa para describir cómo estas personas llegaron a sus destinos.

1. Valeria y Tomás

2. Bruno

3. yo

4. tú

Modelo

Carolina y yo tomamos el metro al centro.

Reflexión intercultural

1. What are some modes of transportation that you learned about in this activity that you have never seen or used for travel?
2. Do you live in a place where one or more of these modes of transportation would be helpful to your community? How would one of these modes of transportation benefit the people in your own community?
3. Do you have a different perspective about how people use transportation in other communities around the world?

I can explain why different modes of transportation are used in communities across Spanish-speaking cultures.

Enfoque cultural

Producto cultural: Los mototaxis

En muchas comunidades en Latinoamérica puedes ver **mototaxis** en las calles. Muchas familias no tienen carros porque los pueblos no son grandes. Los lugares de la comunidad quedan cerca y es fácil ir a pie. Si una persona quiere ir a un lugar que queda demasiado lejos para caminar, un **mototaxi** es una buena opción para viajar sin gastar mucho dinero.

Conexiones

What do you think about having or not having a car?

What can communities provide to the public to help everyone get where they need and want to go?

Actividad 11

¿Cómo llegaste aquí?

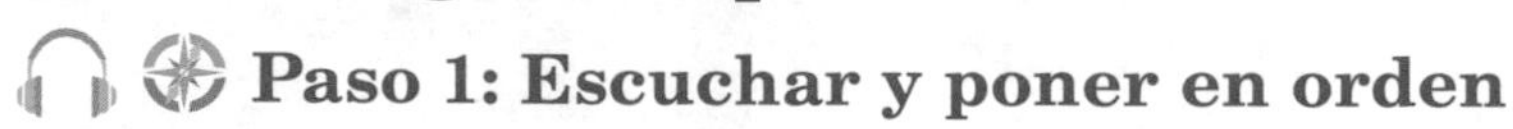

Paso 1: Escuchar y poner en orden

Juan David y Bianca, amigos de Nema, se reunieron en el Café de Luna ayer por la mañana. Bianca llegó muy tarde a la cita y Juan David quiere saber por qué. Escucha lo que Bianca le explica a Juan David.

a. Presta atención a la conversación entre Juan David y Bianca.

b. Pon las fotos en orden según lo que dice Bianca.

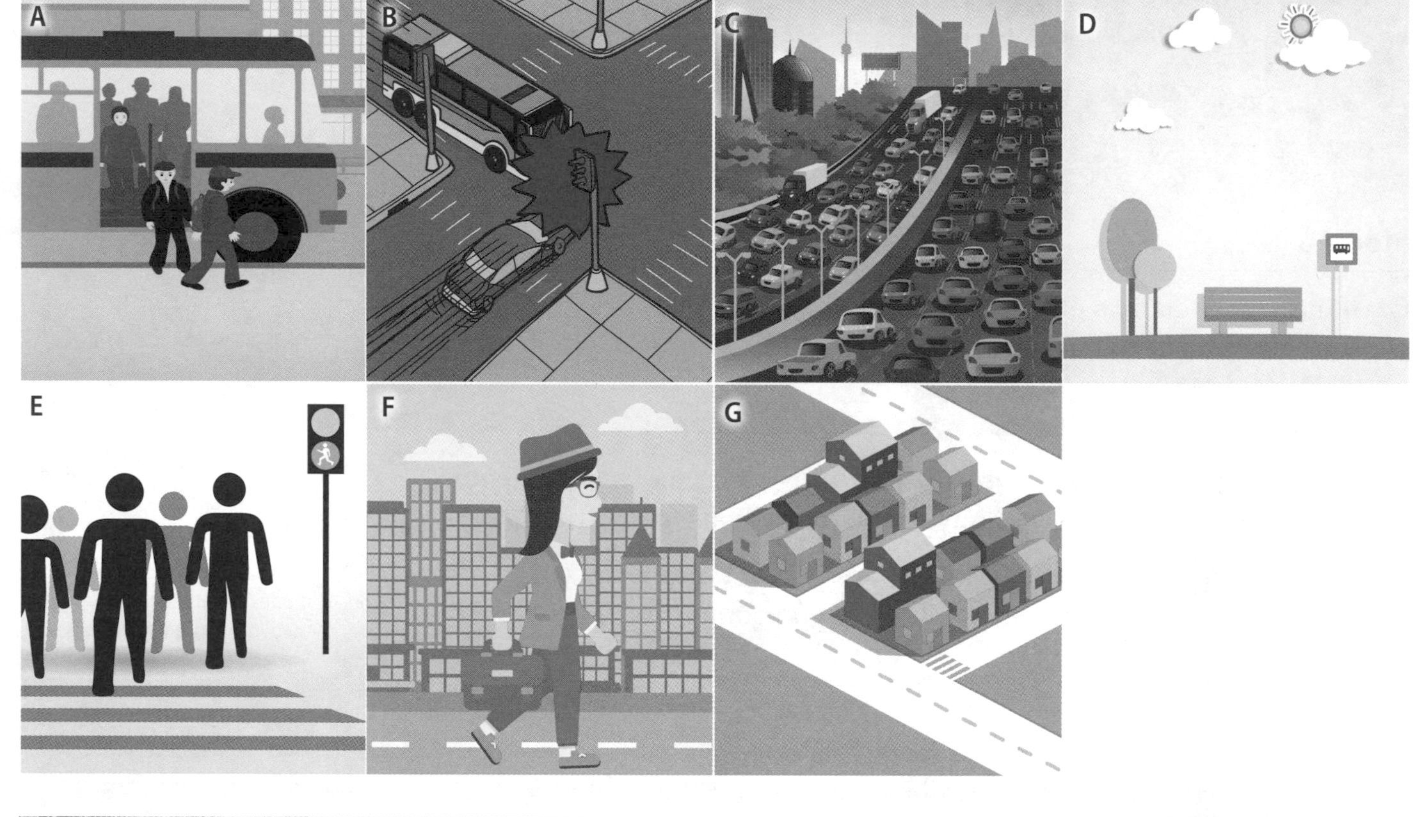

Masaya, Nicaragua

Paso 2A: Escuchar y anotar

a. Escucha el audio otra vez.

b. Toma apuntes sobre los eventos que describe Bianca.

Paso 2B: Contar

Con un/a compañero/a, túrnense para contar *(retell)* los eventos que describió Bianca.

Modelo

Primero, Bianca salió de su casa.

Paso 3: Escribir

¿Cómo llegaste a la escuela esta mañana? Escribe de tres a cinco oraciones en el pretérito para explicar cómo llegaste a la escuela hoy.

Modelo

Esta mañana salí de mi casa y caminé dos cuadras hasta la parada del bus. Subí al bus para llegar a la plaza. De la plaza caminé una cuadra más a mi escuela que queda en la avenida Simón Bolivar.

Así se dice 5: Cómo pedir y dar direcciones

la avenida

la calle

la carretera

el cruce

la cuadra

la esquina

la parada de... (bus, tren)

el semáforo

la señal de parada

atravesar

buscar

cruzar

doblar

empezar

esperar el bus/tren

llegar

manejar

parar

pasar

tener cuidado

seguir derecho

Además se dice

perdido/a - lost

Expresiones útiles para expresar secuencia

primero - first

después - after

más tarde/luego - later

entonces - then

al final/finalmente - at the end/finally

Observa 2

Los mandatos informales

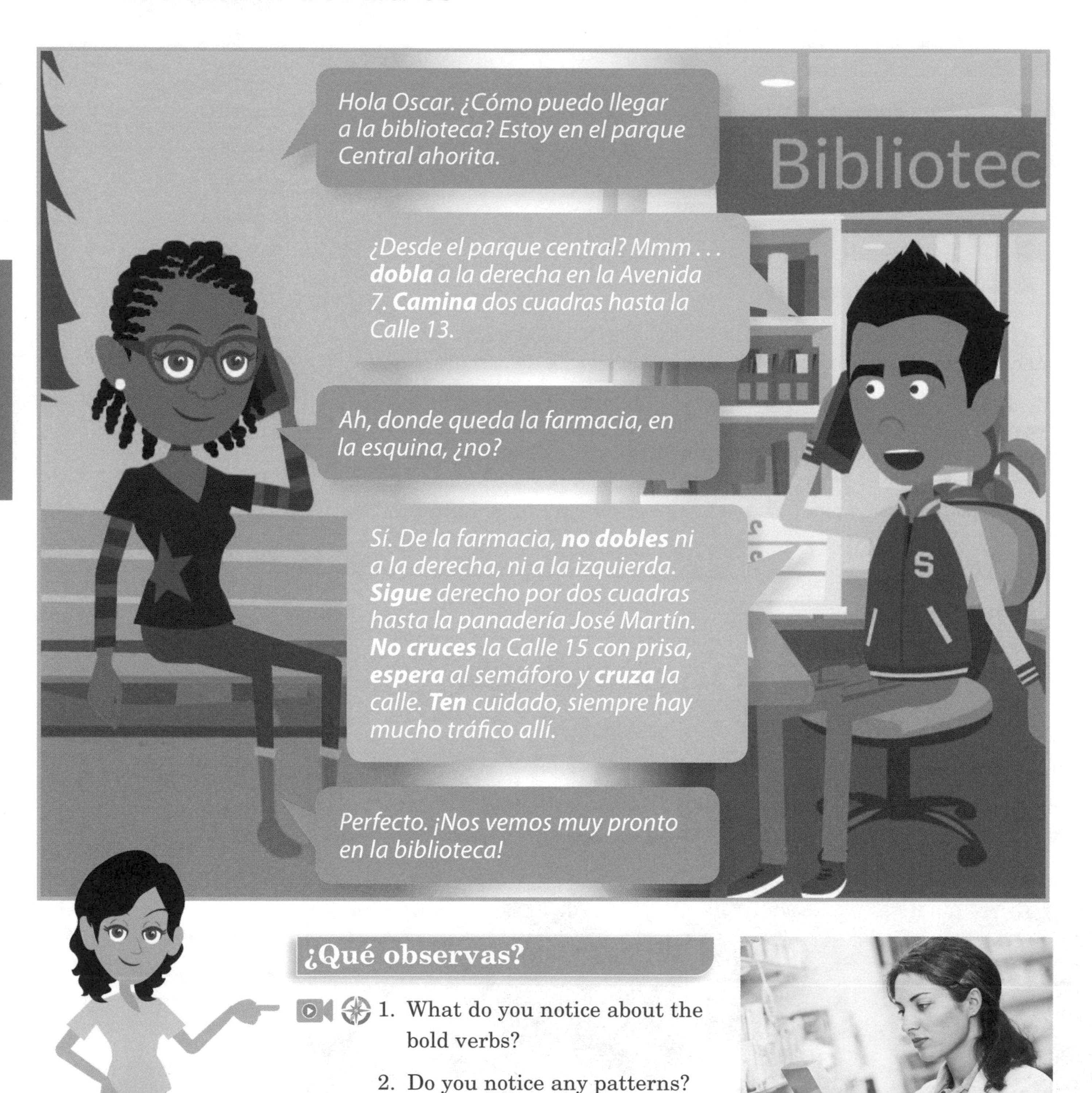

¿Qué observas?

1. What do you notice about the bold verbs?
2. Do you notice any patterns?
3. Are there any verbs that don't seem to follow those patterns?

Actividad 12

¿Cómo se dan direcciones en español?

Paso 1: Leer y dibujar

a. Lee los mensajes de texto entre Oscar y Victoria.

b. Dibuja algo que representa las direcciones que Victoria le da a Oscar para llegar al parque.

toy perdido, Victoria. voy a pie y toy enfrente de la farmacia

jajaja. como 100pre. dobla a la derecha

¿en la calle 8?

sí. sigue derecho una cuadra

¿hasta la Avenida Bolivar?

sí, en la Avenida Bolivar cruza la calle y busca la biblioteca nacional a la izquierda

ok. toy enfrente de la biblioteca.

atraviesa la calle en el semáforo

ok

sigue derecho tres cuadras y el parque queda a la derecha

ok. grax

ns vms

Enfoque cultural

Práctica cultural: Amix

En español, tanto como en inglés muchas personas usan abreviaturas *(abbreviations)* en los mensajes de texto.

estoy → toy
quiero → kiero
risa (*laughing*) → jajaja
siempre → 100pre
gracias → grax
nos vemos → ns vms
que → q

 **Conexiones**

What are some common abbreviations you use when texting your friends? What about when texting your parents? Do you notice any similarities or differences with the abbreviations you have learned?

Detalle gramatical: Los mandatos informales irregulares

	Mandatos afirmativos	Mandatos negativos
decir	di	no digas
hacer	haz	no hagas
ir	ve	no vayas
poner	pon	no pongas
salir	sal	no salgas
ser	sé	no seas
tener	ten	no tengas
venir	ven	no vengas

Detalle gramatical: Mandatos informales negativos con verbos –car, -gar, -zar

sacar	llegar	cruzar
-car → qu	-gar → gu	-zar → c
no saques	no llegues	no cruces

Estrategias

Phone Conversations

Visita la guía digital para aprender más estrategias para conversaciones por teléfono en español, como:

1. Para empezar una llamada
2. Para preguntar por una persona.
3. Para saber "¿Quién llama?"
4. Para dejar un mensaje
5. Para despedirse

Paso 2: Comparar y corregir

a. Con un/a compañero/a, compartan los dibujos.

b. ¿Tienen dibujos similares? Si no, hagan las correcciones hasta que los dos tengan toda la información correcta.

Actividad 13

¿Cómo pides y sigues direcciones?

Paso 1: Escuchar

Victoria está perdida en San José, la capital de Costa Rica y llama a su amigo Juan David para pedirle direcciones. Escucha la conversación y marca la ruta que Juan David le da a Victoria.

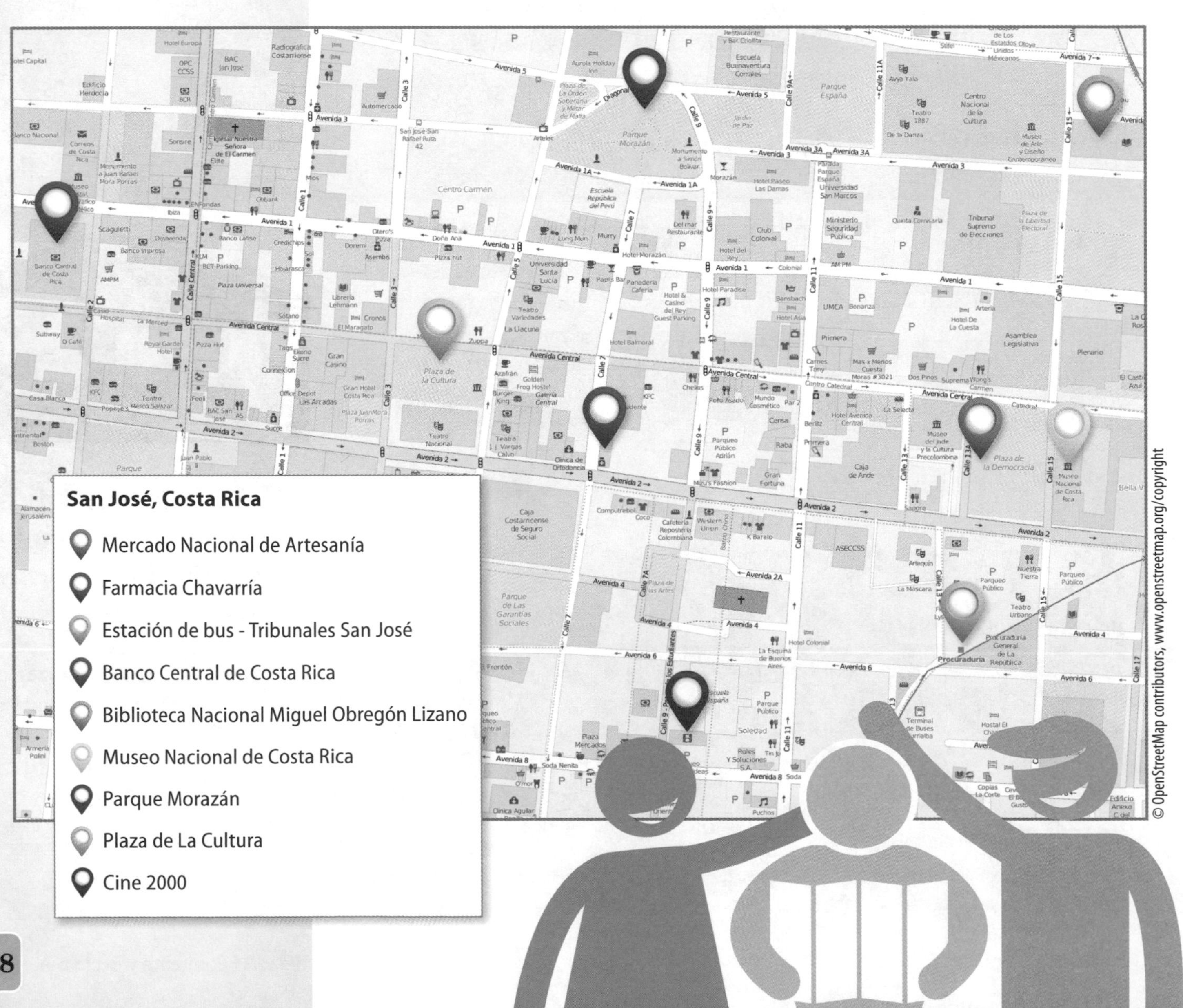

Paso 2: Escribir

a. Nema está visitando a su amigo Juan David en San José, Costa Rica. Lee el mensaje de texto que mandó Nema a Juan David en el que pide direcciones.

b. Identifica dónde está Nema en el mapa de San José y adónde quiere ir.

c. Escribe un texto a Nema para darle direcciones de cómo llegar.

¿q tal?

bien… y tú

¿a q hora nos reunimos en el museo?

a las 3 ¿no?

ok. necesito pasar por el banco primero. ¿komo puedo llegar al museo del Banco Central?

Cada barrio tiene su nombre y entonces tienes que preguntar por el barrio y luego ya que estás en el barrio preguntarle a otra persona dónde vive tal persona, porque normalmente con el apellido te conocen.

Paso 3A: Planear

Con un/a compañero/a practiquen cómo dar direcciones:

a. Decidan quién es Estudiante A y quién es Estudiante B.

b. Marca en tu mapa las direcciones que vas a explicar a tu compañero/a.

c. Escribe las direcciones que vas a explicar.

Estudiante A	
Inicio	**Destino**
Parque Morazán	Estación de bus - Tribunales San José

Estudiante B	
Inicio	**Destino**
Banco Central de Costa Rica	Cine 2000

Paso 3B: Pedir y dar direcciones

Con tu compañero/a túrnense para completar los siguientes pasos:

a. Pide direcciones a tu compañero/a.

b. Escucha las direcciones que él/ella te da.

c. Marca la ruta que escuchas en el mapa.

d. Compara con el mapa de tu compañero/a para ver si entendiste bien sus direcciones.

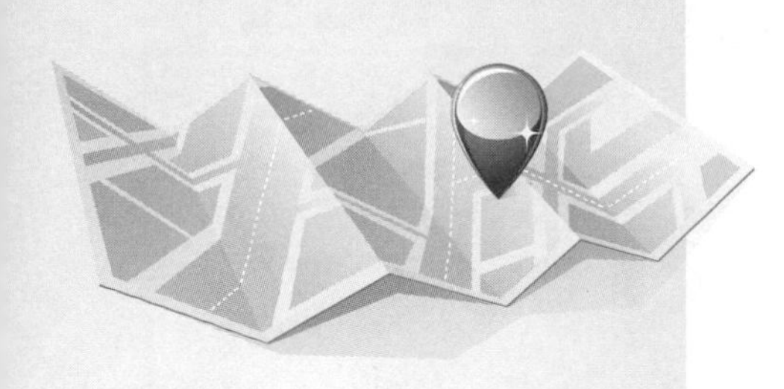

Actividad 14

¿Cómo dan direcciones los ticos?

Paso 1: Observar y conversar

a. Mira el video una vez sin audio y presta atención a los gestos que usan los dos actores.

b. Habla con un/a compañero/a: ¿Qué hacen los dos hombres?

Paso 2A: Escuchar y escribir

Mientras ves el video, responde a las siguientes preguntas:

1. ¿Cómo pide direcciones el señor en el video?
2. ¿Qué vocabulario usa el segundo señor para dar direcciones?
3. ¿El señor que maneja su coche entiende las direcciones? ¿Por qué sí? o ¿Por qué no?
4. ¿"Las direcciones ticas" son fáciles o difíciles de entender? ¿Por qué sí? o ¿Por qué no?

Paso 2B: Pedir direcciones

a. Con un/a compañero/a tomen turnos para pedir direcciones a un lugar en tu comunidad.

b. Usen gestos como los que viste en el video.

Reflexión intercultural

1. What are some ways that giving directions in Costa Rica are similar or different to the way you give directions in your community?
2. How can using community icons, places in a community, and descriptions of places in the community help someone follow directions?
3. After watching this video, what are some of the unique practices of giving directions in Costa Rica that you think might be helpful when combined with concrete directions such as street names and distances?

Además se dice

allá - (way over) there

allí - there

¿Cómo le va? - How are things with you/him?

darle hasta pegar con cerca - keep going until you get there

dele - keep on going

hermanito - little brother

macho - male, boy

pura vida - all is good

¿Qué me dices padre? - What are you telling me man?

al recién - just up ahead, not far away

da la vuelta - turn around

En camino A

Una visita a Granada

You are going on a virtual excursion to Granada, Nicaragua. Complete these activities to get to know the city better. Then you will write about what you did during your virtual visit to Granada.

Paso 1: Explorar

Go to your *EntreCulturas 2* Explorer course to take a virtual tour of Granada, Nicaragua. Take notes about

a. the places you visit;

b. the activities you can do there;

Paso 2: Pedir y dar direcciones

a. Listen as someone tells you how to get to a certain place.

b. Mark the route on your map to demonstrate that you understand when someone gives you directions in Spanish.

c. Listen as someone asks you for directions.

d. Tell them how to get to their destination by using informal commands and culturally accepted hand gestures.

Paso 3: Observar y escribir

a. Look carefully at the list of places your teacher will give you.

b. You will be given a set of images of things you could do at the places in your virtual tour. Match each image with the correct place in Granada.

c. Use the images, vocabulary from the unit, and what you learned to write a letter to your friend from Nicaragua, Nema, about what you did in your "virtual visit" of Granada using the preterit tense. Include:

- where you went
- how you got there
- what activities you did

Síntesis de gramática

El pretérito regular

Use the preterit to talk about events that happened in the past:

- At a specific moment in time (**ayer, la semana pasada, el mes pasado, en 1995,** etc.)
- Events that happened one time (not repeated actions)
- Sequence of completed past events.

These verb charts show the preterit tense endings for regular **-ar, -er,** and **-ir** verbs.

hablar

yo **hablé**	nosotros **hablamos**
tú **hablaste** Ud. **habló**	*vosotros* ***hablasteis*** Uds. **hablaron**
él/ella **habló**	ellos/ellas **hablaron**

comer

Note that **-er** and **-ir** verbs share these endings.

yo com**í**	nosotros com**imos**
tú com**iste** Ud. com**ió**	*vosotros comisteis* Uds. com**ieron**
él/ella com**ió**	ellos/ellas com**ieron**

Saber vs. Conocer

The verbs **saber** and **conocer** mean *to know*. **Conocer** is used when talking about knowing or being familiar with, people and places, and **saber** is used when talking about knowing skills, facts, and knowledge.

Remember that both **saber** and **conocer** have an irregular first person yo form in the present tense. Otherwise they follow the regular conjugation rules.

- Yo **conozco** Costa Rica.
- - ¿**Sabes** cuál es la capital?
  - Sí yo **sé**, es San José.

El pretérito irregular

Ir and **ser** share the same irregular forms of the preterit: **fui, fuiste, fue, fuimos, fuisteis, fueron**

Also, verbs that end with **-car, -gar, -zar** require a spelling change in the **yo** form only to maintain the original sound.

- buscar: **yo busqué**
- llegar: **yo llegué**
- sacar: **yo saqué**

Playa Maderas, Nicaragua

Los mandatos informales

Affirmative tú commands are used when telling someone to do something.

The affirmative **tú** commands are formed the same way as the third person singular form in the present tense:

- hablar: **habla**
- comer: **come**
- escribir: **escribe**

Irregular affirmative tú commands: poner **(pon)**, hacer **(haz)**, decir **(di)**, ir **(ve)**, ser **(sé)**, salir **(sal)**, tener **(ten)**, venir **(ven)**

Negative tú commands are used when telling someone NOT to do something.

Follow these steps to make negative **tú** commands for all verbs:

1. Take the yo form of the present tense
2. Drop the -o
3. Give the opposite endings:
   -ar → **-es**
   -er/ir → **-as**

hablar → hablo → No habl**es**
comer → como → No com**as**
escribir → escribo → No escrib**as**

Remember that some verbs have **irregular present tense yo forms:**

poner → pongo → **No pongas**
decir → digo → **No digas**

Irregular negative tú commands: ser **(no seas)**, ir **(no vayas)**, estar **(no estés)**

Leon, Nicaragua

Vocabulario

Así se dice 1: Los lugares en la comunidad

la arquitectura colonial/moderna - colonial; modern architecture
el barrio - neighborhood
la catedral - cathedral
el centro - downtown
la estatua - statute
en honor a - in honor of
el monumento - monument
el pueblo (el pueblito) - small town

Así se dice 2: Las tiendas

la carnicería - butcher
el centro comercial - shopping center; mall
la estación de servicio - gas station
la farmacia - pharmacy
la ferretería - hardware store
la iglesia, el templo, la mezquita - church, temple, mosque
la joyería - jewelry store
la panadería - bakery
la pastelería - pastry shop
la pescadería - fish market
la zapatería - shoe store

Así se dice 3: Los servicios en la comunidad

el banco - bank
el consultorio médico - doctor's office
el correo - post office

Las actividades en la comunidad

dejar un paquete - to drop off a package
mandar una carta - to send a letter by mail
sacar dinero del cajero automático - to take out money of an ATM
ver una película - to watch a film

Así se dice 4: Los tipos de transporte

bajar de - to get off (public transportation)
la camioneta - van or pickup truck
el mototaxi - taxi service for short trips on a three wheel motorcycle with a roof
el peatón/la peatona - pedestrian
subir a - to get on (public transportation)

Así se dice 5: Cómo pedir y dar direcciones

la avenida - avenue
la calle - street
la carretera - highway
el cruce - crosswalk
la cuadra - one block
la esquina - corner
la parada de… (bus, tren) - (bus/train) stop
el semáforo - traffic light
la señal de parada - stop sign
atravesar - to go across
buscar - to look for
cruzar - to cross
doblar - to turn
empezar - to begin
esperar el bus/tren - to wait for the bus/train
llegar - to arrive
manejar - to drive
parar - to stop
pasar - to pass by
seguir derecho - to continue straight
tener cuidado - to be careful

Comunica y Explora B:

Celebrando y mejorando nuestras comunidades

Pregunta esencial: How do people come together to celebrate their cultural identity and communities?

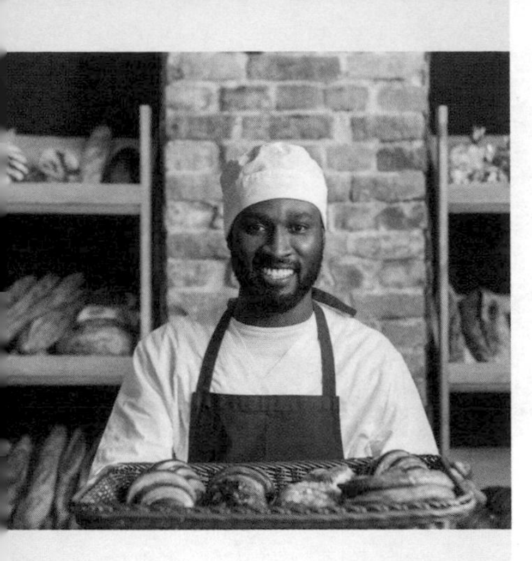

Así se dice 6: La identidad de la comunidad

el aniversario
conmemorar
las costumbres
el desfile
los festivales
las fiestas patrias
los fuegos artificiales/los pirotécnicos
el orgullo
la procesión
las tradiciones

Actividad 15

¿Qué influencias hay en nuestra comunidad?

Paso 1A: Leer y emparejar

Lee las siguientes definiciones de las palabras del vocabulario de **Así se dice 6,** y empareja con la palabra correcta.

1. el aniversario	a. luces de colores en el cielo
2. conmemorar	b. la celebración de la independencia de un país
3. las costumbres	c. las costumbres de una familia o de un país
4. el desfile	d. el día en el que se celebra la fecha de algún evento importante
5. los festivales	e. caminar de un lugar a otro, con un propósito generalmente religioso
6. las fiestas patrias	f. satisfacción personal; autoestima alta
7. los fuegos artificiales/ los pirotécnicos	g. fiesta donde hay música y bailes
8. el orgullo	h. caminar en orden; puede ser militar
9. la procesión	i. forma habitual de comportarse
10. las tradiciones	j. recordar a alguien o una fecha importante; generalmente hay una celebración

Paso 1B: Escuchar

Mira las siguientes fotos mientras escuchas las descripciones. Elige la fotografía que corresponde a cada descripción.

Paso 2: Definir

Trabaja con un/a compañero/a y túrnense para dar definiciones de las palabras de **Así se dice 6**.

Modelo

Estudiante A: recordar a una persona o celebrar una ocasión importante

Estudiante B: conmemorar

Paso 3: Analizar y escribir

Piensa en las personas importantes en tu vida y en tu comunidad. Contesta a las siguientes preguntas.

1. ¿Qué aniversario es el más importante en para las personas importantes en tu vida? ¿Cómo lo celebraron la última vez?
2. ¿Cuál es la tradición que más te gusta celebrar con las personas importantes en tu vida? ¿Qué actividades hacen?
3. En tu comunidad, ¿hay influencia de alguna otra cultura? ¿Dē cuál? ¿Qué cosas hacen?
4. ¿Qué personaje piensas que es un “orgullo nacional” para tu comunidad? ¿Por qué? ¿Qué hizo esta persona?
5. ¿Puedes pensar en un monumento que no hay y se deba construir en tu comunidad? ¿Qué conmemora?

Además se dice

bailes - dances

calaveras - skulls

cementerio - cemetery

ciudad sagrada - holy city

comida típica - typical food

Cristóbal Colón - Christopher Columbus

dios sol - god of the sun

diversidad cultural - cultural diversity

esqueletos - skeletons

fiestas patronales - patron saint's day celebrations

flores - flowers

indígenas - indigenous

influencia española - Spanish influence

montar a caballo - to ride a horse

muertos - dead (people)

pan - bread

religión católica - Catholic religion

seres queridos - loved ones

solsticio de invierno - winter solstice

Paso 4A: Entrevistar y escribir

a. Usa las preguntas del **Paso 3** para entrevistar a un/a compañero/a.

b. Escribe un resumen breve, usando oraciones completas, con la información que aprendiste sobre tu compañero/a.

Paso 4B: Presentar

Presenta a la clase lo que aprendiste de tu compañero/a.

Modelo

En la familia de Adriana hay influencias de la cultura mexicana. Como muchas de las jóvenes mexicanas que ella conoce, va a celebrar su quinceañera el próximo mes.

Actividad 16

¿Cómo celebramos nuestras raíces?

Paso 1: Observar

Observa las imágenes de algunas celebraciones en los diferentes países hispanohablantes y habla con un/a compañero/a. ¿Sabes algo de estas celebraciones? ¿Qué preguntas tienes sobre estas fiestas?

El Día de los Muertos

Inti Raymi

El Día de la Raza

Las Hípicas

  Paso 2: Escuchar

En los países hispanohablantes hay muchas celebraciones que conmemoran tradiciones ancestrales.

a. Escucha a cuatro personas latinoamericanas describir las celebraciones en sus países.

b. Completa la tabla con las palabras de **Además se dice** con la celebración correspondiente. Hay palabras que pueden ser parte de más de una celebración.

El Día de los Muertos	El Inti Raymi	El Día de la Raza	Las Hípicas

 Paso 3: Conversar

Con un/a compañero/a, tomen turnos para hacer y responder a las siguientes preguntas.

1. ¿Qué haces para recordar y conmemorar a tus seres queridos?
2. ¿Qué celebración piensas que tiene más influencia española? ¿Por qué?
3. ¿Qué cosas son comunes o típicas en estas celebraciones?
4. ¿Qué hacen en tu comunidad para celebrar las fiestas patrias?

Reflexión intercultural

1. What are some similarities and differences between holidays and celebrations in your country and the ones discussed in this activity?
2. Are there celebrations in your culture that honor cultural diversity? How are those celebrations similar or different from the ones we have studied?

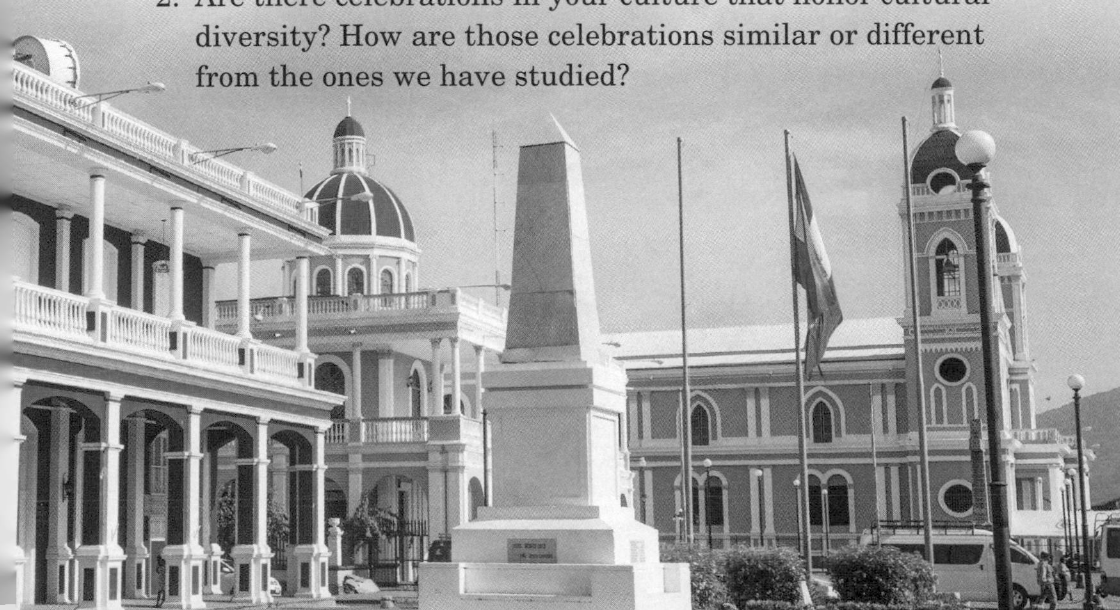

Así se dice 7: Trabajar en comunidad

colaborar/la colaboración

el esfuerzo

juntos

organizar/el/la organizador/a

el/la participante

reunirse

trabajar en conjunto

Actividad 17

¿Cómo colaboraron todos en una comunidad para celebrar la Semana Santa?

  Paso 1: Leer y emparejar

Empareja cada palabra con la definición en español.

1. colaborar	a. trabajar en grupo
2. el esfuerzo	b. ayudar a otra persona
3. juntos	c. la persona que organiza algo
4. organizar	d. ordenar
5. el organizador	e. trabajo fuerte
6. el participante	f. estar con otra persona
7. reunirse	g. ser parte de un evento
8. trabajar en conjunto	h. juntarse con otras personas

Enfoque cultural

Práctica cultural: La Semana Santa

Se realizan celebraciones de Semana Santa en muchos países hispanohablantes. La Semana Santa es una celebración católica que dura ocho días. Empieza el Domingo de Ramos *(Palm Sunday)* y culmina el Domingo de Pascua *(Easter Sunday)*.

Durante las celebraciones de Semana Santa hay **procesiones**, o desfiles, en los que participan muchas personas. En las procesiones puedes ver a los **Nazarenos** *(Nazarenes or penitents)* y los pasos cargados por los **costaleros** *(floats carried by people)*. Los costaleros caminan debajo de los pasos y el **capataz** tiene que dirigir el movimiento de todos.

Dos días muy importantes en las celebraciones son el Jueves y Viernes Santo *(Holy Thursday and Friday)*. Las mujeres típicamente llevan una **mantilla** durante las procesiones el jueves y el viernes.

  **Conexiones**

What types of celebrations are there in your country between Palm Sunday and Easter?

What religious and cultural beliefs influence Semana Santa celebrations in both Spain and Latin America?

Nazarenos

Procesión

El Paso

Mantilla

El Capataz

Paso 2: Hablar y leer

a. Antes de leer, mira las fotos abajo y habla con un/a compañero/a:

1. ¿De qué crees que trata el texto?
2. ¿Qué es una alfombra? ¿Qué piensas de las alfombras en las fotos?
3. ¿Qué usaron para hacer las alfombras?

b. Utiliza el vocabulario del **Así se dice 7** con las definiciones de las palabras en itálica y lee el texto por lo menos dos veces para entender la idea central de cada párrafo.

El 28 de marzo de 2013, Jueves Santo, jóvenes guatemaltecos completaron la elaboración de una alfombra de colorido aserrín[1] en la Ciudad de Guatemala que cubría[2] las calles desde la Plaza de la Constitución hasta la 6ta Avenida.

Para la elaboración de la alfombra se contó con[3] la participación de la Pastoral Juvenil de la Arquidiócesis[4] de Guatemala, grupos organizadores, vecinos y empresas patrocinadoras[5] quienes bajo la supervisión de personeros[6] de la Municipalidad[7] realizaron con dedicación todas las actividades programadas. Se contó con la colaboración de más de mil voluntarios quienes utilizaron más de 40.000 kilos de materiales buscando con ello un Record Guinness.

Los participantes recibieron la felicitación[8] del Alcalde[9] de la ciudad, el Sr. Arzú quien dijo "no cabe duda[10] que los guatemaltecos poseemos un gran talento, estoy sumamente complacido[11] por la respuesta positiva que dieron todos. Se pueden ver desde niños pequeños hasta personas de la tercera edad, familias completas que están luchando[12] por mantener nuestras tradiciones. El alcalde invitó a todos a continuar "difundiendo[13] el arte y la cultura de nuestro país único e inigualable".

1. colored sawdust, carpet
2. covered
3. relied on
4. Youth Group of the Archdiocese of Guatemala
5. business sponsors
6. officials
7. municipality
8. congratulations
9. mayor
10. there is no doubt
11. pleased
12. are fighting
13. disseminating spreading

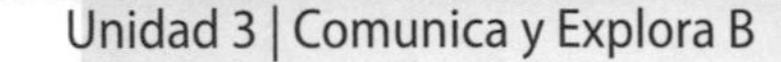

Paso 3: Conversar y comprender

Con un/a compañero/a, respondan a las preguntas según la información en la lectura:

1. ¿Cuándo se realizó la alfombra de aserrín en la Ciudad de Guatemala?
2. ¿Quienes unieron esfuerzos para realizar la alfombra más grande del país?
3. ¿Cuántos voluntarios colaboraron para realizar la alfombra?
4. ¿Qué premio *(award)* ganaron por su trabajo?
5. ¿Qué tipo de personas trabajaron juntas en la elaboración de la alfombra para mantener esta tradición de Guatemala?

Paso 4A: Observar y anotar

Mientras miras el video sobre la alfombra de aserrín más grande del mundo, completa el organizador gráfico en la guía digital.

Paso 4B: Escribir

Escribe mensajes de 140 caracteres para responder a las preguntas:

1. ¿Qué representaba la alfombra de aserrín para la comunidad de la Ciudad de Guatemala?
2. ¿Qué hicieron los ciudadanos *(citizens)* para realizar la alfombra?
3. ¿Cómo trabajaron juntos todos en la comunidad para lograr la meta *(to meet the goal)* de hacer la alfombra más grande del mundo?

Reflexión intercultural

1. How did building the alfombras de aserrín in Ciudad de Guatemala bring together the people in the community?
2. How did this project help a community come together to celebrate their shared identity?
3. Does something like this already exist in your community?
4. If not, what type of project or celebration like this could you envision for your community?

Actividad 18

¿Cómo mejoramos las comunidades a través del voluntariado?

Paso 1A: Escuchar y contestar

Como voluntario, es posible tener un impacto hasta un nivel global. Mira mientras Nema comparte un ejemplo de servicio al nivel local. Discute con un/a compañero/a:

1. ¿Dónde trabajaba Nema como voluntaria?
2. ¿Qué hacía Nema en Nicaragua como voluntaria?
3. ¿Le gustaba el trabajo de voluntariado?
4. ¿Cómo encontró esa oportunidad?
5. ¿Qué hacía su amigo como voluntario?

Paso 1B: Recordar y conversar

a. Utiliza el organizador gráfico de las comunidades para anotar los proyectos comunitarios que conoces en tus comunidades. ¿Quiénes participaron y qué hicieron? ¿Participaron grupos de voluntarios? ¿Qué hicieron todos en los varios proyectos?

b. Comparte tus ideas con un/a compañero/a.

Modelo

(nivel del pueblo) Hay un grupo que limpió los parques en nuestro pueblo y también plantó árboles.

Así se dice 8: El voluntariado

ayudar

mejorar

ser voluntario

Además se dice

apoyar - to support

arreglar - to fix

crear - to create

enseñar - to teach

instalar - to install; to set up

llevar - to carry; to wear

reciclar - to recycle

renovar - to renew

Mi progreso comunicativo

I can identify ways that individuals made a difference in their communities.

Enfoque cultural

Práctica cultural: Las mingas

En países como Ecuador y Chile las comunidades **se reúnen** de manera voluntaria para **colaborar** en algún proyecto para ayudar a una persona o a la comunidad. Por ejemplo, si necesitan construir un nuevo edificio para **el pueblo,** todos vienen a ayudar. Si una persona mayor necesita ayuda, los vecinos *(neighbors)* se organizan para apoyarle. Es **una tradición** antigua que demuestra el poder de la comunidad cuando todos trabajan por un objetivo común.

Visita la guía digital para mirar una minga en Valparaíso, Chile. El objetivo es la reconstrucción ecológica de casas después de un incendio *(fire)*.

  **Conexiones**

Are there local construction projects done by volunteers in your community? What does this tradition show about the value of community in Ecuador?

Detalle gramatical: El verbo "hacer" en el pretérito

The verb **hacer** has an irregular conjugation in the preterit.

Irregular Preterit: Hacer *(to do/ to make)*

yo **hice**	nosotros **hicimos**
tú **hiciste** Ud. **hizo**	*vosotros **hicisteis*** Uds. **hicieron**
él/ella **hizo**	ellos/ellas **hicieron**

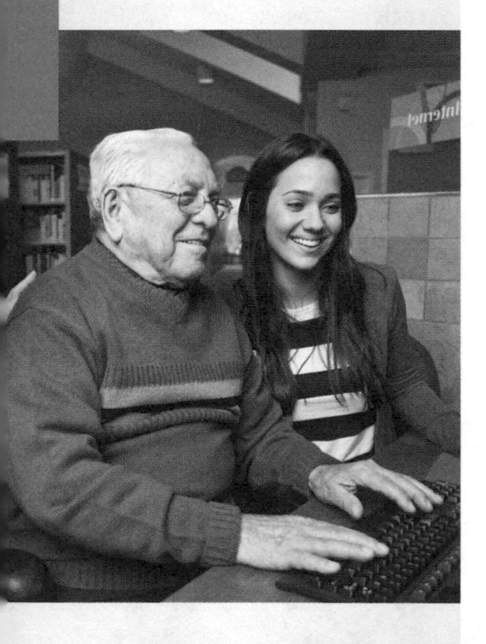

Paso 1C: Presentar

Habla con un grupo de compañeros para compartir tu información.

1. ¿Qué hiciste para ayudar en tu comunidad? ¿Qué quieres hacer?
2. ¿Qué hicieron tus amigos y compañeros para ayudar en tu escuela y comunidad?
3. ¿Qué hicieron los clubes u organizaciones de tu escuela?

Paso 2A: Inferir

¿Sabes inferir el significado de los cognados, las palabras que son parecidas en inglés y español? Considera estos patrones *(patterns)*:

La... en español...	reemplaza la... en inglés.	Ejemplo:
j	x	ejecutar
-ción	-tion	participación

Paso 2B: Leer y anotar

Mientras lees el siguiente texto, fragmento del artículo "El Voluntariado" que apareció como editorial en el periódico nicaragüense *La Prensa*:

a. Escribe los proyectos que se realizaron durante el Año Internacional de los Voluntarios.

c. Escribe los beneficios de cada proyecto para la comunidad.

El proyecto que se realizaron durante el Año Internacional de los Voluntarios	¿Cómo benefició el proyecto a la comunidad?

Enfoque cultural

Práctica cultural: Los talleres de tejido

En Nicaragua y en otras partes de América Central, hay talleres de tejido *(weaving workshops)*, establecidos desde hace mucho tiempo. Los mayas tejían y ahora sus descendientes conservan este arte. Es posible apoyar a estos talleres con proyectos en los Estados Unidos. Por ejemplo, "el Proyecto Pulsera" es una organización de comercio justo *(fair trade)* que trabaja con escuelas en los Estados Unidos para vender pulseras hechas en Nicaragua y Guatemala. Al participar en este proyecto de servicio internacional, una acción local puede tener un impacto global.

¡Visita la guía digital para aprender más de este proyecto y cómo puedes participar!

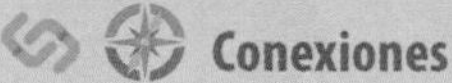

Conexiones

What do you already know about fair trade practices and what would you like to learn more about? How can your buying habits make a difference internationally?

El voluntariado

La Organización de Naciones Unidas (ONU), proclamó el 2001 como el "Año Internacional de los Voluntarios". Con tal motivo, en Nicaragua se están *desarrollando* múltiples actividades basadas en el voluntariado con la participación de instituciones públicas, la comunidad y la contribución de *empresas* privadas. Un ejemplo de las diversas *obras de beneficio social* que los voluntarios *ejecutaron*, es el barrio Camilo Ortega, de Managua, donde unos 200 voluntarios de varias asociaciones y empresas trabajaron en **conjunto** con la comunidad para *reparar* el Centro de Salud, limpiar el parque y *el cauce de aguas pluviales* y construir un *muro* protector de la escuela, a la que también donaron pupitres y útiles escolares para los estudiantes. Otro ejemplo es el centro de educación preescolar ("Los Chigüincitos"), que construyeron en un barrio de Granada con la ayuda y dinero de nicaragüenses residentes en Estados Unidos de Norteamérica.

Pero no es sólo por *la iniciativa* de la ONU que en Nicaragua se está *promoviendo* el voluntariado, la solidaridad, el humanitarismo y la participación comunitaria... En realidad, Nicaragua tiene una tradición de voluntariado, facilitada por instituciones y asociaciones de servicio como la Cruz Roja Nicaragüense, el Cuerpo de Bomberos, los Boy Scouts, los clubes Leones y Rotarios y las iglesias de diversas denominaciones.

developing
businesses
public works projects
executed
repair
drainage for rainwater
wall
sponsored by
the initiative

La Prensa (2001). "El voluntariado". Retrieved from http://tinyurl.com/h8ebea3.

Detalle gramatical: El pretérito de verbos con doble vocal

For verbs that end in **-aer** (caer) **-eer** (proveer), **-uir** (construir), **-oir** (oír) the third person singular form uses the ending "**yó**" (rather than **ió**) and third person plural uses the ending "**-yeron**" (rather than **-ieron**). The remaining endings have a written accent over the letter "i".

- Los chicos **leyeron** una novela en español.
- Mi novia **oyó** música latina ayer por primera vez
- Los voluntarios **construyeron** un puente en la comunidad.

Paso 3: Invitar a participar

La administración de tu escuela quiere promover la participación de los jóvenes en un proyecto comunitario local.

a. Trabaja con un/a compañero/a para crear una pequeña propaganda con una imagen e información.

b. Incluyan por lo menos tres mandatos para animar a los jóvenes a participar.

Modelo

¡Expresa tu interés! ¡Ten un impacto positivo en tu comunidad global! ¡Ven a trabajar con nosotros el sábado próximo!

Mi progreso comunicativo

I can identify ways that individuals made a difference in their communities.

I can encourage others to get involved in a community project.

¡Prepárate!

Investiga en el internet sobre proyectos de voluntariado que jóvenes realizaron recientemente en Nicaragua. Elige un proyecto interesante y completa los siguientes pasos en el foro digital:

a. Describe el proyecto con, por lo menos, tres oraciones en el pasado. ¿Qué hicieron los voluntarios?

b. Invita a tus compañeros y amigos a participar en este proyecto en el futuro.

c. Responde a las preguntas sobre el voluntariado para después describirlo a tu grupo:

1. ¿Quién fue el voluntario en este proyecto?
2. ¿Qué hizo en Nicaragua?
3. ¿Con quién(es) trabajó?
4. ¿Qué aprendió de la experiencia?
5. ¿Cuál fue su impresión de Nicaragua?

Reflexión intercultural

1. Would you like to be an international volunteer in Central America?
2. What kind of service could you offer to the community?
3. Why do you think it is important to contribute to your global community as well as your local community?

Mi progreso intercultural

I can explain why international volunteers make a difference in Latin American communities.

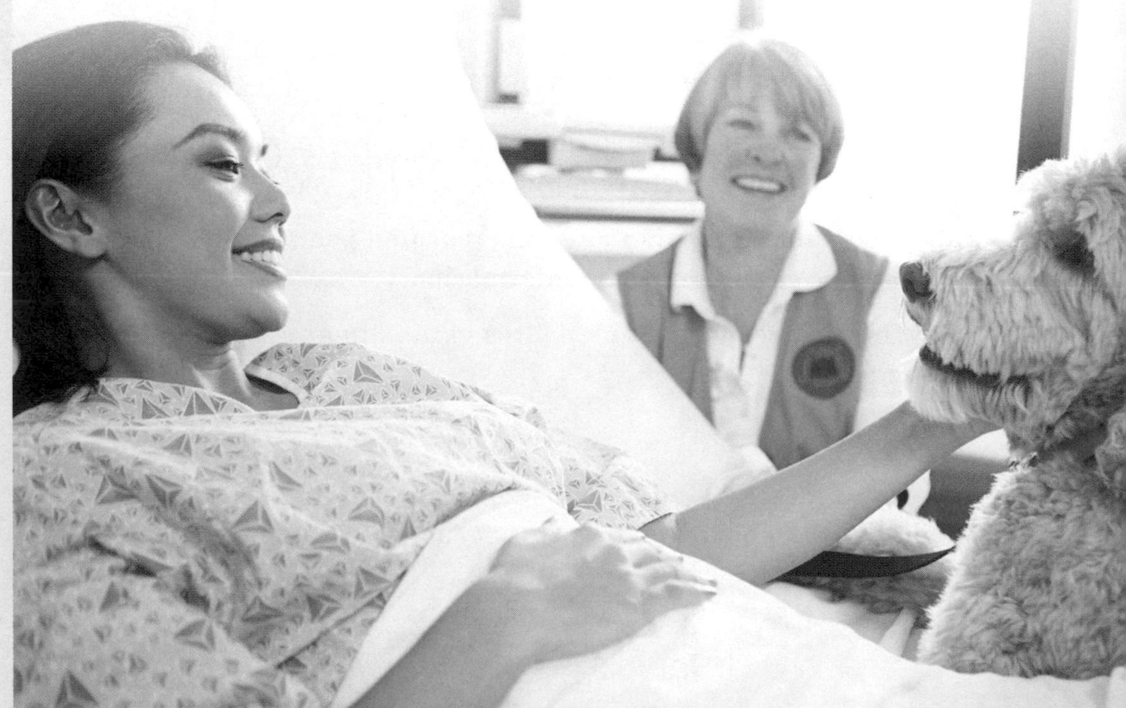

En camino B

Las celebraciones comunitarias

You are going to present a news report about a festival in Central America in a television news program, "Festivales centroamericanos de hoy en día". A news anchor will ask you some questions to answer to learn more about the festival and how it is celebrated. You will also write a brief news article about the festival to appear on the news program's website

 Paso 1: Leer y observar

Choose one of the four festivals we learned about in this unit as the focus of your news report. Go to your Explorer course for the resources you will need to complete the following steps to investigate the festival of your choosing:

a. Read the information about this festival.

b. Respond to the questions with the information you have learned.

 Paso 2: Escribir

Now that you have done some research about the festival, write up a brief report with a minimum of five sentences that will go on the news website describing important information about the festival. Go to your Explorer course for a checklist to help guide your writing.

Modelo

La Semana Santa se celebró en Antigua, Guatemala el 21 al 28 de marzo para conmemorar las últimas días en la vida de Jesucristo. Muchas personas, desde niños hasta mayores, participaron en la creación de una alfombra de aserrín. También celebraron con procesiones. ¡Viaja a Guatemala para conocer las alfombras de aserrín! ¡No pierdas la oportunidad de mirar el espectáculo en persona! ¡Ven a la Ciudad de Guatemala para la Semana Santa y vive este lindo festival!

  Paso 3: Entrevistar y presentar

The news program is creating a brief segment about the festival to air on television. Answer the questions your fellow news anchor asks you about the festival. Remember to smile, maintain eye contact, and show your interest in their questions.

Síntesis de gramática

El pretérito de verbos con doble vocal

For verbs that end in **-aer** (caer), **-eer** (leer, proveer), **-uir** (construir), **-oir** (oír) the third person singular *él/ella/usted* form uses the ending "**yó**" (rather than **ió**) and third person plural *ellos/ellas/ustedes* form uses the ending "**-yeron**" (rather than **-ieron**). The remaining endings have a written accent over the letter "i".

Modelo

Los chicos **leyeron** una novela en español.

Mi novia **oyó** música latina ayer por primera vez

Los voluntarios **construyeron** un puente en la comunidad.

El verbo "leer" en el pretérito

yo **leí**	nosotros **leímos**
tú **leíste** Ud. **leyó**	*vosotros **leísteis*** Uds. **leyeron**
él/ella **leyó**	ellos/ellas **leyeron**

"Hacer" en el pretérito

The verb **hacer** has an irregular conjugation in the preterit.

Irregular Preterit: Hacer *(to do/to make)*

yo **hice**	nosotros **hicimos**
tú **hiciste** Ud. **hizo**	*vosotros **hicisteis*** Uds. **hicieron**
él/ella **hizo**	ellos/ellas **hicieron**

Modelo

Hice un buen trabajo en mi proyecto de servicio con el club de reciclaje.

¿Qué **hiciste** para ayudar a la comunidad cuando estabas en Guatemala?

¿Qué **hizo** el voluntario internacional cuando estuvo en El Salvador?

Vocabulario

Así se dice 6: La identidad de la comunidad

el aniversario - anniversary
conmemorar - to commemorate
las costumbres - customs; traditions
el desfile - parade
los festivales - festivals
las fiestas patrias - independence day celebrations
los fuegos artificiales; los pirotécnicos - fireworks; firework displays
el orgullo - pride
la procesión - religious procession
las tradiciones - traditions

Así se dice 7: Trabajar en comunidad

colaborar; la colaboración - to collaborate; collaboration
el esfuerzo - effort
juntos - together
organizar; el/la organizador/a - to organize; organizer
el/la participante - participant
reunirse - to get together with people
trabajar en conjunto - to work together with other people

Así se dice 8: El voluntariado

ayudar - to help
mejorar - to improve
ser voluntario - to be a volunteer

Vive entre culturas

El mundo de un voluntario

Pregunta esencial: How can community members work together to improve their quality of life?

You and your classmates are going to investigate international volunteer projects to learn about and present examples of the different experiences that some volunteers had in Spanish-speaking countries.

Interpretive Assessment

 **Paso 1: Escuchar y contestar**

Visit a website for an international community service organization. Observe the photos shared by past volunteers, their volunteer work and their experiences in Nicaragua.

a. Choose one person to investigate and learn more about their work volunteer organization.

b. Listen while the volunteer shares their experiences in working with community service projects in Nicaragua.

c. Answer the comprehension questions.

Presentational Assessment

 **Paso 2: Presentar y convencer**

Your school will host an International Community Service Fair, where you will be handing out flyers about service projects in Nicaragua. Using the project you chose in **Paso 1**, you will create a flyer/pamphlet that will:

- Include information about the country, the festivals or celebrations that volunteers can experience.
- Present information about a volunteer's past experience.
- Explain how communities benefit from international service projects.
- Convince other students to participate in this type of project.

Interpersonal Assessment

 **Paso 3: Conversar**

a. Make a list of five questions to ask your classmates in order to learn about other community service projects in Nicaragua.

b. Ask and respond to the questions and take notes of what you learn.

UNIDAD 4
En la cocina de mi abuela

Unit Goals

- Identify ingredients necessary to prepare Caribbean recipes.
- Demonstrate how to prepare typical dishes and explain their cultural importance.
- Give and receive advice about how to care for common illnesses.
- Promote the use of traditional recipes and ingredients to address common health issues.

Preguntas esenciales

How does food connect cultures, communities, and families?

How can food help address health issues?

How can traditional health practices inform our modern lifestyle?

Nombre: Mariela

Edad: diecinueve

Idiomas: español

Origen: Cuba

Mariela es una joven cubana y su familia vive en Santiago de Cuba. Mariela tiene un blog sobre la cocina cubana y escribe sobre los ingredientes típicos de la isla, como la caña de azúcar, la guayaba y el anón.

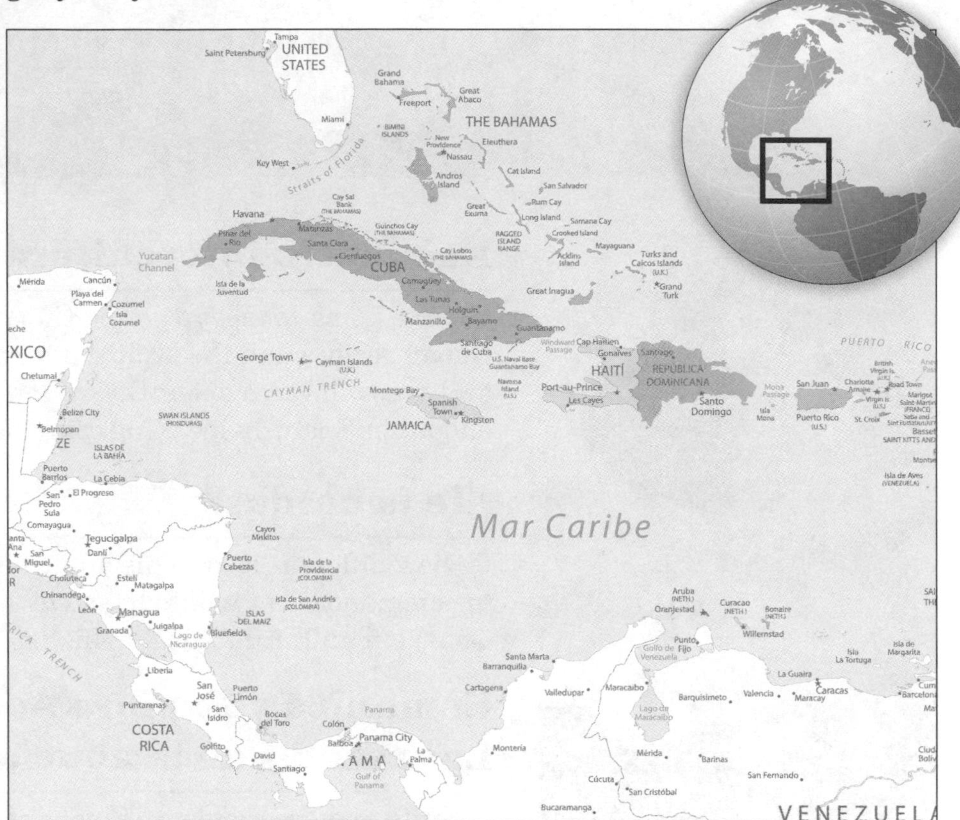

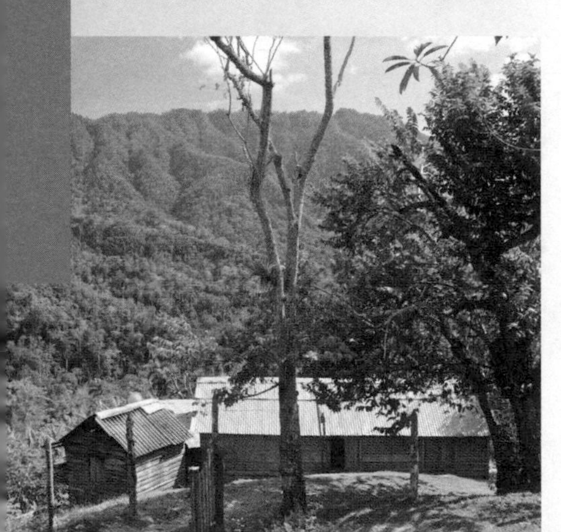

Cuba es una isla en el Caribe que forma parte del archipiélago de las Antillas. El país de Cuba está dividido en 14 provincias y su capital es La Habana. Desde 1959, cuando triunfó la Revolución cubana, Cuba tiene un Gobierno socialista liderado por Fidel Castro hasta el año 2008. Luego su hermano Raúl Castro tomó el poder hasta la presente fecha.

La música es muy importante para los cubanos; entre los ritmos más importantes están: el son cubano, el mambo, el chachachá y el danzón. Hay mucha influencia africana en la música y en la comida cubana. Los platos típicos son a base de arroz, frijoles, plátanos y cerdo. El béisbol, el boxeo y el atletismo son deportes muy populares en la isla.

Havana
La Habana
Pinar del Río
Matanzas
Villa Clara
Cienfuegos
Sancti Spíritus
Ciego de Ávila
Isla de la Juventud
Camagüey
Las Tunas
Holguín
Santiago de Cuba
Guantánamo
Granma

Yo soy un hombre sincero
De donde crece la palma,
Y antes de morirme quiero
Echar mis versos del alma.

– José Martí
"Soy un hombre sincero".
Versos Sencillos
(1891)

José Martí (1853–1895)
Poeta y periodista cubano. Luchó mucho por la independencia de Cuba y trabajó para liberar a Cuba de España. Creó un periódico llamado *La Patria Libre* que apoyaba la liberación de España. Martí también escribió muchos poemas y ensayos. Empezó a publicar libros a los quince años.

El ballet cubano
La primera compañía de ballet *El Ballet Nacional de Cuba*, se fundó en 1948, bajo la dirección de la bailarina de fama mundial, Alicia Alonso. Hoy en día el ballet se presenta en diferentes países y tiene mucho éxito.

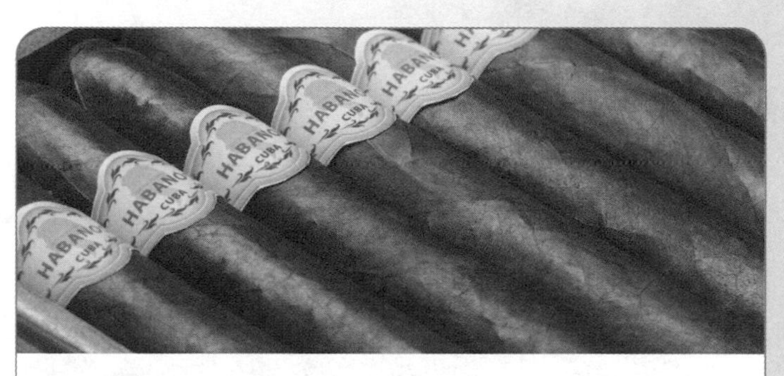

Los habanos
Los habanos son cigarros o puros que se producen en Cuba y que están hechos al 100% de tabaco cultivado y manufacturado en la isla. Hay controles de calidad muy estrictos durante el proceso de producción.

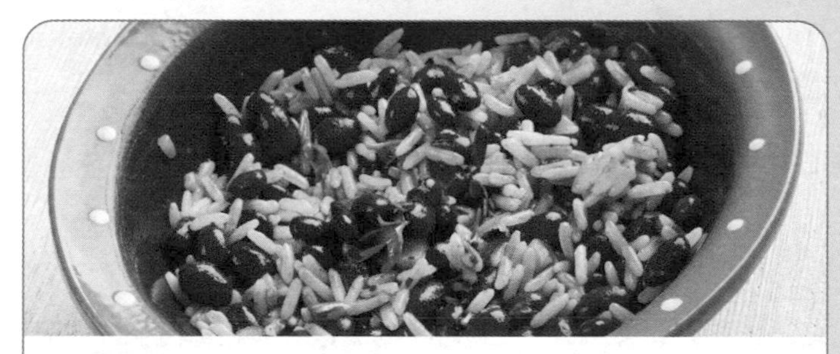

El congrí
La comida cubana tradicional tiene influencias españolas, africanas y del Caribe. Los platos más populares son los frijoles negros, los estofados y las carnes. Un plato tradicional cubano es ***el congrí*** que lleva arroz con frijoles negros. También se come la yuca, el plátano verde y el cerdo.

El Caribe

Mira el mapa del Caribe y habla con un/a compañero/a sobre los países e islas del Caribe.

a. ¿Qué saben de estos países? Piensen en:
- el idioma
- alguna persona famosa
- los deportes que se practican

b. La situación geográfica:
- ¿Qué país está cerca de los Estados Unidos?
- ¿Qué país está más cerca de Cuba: Puerto Rico, República Dominicana o Haití?
- Ahora, escriban dos oraciones más para describir la situación geográfica de estos países.

Modelo

Cuba está cerca de ______________

Actividad 1

¿Qué comiste hoy?

Paso 1: Clasificar

Lee la siguiente lista de alimentos y clasifícalos. ¿Son alimentos que comes en el desayuno, almuerzo, cena o merienda *(snack)*?

la manzana

el pollo

el arroz

la ensalada

las galletas

las tostadas

el jugo

la sopa de vegetales

el pescado

el cereal con leche

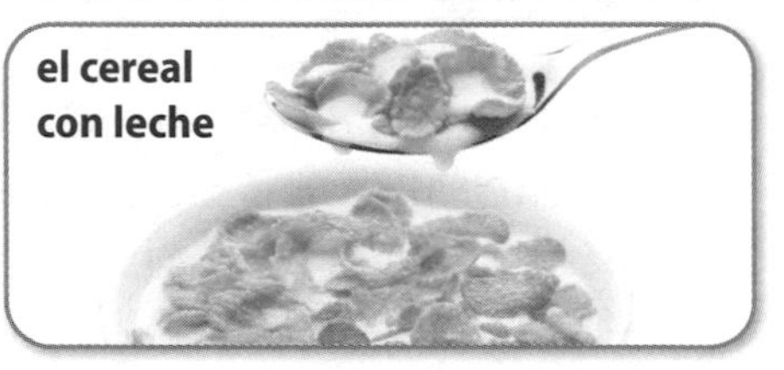

el helado

las papas fritas

el sándwich de jamón y queso

el café

el plátano

el desayuno	el almuerzo	la cena	la merienda

Paso 2: Entrevistar

Elige a un/a compañero/a y pregúntale qué comió hoy en el desayuno y ayer en el almuerzo y la cena. Pregúntale con qué frecuencia come esos alimentos y cuál es su comida favorita.

Modelo

Estudiante A: ¿Qué desayunaste hoy?

Estudiante B: Desayuné jugo y tostadas.

Estudiante A: ¿Con qué frecuencia comes tostadas?

Estudiante B: Todos los días. Nunca como cereal, no me gusta la leche.

Estudiante A: ¿Cuáles son los platos que prefieres en el desayuno?

Paso 3: Escribir

Escribe por lo menos cuatro oraciones sobre qué comió tu compañero/a. Comparte con la clase y explica con qué frecuencia come estos alimentos y cuál es su comida favorita.

Actividad 2

¿Cuánto dinero gastaste en el mercado?

Paso 1: Observar y tomar apuntes

Un hombre va al mercado para comprar frutas y vegetales. Mira el video y toma apuntes sobre qué hay en el mercado y cuánto cuesta cada producto. Los precios están en pesos. Usa el organizador gráfico para escribir la información sobre el video.

Frutas	Precio de frutas	Vegetales	Precio de vegetales	Compras

Paso 2: Contestar

Contesta a las siguientes preguntas.

1. ¿Cuál de las frutas que viste en el video es tu favorita?
2. ¿Qué otros productos además de frutas y vegetales se venden en el mercado?
3. ¿Cuál era la fruta más cara del mercado? ¿Cuánto cuesta?
4. ¿Qué compró en el mercado?
5. ¿Cuánto le costaron las compras que hizo en el mercado?
6. ¿Te gusta cocinar? ¿Qué te gusta preparar?

Actividad 3

¿Qué se hace en estos lugares?

Paso 1: Leer y clasificar

Aquí hay una lista de mandatos. Léelos y clasifícalos de acuerdo al lugar en donde crees que corresponden.

1. el banco	a. ¡Lleva dinero en efectivo!
2. el mercado	b. ¡Saca dinero del cajero automático!
3. el centro comercial	c. ¡Compra pan fresco!
4. la panadería	d. ¡Lleva fruta fresca a la casa!
5. el supermercado	e. ¡No regatees!
6. la calle	f. ¡Cruza la calle con cuidado!
	g. ¡Usa la tarjeta de crédito!

Recuerda

Los mandatos afirmativos informales

To give instructions to a friend you use informal commands.

Informal commands are formed by conjugating verbs in the 3rd person singular, **él/ella** form, of the present tense.

- hablar → **habla**
- comer → **come**

Los mandatos negativos informales

To form negative **tú** commands follow these steps:

1. Conjugate verb in the first person singular of the present tense **(yo)**
   hablo
2. Drop "o"
   habl-
3. Add the opposite ending:
   "es" for -ar verbs
   "as" for -er/-ir verbs

¡No hables!

¡No comas!

Paso 2: Leer y escribir

tostones

Tu amigo va a hacer un viaje en julio para visitar Cuba. ¿Qué le recomiendas para el viaje?

a. Lee la información sobre Cuba.

b. Escribe un mandato afirmativo y uno negativo para cada situación.

Modelo

En Cuba hace sol y calor.

Mandato afirmativo: ¡Usa protector solar!

Mandato negativo: ¡No olvides beber mucha agua!

Cuba está ubicada en la región del **Caribe**, a la entrada del golfo de México. El clima de Cuba es subtropical, no hay temperaturas extremas, ni altas, ni bajas. El tiempo seco y más fresco va de noviembre a abril y el húmedo y más caluroso de mayo a septiembre.

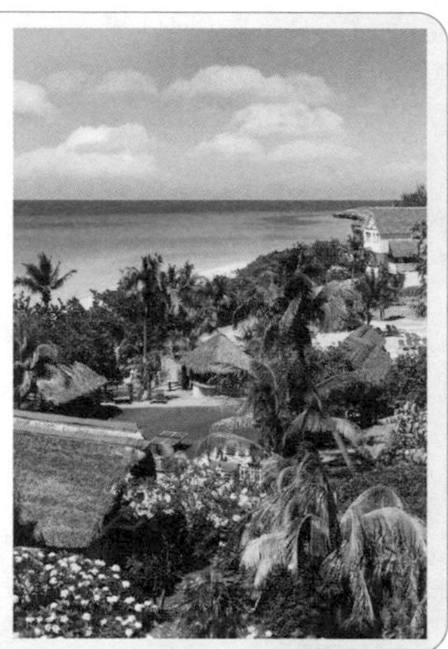

Hay muchos lugares para visitar. Por ejemplo, se ven obras de teatro en las salas de teatro, o se puede aprender más de la cultura cubana en los museos, bibliotecas y galerías de arte. El cine internacional o nacional es otro pasatiempo popular tanto para los cubanos como para los turistas.

Cuba tiene un sistema de transporte que conecta a todo el país. El transporte por autobús es el más utilizado. También existe un buen servicio de taxis.

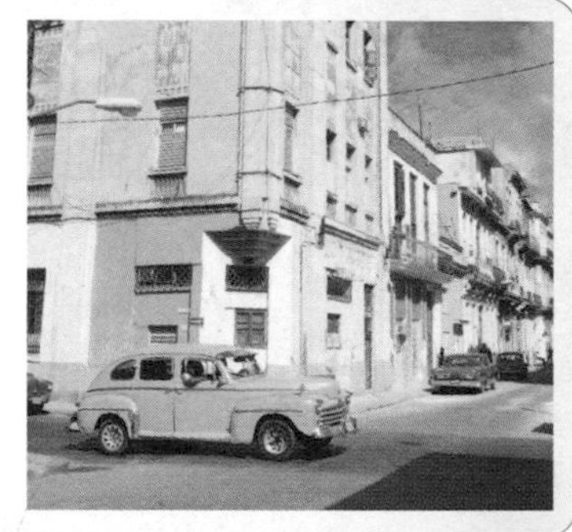

La moneda en Cuba es el peso cubano.

La comida tiene influencia española, africana y caribeña. Entre los platos más típicos están el arroz, el plátano, los frijoles y la carne de cerdo. Otros platos típicos son *el congrí*, elaborado con un caldo de frijoles y arroz, **los tamales, los tostones** y **chicharritas** hechas con plátanos. En las fiestas, la comida típica es **cerdo asado** a fuego lento.

congrí

cerdo asado

chicharritas

tamales

¿Te acuerdas?

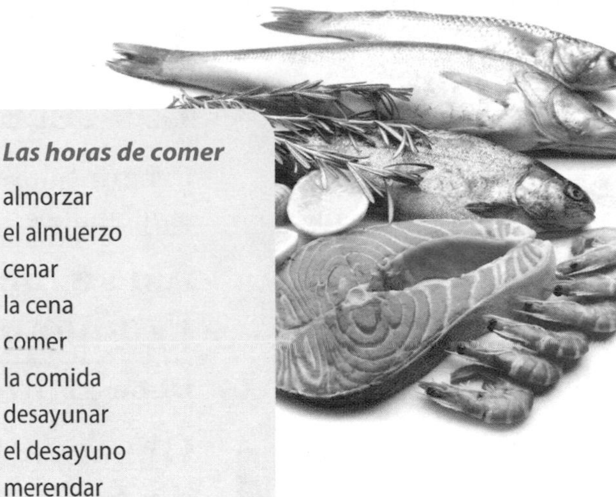

La comida

las carnes
la ensalada
las frutas
los granos y los cereales
la leche
el mercado; el supermercado
el pescado
los postres
los productos lácteos
el queso
la tienda
las verduras/las legumbres/los vegetales
el yogur
¿Cuánto es/cuesta/cuestan?

Las horas de comer

almorzar
el almuerzo
cenar
la cena
comer
la comida
desayunar
el desayuno
merendar
la merienda

Para hablar de comida

asado/a
caliente
dulce
encantar
frío/a
frito/a
pensar
querer
sabroso/a
salado/a

Las comidas

las arepas
el arroz con leche
el arroz con pollo
el bocadillo
las empanadas
las enchiladas
el flan
la fruta de temporada
las quesadillas
el sandwich
los tacos
los tamales
la tortilla de maíz
la tortilla española

las bebidas

el batido
el café
el chocolate
la limonada
el refresco
el té

Para describir cómo te sientes

tener calor
tener frío
tener hambre
tener ganas de + *inf*
tener sed

Las partes del cuerpo

la boca
los brazos
la cabeza
los dedos de la mano
los dedos del pie
los dientes
la lengua
las manos
los ojos
las orejas
el pelo
las piernas
los pies

Trinidad, Cuba

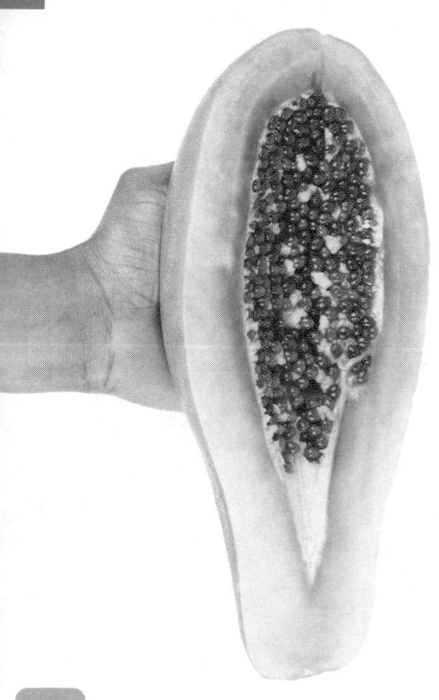

Comunica y Explora A

Las recetas de la abuela

Pregunta esencial: How does food connect cultures, communities, and families?

Actividad 4

¿Cuáles son algunas comidas típicas del Caribe?

Así se dice 1: Productos típicos del Caribe

el aguacate

los chiles

el coco

los frijoles

la guayaba

el maíz

los mariscos

el pescado

el plátano verde

la yuca

Paso 1: Identificar y conversar

a. Haz preguntas a un/a compañero/a, luego tomen turnos para saber si a tu compañero/a le gusta o no le gusta cada comida.

b. Completa el diagrama de Venn para comparar tus preferencias con las preferencias de tu compañero/a.

Modelo

Estudiante A: ¿Te gusta el plátano?

Estudiante B: No sé. Nunca **he comido** plátano. Pero, me encantan los mariscos. ¿Te gustan los mariscos?

Estudiante A: No, no me gustan.

Detalle gramatical: Present Perfect

To say "I have eaten" you use the **yo** form of the verb "**haber**" with the **past participle** of the verb "**comer**"

Yo **he comido** mariscos.

Enfoque cultural

Práctica cultural: Variedad lingüística

Hay una variedad de palabras para identificar comidas típicas en diferentes partes del mundo hispanohablante. Mira los siguientes ejemplos:

los frijoles o **las habichuelas**

el maíz o **el elote** o **el choclo**

el chile o **el ají**

el aguacate o **la palta**

los plátanos o **los maduros** o **los amarillos**

  **Conexiones**

What are some food words in English that vary depending on where you live?

Mi progreso comunicativo

I can identify ingredients commonly used in Caribbean cooking.

Paso 2: Escuchar e identificar

a. Escucha el podcast de Raúl Orozco con su invitada especial, Mariela Veracruz.

b. Presta atención a las descripciones e identifica qué comida de la lista del vocabulario en **Así se dice 1** se menciona en el podcast.

Observa 1

Los pronombres de complemento directo

Victoria, ¿comes plátanos?

Sí, **los** como a veces en el almuerzo.

¿Y cómo **los** preparas?

Prefiero los plátanos maduros. **Los** frío en aceite. También me gustan los plátanos verdes. **Los** uso para hacer tostones, que son plátanos fritos, aplastados y fritos otra vez. ¿Te gusta la guayaba?

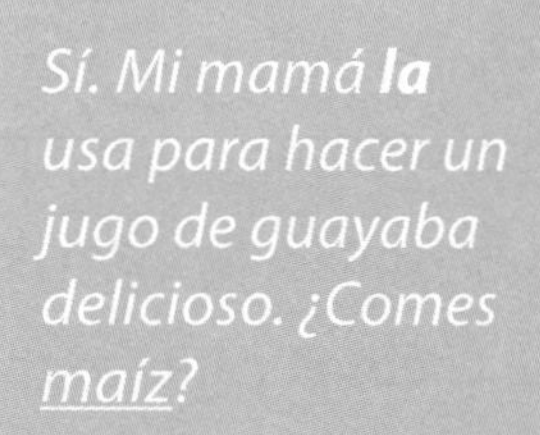

Sí. Mi mamá **la** usa para hacer un jugo de guayaba delicioso. ¿Comes maíz?

Lo como de vez en cuando en el almuerzo cuando mi mamá prepara el sancocho, una sopa muy rica con yuca, pollo y otros vegetales.

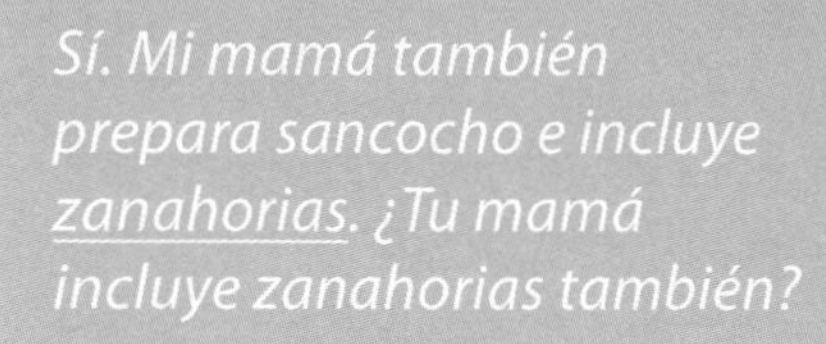

Sí. Mi mamá también prepara sancocho e incluye zanahorias. ¿Tu mamá incluye zanahorias también?

No, no **las** incluye en la receta.

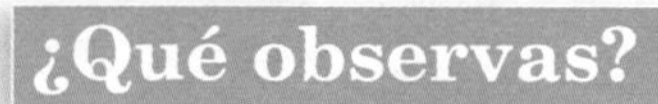

¿Qué observas?

1. What do you notice about the bold direct object pronouns ***(lo, la, los, las)***? How do they relate to the underlined direct object nouns?
2. What do you think these direct object pronouns ***(lo, la, los, las)*** mean?
3. Where do the direct object pronouns ***(lo, la, los, las)*** fall in the sentence structure? Do they go in the same place in the sentence as the direct object nouns?

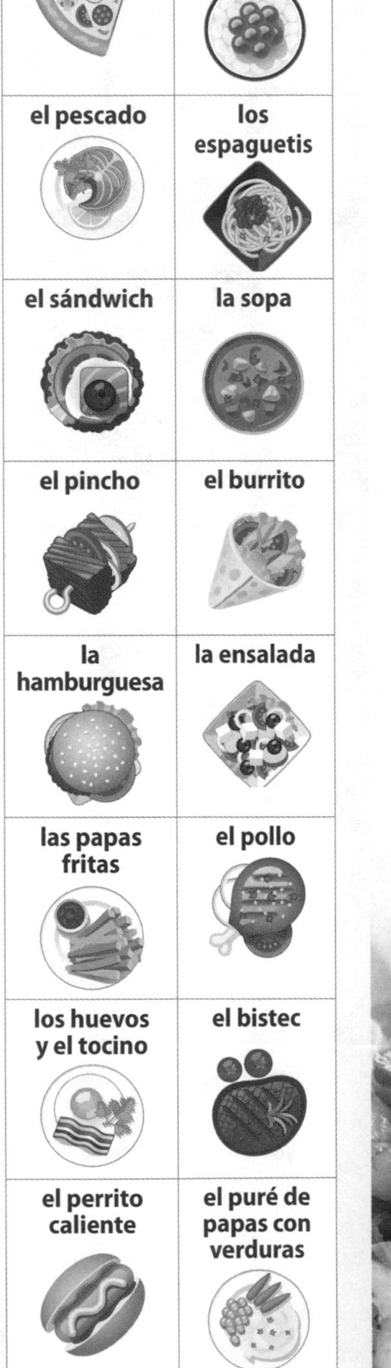

Paso 3A: Escuchar y practicar

a. Escucha otra vez el podcast de Raúl Orozco.

b. Identifica los pronombres de complemento directo que usan en la conversación.

Paso 3B: Conversar

a. Con un/a compañero/a, túrnense para hacer preguntas para saber si el/la compañero/a come las comidas de la izquierda.

b. Responde a las preguntas para decir si las comes y cuándo las comes. Recuerda usar los pronombres de complemento directo.

Modelo

Estudiante A:	¿Comes maíz?
Estudiante B:	Sí, **lo** como en el verano. ¿Comes pescado?
Estudiante A:	Sí, **lo** como todos los viernes.

Paso 4: Escribir un comentario

En su blog, *La cocina cubana*, Mariela Veracruz quiere saber cómo usan sus lectores los ingredientes típicos del Caribe.

a. Elige tres ingredientes típicos del Caribe.

b. Escribe cómo comes o cocinas cada ingrediente normalmente.

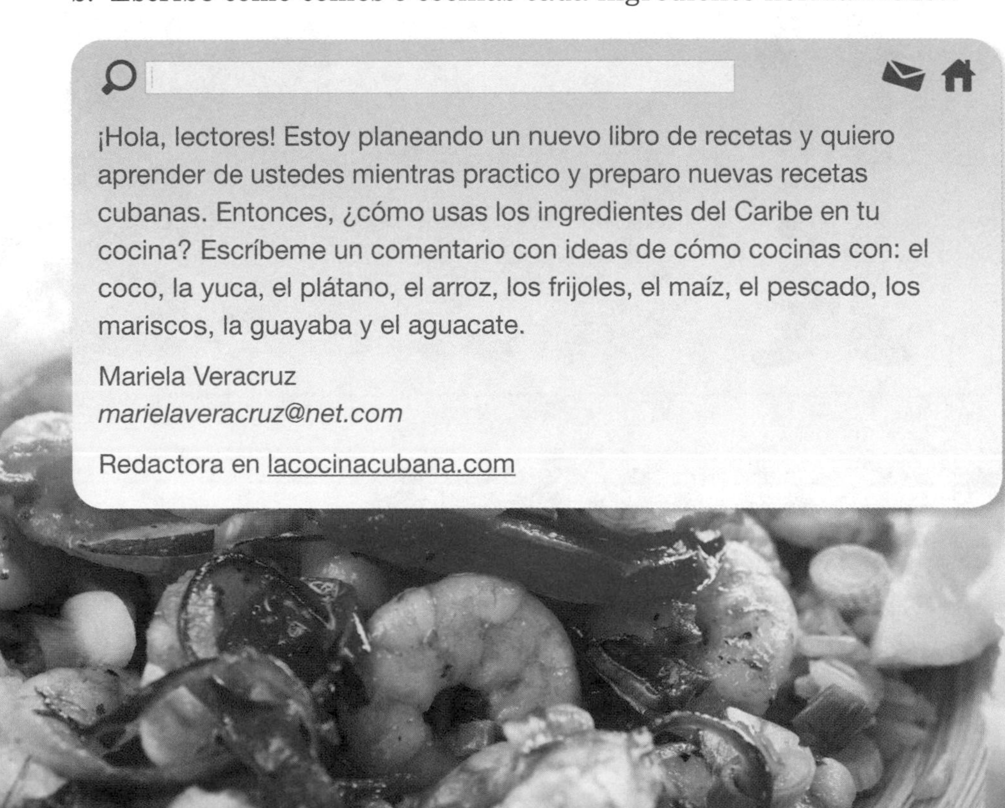

¡Hola, lectores! Estoy planeando un nuevo libro de recetas y quiero aprender de ustedes mientras practico y preparo nuevas recetas cubanas. Entonces, ¿cómo usas los ingredientes del Caribe en tu cocina? Escríbeme un comentario con ideas de cómo cocinas con: el coco, la yuca, el plátano, el arroz, los frijoles, el maíz, el pescado, los mariscos, la guayaba y el aguacate.

Mariela Veracruz
marielaveracruz@net.com

Redactora en lacocinacubana.com

Actividad 5

¿Cuáles son algunos platos típicos del Caribe?

Paso 1: Vocabulario

a. Mira las fotos e identifica los ingredientes.

b. Habla con un/a compañero/a:

- ¿Tienes estos ingredientes en tu cocina?
- ¿Cómo usas los ingredientes? ¿Quién los usa para cocinar?

Modelo

Estudiante A: Mi mamá siempre tiene azúcar en la cocina. La usa para hacer arroz con leche.

Estudiante B: Siempre tenemos huevos en la cocina. Mi papá los cocina para el desayuno todos los días.

Enfoque cultural

Práctica cultural: El sofrito

En los platos caribeños es muy típico usar el sofrito como base para empezar a hacer arroz con pollo, o sopa.

El sofrito es una mezcla de ajo, cebolla, pimiento verde y condimentos como sal, pimienta, comino y orégano refritos en aceite.

El sofrito le da muy buen sabor a la comida.

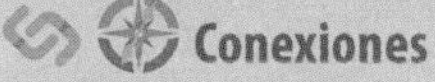

Conexiones

What mixture of ingredients provides flavor in your culture's cuisine? Have you heard of the holy trinity in cooking?

Así se dice 2: Los ingredientes

el aceite

el ajo

el azúcar

la cebolla

la harina

la pimienta

la sal

Además se dice: Los ingredientes

el caldo de pollo - chicken broth

el chicharrón - fried pork rind

los huevos - eggs

el limón - lemon

el limón verde - lime

la masa - dough

el tocino - bacon

el tomate - tomato

el vinagre - vinegar

Además se dice: Los condimentos

la canela - cinnamon

el cilantro - cilantro

el comino - cumin

Paso 2: Observar y anotar

a. Mira el video con la serie de fotos de comida típica cubana.

b. Haz una lista de la comida o los ingredientes que reconoces.

Paso 3: Leer y pensar

a. Mira las fotos de los siguientes platos típicos y lee los ingredientes necesarios para prepararlos.

b. Piensa en las siguientes preguntas:

- ¿Qué platos típicos te interesan o no te interesan? ¿Por qué?
- ¿Qué ingredientes te gusta o no te gusta comer?

Paso 4: Conversar

a. Con un/a compañero/a hablen sobre las recetas y cuáles les gustaría o no comer.

b. Pregunta a tu compañero/a sobre sus preferencias culinarias. Tu compañero/a te pregunta sobre las tuyas.

Modelo

Estudiante A: ¿Qué opinas del mofongo?

Estudiante B: No quiero comerlo porque no me gusta el ajo. ¿Y tú?

Estudiante A: Sí, quiero probarlo porque me encantan los plátanos verdes y el tocino.

Expresiones útiles

(No) quiero probarlo porque… - I do/don't want to try it because

(No) quiero comerlo porque… - I do/don't want to eat it because

Ropa vieja, Cuba

- carne de res
- cebolla
- ajo
- comino
- pimiento verde
- pasta de tomate
- arroz

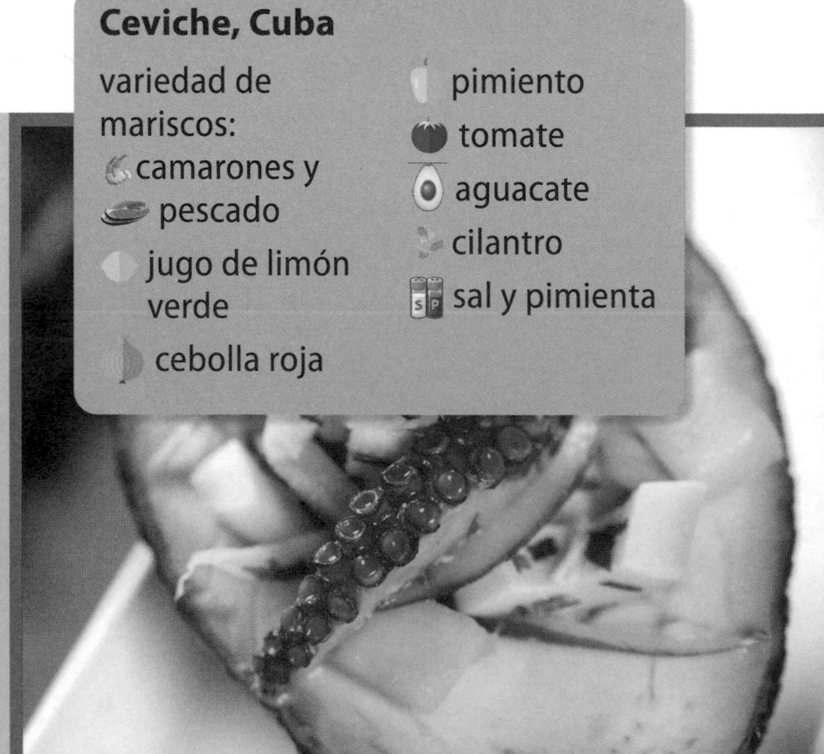

Ceviche, Cuba

- variedad de mariscos:
- camarones y
- pescado
- jugo de limón verde
- cebolla roja
- pimiento
- tomate
- aguacate
- cilantro
- sal y pimienta

Tostones con arroz y frijoles, Puerto Rico

- plátano verde
- arroz
- frijoles negros
- aceite de oliva
- pimiento verde
- ajo
- cebolla
- agua

Mofongo, Puerto Rico

- plátano verde
- aceite de oliva
- sal
- ajo
- chicharrón
- tocino

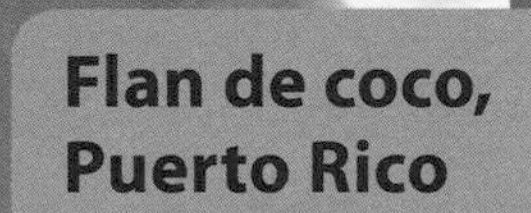

Flan de coco, Puerto Rico

- huevos
- leche de coco
- leche
- azúcar

Arroz amarillo con pollo, Cuba

- arroz
- pollo
- vinagre de vino
- aceite de oliva
- cebolla
- pimentón
- ajo
- tomate
- agua
- sal

Sancocho, República Dominicana

- agua
- carne: cerdo o pollo
- cebolla
- ají verde
- ajo
- cilantro
- perejil
- plátanos
- ñame
- yuca
- maíz
- caldo de pollo caldo de res

Mi progreso intercultural

I can compare typical meals and ingredients used in Caribbean cooking and in my own community.

Mi progreso comunicativo

I can describe the flavors and ingredients in a variety of dishes.

Reflexión intercultural

1. What do you notice about the various dishes and ingredients commonly used in the Caribbean?
2. How are these meals similar or different to meals you are accustomed to eating?
3. How has your perspective on food changed by studying the ingredients and meals typical to the Caribbean?

Actividad 6

¿Cómo describes la comida?

Paso 1: Leer y describir

a. Lee los ingredientes de las recetas caribeñas de **Actividad 5**.

b. Con un/a compañero/a, tomen turnos para describir los platos con la información que saben.

Modelo

Creo que el mofongo es un plato caliente, salado y sabroso.

¿Te acuerdas?

agrio

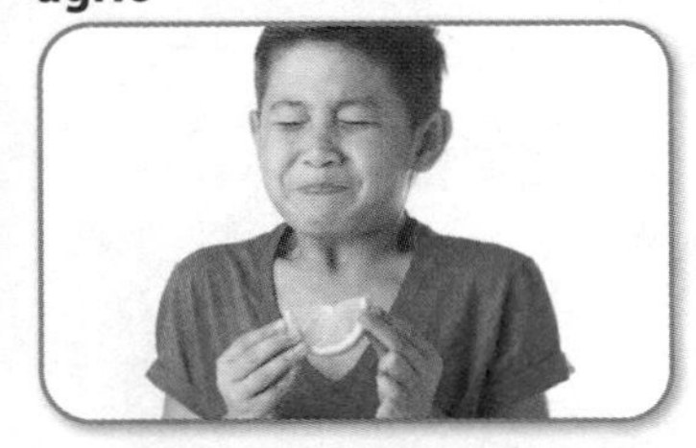

caliente

dulce

frío

picante

rico

sabroso

salado

Paso 2: Escribir y hablar

a. Escribe al menos tres descripciones de tus comidas favoritas. Incluye los ingredientes y los sabores.

b. Lee tus descripciones a un/a compañero/a a ver si él/ella puede adivinar qué comida describes.

Modelo

Estudiante A:	Es una comida fría muy rica y dulce. Prefiero el sabor de chocolate pero también me gusta el de sabor a fresa. Lo hacen con leche, azúcar y crema.
Estudiante B:	¿Es el helado?
Estudiante A:	Sí, ¡correcto!

Paso 3: Observar y anotar

Observa mientras algunos extranjeros prueban comida mexicana y anota el vocabulario que usan las personas para describir los platos.

Así se dice 3: Para describir la comida

delicioso/a

duro/a

espectacular

horrible

pesado/a

picante

rico/a

riquísimo/a

suave

Además se dice

acalorar - to get hot

ácido - acidic; sour

confiar - to trust

echar - to put

encerrar - to enclose

moño - hair bun

picar - to burn

Expresiones útiles

¡Échale ganas! - Go for it!

el moño se me mueve - my hair bun is moving

los costados de la lengua - the sides of the tongue

Ni me atrevería - I wouldn't dare

No me fío de ti - I don't trust you

¡Pica un montón! - It burns a lot!

Tengo anestesiada la boca - My mouth is numb

I can understand and identify what I hear when someone describes the flavors of a dish.

Detalle gramatical: Ser y estar

In Spanish we use the verb **ser** to describe how a dish typically tastes.

- El café con leche **es** sabroso.

If the flavor of a dish surprises us or isn't what we expected, we use the verb **estar** to to say how the dish is different from its usual description.

- ¡El café con leche **está** muy frío!

Mi plato favorito es el arroz con pollo que se hace con arroz y con pollo como dice el nombre, pero también con ajo, con cebolla, y lo más importante el pimentón. El pimentón le da un color amarillo al arroz. Y siempre me gusta servirlo con una taza de café, que es muy típico de Cuba, siempre hay un café en la mesa. Y un pastel que se llama dulce de guayaba, también.

Enfoque cultural

Práctica cultural: Variedad lingüística

Hay muchas maneras de decir **refrigerador** en países hispanohablantes. Aquí tenemos unos ejemplos:

- Chile: el refrigerador *(freezer)*
- Perú: la refri/"arriba en la refri" *(freezer)*
- Ecuador: la refrigeradora/la congeladora
- México y Colombia: la nevera/la heladera

 **Conexiones**

Are there words in English that change from one region to another?

Paso 4: Describir tu plato favorito

Al final de **Comunica y Explora A** vas a escribir un blog sobre tu receta favorita. Vas a empezar a planear tu proyecto ahora.

a. Elige un plato típico de tu comunidad que te encanta.

b. Escribe la lista de ingredientes.

c. Describe cómo es. Usa el vocabulario de **Así se dice 3**.

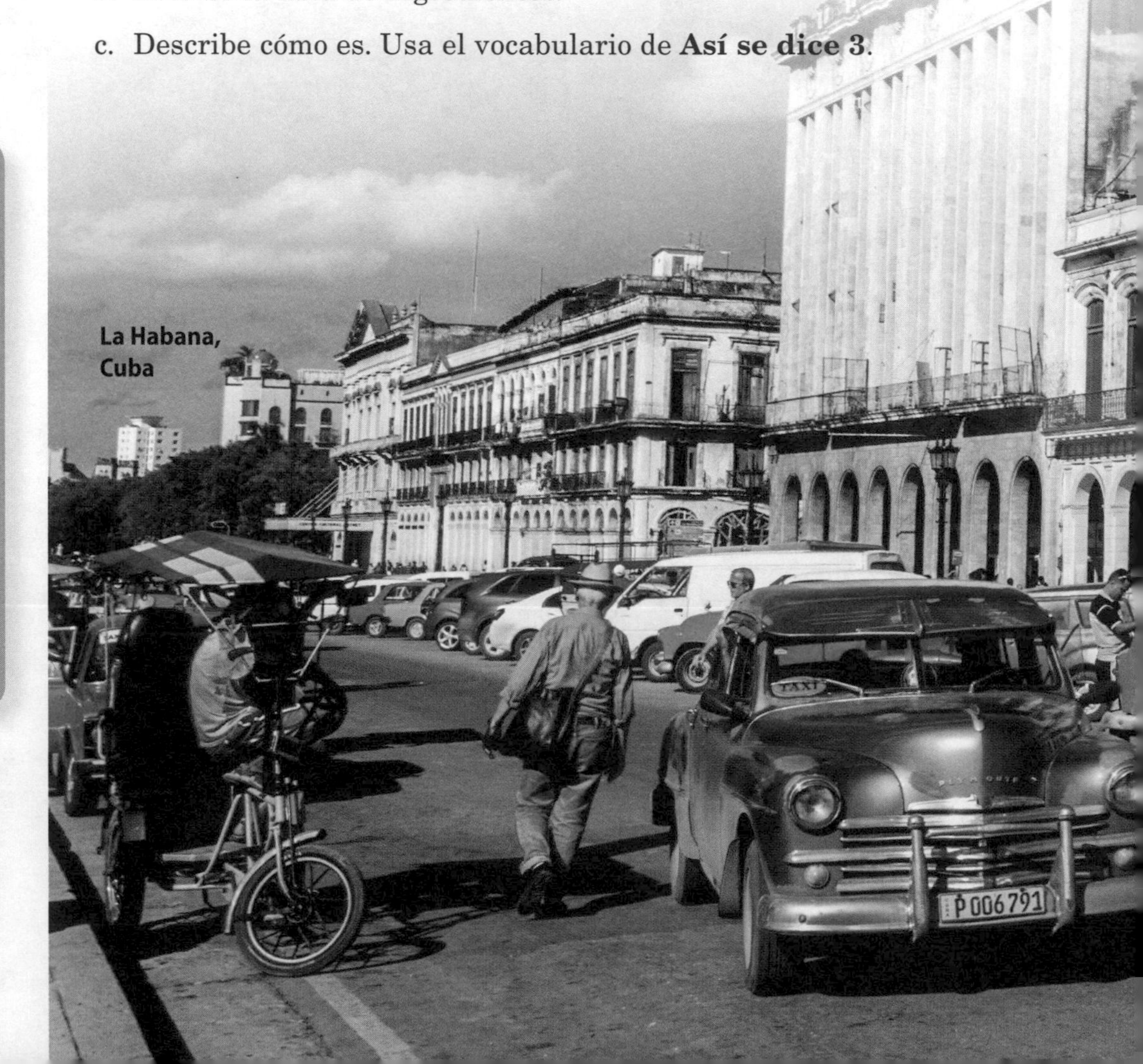

La Habana, Cuba

Enfoque cultural

Producto cultural: Postres cubanos

Cada país del mundo hispanohablante tiene sus distintos platos y postres típicos. En Cuba, los postres celebran los sabores de la isla con sabores de guayaba, arroz y canela, yuca y coco.

Cascos de guayaba: Guayaba hervida en agua y azúcar.

Buñuelos de yuca: Masa de yuca frita en aceite, con azúcar.

Arroz con leche: Arroz con leche, azúcar y canela.

Pastel de coco a lo cubano: Una masa de coco, azúcar, jugo y galletas molidas cocida al fuego.

  **Conexiones**

What are some typical and distinct desserts in your culture? What are some similarities and differences between Cuban sweets and the typical desserts of your culture?

Así se dice 4: Preparar la comida

agregar

batir

cocinar

freír (e ⟶ i)

hervir (e ⟶ ie)

hornear

licuar

mezclar

picar

refrigerar

saltear

Además se dice: Preparar la comida

moler (o ⟶ ue) - to grind

pelar - to peel

rallar - to grate

Actividad 7

¿Cómo preparaste la comida?

Paso 1: Escuchar e identificar

Escucha lo que se hace en una cocina. Mientras escuchas las descripciones de cada acción:

a. Identifica qué imagen acompaña la descripción.

b. Escribe el nombre de la acción que escuchas (consulta el vocabulario de **Así se dice 4**) con la letra de la imagen correspondiente.

Paso 2: Preguntar y responder

Habla con tu compañero/a sobre el proceso de cocinar algún plato.

a. Pregunta a tu compañero/a qué hizo con cada ingrediente.

b. Pregúntale cómo preparó el plato.

c. Al responder, usa pronombres de objeto directo (los, las) para referirte a los ingredientes.

Modelo

huevos, tomates y queso → una tortilla de huevo.

Estudiante A:	¿Qué hiciste con los huevos?
Estudiante B:	Los batí.
Estudiante A:	¿Qué hiciste con los tomates?
Estudiante B:	Los piqué.
Estudiante A:	¿Cómo preparaste el plato?
Estudiante B:	Mezclé los huevos, tomates y queso. Cociné todo por cinco minutos para preparar una tortilla de huevo.

1. papas, agua, leche y mantequilla → un puré de papas
2. plátanos, azúcar y leche → un batido de frutas *(smoothie)*
3. lechuga, tomates y aguacate → una ensalada
4. arroz, vegetales y agua → una sopa de vegetales con arroz

Mi progreso comunicativo

I can retell actions in the past to explain how I prepared a meal.

Detalle gramatical: Usos de "cocina" en español

La palabra "cocina" viene del verbo "cocinar" como otros sustantivos en español:

Verbo:

- Es una forma del verbo cocinar: **Mi tío cocina** muy rico.

Sustantivo:

- Es un lugar donde se prepara la comida: **La cocina** en su casa es grande y limpia.
- Es un aparato eléctrico o de gas en ese lugar: **Usas la cocina** para saltear el pollo y hervir agua.

(También se dice "la estufa" en México, Guatemala y Colombia.)

Enfoque cultural

Práctica cultural: Agua al clima

En muchos países hispanohablantes el agua se bebe al clima (al tiempo) y no helada. Si quieres tomar agua helada tienes que pedirla.

Conexiones

Do you drink water from the tap, with ice, or from the refrigerator?

Paso 3: Observar e identificar

Con un/a compañero/a tomen turnos para leer en voz alta la siguiente información.

a. Escriban una lista del vocabulario nuevo.

b. Usando las fotos y el texto, escriban la definición en inglés.

Utensilios necesarios en una buena cocina

Para picar, necesitas **un cuchillo** y **una tabla de picar**.

Para saltear, usas **una sartén**. Necesitas **una espátula** para mover la comida al saltearla.

Para refrigerar, hay que poner la comida en **una refrigeradora**.

Para hornear, es necesario tener **un horno**.

Para agregar ingredientes, usas **una cuchara** o **una cucharita** (más pequeña).

También para agregar ingredientes en cantidades más grandes, puedes usar **una taza**.

Para mezclar ingredientes, hay que usar **un tazón** y **una espátula** (o **cuchara** grande).

Si vas a hervir agua, necesitas **una olla**.

Paso 4: Conversar

Piensen en las siguientes situaciones. Tomen turnos para preguntar a un/a compañero/a qué necesita para preparar cada comida.

Modelo

Estudiante A: ¿Qué necesitas para preparar una pizza?

Estudiante B: Necesito una tabla de picar y un cuchillo. También necesito un horno.

1. las galletas de coco
2. el flan o pudín
3. la sopa de vegetales
4. el pavo para el Día de Acción de Gracias
5. los huevos revueltos *(scrambled)*
6. el arroz
7. los panqueques

Paso 5: Continuar describiendo tu plato favorito

En preparación para tu blog sobre tu receta favorita, comparte la siguiente información sobre el plato que elegiste:

a. Describe cómo preparaste el plato. Usa el vocabulario de **Así se dice 4**.

b. Escribe la lista de los utensilios que usaste. Usa el vocabulario de **Así se dice 5**.

Así se dice 5: Los utensilios

la cocina

la cuchara

la cucharita

el cuchillo

la espátula

el horno

la olla

la refrigeradora

la sartén

la tabla de picar

la taza

el tazón

Además se dice: Los utensilios para cocinar

la batidora - the beater

la parrilla - the grill

Mi progreso comunicativo

I can retell actions in the past to explain how I prepared a meal.

Observa 2

Los mandatos formales

Arroz con leche

Ingredientes:

1½ taza de arroz (preferentemente de grano corto)
3 tazas de agua
1 *lata*[1] de leche condensada
¼ cucharadita de sal
1 *rama*[2] de canela
1 cucharada de vainilla
3 *yemas*[3] de huevo
cáscara[4] de un limón verde
canela en *polvo*[5] para adornar

Modo de preparación:

1. **Hierva** el agua y el arroz antes de agregar otros ingredientes.
2. **Agregue** la sal, la rama de canela y la cáscara de limón y **cocine** por 30 minutos.
3. **Añada** la leche condensada, poco a poco, las yemas de huevo y la vainilla.
4. **Cocine** y **mezcle** los ingredientes para llegar a una consistencia cremosa, no muy líquida.
5. **Sirva** el arroz con leche frío, en platos de postre individuales con un poco de canela en polvo encima.

1 - can, 2 - stick, 3 - yolk, 4 - peel, 5 - powder (ground), 6 - cloves, 7 - to taste

Adaptado de DCubanos, "Arroz con leche," http://www.dcubanos.com/rinconcuba/arroz-con-leche

¿Qué observas?

1. What do you notice about the way the -ar verbs ***cocinar***, ***agregar*** and ***mezclar*** are used in the recipe above?
2. What do you notice about the way the -ir verbs ***añadir***, ***hervir (e ⟶ ie)*** and ***servir (e ⟶ i)*** are used in the recipe above?

Discuss your observations with a partner and note your conclusions on the graphic organizer in your *EntreCulturas 2* Explorer. Test your hypothesis with the following recipe.

Croquetas de jamón

Ingredientes:

2 tazas de jamón picado
1 cucharada de cebolla
1 taza de leche
3 *dientes*[6] de ajo
2 cucharaditas de margarina o mantequilla
1/8 cucharadita de pimienta o más al gusto
3/4 taza de harina
sal *al gusto*[7]

Para empanizar:
8 onzas de pan rallado o galleta molida
2 huevos batidos

Modo de preparación:

1. **Muela** (grind) el jamón con el ajo y la cebolla.
2. **Añada** los otros ingredientes excepto el huevo y el pan rallado. **Mezcle** todo bien.
3. **Cocine** todo a fuego lento para formar una masa compacta como una bola.
4. **Déjela** enfriar, **tómela** por cucharadas y **dé** forma de croquetas o bolitas a su gusto.
5. **Páselas** por el huevo batido y el pan molido dos veces.
6. **Fríalas** en aceite bien caliente.

Dependiendo del tamaño, esta receta puede producir aproximadamente unas 20 croquetas medianas.

¿Qué observas?

3. What do you notice about the way the -ar verbs ***(cocinar, mezclar, dejar, tomar, pasar, dar)*** are used in the recipe above? How about the -er verbs ***(moler)***, -ir verbs ***(añadir*** and ***freír)***?
4. What happens to the commands in steps 4, 5 and 6 as direct object pronouns are combined with the commands? What do these words mean?

Recuerda

-car / -gar / -zar verbs have a different ending in the "yo" form of the preterit to maintain the original sound. This same rule applies for the formal commands.

- **Agregue** los demás ingredientes.

Detalle gramatical

Mandatos con pronombres

To avoid repetition of the direct object in the command (like saying "la masa" over and over), you can add the **direct object pronoun** at the end of it. **Déjela** in the recipe on this page is an example. The direct object pronoun "la" refers back to "la masa." Instead of repeating, we replace the noun with a direct object pronoun.

When you add one pronoun, count the syllables in the command from right to left and put the accent on the third syllable. This maintains the original sound by keeping the emphasis in the same place on the command.

Actividad 8

¿Cómo preparas esa receta?

Paso 1A: Mirar y anotar

Al mirar el video de un chef misterioso e invisible preparar una salsa, toma apuntes para poder responder a estas preguntas.

1. ¿Qué ingredientes usa?
2. ¿Qué utensilios usa?
3. ¿Qué acciones hace el chef misterioso?
4. ¿Te parece una buena receta para preparar salsa? ¿Por qué sí o por qué no?

Paso 1B: Explicar qué hacer

Crea una receta simple para este video. Usa mandatos formales.

Paso 2A: Compartir una receta para tu plato favorito

Imagínate que comiste tu plato favorito y ahora lo vas a compartir en tu blog.

a. ¿Qué hiciste para preparar el plato? Escribe una lista de acciones e ingredientes.

b. ¿Cuáles son algunos mandatos para indicar a otra persona cómo preparar este plato?

Modelo

a. Cuando preparé este plato, yo corté… piqué… mezclé…

b. Para preparar este plato, corte… pique… mezcle…

Expresiones útiles: Pasos en una receta

después - after

finalmente - finally

luego - later

primero - first

Enfoque cultural

Práctica cultural: El uso de usted

En algunos países hispanohablantes como Colombia o Ecuador el uso de la forma "usted" es muy común. No solo se usa para expresar formalidad, sino también se usa cuando las personas se dirigen a niños pequeños, a veces entre amigos y hasta entre novios.

Conexiones

How do you address others in a formal setting?

Paso 2B: Preguntas y respuestas

Responde a las preguntas de tu compañero/a. Después pregúntale sobre su receta.

1. ¿Qué preparaste?
2. ¿Qué utensilios e ingredientes usaste?
3. ¿Qué hiciste para preparar el plato?
4. ¿Con quién cocinaste? ¿Dónde lo cocinaste?

¡Prepárate!

Necesitas dar instrucciones a una persona mayor. Cuando hablas con una persona mayor, la tratas de "usted" para demostrar respeto. La abuela de tu amigo quiere saber qué comprar y qué hacer para preparar tu plato favorito.

a. Prepara las instrucciones que le vas a dar, con mandatos formales.
b. Practica las instrucciones con un/a compañero/a.
c. Deja un mensaje de voz a la abuela de tu amigo con los pasos para preparar tu receta favorita.
d. Recuerda darle las gracias a la abuela por su interés.

Modelo

Compre usted vegetales, espaguetis y salsa de tomate. **Pique** los vegetales y **añádalos** a la salsa de tomate. **Cocine** la salsa con los vegetales. **Hierva** agua para los espaguetis y **agréguelos** al agua caliente. **Cocínelos** por ocho minutos. **Mezcle** la salsa y el espagueti para una rica cena.

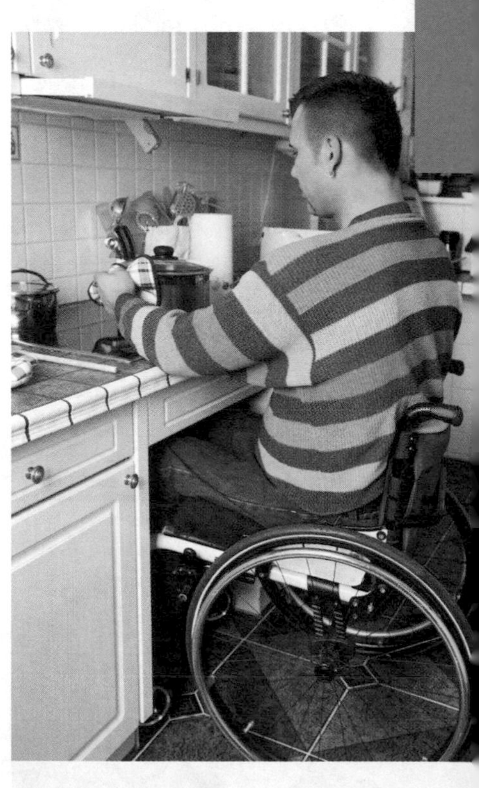

Así se dice 6: Los horarios y las costumbres de comer

la entrada

la hora de té

el segundo (plato)

la siesta

la sobremesa

tomar café

Actividad 9

¿Cuál es el menú?

  Paso 1: Emparejar

Escucha las descripciones y elige de la lista de vocabulario de **Así se dice 6** la palabra que se describe.

a. ____________

b. ____________

c. ____________ 

d. ____________ 

e. ____________ 

Enfoque cultural

Práctica cultural: Los horarios de comidas

En los países hispanohablantes la gente toma **el desayuno** temprano, alrededor de las 7:00 am. **El almuerzo** es la comida principal del día. Se almuerza tarde, alrededor de las 2:00 pm. En el almuerzo se come: entrada o sopa, segundo y postre. También se toma jugo de fruta de temporada. **La cena** es una comida pequeña por la noche, alrededor de las siete u ocho de la noche. (En algunos países como Argentina o España se cena más tarde, como a las diez de la noche.) En el Caribe los niños comen una **merienda** cuando regresan de la escuela. En países como Chile se toma **el té de la tarde** o **las onces** (Chile) y en otros países se toma **el cafecito de la tarde**. El nombre varía de un país a otro, pero en general se toma café o té con unos sándwiches o empanadas, pasteles o unas galletitas dulces.

Conexiones

What are your typical meal and snack times? What are some similarities and differences between meal schedules in Spanish-speaking cultures and in your culture?

 Paso 2A: Escribir

Escribe una lista de postres, entradas y meriendas típicas en tu comunidad.

Entradas	Postres	Meriendas

Paso 2B: Conversar y escribir

Utiliza las palabras útiles para hablar con un/a compañero/a sobre la frecuencia con la que come los alimentos del **Paso 2A**. Toma nota de las respuestas de tu compañero/a en el organizador gráfico.

Modelo

Estudiante A:	¿Cuál es una entrada típica en tu comunidad?
Estudiante B:	En mi comunidad comemos palitos de mozzarella.
Estudiante A:	¿Con qué frecuencia los comes?
Estudiante B:	Los comemos con frecuencia, a veces también comemos una ensalada.

Paso 3: Escribir

Quieres invitar a un grupo de amigos a tu casa a tomar té o café.

a. Escribe un mensaje de texto a tus amigos invitándolos a tu casa.
b. Menciona el día, la hora y la dirección.
c. Menciona qué van a comer (el menú).

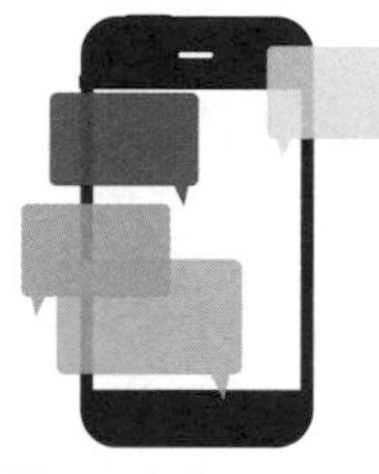

Reflexión intercultural

1. What do you notice about meal schedules in Spanish-speaking countries?
2. How are snacks different in the U.S. and in Spanish-speaking countries?
3. Which of these customs related to eating do you prefer?

una empanada chilena con azucar en polvo y una taza de té

¿Te acuerdas?

el postre

la sobremesa

Expresiones útiles

a veces - sometimes

casi nunca - almost never

casi siempre - almost always

con frecuencia - frequently

nunca - never

siempre - always

Mi progreso comunicativo

I can invite friends over for a gathering and name the food items that will be served.

Mi progreso intercultural

I can identify what food would be culturally appropriate to serve at different times of the day in Spanish-speaking cultures.

Actividad 10

¿Qué hiciste el fin de semana?

 Paso 1: Leer y poner en orden

Lee esta lista de actividades que Lucía hizo el domingo. Ponlas en el orden cronológico más lógico.

a. Salió a montar en bicicleta.
b. Desayunó con la familia.
c. Durmió una siesta.
d. Se despertó tarde.
e. Miró la television por la tarde con sus abuelos.
f. Regresó a casa.
g. Comió el postre.
h. Almorzó con sus abuelos.

Expresiones útiles para expresar secuencia

primero - first

luego - then

después - after

más tarde -later

finalmente - finally

 Paso 2: Escribir

a. Ahora, usando las actividades del **Paso 1** como ejemplo, escribe un párrafo con cuatro actividades que hiciste el fin de semana pasado.

b. Usa las **expresiones útiles**. Puedes usar otros verbos que sabes en el pasado.

Modelo

El domingo yo me desperté temprano, luego me duché y me vestí. Más tarde salí con mi hermano a pasear al perro.

Paso 3: Hablar

Compartan sus párrafos con un/a compañero/a. ¿Hicieron algo en común?

Modelo

Estudiante A: ¿Qué hiciste el fin de semana?

Estudiante B: Yo salí a correr con mi perro y luego almorcé con mis abuelos.

Estudiante A: Yo también almorcé con mis abuelos.

Observa 3

El pretérito irregular

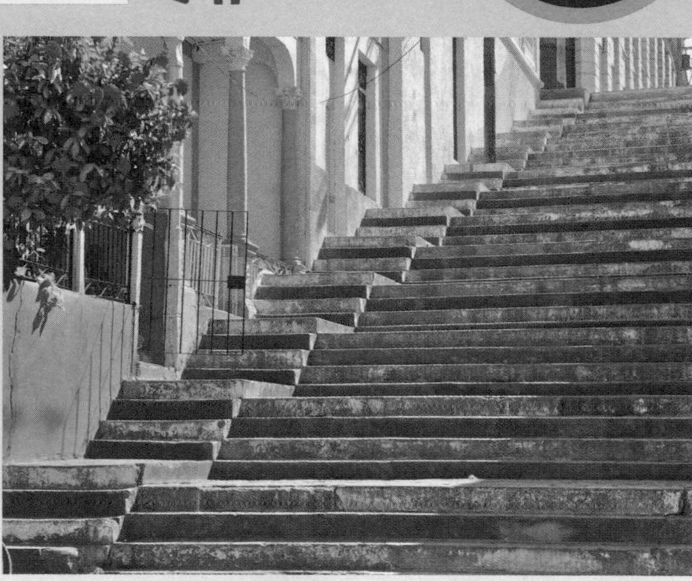

MI BLOG DE VIAJE - Día 4
5 de diciembre • escrito por: **Victoria**

¡Mi viaje al Caribe está increíble! ¡Adoro este clima! Hace sol casi todos los días. Ayer **estuvo** nublado, pero no **hizo** frío, así que no **tuve** que usar el suéter ni la chaqueta que **traje**. También me **puse** las sandalias. Hoy llegué a Santiago de Cuba, es una ciudad muy bonita. Tiene muchas casas antiguas, pocos carros y la gente es muy amable. **Estuve** tres días en La Habana y **anduve** por calles llenas de música y gente interesante, aprendí mucho sobre la historia de Cuba y su cultura.

Conocí a Napolitana en el autobús que me **trajo** a Santiago. Me **dijo** que tiene 88 años y **trabajó** en una fábrica donde hacen puros. ¡Ella sigue fumando!

Vine a Cuba por recomendación de mi profesor de español. Estoy feliz que **pude** hacer este viaje y creo que él tenía razón, es un país lleno de bellas sorpresas.

¿Qué observas?

1. What do you notice about the way this blog is written?
2. Can you see a pattern in the verbs that are expressing actions in the past?
3. What do you observe in terms of the stems of the verbs, the endings of the verbs and the accent mark in the *yo* and *él / ella* forms?

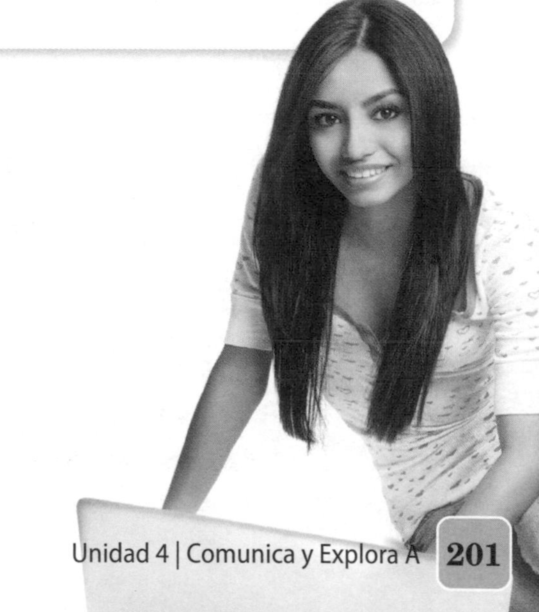

Detalle gramatical: Los verbos irregulares en el pretérito

There are several irregular verbs in the preterit tense. The easiest way to master the irregular conjugations of these verbs is to memorize their stem-changes and their special set of endings.

Visit the **Síntesis de gramática** to learn more about irregular verbs in the preterit.

Paso 4: Leer y escuchar

a. Lee por segunda vez la publicación en el blog de Victoria.

b. Escucha a tu profesor/a decir algunas afirmaciones.

c. Elige la respuesta correcta.

1. a. Llovió todos los días.
   b. Hizo sol y a veces estuvo un poco nublado.
2. a. Usó pantalones cortos y camisetas.
   b. Usó el suéter y la chaqueta.
3. a. Napolitana fue una artista en La Habana.
   b. Napolitana trabajó en una fábrica de puros.
4. a. Estuvo solo en La Habana.
   b. Estuvo en Santiago y en La Habana.
5. a. Estudió español en su país.
   b. Nunca estudió español.

Enfoque cultural

Práctica cultural: La siesta

En muchos países hispanohablantes hay la costumbre de hacer **una siesta** después del almuerzo. Todavía, en muchos países, se mantiene un horario en el que el almuerzo es la comida más importante del día y se reúne toda la familia.

En ciudades pequeñas muchas tiendas y almacenes cierran a la hora del almuerzo y no vuelven a abrir hasta las 3 o 4 de la tarde porque los dueños están descansando o haciendo la sobremesa.

  **Conexiones**

Do you or someone you know take regular naps? How do you think **la siesta** changes the dynamics in families and in the community?

Santiago de Cuba

En camino A

Un blog de recetas interculturales

Para celebrar la Semana Nacional de Idiomas Extranjeros, profesores y estudiantes de los Estados Unidos están colaborando con profesores y estudiantes de Cuba y otros países del Caribe para crear un blog de comida internacional. Cada estudiante va a entregar una receta "al estilo de la abuelita" para contribuir al proyecto.

 Paso 1: Investigar

Lee una receta de picadillo con papas del blog *La Cocina de Vero*. Lee con atención para conocer cómo puedes escribir recetas al estilo blog y después crear uno propio.

 Paso 2: Escribir

Escribe un blog con una receta para contribuir a la Semana Nacional de Idiomas Extranjeros.

Opción A: Escribe sobre una de tus recetas favoritas que corresponda a tu identidad cultural.

Opción B: Investiga y escribe sobre una receta del Caribe que te interese.

 Paso 3: Leer y responder

Lee las recetas de tus compañeros de clase y escribe comentarios para:

- Hacer preguntas de clarificación para aprender cómo hacer el plato.
- Dar tu opinión o expresar tus preferencias sobre el plato.

Síntesis de gramática

Direct Object Pronouns

To avoid repetition of nouns, we use pronouns.

DOP (Direct Object Pronouns) answer the question **who?** or **what?**

¿Comes **chiles** picantes?

Si, **los** como.

Los chiles = noun (masculine and plural) → what

Pronoun = **los**

¿Conoces a **Luz María**?

No, no **la** conozco.

Luz María = noun (feminine singular) → who

Pronoun = **la**

In Spanish the pronoun precedes the conjugated verb.

Direct Object Pronouns

me	**nos**
te	**os**
lo/la	**los/las**

Affirmative Formal Commands

Formal commands **(mandatos formales)** are used to direct a suggestion or a command to a person in the Usted form. To create formal commands follow these steps:

1. Present tense "yo" form
2. Drop the "o"
3. Add opposite vowel: **-ar** → **e** and **-er/-ir** → **a**

   hablar → **hablo** → hable

   abrir → **abro** → abra

Modelo

Hable más despacio por favor.

Abra la puerta de la clase.

Verbs that end in **- car**, **-gar**, **-zar** have spelling changes to maintain their pronunciation.

Modelo

Buscar → Bus**que** los libros de español.

Llegar → Lle**gue** temprano a clases.

Almorzar → Almuer**ce** con los estudiantes.

Verbs in the preterit

Verbs with U stem-changes

tener → **tuv**　　andar → **anduv**

haber → **hub**　　caber → **cup**

estar → **estuv**　　poder → **pud**

poner → **pus**　　saber → **sup**

Verbs with I stem-changes

hacer → **hic**　　venir → **vin**

querer → **quis**

Endings for U and I verbs

yo	**-e**	nosotros	**-imos**
tú	**-iste**	vosotros	***-isteis***
usted	**-o**	ustedes	**-ieron**
él, ella	**-o**	ellos, ellas	**-ieron**

Verbs with J stem-changes

decir → **dij**　　producir → **produj**

traducir → **traduj**

Endings for J verbs

yo	**-e**	nosotros	**-imos**
tú	**-iste**	vosotros	***-isteis***
usted	**-o**	ustedes	***-eron**
él, ella	**-o**	ellos, ellas	***-eron**

Vocabulario

Así se dice 1: Productos típicos del Caribe

el aguacate - avocado
los chiles - chiles
el coco - coconut
los frijoles - beans
la guayaba - guava
el maíz - corn
los mariscos - seafood
el pescado - fish
el plátano verde - green plantain
la yuca - yuca

Así se dice 2: Los ingredientes

el aceite - cooking oil
el ajo - garlic
el azúcar - sugar
la cebolla - onion
la harina - flour
la pimienta - pepper
la sal - salt

Así se dice 3: Para describir la comida

delicioso/a - delicious
duro/a - hard
espectacular - spectacular
horrible - horrible
pesado/a - heavy; rich
picante - spicy
rico/a - delicious
riquísimo/a - super delicious
suave - smooth

Así se dice 4: Preparar la comida

agregar - to add
batir - to beat
cocinar - to cook
freír - to fry
hervir - to boil
hornear - to cook in the oven; to bake
licuar - to blend
mezclar - to mix
picar - to mince
refrigerar - to refrigerate
saltear - to sauté; to stir fry

Así se dice 5: Los utensilios

la cocina - the kitchen or the stove
la cuchara - tablespoon
la cucharita - teaspoon
el cuchillo - knife
la espátula - spatula
el horno - oven
la olla - cooking pot
la refrigeradora - refrigerator
la sartén - pan
la tabla de picar - cutting board
la taza - cup
el tazón - bowl

Así se dice 6: Los horarios y las costumbres de comer

la entrada - food eaten before main dish
la hora del té - afternoon tea break
el segundo (plato) - second course
la siesta - afternoon nap
la sobremesa - post-dinner conversation
tomar café - to drink coffee

Expresiones útiles para expresar frecuencia

a veces - sometimes
casi nunca - almost never
casi siempre - almost always
con frecuencia - frequently
nunca - never
siempre - always

Expresiones útiles

¡Está bueno! - It's very good!
¡Está muy sabroso! - It is very flavorful!
¡Qué rico! - Tasty!
¡Uy! - Ew!

Expresiones útiles: Pasos en una receta

primero - first
luego - then
después - after
más tarde - later
finalmente - finally

Comunica y Explora B

Recetas caseras para mantener la salud

Pregunta esencial: How can food help address health issues?

Actividad 11

¿Qué te duele?

Paso 1: Recordar y escribir

Mira el siguiente diagrama y escribe las partes del cuerpo que reconoces.

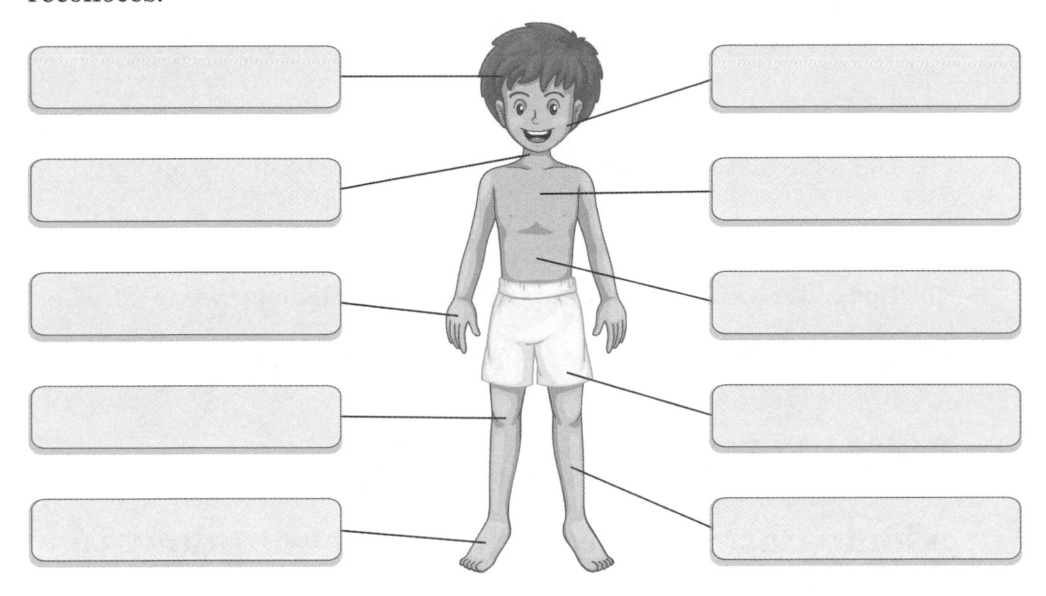

Paso 2: Escuchar

Escucha las siguientes descripciones de algunas personas que no se sienten bien. ¿Qué les duele?

a. ______________

b. ______________

c. ______________

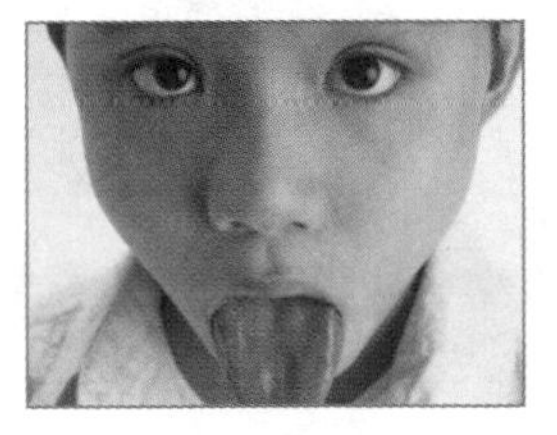

d. ______________

e. ______________

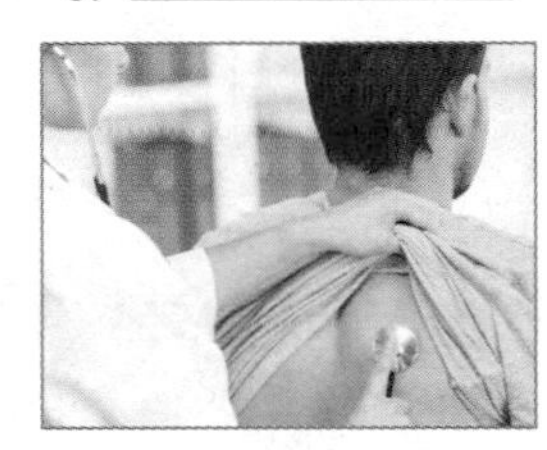

f. ______________

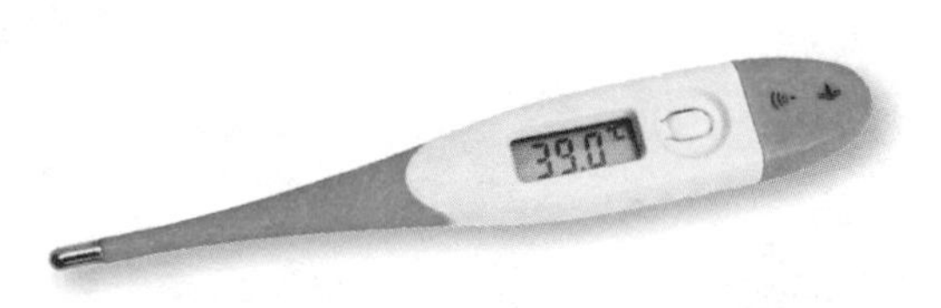

Así se dice 7: Las partes del cuerpo

el cuello

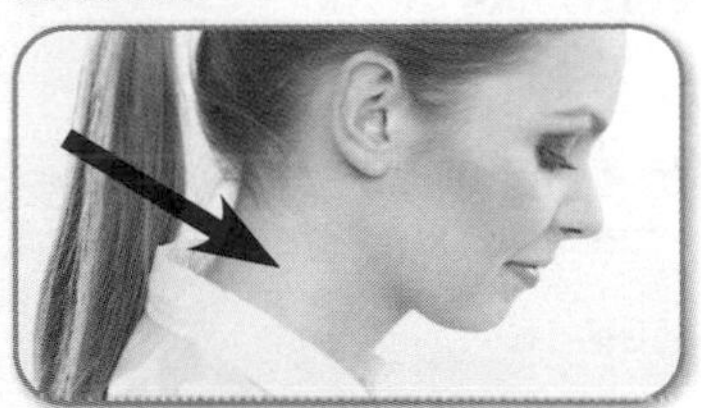

la espalda

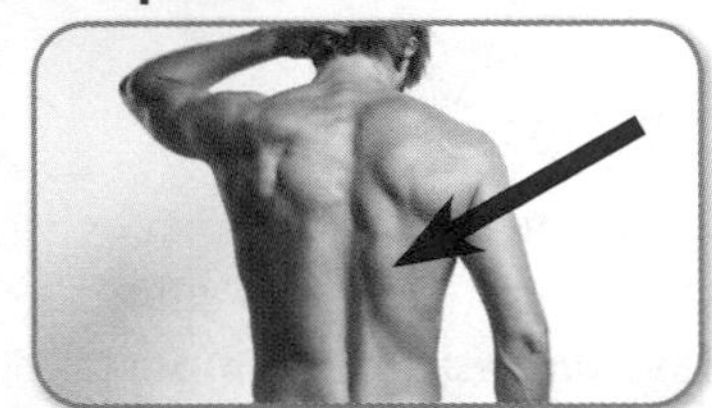

el estómago

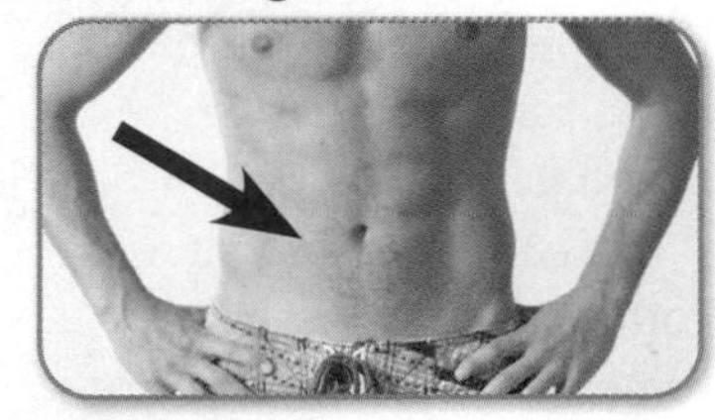

la garganta

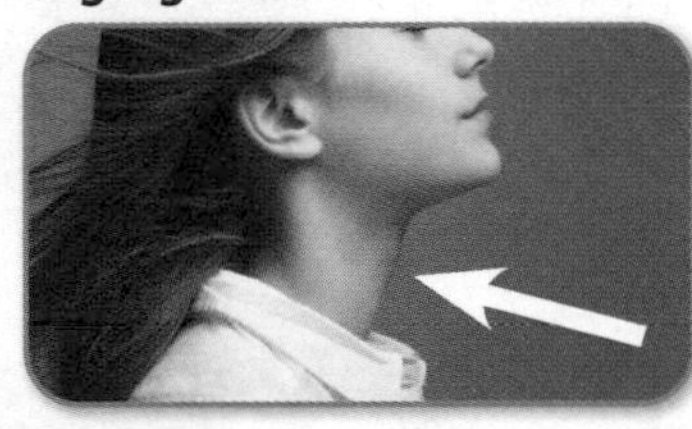

la lengua

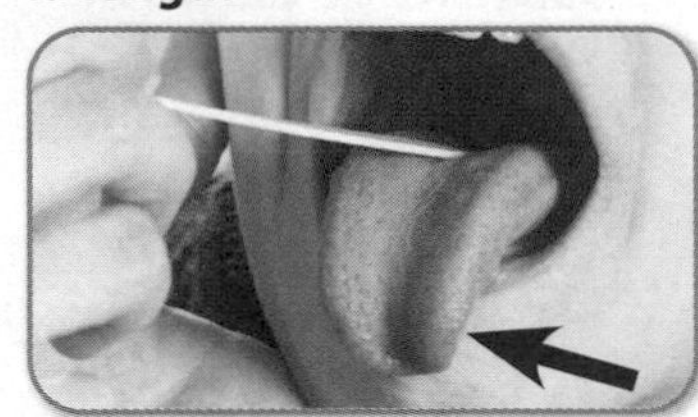

los pulmones

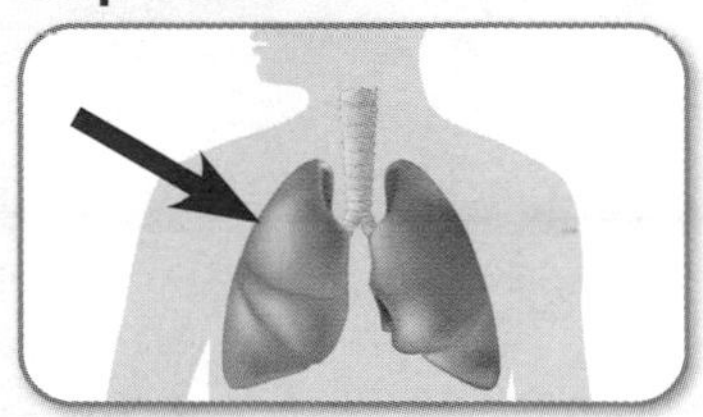

me duele

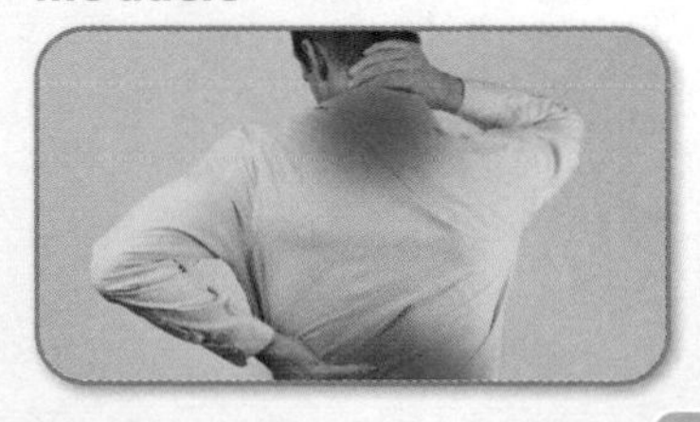

 Paso 3: Leer

Mira la lista de vocabulario de **Así se dice 7**. Indica si son ciertas (C) o falsas (F) las siguientes oraciones:

1. Los pulmones ayudan a caminar.
2. El cuello está entre la cabeza y los pies.
3. La lengua está dentro de la boca.
4. La garganta está dentro del cuello.
5. Debes lavarte las manos para no enfermarte del estómago.
6. El estómago está dentro de la espalda.
7. Los pulmones están en la parte de atrás del cuerpo.
8. Cuando estás sano *(healthy)* la lengua está roja.

Actividad 12

¿Cómo describes tus síntomas cuando estás enfermo/a?

  Paso 1: Vocabulario

Estás en un consultorio médico porque no te sientes bien.

a. Escucha a las personas que entran en el consultorio cuando describen sus síntomas, usando palabras del vocabulario de **Así se dice 8.**

b. Identifica qué foto corresponde con cada descripción.

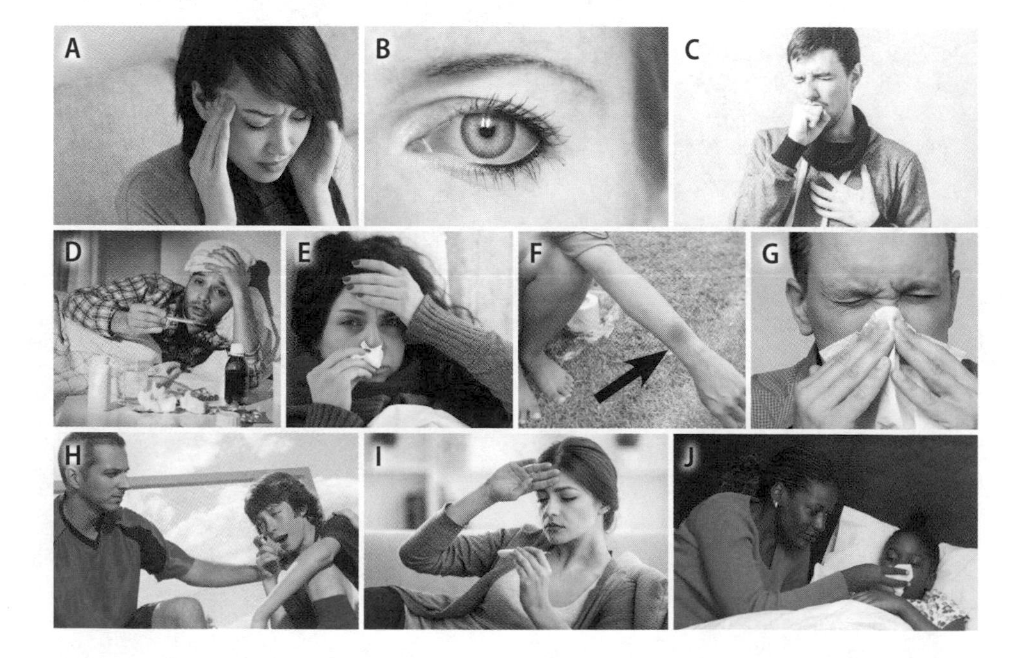

Detalle gramatical

Verbs like gustar

You have already learned the verb gustar and how to express when you like something.

Modelo

Me **gusta** la comida de Cuba.

Me **gustan** las frutas tropicales.

There are other verbs that use the same structure as gustar: **fascinar, encantar, importar, interesar**.

Other verbs follow this pattern as well, like **doler**, **arder**, y **quemar**. Also, In Spanish, you use these verbs when you want to express that something is hurting, itching or burning.

Modelo

Me **duele** la cabeza.

Me **arden** los ojos.

Así se dice 8: Las enfermedades y los síntomas

estar resfriado/a

estornudar

la fiebre

la gripe

me arde…

me pica…

respirar

sentirse mal

tener dolor de…

tener gripe

toser

Paso 2: Conversar

a. Con un/a compañero/a, tomen turnos para describir los síntomas de las personas en las fotos de **Paso 1**.

b. Escucha las descripciones de tu compañero/a e identifica de quién habla.

Modelo

Tiene tos. ¿Quién es?

Paso 3: Escribir

Piensa en la última vez que te sentías mal. Escribe una descripción de tus síntomas.

Modelo

Tenía fiebre muy alta. Estornudaba mucho y tenía tos. Tosía mucho por las noches. Me sentía mal.

Paso 4: Describir tus síntomas

a. Lee tus síntomas a un/a compañero/a.

b. Escucha a tu compañero/a y hazle una pregunta para clarificar que entiendes bien sus síntomas.

c. Escribe los síntomas que describe tu compañero/a en el organizador gráfico.

d. Muestra el organizador gráfico a tu compañero/a para demostrar que entendiste bien.

Modelo

Estudiante A: Oye, ayer me sentía mal. Tenía fiebre y tos. También estornudaba mucho. Estaba muy resfriado y me dolía beber.

Estudiante B: ¿Te dolía la garganta?

Estudiante A: Sí y me picaba la nariz.

Además se dice

las alergias - allergies

los escalofríos - chills

está hinchado/a - it's swollen

está inflamado/a - it's inflamed

estar cansado/a - to be tired

estar mal del estómago - to have an upset stomach

la infección - the infection

la inflamación - the inflammation

la tos - cough

el virus - virus

el vómito - vomit

Recuerda: El imperfecto

Remember how to form the imperfect tense?

Tenía la fiebre alta.

Estornudaba mucho en la casa de Josué porque tiene gatos y soy alérgica.

Estrategias

Negotiating meaning in conversation

Watch the video to learn more about the following strategies:

1. Usa gestos.
2. Usa el vocabulario que ya sabes.
3. Haz preguntas para clarificar.
4. Aprende de la conversación.

Paso 5: Dejar un mensaje

Estás enfermo/a y quieres saber si necesitas ir al consultorio o si debes quedarte en casa para descansar. Llamas al consultorio para hablar con la enfermera pero está ocupada. Tienes que dejar un mensaje describiendo tus síntomas.

a. Escucha el mensaje automático para saber qué información incluir en tu mensaje.

b. Graba tu mensaje incluyendo tu información personal y tus síntomas.

Actividad 13

¿Tienes gripe?

  Paso 1: Leer y conversar

Lee el gráfico de la gripe y conversa con un/a compañero/a:

- ¿En qué se parecen y en qué se diferencian el resfriado y la gripe?
- ¿Por qué es importante saber la diferencia?

¿GRIPE O RESFRIADO?

No los confundas

Con la llegada del invierno aparecen enfermedades propias de temporada, como la gripe y los resfriados comunes. Es importante saber diferenciarlos, ya que las complicaciones de la gripe pueden llegar a ser fatales. Aquí las principales diferencias.

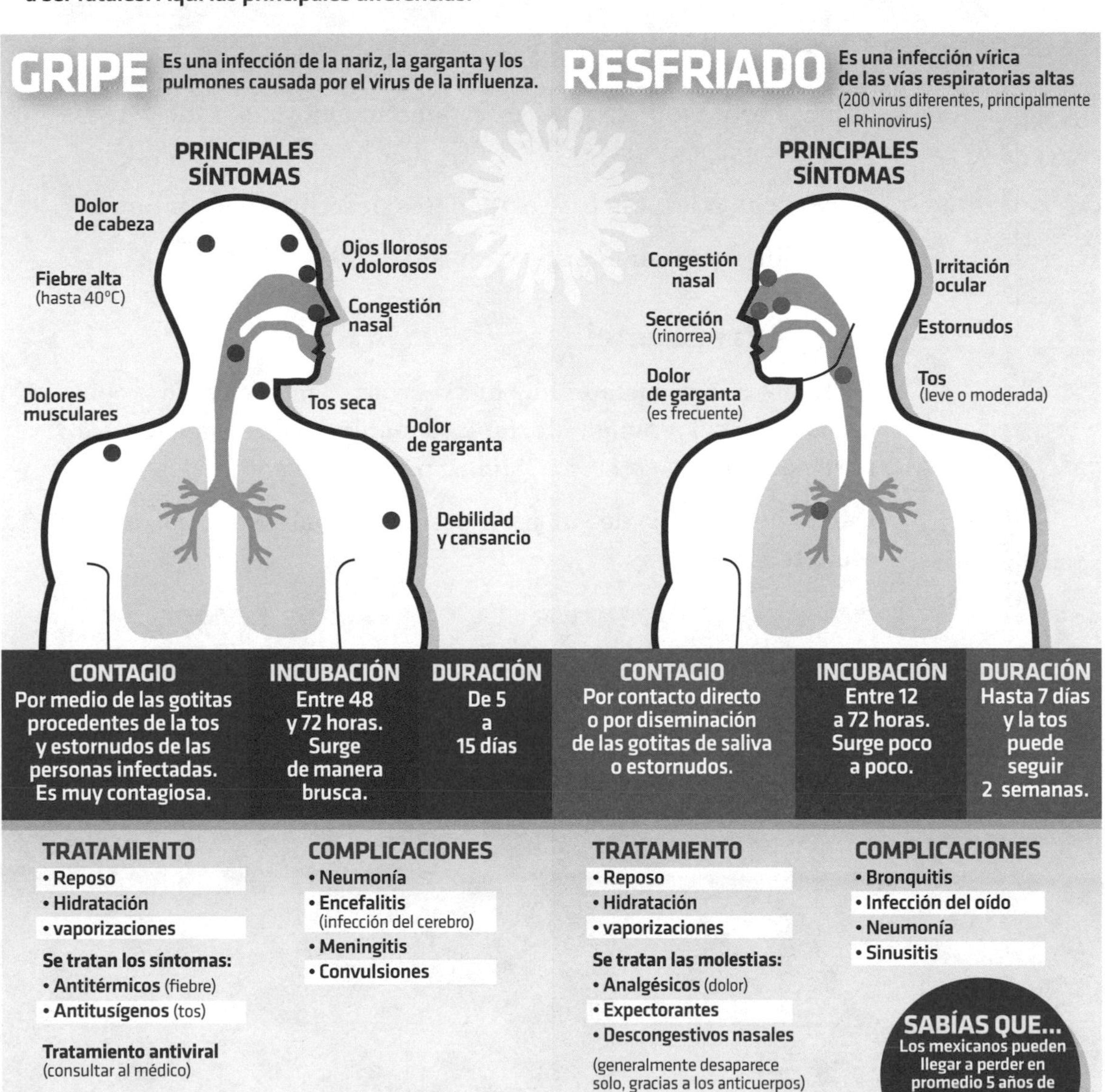

Enfoque cultural

Práctica cultural: Los/las curanderos/as

En los países caribeños y otros países latinoamericanos, el/la curandero/a tiene un rol histórico muy importante en la sociedad. Una curandera trata las enfermedades y alivia los síntomas de las personas sin un título oficial de "médica." Muchas veces los curanderos recetan hierbas y otros remedios naturales. A veces el tratamiento involucra un ritual espiritual o religioso también. En tiendas llamadas "botánicas" se venden velas, santos y remedios naturales como hierbas secas.

 **Conexiones**

Is there anyone who practices healing or homeopathic medicine in your community? What impressions do you have of this kind of healing or traditional medicine practice?

 **Mi progreso comunicativo**

I can understand when someone describes how they felt when they were sick in order to identify their illness.

 **Mi progreso comunicativo**

I can describe how I felt when I was sick in the past.

Paso 2: Escuchar y adivinar

Muchos estudiantes en tu clase estaban enfermos ayer y no vinieron a la escuela.

a. Escucha mientras tus compañeros describen sus síntomas.

b. Decide si tenían la gripe o un resfriado.

¡Prepárate!

No fuiste a la escuela ni hoy ni ayer y tus amigos están preocupados. Tu amiga Mariana te mandó un mensaje de texto para saber cómo estás. La llamas, pero no responde.

Déjale un mensaje de voz para describir cómo te sentías ayer y cómo te sientes hoy.

¿Qué te pasó ayer? No viniste a la escuela y dimos el examen de Matemáticas. ¿Estabas enfermo?

Actividad 14

Mi progreso comunicativo

I can give advice about what to do based on different health-related symptoms.

¿Qué puedo hacer cuando estoy enfermo/a?

Paso 1: Recomendar

Cuando una persona está enferma, siempre recibe muchas recomendaciones de qué hacer y qué no hacer. Los estudiantes pueden ayudar a sus profesores también. En estas situaciones, ¿qué debe hacer tu profesor/a de español?

a. Piensa en qué se debe o no comer y beber según los síntomas de tu profesor.

b. Escríbelas para estar preparado/a.

c. En un mensaje de voz recomienda a tu profesor/a qué hacer y qué no hacer. Usa mandatos formales.

	¿qué debe comer?	¿qué no debe comer?	¿qué debe beber?	¿qué no debe beber?
Si tiene tos				
Si tiene fiebre				
Si está cansado/a				
Si le duele el estomago				
Si está resfriado/a				

Modelo

Si usted tiene tos, beba mucha agua y té. Coma mucha fruta.
No coma postre ni beba mucha leche.

Enfoque cultural

Práctica cultural: La medicina tradicional

En muchos países latinoamericanos, la medicina tradicional (o medicina natural) es muy respetada y conocida. Las plantas medicinales tienen propiedades curativas. Las hierbas y algunos alimentos se usan para tratar una gran variedad de síntomas, muchas veces en forma de té preparado en casa. En 2015 la medicina natural y tradicional recibió el estatus de "especialidad médica" en Cuba. Visita la guía digital para leer una noticia de un periódico y conocer otros sitios interesantes.

  **Conexiones**

Are you familiar with any kind of traditional or natural medicine? Explain. What have you or someone you know tried to treat different illnesses?

Así se dice 9: Los remedios

el jarabe

el jengibre

el limón

la miel de abeja

el té de manzanilla

Además se dice

casero/a - homemade

la infusión - herbal infusion

té de hierbas - herbal tea

Paso 2A: Leer y comprender vocabulario

Luz María, la tía abuela de Mariela, a quien conociste al principio de esta unidad, tiene mucha fe en los remedios caseros para curar todo tipo de enfermedades.

a. Lee sus recomendaciones de qué se debe preparar en casa cuando estás enfermo/a.

b. Nota dónde menciona el vocabulario de **Así se dice 9**. ¿Qué significa cada término?

Queridos estudiantes de español,

Su profesora me pidió escribirles algunas **recetas caseras**, ya que sabe mi talento para preparar remedios caseros. No olviden el poder de las recetas caseras para curar todos los males que hay. ¡No es necesario correr al médico para todo!

Crecí conociendo las plantas con mi abuelito. Él me enseñó sobre las plantas medicinales y hierbas que puedes usar en una **infusión**. Hay **infusiones** y muchos tipos de **té** para mejorar los síntomas de la **gripe** o los de **un resfriado**. **El té** de **manzanilla** calma **el estómago** y también ayuda a dormir.

También mi abuelita y mis tías me enseñaron sus recetas de **remedios caseros**. Ahora no uso nada más. Tomen un **jarabe** preparado en casa con **miel de abeja** y **limón**, tal vez con un poquito de **jengibre** o **cebolla**, la próxima vez que no **se sientan bien** y verán que tengo razón. **La miel de abeja** ayuda a mejorar la **garganta** inflamada y endulza **al jarabe** que es ácido por el limón. Es buena idea agregar **jengibre** fresco **al jarabe**, aunque lo hace un poco **picante**.

Cuídense y escríbanme si tienen alguna pregunta sobre mis remedios.

Afectuosamente,

Luz María

 Paso 2B: Responder con respeto

Responde a Luz María en una breve carta.

a. Antes que nada, hay que darle las gracias por sus consejos.

b. Hazle por lo menos dos preguntas.

c. No olvides usar la forma de usted para mostrarle respeto.

Paso 3: Conocer un remedio casero

Mientras miras el video sobre cómo preparar un remedio casero, toma nota y contesta a las siguientes preguntas.

1. ¿Cuáles son los ingredientes?
2. ¿Qué hay que hacer para preparar los ingredientes? (Consulta la lista de vocabulario **Así se dice 4**).
3. ¿Qué síntomas o enfermedades cura este remedio?
4. Compara la cáscara del limón con el jugo del limón. Según el video, ¿cuál tiene propiedades medicinales más fuertes?
5. Explica la importancia de la temperatura del jarabe. ¿Qué dice sobre la temperatura del jarabe? ¿Cuál no es una buena temperatura?

Reflexión intercultural

1. What are the differences between traditional or natural medicine and practices like *curanderismo*, and modern or Western medicine?
2. Do you think it's possible to treat symptoms with traditional methods and also by going to a Western-trained doctor, or do you have to choose one approach or the other?
3. How are we taught to think about health and healing from a young age? Where (and from whom) have you gotten your ideas about what to do when you're sick?
4. What would you like to learn more about in the future or try for yourself that you haven't yet?

Expresiones útiles para una carta formal

Estimada señora: - Dear Madam

Le agradezco por... - I am thankful to you because...

Quisiera preguntarle... - I would like to ask you...

Atentamente, - Sincerely,

Además se dice

la cáscara - the peel

incorporar - to mix/ to incorporate

macerar - to marinate

rallado/a - grated

tapado/a - covered

tibio/a - lukewarm

Mi progreso intercultural

I can describe and compare traditional and modern approaches to healthcare in Cuba and my community.

Paso 4: Conversar y compartir

Con un/a compañero/a, túrnense para preguntar y responder a las siguientes preguntas:

1. ¿Qué te pareció la receta para el jarabe casero en el video que viste?
2. ¿Te preparó alguna vez un remedio casero alguien en tu vida?
3. ¿Por qué? ¿Cómo te sentías?
4. ¿Qué te preparó y qué ingredientes usó?

Actividad 15

¿Qué puedo hacer al viajar para cuidar la salud?

Paso 1: Escuchar y anotar

Mucha gente necesita consejos médicos cuando viaja.

a. Escucha a esta señora pedir recomendaciones a su doctor/a en un mensaje de voz.

b. Escribe los síntomas que menciona en su descripción.

Enfoque cultural

Práctica cultural: Enfermedades tropicales

En países con clima tropical y subtropical, enfermedades como la chikungunya, el dengue, el paludismo, y el zika son transmitidas por mosquitos y son muy comunes. Los síntomas son muy parecidos: dolor de cabeza, fiebre alta, escalofríos y dolor de músculos.

En muchos de estos países, hay problemas de agua potable y la gente recoge agua de lluvia o tienen tanques de agua fuera de las casas. Los mosquitos se reproducen en el agua, entonces, los tanques de agua, o los charcos *(puddles)* en las calles son lugares perfectos para que el mosquito se reproduzca. Es muy difícil controlar este problema y erradicar estas enfermedades tropicales.

Conexiones

Are there diseases related to climate in your country?

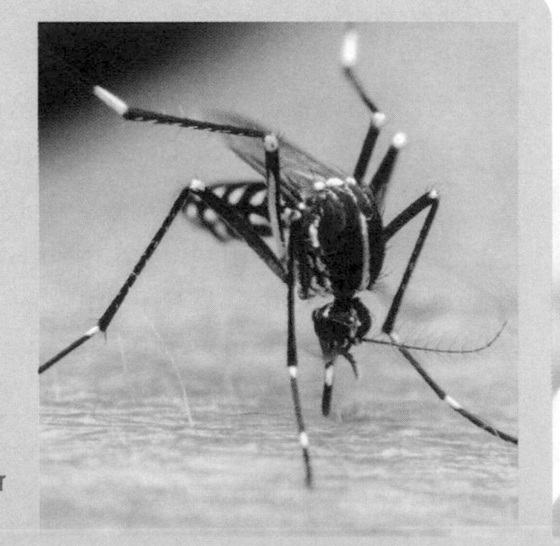

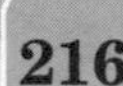

 Paso 2: Leer y hacer conexiones

La médica respondió al mensaje de voz con unas recomendaciones en un correo electrónico.

a. Lee la lista de recomendaciones. ¿Qué mandatos formales ves en la lista?

b. Completa el organizador gráfico para relacionar las recomendaciones de la médica con tus experiencias personales.

Conozco esta recomendación - es familiar	No la conozco - es un nuevo consejo para mí	No sé si estoy de acuerdo con esta recomendación

Para: Señora Pérez

Asunto: Recomendaciones para el viaje.

Recomendaciones

Agua segura: Si tiene dudas en cuanto a la contaminación del agua, beba siempre agua embotellada.[1]

Las infusiones preparadas con agua hervida también son seguras.

No beba de ríos, arroyos, lagunas o cursos naturales.

Hierva la leche no pasteurizada.

Alimentos: Muchas veces los platos regionales comprados en la calle o lugares sin cuidados sanitarios constituyen un riesgo[2] para adquirir infecciones digestivas. Tenga en cuenta los siguientes consejos:

No consuma alimentos ni bebidas en exceso.

Lávese las manos antes de comer, para evitar[3] la contaminación de su propia comida.

Intente no consumir alimentos crudos[4] o preparados en la calle.

Las verduras y las frutas deben estar lavadas con agua segura. Las frutas pueden pelarse para no asumir riesgos.

1. en botella 2. risk 3. avoid 4. no cocinados (raw)

Los Andes (2016). "Cuidar la salud en vacaciones". Adaptado de www.losandes.com.

Recuerda: El verbo dar en pretérito

Dar is another irregular verb in the preterit. Note that there are no accents on any of the forms of the verb.

yo **di**	nosotros **dimos**
tú **diste** Ud. **dio**	*vosotros **disteis*** Uds. **dieron**
él **dio** ella **dio**	ellos **dieron** ellas **dieron**

- Mi abuelo me **dio** té con miel de abeja para la tos.

Paso 3: Actuar

Con varios compañeros, túrnense para ser el/la paciente y el/la doctor/a en esta situación.

a. El/La paciente describe los síntomas que tiene, usando el vocabulario de **Así se dice 8.**

b. El/La doctor/a responde con una pregunta para clarificar o saber más.

c. El/La paciente contesta a la pregunta.

d. El/La doctor/a hace dos o tres recomendaciones con mandatos formales. (Usa la información del **Paso 2** para ayudarte con algunas ideas).

¡Prepárate!

Cuando vas al médico, te hacen preguntas sobre cómo te sientes. Practica con un/a compañero/a que va a ser el/la doctor/a.

a. Con una de las descripciones de síntomas, responde a las preguntas de un/a compañero/a.

b. Prepárate para responder a todas estas preguntas. Tu compañero/a te puede preguntar algunas o todas en cualquier orden.

1. ¿Cómo estás?
2. ¿Cómo te sientes?
3. ¿Qué te duele?
4. ¿Tienes dolor en alguna parte de tu cuerpo?
5. ¿Cuánto te duele?
6. ¿Estás resfriado/a? ¿Puedes respirar bien?
7. ¿Estás muy cansado/a?
8. ¿Hace cuántos días que tienes estos síntomas?

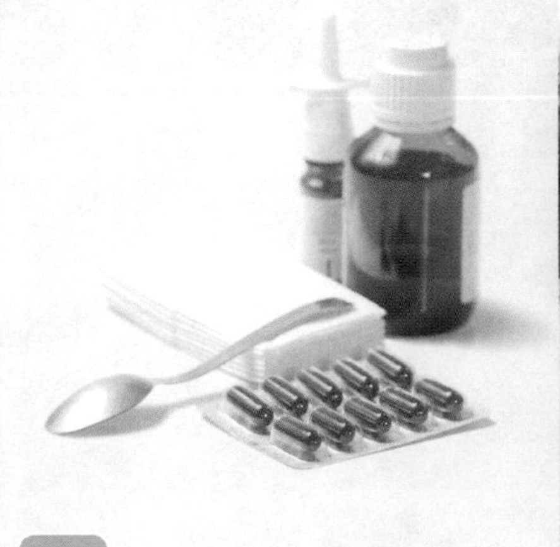

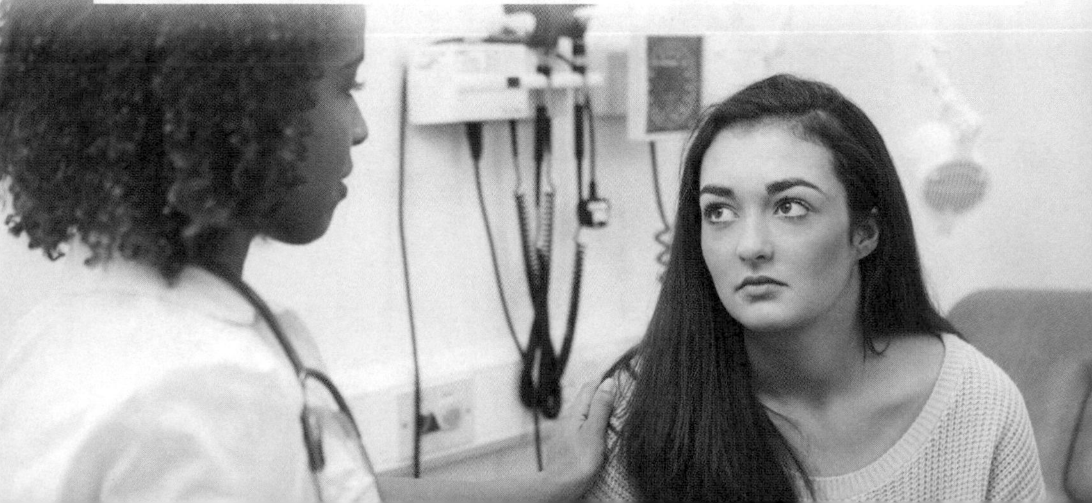

En camino B:

De visita en el policlínico

Estás de vacaciones en Puerto Rico con tu familia o con tus amigos. Hoy te despertaste enfermo/a. Te sientes mal y necesitas ir al doctor.

Lee en la guía digital los tres posibles escenarios por los cuales puedes ir al médico en tus vacaciones en Puerto Rico. Elige una situación y completa el resto de la actividad.

Paso 1: En el centro de salud

Después de elegir el escenario, completa el siguiente paso usando el formulario en la guía digital.

Cuando llegas al centro de salud necesitas hablar con un/a enfermero/a y llenar un formulario con tu información personal y médica.

Paso 2: Con el/la doctor/a

Con un/a compañero/a van a imaginar que uno de ustedes es el/la paciente y el/la otro/a es el/la doctor/a, usando uno de los escenarios.

- El/La paciente: Tiene que explicar qué pasó y cómo se siente. Tiene que dar detalles de los síntomas que tiene y las actividades que hizo el día anterior. (Usa el pretérito y el imperfecto).
- El/La doctor/a: Tiene que escuchar con mucha atención al/a la paciente y dar consejos sobre qué tiene que hacer para sentirse mejor. Tiene que recomendar qué debe comer, qué medicinas debe tomar o qué remedios caseros debe preparar para sentirse mejor. (Usa mandatos formales).

Paso 3: En casa

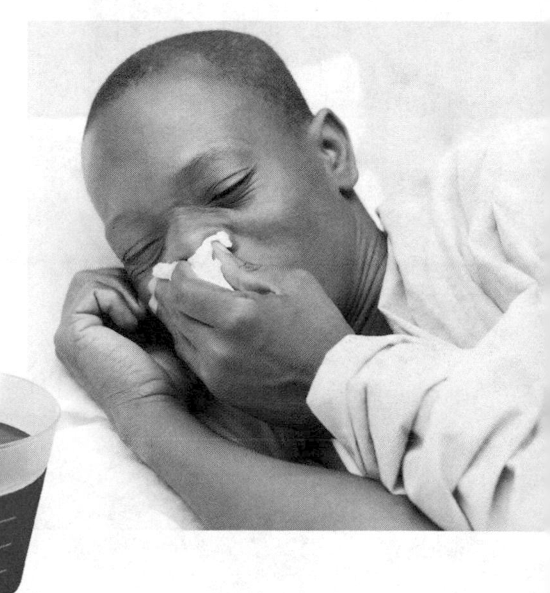

Ahora regresaste de las vacaciones, te sientes feliz y estás sana/o. Escribe en tu blog sobre tus vacaciones en Puerto Rico y da consejos sobre las cosas que deben o no deben hacer para tener unas vacaciones sin problemas, y qué deben hacer si se enferman.

Síntesis de gramática

Verbs like gustar

You have already learned the verb gustar and how to express when you like something.

Modelo

Me **gusta** la comida de Cuba.
Me **gustan** las frutas tropicales.

There are other verbs that use the same structure as gustar: **fascinar, encantar, importar, interesar**

Also, when you want to express that something is hurting you use the same structure with verbs like: **doler, arder, picar, quemar,** etc.

Modelo

Me **duele** la cabeza.
Me **arden** los ojos.

Vocabulario

Así se dice 7: Las partes del cuerpo

el cuello - neck
la espalda - back
el estómago - stomach
la garganta - throat
la lengua - tongue
los pulmones - lungs
me duele... - my... hurts

Así se dice 8: Las enfermedades y los síntomas

estar resfriado/a - to have a cold
estornudar - to sneeze
la fiebre - fever
la gripe - flu
me arde... - it burns
me duele - it hurts
me pica... - it itches
respirar - to breath
sentirse mal - to feel sick
tener dolor de... - to feel pain in
toser - to cough

Así se dice 9: Los remedios

el jarabe - syrup
el jengibre - ginger
el limón - lemon
la miel de abeja - honey
el té de manzanilla - chamomile tea

Expresiones útiles: Carta formal

Estimada señora: - Dear Madam,
Le agradezco por... - I am thankful to you because...
Quisiera preguntarle... - I would like to ask you...
Atentamente, - Sincerely,

La Habana, Cuba

Vive entre culturas

Remedios caseros durante una visita

Pregunta esencial: How can traditional health practices inform our modern lifestyle?

Interpretive Assessment

Paso 1: Escuchar y escribir

Tú y tus compañeros de clase están estudiando en Cuba y tú te quedas con una familia. Anoche, varias personas de tu grupo salieron a cenar. Llovía cuando salieron del restaurante y regresaron a casa todos mojados. Durante la noche, algunos se enfermaron. Te llamaron por la mañana para decirte por qué no iban a asistir a las clases.

Escucha a tus compañeros explicar cómo se sienten. Mientras escuchas, anota sus síntomas para explicar a sus profesores por qué no están en clases.

Interpersonal Assessment

Paso 2: Conversar

Tú pensaste que no ibas a enfermarte, pero más tarde esa noche, te das cuenta de que ¡estás enfermo/a, también! Estás preocupado/a de perder demasiadas clases y por eso, le cuentas a tu madre anfitriona *(host)* cómo te sientes.

a. Decide cuáles de los síntomas de tus compañeros de clase te afectan a ti también.
b. Responde a las preguntas de tu madre anfitriona sobre cómo te sientes.

1. ¿Cómo estás?
2. ¿Cómo te sientes?
3. ¿Qué te duele?
4. ¿Tienes dolor en alguna parte de tu cuerpo?
5. ¿Cuánto te duele?
6. ¿Estás resfriado/a? ¿Puedes respirar bien?
7. ¿Estás muy cansado/a?
8. ¿Hace cuántos días que tienes estos síntomas?
9. ¿Puedes ir a la escuela mañana?

Presentational Assessment

Paso 3: Dejar un mensaje

Al día siguiente, te sientes mejor, ya que seguiste los consejos de tu madre anfitriona y tomaste algunos de los remedios caseros que te preparó. Tu amigo/a te envía un mensaje de texto para decirte que la supervisora de su viaje también se enfermó. Tú quieres ofrecerle consejos para poder ayudarla a ella también. Llama y deja un mensaje cortés para la supervisora de tu grupo:

a. Preséntate al comienzo del mensaje.

b. Describe tus síntomas y cómo te sentías, usando verbos en el imperfecto.

c. Explica que le contaste a tu madre anfitriona tus síntomas y dile a la supervisora los remedios que tu madre te preparó. Usa verbos en el pretérito.

d. Ofrece consejos a tu supervisora. Explica cómo preparar el remedio casero que tu madre anfitriona hizo para ti. Usa los mandatos formales.

Expresiones útiles

¿Está enfermo/a? Lo lamento mucho. - Are you ill? I am very sorry

Quisiera darle algunos consejos sobre... - I would like to give you some advice about...

Anoche me sentía... - Last night, I was feeling...

Mi madre anfitriona me preparó... - My host mother prepared for me...

¿Por qué no prepara...? - Why don't you prepare...?

¡Que le vaya bien! - Good luck!

UNIDAD 5
Vida social

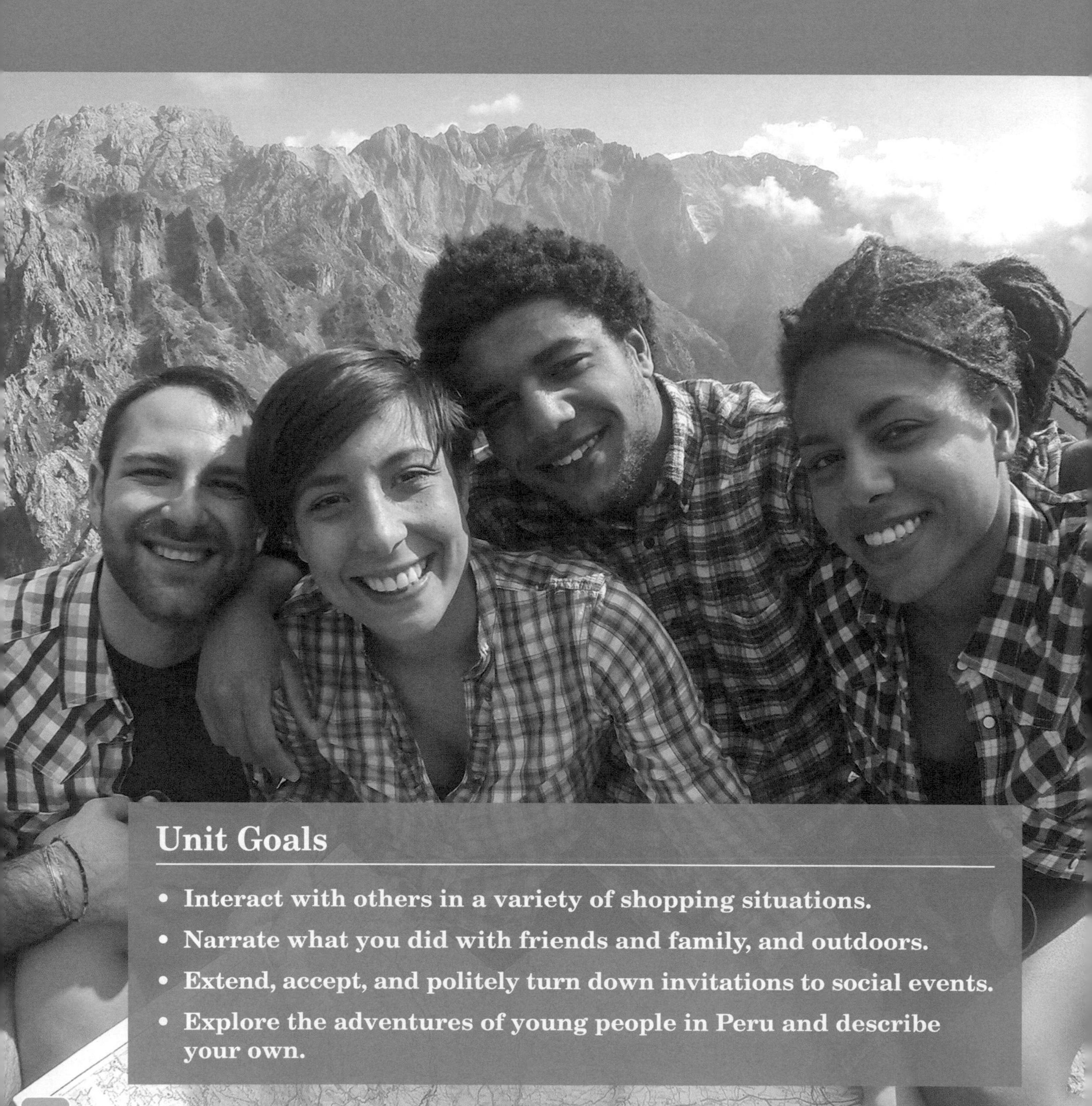

Unit Goals

- Interact with others in a variety of shopping situations.
- Narrate what you did with friends and family, and outdoors.
- Extend, accept, and politely turn down invitations to social events.
- Explore the adventures of young people in Peru and describe your own.

Preguntas esenciales

How do friends, family, and culture influence how I spend my free time?

How do my shopping choices reflect who I am?

What outdoor experiences can young people have in Peru?

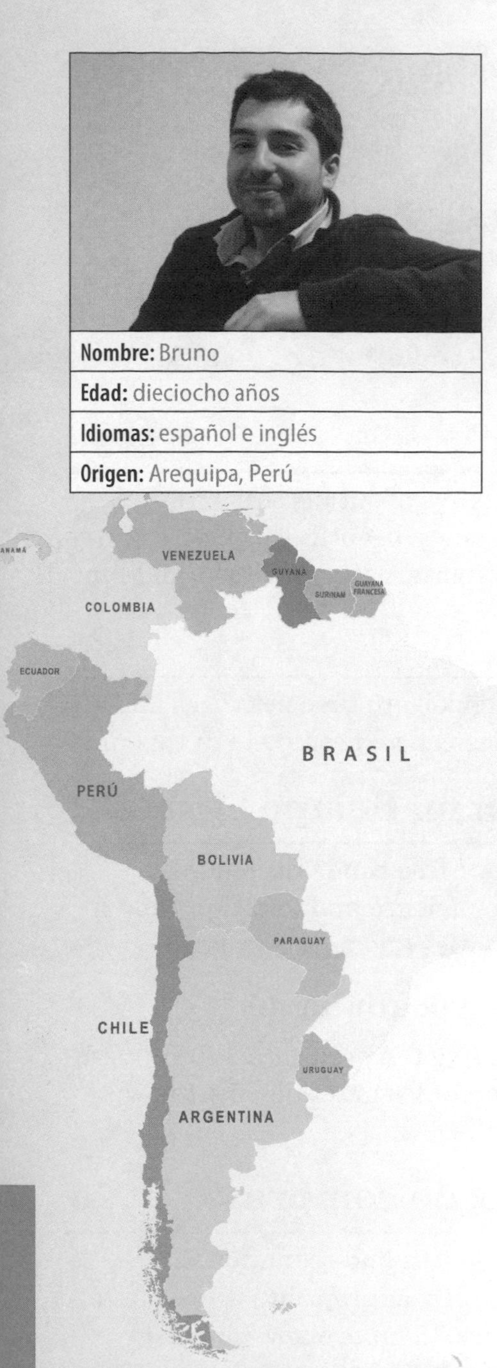

Nombre: Bruno	
Edad: dieciocho años	
Idiomas: español e inglés	
Origen: Arequipa, Perú	

Bruno estudia ingeniería industrial en la Universidad San Pablo de Arequipa. Tiene una hermana y dos perros. En su tiempo libre, le gusta disfrutar de la naturaleza y hacer caminatas. En su comunidad hay muchas opciones de qué hacer con amigos, dónde ir de compras y cómo disfrutar de la naturaleza.

Información sobre Perú

Perú es un país en la costa pacífica de Sudamérica, al sur de Ecuador y al norte de Chile. Perú tiene una gran diversidad geográfica, con la selva amazónica, la sierra andina y la costa. Junto con Ecuador, Bolivia y Colombia, Perú fue parte del Imperio inca antes de la llegada de los españoles. Los peruanos están muy orgullosos de su cultura, su gastronomía, música, baile e historia única.

Gastón Acurio (1967–)

Chef reconocido por introducir el elemento *gourmet* a la gastronomía peruana con mucho éxito, cuenta con más de cuarenta restaurantes alrededor del mundo. Hoy en día la comida peruana es apreciada internacionalmente.

Sofía Mulánovich (1983–)

Nacida en Lima, Perú, de padres inmigrantes croatas. Esta surfista ganó varios campeonatos mundiales de surf a los diecinueve años. Las playas en el norte del Perú son reconocidas mundialmente por sus buenas olas para hacer surf.

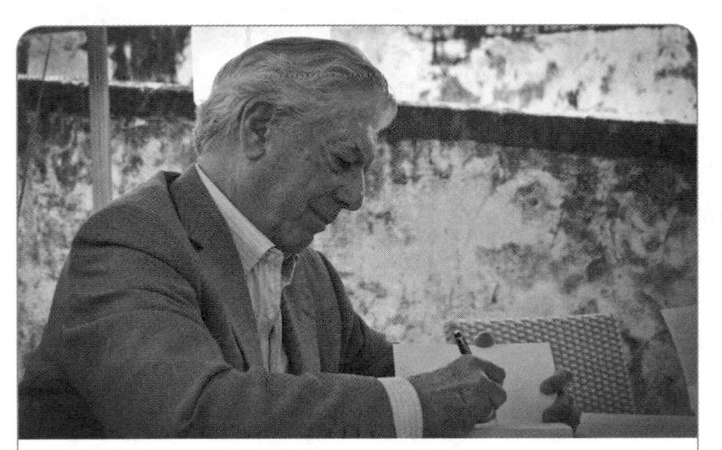

Marío Vargas Llosa (1936–)

Escritor peruano, recibió el Premio Nobel de Literatura en 2010 por sus obras. Es conocido por novelas como *La Fiesta del Chivo.* Escribe sobre la sociedad peruana y sus experiencias sobre su vida en Perú.

Machu Picchu

Es un antiguo pueblo inca, construído en el siglo XV cerca del Cusco, la capital del Imperio inca. Era un santuario religioso en el Imperio inca. Esta maravilla del mundo es reconocida por la UNESCO como Patrimonio de la Humanidad.

Recuerda: Verbos como gustar

With verbs like gustar (fascinar, encantar, interesar), the subject follows the verb in the sentence and the object (the person to whom the subject is fascinating, interesting, pleasing) comes before the verb.

- A mis amigos y a mí **nos fascinan** las películas, por eso vamos al cine mucho.
- **No me interesa** ir al centro comercial, pero **me gusta** correr en el parque.
- A Elena **le encanta** bailar y escuchar música en su tiempo libre.

Actividad 1

¿Qué te gusta hacer con amigos?

Paso 1: Observar y anotar

Mientras miras el video de la Universidad Autónoma de Guadalajara:

a. Escucha a los estudiantes cuando describen lo que les gusta hacer.

b. Anota en el organizador gráfico las actividades que hacen durante su tiempo libre.

Paso 2: Hablar y comparar

a. Pregúntale a tu compañero/a qué le gusta hacer con sus amigos en su tiempo libre.

b. Con tu compañero/a hablen de las actividades mencionadas por los jóvenes del video de **Paso 1**:

- ¿Cuáles son las actividades que mencionan los jóvenes que a ustedes también les gusta hacer en su tiempo libre?
- Si no les gustan las actividades mencionadas, ¿qué prefieren hacer en su tiempo libre?

Paso 3: Observar y responder

a. Mira mientras Blanca Espinoza ofrece ideas a jóvenes sobre qué hacer en su tiempo libre. Anota lo que ella menciona.

b. Déjale un comentario a su video para responder a su pregunta al final del video. ¿Qué actividades te gusta hacer que no mencionó Blanca?

Actividad 2

¿Qué hacías durante las vacaciones?

Paso 1: Escuchar y emparejar

a. Escucha mientras Marta, una joven peruana, describe lo que generalmente hacía cuando era niña e iba de vacaciones con su familia.

b. Empareja la foto de la izquierda con la descripción correspondiente.

Paso 2: Escuchar y dibujar

a. Escucha atentamente otra vez mientras Marta describe sus vacaciones.

b. Dibuja un símbolo para representar el tiempo en cada descripción.

Paso 3: Pensar y escribir

a. Escribe oraciones para responder a las siguientes preguntas.

b. Comparte tus respuestas con un/a compañero/a. Utiliza las **expresiones útiles** para responder a la información de tu compañero/a.

1. ¿A dónde ibas de vacaciones con frecuencia?
2. ¿Cuándo ibas? ¿Ibas durante el verano?, ¿el invierno?
3. ¿Qué tiempo hacía cuando viajabas?
4. ¿Qué hacías durante las vacaciones?

c. Si no ibas de vacaciones mucho, responde a las siguientes preguntas:

1. ¿Qué hacías durante las vacaciones escolares de invierno y verano?
2. ¿Qué tiempo hacía durante las vacaciones de invierno?, ¿y de verano?
3. ¿Qué actividades hacías en tu ciudad?

Recuerda: El imperfecto

Do you remember how to use the imperfect tense to describe situations or talk about repeated actions in the past?

Mis hermanos y yo normalmente **visitábamos** a nuestros abuelos en Nueva York durante las vacaciones.

Generalmente yo **dormía** hasta las diez o las once cuando **estaba** de vacaciones.

Mis padres siempre **iban** a la playa con mis hermanos y conmigo durante las vacaciones del verano.

Las vacaciones no **eran** especiales en mi familia. **Nos quedábamos** en casa y no **hacíamos** viajes.

Expresiones útiles

¡Chévere! - Cool!

¡Es increíble! - It's incredible!

¡Dime más! - Tell me more!

¡Genial! - Fantastic!

No me gusta... - I don't like...

(No) Me interesa ir al/ a la... - (I am not) I am interested in going to...

Recuerda: El pretérito

Do you remember how to talk about completed actions in the past using the preterit tense?

Hace dos años mis padres y yo **fuimos** a Perú para visitar a mis abuelos. El primer día allí **anduvimos** por la capital, Lima, y yo **saqué** fotos de varias estatuas y monumentos culturales. Al fin del día **regresamos** a la casa de mis abuelos. Mi abuela **cocinó** arroz con pollo para nosotros. Mis padres **comieron** mucho porque mi abuela es una cocinera excelente. Después de la cena **me acosté** y **dormí** diez horas. En la mañana **empezó** a llover, entonces **me quedé** en casa y **jugué** ajedrez con mi abuelito. **Estuvimos** en la casa cuatro horas, pero al mediodía **dejó** de llover y **salimos** para explorar aún más. Mi abuelito me **dio** 50 soles para gastar en la ciudad, entonces **fuimos** a un café muy popular para tomar café. Yo **pedí** un café con leche. Mientras estábamos allí mis padres **hicieron** planes para ir al cine. Ellos **vieron** una película y yo **busqué** algo para comprar en una tienda cercana. **Vi** una falda muy linda, la **compré** y me la **puse**. **Nos divertimos** mucho durante la visita a Lima.

Actividad 3

¿Qué ropa te debes poner?

Paso 1: Observar y hablar

a. Mira las fotos de la ropa que se pusieron las siguientes personas para ir a sus escuelas en varias partes de Sudamérica.

b. Con un/a compañero/a, tomen turnos para identificar lo que se puso cada persona.

Mariela

Felipe

Antonia

Marco

Moisés

Ester

Samuel

Elisa

Modelo

Ayer Marta se puso una chaqueta anaranjada, una blusa blanca y unos *jeans* para ir a la escuela.

Paso 2: Conversar

Con un/a compañero/a, miren las fotos otra vez y tomen turnos para describir qué tiempo hacía según la ropa que se pusieron.

Modelo

Donde vive Marta, hacía fresco y hacía sol.

¿Te acuerdas?

El tiempo con amigos

andar en bicicleta
bailar
caminar
correr
dormir
ir…
- al cine
- a la escuela
- a fiestas
- al gimnasio
- al museo
- a la playa
- al restaurante
- al supermercado

jugar (básquetbol, béisbol, fútbol)
jugar con… (amigos)
jugar videojuegos
leer
nadar
pasar tiempo con amigos/familia
ver una película
salir

Ir de compras

comprar
ir al centro comercial
pagar
vender ⟶ se vende(n)

Partes del cuerpo

la boca
los brazos
la cabeza
el cuello
la espalda
las manos
los ojos
el pelo
las piernas
los pies

El tiempo

estar nublado
estar ventoso
hacer calor
hacer fresco
hacer frío
hacer sol
hacer viento
llover (llueve)
nevar (nieva)

La ropa

la camisa; la blusa
la camiseta; la remera (Arg.); la playera (Méx.)
la falda
llevar
el pantalón; los pantalones; los bluejeans
los pantalones cortos
las sandalias
el traje de baño
el vestido
los zapatos; las zapatillas; las botas

Los colores

amarillo/a
anaranjado/a
azul
blanco/a
marrón
morado/a
negro/a
rojo/a
rosado/a
verde

Comunica y Explora A

En mi tiempo libre

Pregunta esencial: How do friends, family, and culture influence how I spend my free time?

Actividad 4

¿Cómo es tu vida social?

  Paso 1A: Escuchar y anotar

Sofía, una amiga de Bruno, tiene planes divertidos con amigos para este fin de semana.

a. Escucha mientras Sofía explica a quién invita y adónde.

b. Anota los verbos que ella usa para explicar sus planes. Refiérete a la lista de **Así se dice 1**.

  Paso 1B: Contestar

Escucha otra vez para responder a las siguientes preguntas.

1. ¿Qué van a comer Sofia y sus amigas al encontrarse?
2. ¿Para qué día tienen planes?
3. ¿Cómo se comunicó Sofía con sus amigas para invitarlas?
4. ¿Dónde se reúnen normalmente las amigas?
5. ¿Qué día de la semana es para estar con la familia?

Normalmente como digo sería por WhatsApp y básicamente el texto diría algo como «Nos encontramos en tal sitio a tal hora, avísale a tales personas».

Así se dice 1: Las invitaciones

aburrirse

comunicarse

conectarse (a las redes sociales, a internet)

divertirse

encontrarse

hacer planes

pasar tiempo con

picar (comida)

reunirse

verse

¿Te acuerdas?

compartir

invitar a

mirar

pasear

salir

Enfoque cultural

Práctica cultural: Picar comida para compartir entre todos

Cuando vas a una fiesta, especialmente si no es muy formal, picas comida. Normalmente hay papitas, maní, mini sanguchitos, no hay un plato de comida como arroz o pollo, como se sirve para una comida más formal. Generalmente hay "cosas para picar" para todos los invitados. Picas comida, tomas limonada, gaseosa (o en Perú, chicha morada, una bebida preparada con el maíz morado típico de la región), charlas con los amigos… ¡y bailas, obviamente!

  Conexiones

What are typical things to "picar" when you are with your friends and family at different social occasions?

Enfoque cultural

Práctica cultural: Saludarse y despedirse entre amigos

Igual que haces con la familia, como vimos en la segunda unidad, entre amigos también es muy común saludarse y despedirse con un beso. Entre mujeres, se besan y entre hombres, se dan la mano. Entre un hombre y una mujer, se besan en la mejilla también. Si se visita una casa, se debe saludar a todas las personas presentes y también al dejar el grupo, hay que despedirse de todas las personas individualmente.

 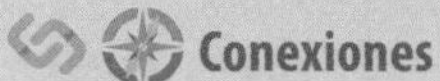

Conexiones

How do you and your friends greet each other? How are the norms and expectations in Spanish-speaking cultures for entering or leaving a group similar or different to your experience?

Reflexión intercultural

1. How would you feel about greeting and saying goodbye in this way?
2. Are you familiar with examples from other cultures of how people greet each other in different ways?

Mi progreso intercultural

I can describe how friends greet one another in other cultures.

Paso 2A: Reflexionar

Indica lo que haces en estas situaciones:

1. Para invitar a mis amigos a salir, yo…
   - ❑ los llamo por teléfono.
   - ❑ me comunico con ellos por redes sociales.
   - ❑ les mando un mensaje de texto.
   - ❑ les hablo en persona.
2. Prefiero pasar tiempo con…
   - ❑ un amigo a la vez *(at a time)*.
   - ❑ un grupo grande de amigos.
   - ❑ dos o tres amigos.
   - ❑ mis amigos y mi familia al mismo tiempo.
3. Mis amigos y yo nos reunimos…
   - ❑ en mi casa o en la casa de un amigo.
   - ❑ en el parque o en la plaza.
   - ❑ en un centro comercial o en el cine.
   - ❑ en ____________________.

Paso 2B: Compartir

Con un/a compañero/a, describe algo de tu vida social.

a. Comparte tus respuestas de **Paso 2A**.

b. Explícale un poco más utilizando las frases siguientes:

- Mis amigos y yo nos aburrimos/nos divertimos cuando …
- A veces nos encontramos/nos reunimos en…
- Normalmente nos comunicamos por…

Paso 3: Conversar

Sofía menciona la tecnología al describir su vida social; la tecnología es una gran parte de la vida social de muchos jóvenes.

a. En parejas, túrnense para hacer y contestar a las siguientes preguntas.

b. Después, crea dos o tres preguntas más para hacer a tu compañero/a.

Estudiante A	Estudiante B
¿Qué información compartes con tus amigos en línea?	¿Con qué frecuencia te conectas con tus amigos en línea?
¿Dónde y cuándo te conectas con tus amigos en línea?	¿Tus amigos comparten sus fotos en línea?, ¿y tú?
¿Para qué usan tecnología tú y tus amigos? ¿Qué hacen cuando todos están conectados?	¿Cuán rápido responden ustedes a mensajes, información y fotos que comparten con el grupo?

Paso 4: Opinar

Antes los jóvenes se hablaban por teléfono, algunas veces las conversaciones duraban hasta tres horas. Ahora, los jóvenes se conectan por medio de las redes sociales. Participa en el foro de la guía digital para explicar por qué los jóvenes ahora prefieren las redes sociales.

Expresiones útiles para expresar frecuencia

a menudo - often

a veces - sometimes

frecuentemente - frequently

nunca - never

siempre - always

todos los días - every day

todo el tiempo - all the time

un poco - a little

Mi progreso comunicativo

I can ask and answer questions about technology use and social habits.

Recuerda: Los verbos reflexivos

Reflexive verbs like **aburrirse, conectarse,** and **divertirse** require a reflexive pronoun **(me, te, se, nos, *os*, se)** as the first part of the conjugated verb.

- **Me aburro** si no tengo planes por todo un mes.
- ¿**Te conectas** a las redes sociales todos los días por la noche?
- Mis hermanos y yo **nos divertimos** más cuando nuestros papás no están.

Recuerda: Los verbos reflexivos recíprocos

Certain reflexive verbs reflect an action that is shared between two or more people, for example: **comunicarse, encontrarse, reunirse** and **verse**. In English we generally use "each other" when we are talking about reciprocal reflexive actions.

- ¿**Nos encontramos** en la plaza a las ocho?
- Sí, **nos vemos** más tarde.
- Los músicos siempre **se reúnen** en el parque por la tarde.

Think about it! What's the difference between **encontrar** and **encontrarse**? Between **ver** and **verse**?

Actividad 5

¿Quieres ir conmigo?

 Paso 1: Leer y responder

Lee los mensajes entre Oscar y Victoria. ¿Qué planes tienen este fin de semana?

Hola, ¿quieres ir al cine este fin de semana? Mis amigos y yo pensamos **reunirnos** en el cine para ver una nueva película de terror.

¡Gracias! Me gustaría ir, ¡sí! Me gustan las películas de terror.

¿Cuándo puedes ir? Dan la peli a las siete y a las nueve el sábado.

También quisiera ir de compras con mi primo este fin de semana. Le pregunto, **hacemos** nuestros **planes** y ya te aviso.

¡Vale! ¡Estamos en contacto!

 Paso 2: Escuchar y responder

María Pilar, una amiga de Bruno, invita a sus amigas, Lucía y Sofía, a ir a su competencia de baile.

Escucha y responde a las preguntas siguientes.

1. ¿Qué quiere hacer María Pilar con sus amigas?
2. ¿Dónde y a qué hora se encuentran las amigas?
3. ¿A qué hora se reúnen?
4. ¿Tienen que pagar entrada para ver la competencia?
5. ¿Adónde van después de la competencia?

Así se dice 2: Para invitar

Para invitar a alguien

¿Quieres salir conmigo el… (viernes)?

¿Te gustaría ir al/a la… conmigo?

Para aceptar una invitación

¡Chévere! ¡Vamos!

¡De acuerdo!

¡Me gustaría!

Para rechazar una invitación

Muchas gracias, pero…

Qué pena pero no puedo ir

Para confirmar

Nos encontramos en…

Nos vemos a las…

Paso 3: Hacer y responder a invitaciones

En un grupo de compañeros: Invita a tus compañeros de clase y acepta o rechaza las invitaciones que ellos te hacen.

a. Asegúrate de aceptar por lo menos tres invitaciones y rechazar cortésmente un mínimo de tres.

b. Utiliza el vocabulario de **Así se dice 2** y las **expresiones útiles** para hacer, aceptar, rechazar y confirmar invitaciones.

Modelo

Vas a invitar a tu amigo a cenar en tu casa. Tú decides el día y la hora.

Estudiante A: Hola, ¿tienes planes para el domingo a las seis? ¿Qué tal si vienes a cenar a mi casa?

Estudiante B: ¡Qué lindo, gracias! No tengo planes y ¡sí, me gustaría ir!

Estudiante A: ¡Chévere! Nos vemos en mi casa el domingo a las seis.

Estudiante B: ¡Muy bien, gracias!

¿Te acuerdas?

Para invitar a alguien

¿Qué tal si… ?

Para aceptar una invitación

Sí, me gustaría mucho

Detalle gramatical

The word *ya*

Spanish uses **ya** before the verb in the preterit to express that an action has been completed, even though the verb is already in the past. It is similar to saying "already" in English.

Modelo

- ¿**Ya** comiste?
  - Sí, **ya** comí.
- Yo **ya** vi esa película, es muy buena.

Mi progreso comunicativo

I can use some culturally appropriate expressions to extend, accept and politely refuse an invitation.

Enfoque cultural

Práctica cultural: Las competencias de marinera

La marinera es un baile tradicional peruano. Tiene influencia indígena, española, mora y gitana. Se baila en parejas y se usa un pañuelo para bailar. La ciudad de Trujillo en Perú tiene una competencia nacional de marinera muy famosa.

Conexiones

Discuss the typical dances in your culture that have influences from other cultures. What influences are most surprising?

Enfoque cultural

Práctica cultural: Invitar a amigos y familia

En Perú y otros países hispanohablantes hay diferentes normas para determinar quién invita (paga) a la comida o bebidas en una ocasión social. Se puede decir al grupo, "Yo invito" para explicar que vas a pagar. Típicamente un chico invita a su enamorada y le paga la comida al salir. Si sales con un grupo de amigos, normalmente cada persona paga su parte . . . ¡pero si es un cumpleaños todos los amigos van a invitar al/a la cumpleañero/a!

  **Conexiones**

What are the norms you are used to for who treats on different occasions? When can it feel awkward or uncomfortable to figure out who will pay?

 **Mi progreso intercultural**

I can describe culturally appropriate norms when attending a social or family event in Spanish-speaking countries.

Reflexión intercultural

1. What similarities and differences do you see in how people extend invitations in Peru and how you and your friends do so?
2. How does technology play a role in social invitations? Do you think this is beneficial or harmful, or both? Why?
3. What will you want to be aware of when you visit a Spanish-speaking country where new friends could be inviting you to social gatherings?

Estrategias

Extend and respond to invitations

How do people give invitations to friends and family members in Spanish? How is it different if it is a more formal invitation? How would you go about accepting or turning down an invitation?

Watch the learning strategies video in your *EntreCulturas 2* Explorer course for more tips to help you give and receive invitations in Spanish.

Expresiones útiles para hacer y responder a invitaciones

Para invitar a alguien:

Estaba pensando en... - I was thinking about...

¿Quisieras ir a... ? - Would you like to go to...?

Quisiera invitarlo/la... - I would like to invite you (formal)

Tengo muchas ganas de + ***infinitive*** - I feel like...

Para aceptar una invitación:

¡Me encantaría! - I would love to!

¡Sí, por supuesto! - Yes, of course!

Para rechazar una invitación:

Lo siento pero estoy ocupado/a. - I am sorry but I am busy.

Me gustaría pero lamentablemente no puedo, porque tengo que... - I would like to but unfortunately, I can't because I have to...

Te agradezco mucho pero ya tengo otros planes. - I appreciate it but I have other plans.

Para confirmar:

¡Hasta entonces! - Until then!

Yo puedo pasar por tu casa a las... - I can pass by your house at...

Observa 1

El pretérito con *"hace mucho tiempo"*

Los padres de Adriana se conocieron en Perú hace mucho tiempo. Ella quiere contarnos la historia de sus padres y nuestros amigos Oscar y Victoria tienen algunas preguntas. Lee el diálogo para saber un poco más de esta historia.

Victoria: *Adriana, cuéntanos la historia de tus padres. **Sé** que se **conocieron** en Perú.*

Adriana: *Sí, ellos se **conocieron** en Machu Picchu. Los dos estaban de vacaciones con su familia.*

Oscar: *¿**Hace cuánto tiempo** estuvieron en Perú?*

Adriana: *Mmm, fue **hace** mucho tiempo… ¡creo que **hace** 25 años!*

Oscar: *¿**Sabes** cuántos años tenían tus padres?*

Adriana: *Sí, los dos tenían 18 años, eran muy jóvenes.*

Victoria: *¿Y **hace cuánto tiempo** se casaron?*

Adriana: *Se casaron **hace** 20 años.*

Oscar: *Y tú Adriana, ¿conoces Perú?*

Adriana: *Sí, **conocí** Perú, pero fue **hace** muchos años, fui con mis padres. Creo que tenía siete años, no me acuerdo mucho.*

Oscar: *¡Yo también! La última vez que viajé a Perú fue **hace** cinco años. ¡Victoria, vamos este verano para **conocer** el Perú!*

Victoria: *Yo quiero ir a Perú. **Sé** que es un hermoso país con muchos lugares muy bonitos y comida deliciosa.*

¿Qué observas?

1. What do you notice about the vocabulary they used to talk about how long ago things happened?
2. What do you think **"¿Hace cuánto tiempo?"** means?
3. What do you think **"hace…"** means?
4. Do you remember the difference between **saber** and **conocer**?

Recuerda: Saber vs. conocer

- Use **conocer** when you are talking about places and people with which you are familiar.
- Use **saber** when you are talking about knowledge, facts or skills.

Así se dice 3: Los destinos

la bolera; la pista para bolos

el estadio

una exposición de arte/ fotografía

una galería de arte

el teatro

ver una obra de teatro

Actividad 6

¿Hace cuánto tiempo fuiste?

Paso 1: Escuchar

Escucha a tu profesor/a describir algunos lugares adonde vas con tus amigos. Elige la fotografía que corresponda a cada descripción. Revisa la lista de vocabulario de **Así se dice 3**.

a. ____________

b. ____________

c. ____________

d. ____________

e. ____________

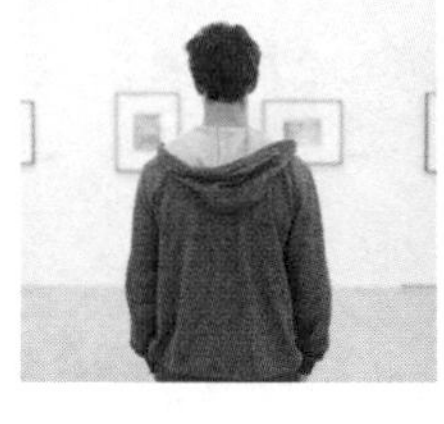

f. ____________

g. ____________

Enfoque cultural

Práctica cultural: Las fiestas

En Perú, al igual que en otros países hispanohablantes, existe una cultura de baile muy fuerte. Los chicos y chicas empiezan a bailar desde muy jóvenes y tienen fiestas casi todos los fines de semana y salen hasta muy tarde. Las fiestas empiezan tarde, entre las 10:00 y las 11:00 de la noche y duran hasta las 2:00 o 3:00 de la madrugada. En las fiestas siempre hay música moderna para bailar. Las fiestas pueden ser multigeneracionales y a veces padres, tíos y abuelos también se juntan a la fiesta para bailar. ¡Son muy divertidas las fiestas en estos países!

Hay otros nombres muy comunes para la palabra *fiesta*:

- farra
- pachanga
- carrete
- parranda
- velada

Conexiones

How would you feel about going to a party and dancing with your friends and parents and grandparents?

How do you think multigenerational parties represent Spanish-speaking cultures?

Paso 2: Hablar

Pregunta a un/a compañero/a:

- si conoce los siguientes lugares,
- hace cuánto tiempo fue a este lugar: una galería de arte, un estadio, un museo, un centro comercial, una bolera, un teatro, etc.

Modelo

Estudiante A:	¿Conoces una galería de arte?
Estudiante B:	Sí, conozco una galería de arte en Washington D.C.
Estudiante A:	¿Hace cuánto tiempo fuiste?
Estudiante B:	Fui hace un año.

Mi progreso comunicativo

I can retell past events about spending time with friends and/or family in the community.

Actividad 7

¿Qué hiciste el fin de semana?

Paso 1: Escuchar

Escucha a Lorenzo, un amigo de Bruno, contar sobre su fin de semana.

a. Mira los dibujos y ponlos en el orden en que Lorenzo hizo estas actividades.

b. Luego escribe seis oraciones contando lo que él hizo.

Modelo

Fue a un partido de fútbol.

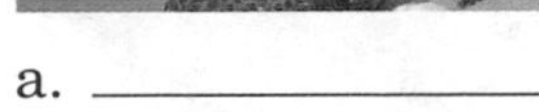

a. ______ b. ______ c. ______

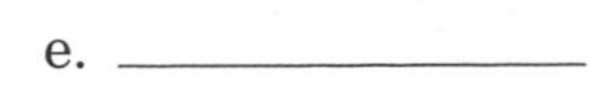

d. ______ e. ______ f. ______

Expresiones útiles para describir el tiempo en el pasado

Estaba nublado/Estaba soleado - It was overcast/It was sunny

Hacía calor/Hacía frío - It was hot/it was cold

Llovía - It was raining

Nevaba - It was snowing

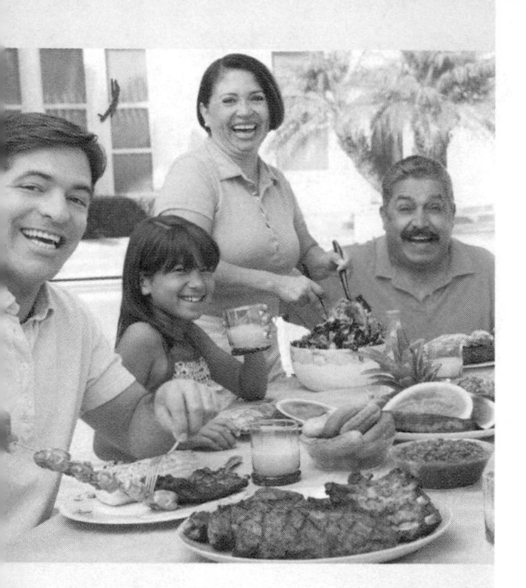

Enfoque cultural

Práctica cultural: Hacer parrillada en familia

Una costumbre típica peruana es reunirse en familia los domingos por la tarde para hacer parrillada. En una parrillada *(barbecue)*, preparan carne, pollo, papas y salchichas. La familia come junta, charla y escucha música. Muchas veces se baila también. La sobremesa de una parrillada puede durar horas.

 **Conexiones**

What are some traditions for a family barbecue in your community? How is this similar or different to Peruvian traditions?

¿Te acuerdas?

Para hablar de cosas que hiciste en el pasado

¿Qué hiciste anoche?

-ayer

-la semana pasada

-esta tarde

-esta mañana

-el año pasado

Mi progreso comunicativo

I can ask and answer questions about past events related to time with friends and family.

 Paso 2: Escribir

a. Escribe cinco cosas que hiciste el fin de semana pasado.

b. Completa la tabla con información sobre con quién estuviste y si te divertiste.

¿Que hiciste?	¿Con quién?	¿Te divertiste o te aburriste?

Paso 3: Hablar

Conversa con un/a compañero/a sobre sus fines de semana. Pregúntale qué hizo y si bailó. ¿Hicieron algo parecido? ¿Qué hicieron diferente?

  ¡Prepárate!

Piensa en tu fin de semana. ¿Qué te gustó más del fin de semana? ¿Qué no te gustó? ¿Hay cosas interesantes que te gusta hacer en tu comunidad? Haz un dibujo e incluye cinco oraciones sobre las actividades que hiciste. Comparte con la clase.

Enfoque cultural

Práctica cultural: La hora peruana

Culturalmente es muy común llegar un poco tarde o como dicen "a la hora peruana" a una reunión social. Si alguien te invita a su casa van a darte una idea general de cuándo llegar, diciendo "alrededor de" la una de la tarde, por ejemplo. Normalmente los invitados llegan una hora más tarde y no hay problema.

  **Conexiones**

If you are invited to a social event, what time would you arrive? Does it depend where you were invited, if you should try to be punctual or not worry about it? How does this compare to cultural expectations in Spanish-speaking cultures?

Actividad 8

¿Qué hiciste durante tus vacaciones?

Paso 1: Identificar

a. Con un/a compañero/a, usen el vocabulario de **Así se dice 4** para identificar las imágenes de las actividades al aire libre.

b. Tomen turnos para expresar sus opiniones: ¿Te gusta...?/ ¿Te interesa...?

Paso 2: Escuchar y emparejar

a. Escucha mientras cuatro amigos hablan sobre unas vacaciones que pasaron con sus familias.

b. Empareja su foto con la foto que corresponda a sus aventuras.

¿Te acuerdas?

andar en bicicleta
caminar
correr
montar a caballo
nadar
pasear
tomar sol

Así se dice 4: Las actividades al aire libre

broncearse
bucear
escalar en roca/montaña
esquiar
hacer kayaking
hacer senderismo
hacer snowboarding
hacer surf; surfear
mirar/ir a un partido de...
montar en bicicleta de montaña

Guacamayo

Expresiones útiles

se necesita - (something) is needed

se puede - it is possible

Paso 3: Leer y compartir

a. Lee las dos críticas *(reviews)* de un sitio web de turismo sobre el Parque Nacional Huascarán y sobre Máncora en Perú.

b. Con un/a compañero/a, tomen turnos para describir qué se puede o qué se necesita hacer en los dos destinos.

c. Pregúntale a tu compañero/a: ¿Qué destino te interesa más? ¿Por qué?

"Un parque de maravillas"

Escribió una opinión el 3 de noviembre 2015

El Parque Nacional Huascarán es una maravilla natural. Respira y observa los nevados que se pueden ver a todo tu alrededor. Si quieres visitar se necesita ir de abril a noviembre y prepárate para las aventuras que te esperan. Se puede venir a dar caminatas largas, **montar bicicleta de montaña**, **hacer kayaking** o **rafting**, **escalar en roca o montaña** y mucho más. Se necesita al mínimo una semana para disfrutar de todo. Se puede observar la naturaleza, encontrarte con los animales que habitan el parque, o ver el agua turquesa de las lagunas, como Laguna 69. ¡Visita Huascarán para una aventura inolvidable!

Visitado el noviembre de 2015

"Descubra aventura en Máncora"

Escribió una opinión el 9 de abril 2015

Máncora es divertido para deportes acuáticos. Los niños y adultos pueden aprender a **hacer surf** con olas perfectas y los mejores entrenadores de surf en Perú. También se puede **bucear**, **hacer kayak**, andar en bicicleta, o pasear a caballo. Se necesita visitar Las Pocitas, una playa al norte de Máncora. Allí se puede tomar sol y relajarse fuera del centro de Máncora.

Observa 2

Usos del pretérito y del imperfecto 1

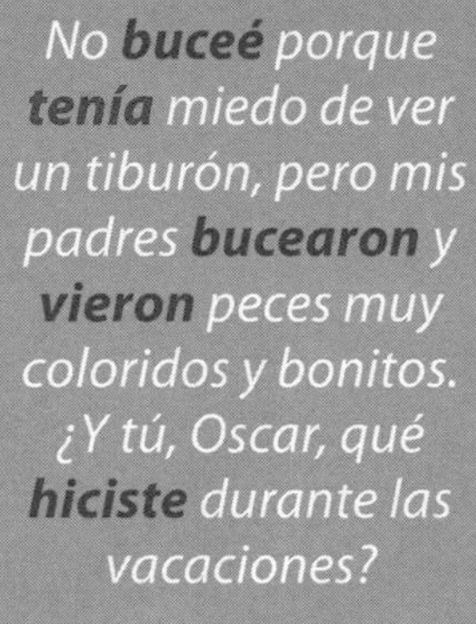

*El verano pasado mi familia y yo **fuimos** a la playa en Máncora en Perú. **Hacía** calor y **estaba** muy soleado todos los días. Yo **tomé** sol y mi hermano **hizo** surf.*

*¡Chévere! ¿**Buceaste** durante tus vacaciones?*

*No **buceé** porque **tenía** miedo de ver un tiburón, pero mis padres **bucearon** y **vieron** peces muy coloridos y bonitos. ¿Y tú, Oscar, qué **hiciste** durante las vacaciones?*

*Mi papá y yo **viajamos** al Parque Nacional de Huascarán. **Dimos** una caminata y **observamos** los pájaros que viven allá. **Vi** guacamayos.*

Es muy popular escalar en roca allá, ¿no?

*Sí, es muy popular. Yo **monté** en bicicleta de montaña y **exploré** el Lago 69. **Estaba** muy cansado y el día siguiente **me relajé** en una hamaca.*

¿Qué observas?

1. What do you notice about the bold verbs? What do you notice about the blue verbs? and the red verbs?
2. How are the red verbs used to talk about the past?
3. How are the blue verbs used to talked to about the past?

Detalle gramatical: El imperfecto progresivo

To describe what was happening when another past tense event occurred in Spanish we can use the imperfect progressive.

The imperfect progressive is formed by using the imperfect forms of the verb estar and the gerund (-ando, -iendo form of the verb).

Modelo

Estaba tomando sol en la playa cuando empezó a llover.

Mi progreso comunicativo

I can narrate past outdoor adventures including completed actions and descriptions of background information.

Paso 4: Escribir

a. Mira las fotos que tu amigo Lorenzo publicó en una red social sobre su viaje reciente a Perú.

b. Elige cuatro fotos y escribe una leyenda *(caption)* para describir lo que hizo Lorenzo en cada foto.

Modelo

Lorenzo montó a caballo en las playas de Máncora. Hacía sol y estaba muy feliz.

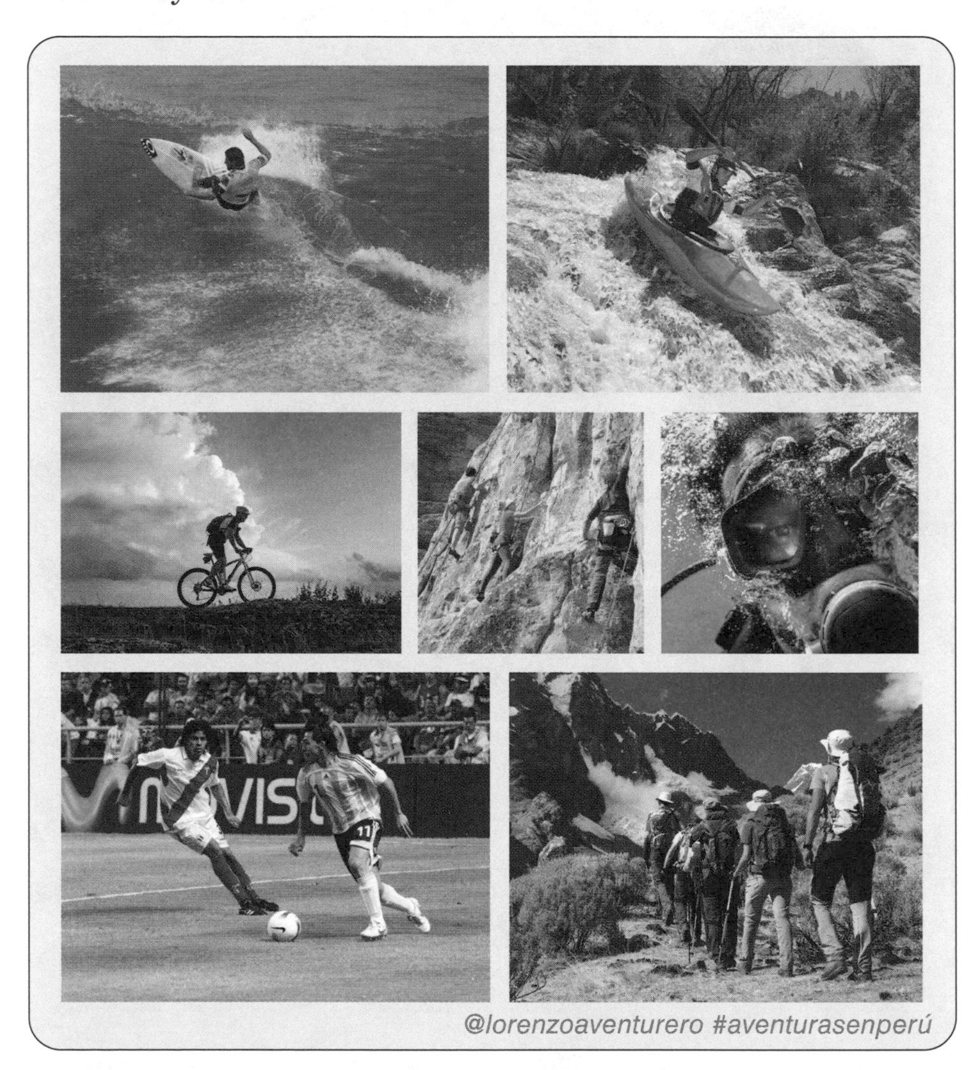

@lorenzoaventurero #aventurasenperú

Reflexión intercultural

1. What did you learn about the types of adventure activities popular in Peru?
2. How does geography and climate in Peru influence the leisure activities people enjoy?
3. What are some similarities and differences between the leisure activities available in Peru and where you live?

Mi progreso intercultural

I can compare a variety of leisure-time activities popular in Peru with those in my community.

Actividad 9

¿Cómo fueron tus aventuras en Perú?

Paso 1: Investigar y conversar

a. Visita la guía digital para explorar todas las actividades que se pueden disfrutar en el Perú.

b. Después, con un/a compañero/a, hablen de las actividades mencionadas en el sitio web y cuáles de las actividades les interesan más.

c. ¿Hay algunas actividades que te gusta hacer que no se mencionan? ¿Cuáles son?

Modelo

Estudiante A: Me interesa bucear, pero no me interesa montar en bicicleta de montaña. ¿Y tú?

Estudiante B: Prefiero explorar montando en bicicleta de montaña. No me gustan los deportes acuáticos.

Enfoque cultural

Producto cultural: El té de coca u hojas de coca para el soroche

En el Perú y otros países andinos hay la costumbre de masticar *(to chew)* hojas de coca o tomar té de coca. Algunas personas sufren **soroche** o mal de montaña cuando pasean por zonas geográficas muy altas. Desde los tiempos de los incas, se bebe el té de coca para aliviar el soroche. Los peruanos les recomiendan esta bebida a los turistas cuando visitan lugares muy altos como Machu Picchu, Puno y Huaraz. Las hojas son un poco amargas pero frecuentemente se echa azúcar al té de coca para hacerlo más agradable.

Conexiones

Is altitude sickness an issue where you live? Would you try this as a remedy if you didn't feel well when traveling in Peru?

Expresiones útiles para describir

Machu Picchu es un lugar histórico donde… - Machu Picchu is a historical place where…

Hay muchas… - There are many…

Aprendí que… - I learned that…

Pienso que… - I think that…

Es un buen lugar para una aventura de… - It's a good place for an adventure…

Pablo Neruda

Paso 2: Leer y dibujar

Vas a leer una selección de *Alturas de Macchu Picchu* de Pablo Neruda, poeta chileno que ganó el Premio Nobel de Literatura en 1971. Él subió al santuario de los incas en 1943.

a. En grupos pequeños, lean el poema en voz alta.

b. Después, escribe las palabras que sabes o reconoces en el poema.

c. Ahora, dibuja una representación de Machu Picchu. Escribe algunas palabras en el dibujo que van a ayudarte a escribir una descripción.

d. Escribe una descripción de Machu Picchu usando la información que tienes. Nota las **expresiones útiles**.

e. Comparte tu dibujo y descripción con la clase.

Entonces en la escala de la tierra he subido[1]
entre la atroz maraña de las selvas perdidas[2]
hasta ti, Macchu Picchu.
Alta ciudad de piedras escalares[3],
por fin morada del que lo terrestre[4]
no escondió[5] en las dormidas vestiduras.
En ti, como dos líneas paralelas,
la cuna del relámpago y del hombre[6]
se mecían en un viento de espinas[7].

1. the ladder of the earth I have climbed 2. though the tangles of plants of the lost jungles 3. terraced rocks 4. what the earth 5. didn't hide 6. the cradle for lightning and man 7. rocking in a wind of thorns

Enfoque cultural

Práctica cultural: Vóleibol

En Perú el deporte de vóleibol es muy popular. Tanto las mujeres como los hombres juegan vóleibol. Muchas personas asisten a los torneos de la Liga Nacional Superior de Vóleibol. Hay equipos de mujeres y hombres que forman parte de la Liga Nacional. También puedes ver partidos informales frecuentes entre amigos y vecinos igual que se ven partidos de fútbol en la calle.

 **Conexiones**

What are some sports activities that are popular where you live? What connections can you draw between the sports and activities people participate in and/or observe in Peru and where you live?

Paso 3: Invitar

a. Identifica tres actividades que quieres hacer en Perú según tus investigaciones en **Pasos 1 y 2**.

b. Deja un mensaje de voz a tu amigo peruano, Lorenzo, para invitarlo a explorar contigo.

Paso 4A: Explorar

a. Utiliza los enlaces en la guía digital para hacer una aventura virtual en la Red de Perú.

b. Encuentra más información y algunas fotos sobre los destinos que visitaste y las actividades que hiciste.

Paso 4B: Hacer una crítica

Escribe una crítica sobre tu aventura virtual en Perú. Incluye:

- tres destinos diferentes,
- por lo menos cinco actividades de aventura que hiciste durante tu viaje,
- por lo menos tres descripciones (por ejemplo del clima, tus emociones, o cómo te sentías mientras explorabas Perú).

¿Te acuerdas?

estaba emocionado/a

estaba feliz

estaba preocupado/a

tenía miedo

tenía sueño

 **Mi progreso comunicativo**

I can narrate past outdoor adventures including completed actions and descriptions of background information.

En camino A

Una visita a Lima

En una visita a Lima, vas a conocer algunos sitios de diversión y anotar tus experiencias y observaciones. Si te gustó algún sitio, ¡puedes invitar a un/a amigo/a a acompañarte para ir otra vez! Finalmente, comparte tu opinión en un sitio de web para turistas.

Paso 1: Visitar y anotar

Visita por lo menos tres sitios famosos en Lima que puedes encontrar en la guía digital. Anota información acerca de adónde vas y qué ves en cada sitio. Finalmente, comparte tu opinión en un sitio web para turistas.

Paso 2: Entrevistar

Conversa con un/a compañero/a de clase sobre tus experiencias en Lima.

a. Contesta a las preguntas de un/a compañero/a sobre tus experiencias como turista en Lima. Algunas preguntas posibles son:

- ¿Adónde fuiste en Lima?
- ¿Qué tiempo hacía?
- ¿Cuándo fuiste?
- ¿Qué hiciste allí?
- ¿Que había ahí?
- ¿Qué te interesó? ¿Qué te gustó?
- ¿Qué no te gustó? ¿Qué te aburrió?
- ¿Quieres ir otra vez?

b. Al final, invítalo a él/ella para acompañarte a tu sitio favorito en el futuro. Tu compañero/a puede aceptar o rechazar tu invitación.

Paso 3: Opinar

Un sitio web para turismo quiere comentarios de turistas que viajaron a Perú y visitaron sitios conocidos en Lima. Escribe tu opinión para publicar en su sitio:

a. Explica adónde fuiste y tus experiencias allí. Usa los tiempos del pretérito y el imperfecto.

b. Describe el lugar y lo que hiciste allí.

c. Incluye tu opinión del sitio que visitaste, usando algunas de las **expresiones útiles**.

Expresiones útiles para dar tu opinión

Me aburrió - It bored me

Me fascinó - I was fascinated by it

Me encantó - I loved it

(No) Me gustó - I didn't like it

Estuvo chévere - It was cool

Era - It was

Había - There was/There were

Hacía - It was (weather)

Síntesis de gramática

To talk about how long ago you did something

- Use this structure when you want to talk about how long ago an action happened and is finished:

Hace cuánto tiempo + verb preterit.

¿Hace cuánto tiempo regresaste de Lima?

- **Regresé** de Lima **hace un mes.**

¿Hace cuánto tiempo escalaste el Huascarán?

- **Escalé** el Huascarán **hace un año.**

Usos del pretérito e imperfecto

Imperfecto	Pretérito
Weather **Estaba** un poco nublado ayer.	**Specific period of time** **Fuimos** a la playa ayer por tres horas.
Time **Eran** las seis de la tarde cuando salimos a comer.	**Specific number of times** Escalé en roca cinco veces el año pasado.
Descriptions (ser & estar) **Estaba** tan cansado anoche.	**Sequence of events** Primero nosotros **hicimos** kayaking y luego **tomamos** el sol. **Single event** Mis padres **bucearon** por primera vez.

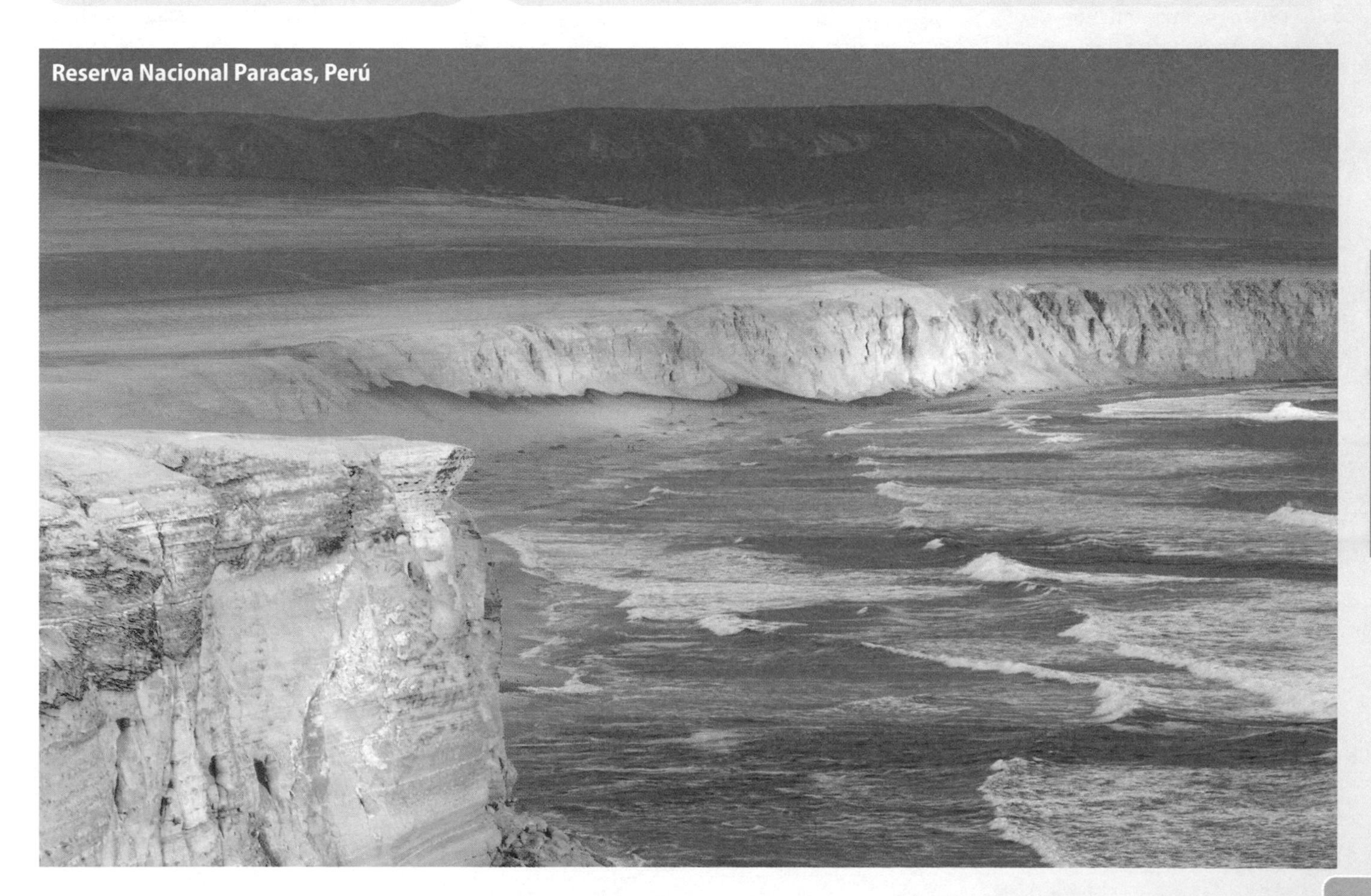
Reserva Nacional Paracas, Perú

Vocabulario

Así se dice 1: Las invitaciones

aburrirse - to get bored
comunicarse - to communicate
conectarse (a las redes sociales, a internet) - to connect with someone (via a social network, on the Internet)
divertirse - to have fun
encontrarse - to meet up; to find each other
hacer planes - to make plans
pasar tiempo con - to spend time with
picar (comida) - to nibble or to eat small bites
reunirse - to get together with (someone)
verse - to meet up

Así se dice 2: Para invitar

Para invitar a alguien:
¿Quieres salir conmigo el… (viernes)? - Do you want to go out with me on… (Friday)?
¿Te gustaría ir al/a la… conmigo? - Would you like to go the… with me?

Para aceptar una invitación:
¡Chévere! ¡Vamos! - Cool! Let's go!
¡De acuerdo! - Agreed!
¡Me gustaría! - I would like to!

Para rechazar una invitación:
Muchas gracias, pero… - Thank you, but…
Qué pena pero no puedo ir - What a shame, but I can't go

Para confirmar:
Nos encontramos en… - We can meet at (place)…
Nos vemos a las… - We can meet at (time)…

Así se dice 3: Los destinos

la bolera/la pista para bolos - the bowling alley
el estadio - the stadium
una exposición de arte/fotografía - an art/photography exhibition
una galería de arte - an art gallery
el teatro - the theater
ver una obra de teatro - to see a theater play

Así se dice 4: Las actividades al aire libre

broncearse - to get a tan
bucear - to dive
escalar en roca/montaña - to go rock/mountain climbing
esquiar - to ski
hacer kayaking - to kayak
hacer senderismo - to hike
hacer snowboarding - to snowboard
hacer surf/surfear - to surf
mirar/ir a un partido de - to watch; attend a match/game of
montar en bicicleta de montaña - to go mountain biking

Expresiones útiles para describir el tiempo en el pasado

estaba nublado/estaba soleado - It was overcast/It was sunny
hacía calor/hacía frío - It was hot/It was cold
llovía - It was raining
nevaba - It was snowing

Expresiones útiles para dar tu opinión

Me aburrió - It bored me
Me fascinó - I was fascinated by it
Me encantó - I loved it
(No) Me gustó - I (didn't) did like it
Estuvo chévere - It was cool
Era - It was
Había - There was/There were
Hacía - It was (weather)

Expresiones útiles para hacer y responder a invitaciones

Para invitar a alguien:
Tengo muchas ganas de + *infinitive* - I feel like…
¿Quisieras ir a…? - Would you like to go to…?
Estaba pensando en… - I was thinking about…
Quisiera invitarlo/la a… - I would like to invite you to…

Para aceptar una invitación:
¡Me encantaría! - I would love to!
¡Sí, por supuesto! - Yes, of course!

Para rechazar una invitación:
Lo siento pero estoy ocupado/a. - I am sorry but I am busy.
Me gustaría pero lamentablemente no puedo, porque tengo que… - I would love to, but unfortunately I can't because I have to...

Para confirmar:
¡Hasta entonces! - Until then!
Yo puedo pasar por tu casa a las… - I can pass by your house at…

Expresiones útiles para expresar frecuencia

a menudo - often
a veces - sometimes
frecuentemente - frequently
nunca - never
siempre - always
todos los días - every day
todo el tiempo - all the time
un poco - a little

Comunica y Explora B

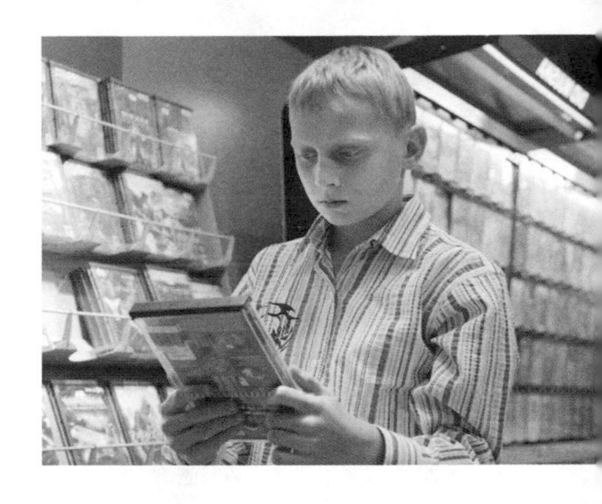

Ir de compras

Pregunta esencial: How do my shopping choices reflect who I am?

Así se dice 5: Las tiendas

el almacén

la boutique

comprar en línea

el mercado de pulgas

la tienda de equipo deportivo

¿Te acuerdas?

buscar

el centro comercial

comprar

costar

el mercado

pagar

la tienda

vender/se vende(n)

Actividad 10

¿En dónde puedo comprar?

 **Paso 1: Observar**

En Perú hay varias opciones para ir de compras. Mira el video sobre La Trueca, un mercado de pulgas en Perú. Luego indica si las oraciones son ciertas o falsas.

1. Hay pocas personas haciendo compras en el mercado de pulgas.
2. El mercado "La Trueca" comenzó en el año 2011.
3. La gente compra mucho en el mercado de pulgas.
4. En "La Trueca" se vende comida.
5. Las personas que venden en el mercado de pulgas son malas en los negocios.
6. Las personas buscan cosas nuevas y caras.
7. El mercado de pulgas tiene mucho éxito en Perú.

Enfoque cultural

Práctica cultural: El mercado de pulgas

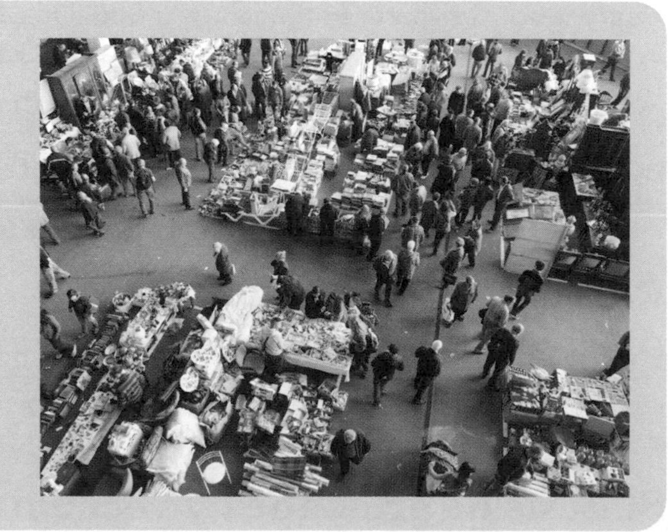

En muchos países hispanohablantes, la gente va de compras a mercados al aire libre en donde se vende ropa, zapatos, cosas para la casa, juguetes y artículos deportivos. Estos mercados se llaman mercados de pulgas. Muchas cosas son nuevas pero algunas cosas pueden ser usadas. Los precios generalmente son baratos y hay mucha variedad de artículos. En los **mercados de pulgas** es común regatear. La persona que vende en el mercado de pulgas se llama **pulguero**.

  **Conexiones**

Are there flea markets in your area? Have you been to one?

Paso 2: Escuchar

Escucha las siguientes situaciones. Selecciona el lugar más conveniente donde puedes comprar los artículos que mencionan los jóvenes en el audio.

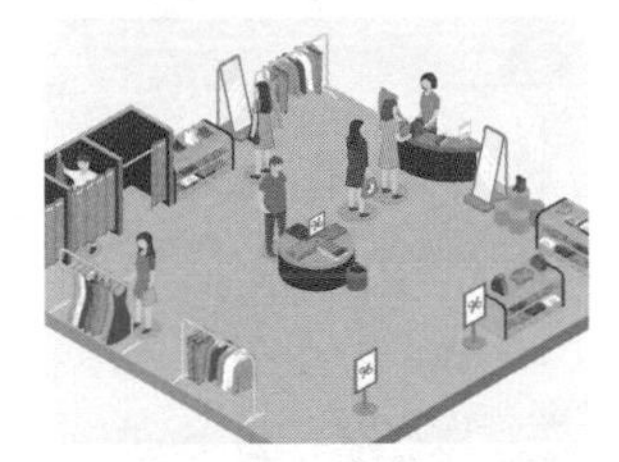

a. el almacén

b. la boutique

c. el mercado de pulgas

d. la tienda de artículos deportivos

e. comprar en línea

Paso 3: Escribir

Completa las siguientes oraciones con opiniones personales sobre cuál es el mejor lugar para ir de compras.

1. Si no tienes mucho dinero es mejor comprar en ____________ porque...
2. Si necesito comprar muchas cosas a la vez en un solo lugar voy al ____________ porque...
3. Cuando necesito comprar ropa de deporte voy a ____________ porque...
4. Para comprar ropa para una fiesta generalmente voy a ____________ porque...
5. Cuando necesito algo específico que no encuentro en el centro comercial compro en ____________ porque...

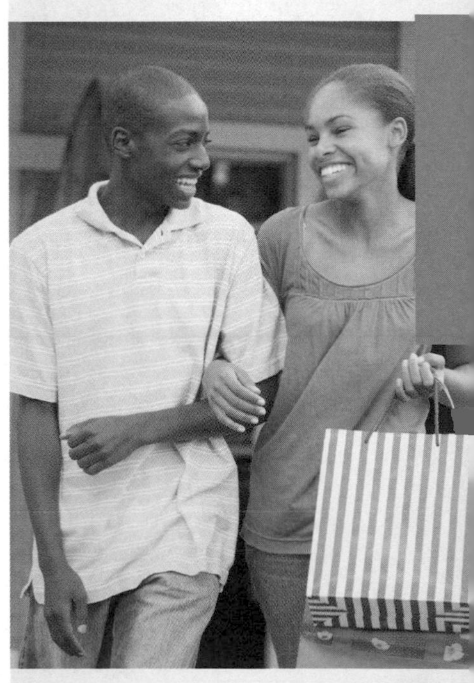

Observa 3

Los adjetivos demostrativos

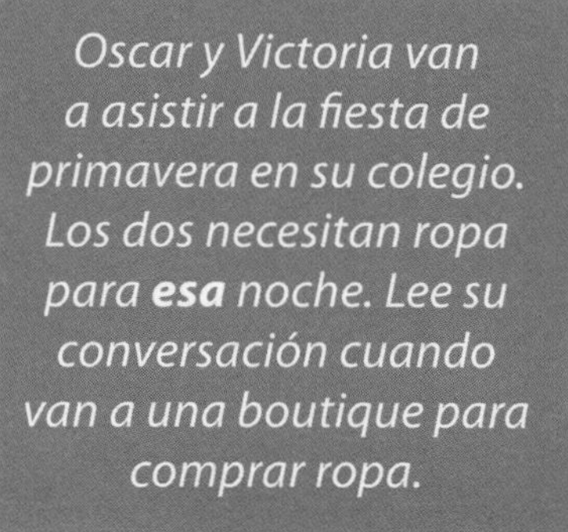

Victoria: *¡Hola Oscar! ¿Vas a la fiesta* ***este*** *fin de semana?*

Oscar: *No estoy seguro, no tengo nada que ponerme.*

Victoria: *Yo tampoco Oscar. ¡Vamos a comprar ropa en* ***aquella*** *nueva boutique del centro!*

Oscar: *¡Qué buena idea! Yo tengo dinero que ahorré porque no gasté nada el mes pasado.*

Al día siguiente en la boutique…

Victoria: *¡Ahhh! ¡Oscar! ¡**Esta** ropa está muy linda!*

Oscar: *Sí, y no parece tan cara. Mira* ***estos*** *pantalones que están* ***aquí****, son muy modernos, ¿no crees?*

Victoria: *Mmmm, sí… están chéveres y son de tu estilo. ¿Te los quieres probar?*

Oscar: *Sí, sí quiero… y mira Victoria* ***aquella*** *camisa que está* ***allá****, la amarilla a cuadros, ¿crees que combina?*

Victoria: *Creo que sí, café y amarillo combinan bien. ¿Y qué piensas de* ***esos*** *pantalones anaranjados, los que están* ***allí*** *junto a la camisa a cuadros?*

Oscar: *… No sé Victoria, creo que* ***ese*** *anaranjado es un color muy fuerte. Me voy a probar los pantalones café y la camisa a cuadros.*

Victoria: *Bueno Oscar, ahora es mi turno. ¿Qué te parece* ***este*** *vestido negro?, ¿o mejor* ***esta*** *falda larga que está* ***aquí*** *con* ***esta*** *blusa de rayas?*

Oscar: *Me gusta más el vestido negro y creo que combina bien con* ***aquellos*** *zapatos.*

Victoria: *Sí, tienes razón. ¡Vamos a probarnos la ropa!*

¿Qué observas?

1. What do you notice about the vocabulary they used to talk about where things are located?
2. What do you think "**esta, aquellos, esos**" mean?
3. What do you think "**aquí, allá, allí**" mean?
4. Can you figure out which ones go together?

Actividad 11

¿Combina esta ropa?

Paso 1: Mirar y anotar

Mira el siguiente video de un desfile de modas en Perú. Toda la ropa es de modistas peruanos. Marca en la lista la ropa que ves.

	sí veo	no veo
1. un vestido corto morado	☐	☐
2. un pantalón negro corto y una blusa amarilla	☐	☐
3. un vestido rojo largo	☐	☐
4. un pantalón blanco y exagerado	☐	☐
5. una falda larga verde y una blusa rosada	☐	☐
6. un vestido corto rojo con zapatos blancos	☐	☐
7. unos pantalones cortos azules y una blusa blanca	☐	☐
8. un vestido-pantalón blanco y rosado	☐	☐

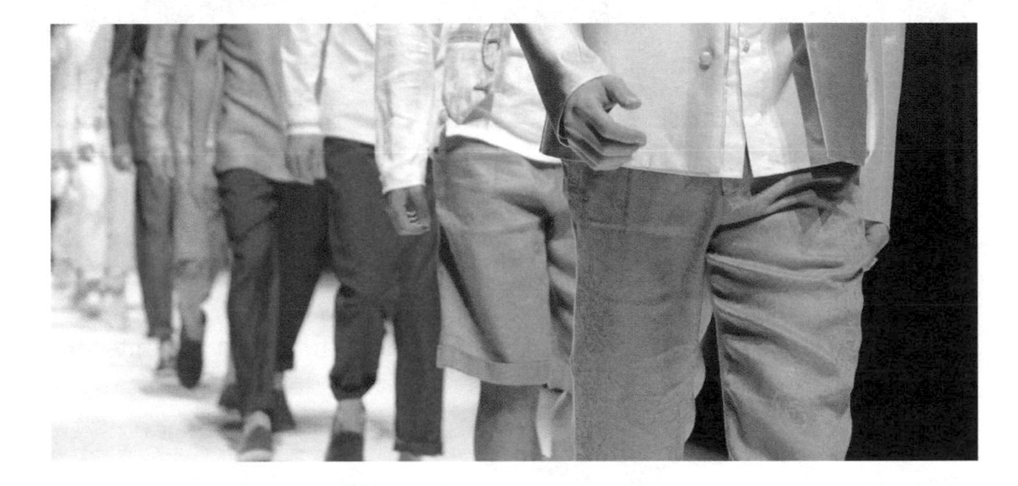

Enfoque cultural

Práctica cultural: Variedad lingüística

En español hay distintas maneras de llamar a una chaqueta.

- la casaca (Perú)
- la chamarra (México)
- la chompa (Ecuador)
- la campera (Argentina)

Conexiones

Can you think of any examples like this for clothing words in English?

¿Te acuerdas?

la blusa
las botas
la camisa
la camiseta
la falda
los *jeans*
los pantalones
los pantalones cortos
las sandalias
el traje de baño
el vestido
los zapatos

¿Te acuerdas?

amarillo/a
anaranjado/a
azul
blanco/a
café; marrón
morado/a
negro/a
rojo/a
rosado/a
verde

Expresiones útiles

No combina - It doesn't match

Combina bien - It matches well

¿Te acuerdas?

grande

pequeño/a

Además se dice

a cuadros - plaid, checked

a rayas - striped

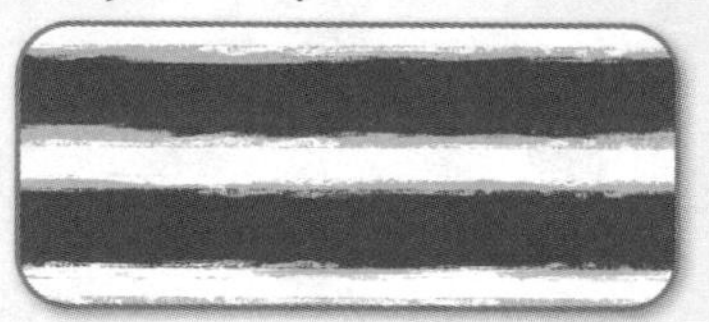

corto/a - short

de flores - flowered

de puntos/bolitas - polka dots

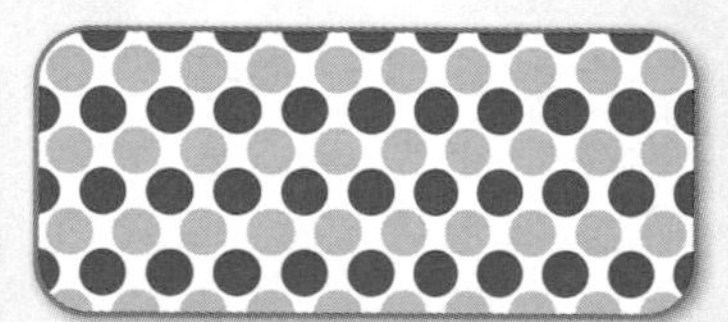

largo/a - long

Paso 2: Conversar

Con un/a compañero/a miren las siguientes imágenes. Túrnense para:

a. Describir la ropa de las personas y decir si combina o no.

b. Si no combina, describan una combinación mejor.

Sí combina ☐ No combina ☐

Sí combina ☐ No combina ☐

Sí combina ☐ No combina ☐

Sí combina ☐ No combina ☐

Paso 3: Dibujar y escribir

Usa el siguiente diagrama para dibujar y escribir sobre la ropa que usas en diferentes ocasiones.

Modelo

Para ir a __________, llevo/uso/me pongo __________.

Ropa para una cena elegante	Ropa para una fiesta de disfraces
Ropa para la playa	**Ropa para la montaña**

Actividad 12

¿Qué quiere comprar usted?

Paso 1: Imaginar y escribir

Para cada situación, imagina qué necesita comprar el cliente para la ocasión y contesta a las siguientes preguntas.

- *Escenario A:* Sofía tiene una competencia de atletismo este fin de semana.
- *Escenario B:* Su hermana Lucía tiene práctica de vóleibol con su equipo del colegio.

1. ¿Adónde va de compras?
2. ¿Qué responde al vendedor cuando le pregunta, "¿En qué le puedo servir?"
3. Si no tiene la ropa que quiere, ¿qué más puede preguntar?
4. La tienda tiene la ropa perfecta. ¿Qué le dice al vendedor?

Así se dice 6: Para ir de compras

Al entrar en la tienda:

¿En qué le puedo servir?

Quisiera comprar…

Al buscar algo específico:

Busco/Necesito…

¿Tiene ese/a (esos, esas)… en color…?

Al final de las compras:

Bueno, voy a comprar (lo/la/los/las).

No sé, voy a pensarlo

Recuerda: Pronombres de objeto directo con verbos en el infinitivo

To refer to a noun already mentioned, you can use **direct object pronouns** instead of naming the object again. The direct object pronoun can go before the verb or can be attached to the end of the verb in the infinitive form. For example, to respond to the following question from a salesperson, "¿Va a comprar los zapatos?" you could respond:

- No, nos **los** voy a comprar. **or** No, no voy a comprar**los**.
- Sí, **los** voy a comprar. **or** Sí, gracias, voy a comprar**los**.

¿Te acuerdas?

¿Le gusta este…?

Sí, me gusta mucho.

Es lindo/bonito/hermoso.

No, no me gusta. Es feo.

Detalle gramatical: Pronombres de objeto indirecto con verbos en el infinitivo

To refer to a person (recipient of the action) who's already been mentioned, you can use **indirect object pronouns**. The indirect object pronoun can go before the verb or can be attached to the end of the verb in the infinitive form. For example, this question from a salesperson that appears in **Así se dice 6** can be:

- ¿En qué puedo servir**le**? **or**
- ¿En qué **le** puedo servir?

Other examples with an indirect object pronoun would be:

- ¿Qué vas a comprar**le** a tu amiga para su cumpleaños?
- **Le** voy a comprar un suéter nuevo.

Paso 2: Presentar

Prepara una dramatización sobre una visita a una tienda de artículos deportivos.

a. Primero contesta a estas preguntas:

   1. ¿Qué deporte vas a jugar?
   2. ¿Qué tipo de ropa o zapatos buscas?
   3. ¿Qué estilos o colores prefieres?

b. Mira las imágenes. Para cada imagen, imagina que entras en la tienda y ves esa ropa o esos zapatos. ¿Qué te parece?

c. Con un/a compañero/a preparen dos diálogos. Túrnense para ser el vendedor y el cliente.

d. En los dos diálogos, usen los pronombres demostrativos de **Observa 3** para referirse a la ropa de las imágenes. Usen las expresiones de **Así se dice 6** y las de **¿Te acuerdas?**

Modelo

Estudiante A:	Buenas tardes señorita, ¿en qué le puedo servir?
Estudiante B:	Necesito un par de zapatos para correr.
Estudiante A:	¿Le gustan esos zapatos amarillos?
Estudiante B:	No, pero me gustan esos zapatos verdes.

Observa 4

Los pronombres de complemento indirecto

¡Buenas tardes!
*¿En qué **le** puedo servir?*

Busco un traje elegante para una boda.
*¿**Me** puede ayudar?*

*Claro que sí **le** ayudo con mucho gusto. ¿Quisiera usted unos pantalones negros también?*

*Puede ser, sí. Parece que ustedes tienen una buena selección de ropa masculina. Voy a comprar**me** esa camisa también.*

***Nos** da mucho placer ayudarle en sus compras. ¡Aquí tiene usted unas lindas opciones!*

¿Qué observas?

1. What do you notice about the words in bold: **me, le, nos,** ? What do you think they mean?
2. Where do these words appear in the sentence in relation to the verb?
3. What do you notice is different when the verb is in the infinitive, like what happens in the last line of Paul's conversation?

Así se dice 7: Los precios

ahorrar

barato/a

caro/a

el descuento

la ganga

gastar

las ofertas

tarjeta de crédito

¿Te acuerdas?

¿cuánto cuesta(n)?

pagar

Actividad 13

¿Cuánto vas a gastar?

Paso 1A: Escuchar y seleccionar

Mira la lista de palabras de **Así se dice 7;** vas a escuchar a nuestros amigos peruanos hablar sobre las compras de este fin de semana. Selecciona una foto para cada descripción.

a. ____________

b. ____________

c. ____________

d. ____________

e. ____________

f. ____________

g. ____________

h. ____________

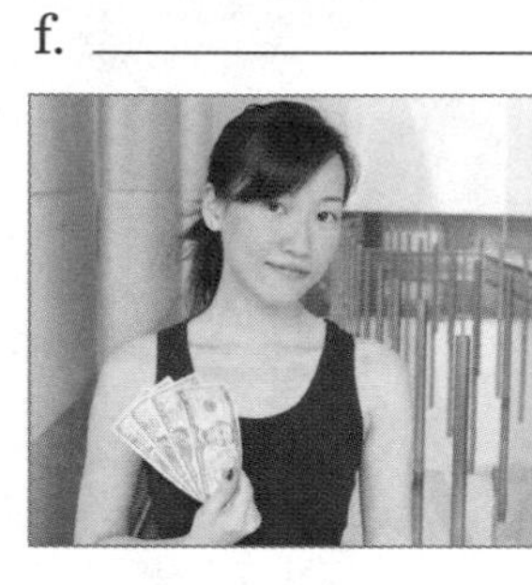

i. ____________

Enfoque cultural

Práctica cultural: "Cuesta un ojo de la cara"

En español, en algunos países se usa la expresión "cuesta un ojo de la cara" para decir que algo es muy caro.

Conexiones

What are some expressions that you use to say that something is very expensive?

Enfoque cultural

Producto cultural: Los soles

En Perú se usa el nuevo sol, llamado normalmente soles. El símbolo para un precio en soles es S/. Hay personas y sitios famosos en los billetes, como **José Abelardo Quiñones Gonzáles** (1914–1941), un piloto militar famoso y héroe nacional.

  **Conexiones**

In your experience, what does it feel like to use a different currency to shop? If you hadn't done this before, what do you think it would be like? Why do you think the name of Peru's currency is called *soles*?

 Paso 1B: Escuchar e identificar

Ahora escucha otra vez a nuestros amigos peruanos e identifica las palabras del vocabulario de **Así se dice 7**.

  Paso 2: Leer y elegir

Lee las siguientes descripciones y empareja la descripción con la palabra correspondiente.

1. oferta	a. un precio más barato
2. ganga	b. poner dinero en el banco
3. ahorrar	c. precio muchísimo más bajo de lo normal
4. gastar	d. reducción de un porcentaje del precio normal
5. descuento	e. usar dinero para comprar cosas
6. caro/a	f. las cosas que no cuestan mucho
7. tarjeta de crédito	g. dar dinero a cambio de un artículo o trabajo
8. barato/a	h. las cosas que cuestan mucho
9. pagar	i. dinero de plástico

Además se dice

las chanclas - flip flops

las gafas de sol - sunglasses

Paso 3A: Mirar y conversar

Una nueva tienda tiene descuentos. Mira el siguiente catálogo y decide qué puedes comprar con los 300 soles que sacaste del cajero automático en tu visita a Perú.

DESCUENTOS DE PRIMAVERA

¡Ven con tus amigos a comprar para tus vacaciones del verano!

Trajes de baño para hombre y mujer ANTES S/. 89.90

Pantalones cortos de deporte ANTES S/. 79.90

Vestidos de verano ANTES S/. 109.90

Pantalones cortos de hombre ANTES S/. 79.90

Gorras para el sol y sombreros ANTES S/. 54.90

Camisetas de diferentes colores ANTES S/. 49.90

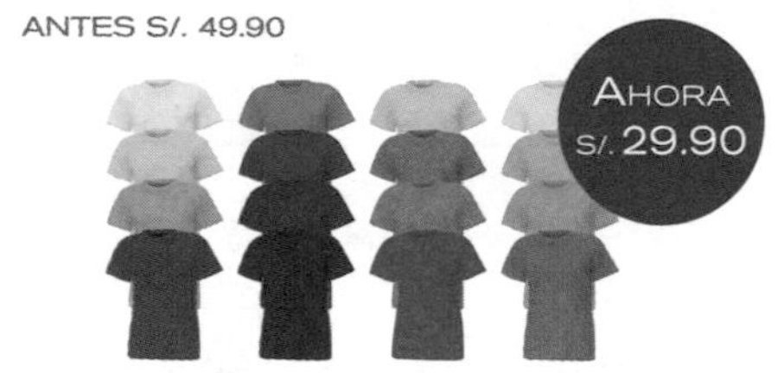

Zapatos casuales para hombre y mujer ANTES S/. 120.00

Chanclas y gafas para el sol PRECIO ORIGINAL S/. 75.90

a. Mira el catálogo otra vez y haz una lista de la ropa que quieres comprar y cuánto dinero vas a gastar en total.

b. Con un/a compañero/a, hablen sobre lo que compraron y cuánto gastó cada uno. ¿Quién gastó más? ¿Compraron las mismas cosas?

Paso 3B: Escuchar y contestar

Asunción, Iñigo y Carla tienen 100 dólares cada uno. Ellos van a comprar ropa en un almacén peruano que tiene descuentos. El tipo de cambio hoy día es 3.29 soles por 1 dólar. Por lo tanto ellos tienen 329.00 soles

a. Escucha lo que estos chicos compraron con los cien dólares (S/. 329 soles).

b. Anota los precios que mencionan.

c. Contesta a las preguntas sobre cada persona. Usa el vocabulario de **Así se dice 7**.

1. ¿Qué compró?
2. ¿Cuánto gastó?
3. ¿Cuánto dinero tiene ahora para guardar?
4. ¿Crees que gastó bien el dinero?

Modelo

Pedro compró gafas de sol y una gorra. Él gastó S/.78.85 soles o $ 23.96 dólares. Todavía tiene S/. 250,15 soles o $ 76,033 para guardar.

¿Te acuerdas?

10 - diez

20 - veinte

30 - treinta

40 - cuarenta

50 - cincuenta

60 - sesenta

70 - setenta

80 - ochenta

90 - noventa

100 - cien

200 - doscientos

300 - trescientos

Mi progreso comunicativo

I can exchange information about prices and discounts on different items.

Expresiones útiles

¿Acepta(n) tarjeta de crédito? - Do you/they accept credit cards?

Cuesta(n) demasiado. - It costs/They cost too much.

Está(n) en rebaja. - It's/They are on sale.

¿Puedo pagar con...? - Can I pay with...?

Solo cuesta(n)... - It/They only costs...

Además se dice: Para pagar

con un cheque - with a check

con cupones - with coupons

con tarjeta de crédito/ débito - with a credit/debit card

en efectivo - cash

Paso 4A: Hablar

Mira el dibujo y habla con un/a compañero/a sobre la ropa y los precios de venta.

a. Preparen un diálogo corto sobre cuánto cuesta la ropa y si hay descuentos.

b. Usen los pronombres demostrativos para referirse a la ropa y para preguntar el precio.

c. Decidan qué ropa van a comprar y digan cómo la van a pagar.

Modelo

Estudiante A: ¿Te gusta **aquella** camiseta amarilla?

Estudiante B: Si, me gusta, pero es muy cara. Mira **esta** camisa es más barata y la tienen en muchos colores.

Paso 4B: Compartir

Explica que pasó en la tienda. Usa el vocabulario de **Así se dice 7**.

1. ¿Qué compraste?
2. ¿Cuánto pagaste?
3. ¿Cuánto fue el descuento?
4. ¿Cuánto ahorraste?

Modelo

Busqué... Encontré... Gasté... Ahorré...

Actividad 14

¿Cuál desea?

Paso 1: Mirar y contestar

Dos chicas argentinas salen de compras a un almacén de ropa. Mira el video y contesta a las siguientes preguntas de comprensión.

1. ¿Qué ropa van a comprar las chicas en la tienda?
   a. shorts y camisetas b. chaquetas y jeans c. trajes de baño d. bufandas y abrigos
2. La chaqueta que encontró una de las chicas cuesta
   a. 1900 pesos b. 900 pesos c. 90 pesos d. 190 pesos
3. ¿Tiene descuento la chaqueta?
   a. sí b. no

4. ¿Qué está de oferta en el almacén?
   a. zapatos b. jeans c. bufandas d. cinturones
5. Las chicas pueden pagar la ropa con:
   a. cheque b. tarjeta de crédito c. efectivo d. b y c
6. La chica busca jeans color
   a. azul oscuro b. azul claro c. negros d. grises
7. La chica es talla 34 en Sudamérica. ¿Qué talla crees que es la talla 34 en los Estados Unidos?
   a. S b. M c. L d. XL

Paso 2: Presentar

En grupos de tres, van a presentar un mini diálogo en el cual van de compras a una tienda.

a. Preparen el diálogo de acuerdo a las instrucciones que les da su profesor/a.

b. Practiquen.

c. Presenten a la clase.

 Paso 3: Escribir

Con un/a compañero/a escriban una historia de cinco a ocho oraciones para describir lo que pasa en la siguiente tira cómica. Usen las siguientes preguntas como guía para contar su historia.

1. ¿Cómo se llama el chico? ¿Qué quiere comprar?
2. ¿Qué busca, pero no puede encontrar?
3. ¿Hay alguien que le ayuda? ¿Quién es?
4. ¿Qué compró al final el chico? ¿La ropa fue cara o barata? ¿Cómo pagó?

Actividad 15

¿Te gusta ir de compras?

  **Paso 1: Escuchar y analizar**

a. Escucha a Mateo y Lourdes explicar cómo y cuándo van de compras.

b. Anota los verbos reflexivos que usan. ¿Qué formas de los verbos usan en su conversación?

Mateo: *¿Te gusta ir de compras? A mí no me gusta mucho.*

Lourdes: *A mí tampoco, pero es más divertido cuando voy con amigas. Me dan recomendaciones de qué probarme y normalmente termino comprando mejor ropa.*

Mateo: *Es verdad. Si voy con mi hermano mayor también me recomienda qué comprar.*

Lourdes: *¿Te vistes igual que él, entonces?*

Mateo: *Sí, tenemos más o menos el mismo estilo. ¡A veces nos ponemos la misma ropa sin querer!*

Lourdes: *Mi amiga y yo llevamos la misma chaqueta y tenemos la misma cartera para ir de compras juntas, también. Pero no me molesta, es bonito.*

Mateo: *Mi problema en verdad es que me aburro un poco si voy de compras por mucho tiempo. No me pruebo muchas cosas, solo quiero ver lo que hay y salir rápidamente. ¿Y tú? Tienes paciencia para ir de compras por mucho tiempo?*

Lourdes: *Bueno, si estoy con amigas me pruebo más ropa porque ellas insisten, pero también estoy cansada después de unas horas. Me visto de manera casual normalmente entonces, ¡no necesito un montón de ropa nueva!*

Así se dice 8: En la tienda de ropa

Probarse la ropa

llevar

probarse (o → ue)

Las tallas

el probador

la talla

el tamaño (grande, pequeño, mediano)

En la tienda de ropa

¿Cuál es tu número (de zapatos)?

Está de moda/Está pasado de moda.

Le puedo traer otra talla.

Me gustaría probármelo.

(No) me queda bien/mal.

¿Te acuerdas?

ponerse

has a change "yo → go" Me pongo

vestirse (e → i)

Recuerda: Verbos reflexivos y verbos que cambian de raíz

Reflexive verbs, like a few of those in **Así se dice 8 "Probarse la ropa"**, need a reflexive pronoun (**me**, **te**, **se**, **nos**, **os**, **se**) in front of the conjugated verb. Note that ***probarse*** and ***vestirse*** are stem-changing reflexive verbs.

- ¿**Te** pruebas esta camisa?
- No, no **me** visto así normalmente.

Paso 2A: Leer y crear

Lee los consejos en un blog para tener éxito al ir de compras. Con un/a compañero/a, crea un póster con consejos para ir de compras.

CONSEJOS PARA IR DE COMPRAS

1. Antes de ir de compras, piensa si hay algo que realmente necesitas como algún par de *jeans* o algunas camisas. Escribe una lista o apúntala en tu teléfono.

2. Además, antes de ir de compras, piensa en las tiendas que tienes que visitar. Ten en mente[1] cuáles son las tiendas que les gustaría visitar a ti y a tus amigos y dónde hay **descuentos**.

3. Lleva suficiente dinero. Es mejor tener una cantidad exacta de dinero que sabes que puedes usar. **Ahorra** para ir de compras.

4. Planifica bien. Busca **descuentos** y **cupones** en línea primero antes de ir. Evita las horas y los días pico[2] para tener más tranquilidad y poder ver todas las opciones.

5. Llama a tus amigas. Invita a un grupo de dos a cuatro amigos/as para ir de compras. Pero si quieres concentrarte y **ahorrar** tiempo, es mejor ir solo/a.

6. Siempre compra con un objetivo en mente, nunca compres por impulso. Usa tu lista y no te dejes dominar por los impulsos del momento. Si encuentras algo en tu lista pero está **pasado de moda**, no lo compres.

7. Si **las tallas** que usas son difíciles de encontrar, búscalas cuando llega la nueva mercadería[3] a las tiendas. También pide ayuda al vendedor: ¿Qué talla es este/a...? o ¿tiene talla _____/zapatos número _____?

8. Al encontrar algo que te guste, dile al vendedor que te gustaría **probártelo**. Tómate unos minutos en **el probador** para mirarte en el espejo y caminar para estar seguro de tu decisión. Pregunta a un amigo o vendedor, "**¿Me queda bien?**" si quieres una opinión, pero al final haz tu propia decisión. Eres tú quien va a usar la ropa.

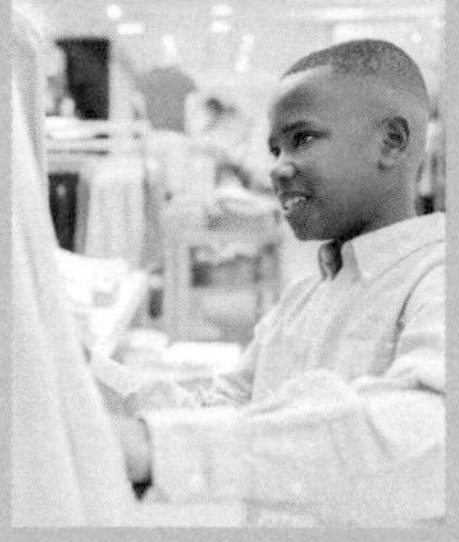

9. No compres ropa si **te queda** muy ajustada; busca **una talla** más grande para sentirte más cómodo/a. Pídele a tu vendedor/a los accesorios que quieres para complementar tu prenda o **una talla** o color diferente. Si te dice, "**Le puedo traer otra talla**", dile **la talla** que usas normalmente.

10. Nunca vayas de compras si tienes hambre, prisa o estás cansada. Es muy importante ir con energía y con ganas. De lo contrario pasan dos cosas: nos frustramos rápidamente o nos llevamos lo primero que encontramos sin pensarlo bien.

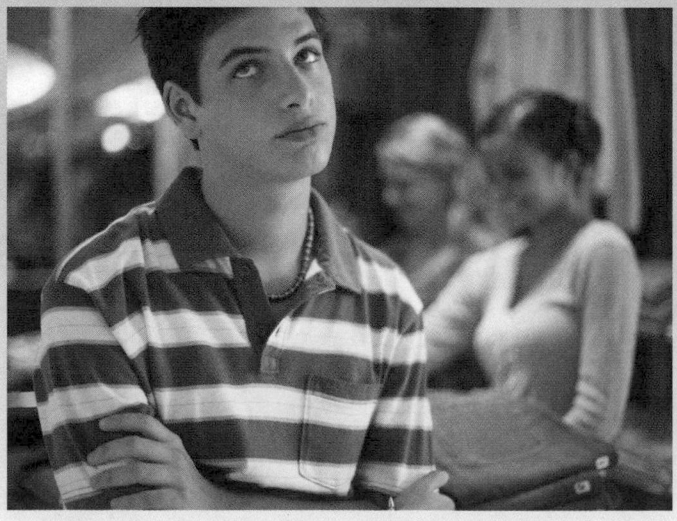

1. keep in mind 2. busiest days and times 3. merchandise

Paso 2B: Conversar

Con un/a compañero/a, revisa los consejos del blog según los diez hábitos de compra.

- ¿Para qué tipo de persona son estos consejos muy importantes?
- ¿Qué otros consejos quisieras dar a estas personas?

Modelo

Un consejo muy importante para una persona impulsiva es...

Paso 3: Imaginar

¿Qué dirías *(what would you say)* en estas situaciones? Usa el vocabulario de **Así se dice 8: En la tienda de ropa** para escribir una breve respuesta a cada situación.

1. Eres un/a vendedor/a. Un/a cliente busca unos zapatos nuevos.
2. Eres un/a cliente. Te interesa una camisa a rayas y quieres usar un probador.
3. Eres un/a cliente y vas de compras con amigos. Te pruebas unos *jeans* y no te gustan. Quieres decirle a tus amigos por qué no te gustan los *jeans*.
4. Eres un/a vendedor/a. Un/a cliente está en el probador pero la camisa que se probó no le queda muy bien.
5. Eres un/a cliente. Tu amiga se prueba un vestido de bolitas pero le parece del año pasado. Ella te pide tu opinión.

Detalle gramatical: Verbos como gustar

Other verbs follow the same pattern as gustar, where the pronoun shows who the verb applies to (me, te, le, nos, les) and the verb can be singular (-a ending) or plural (-an ending) to agree with the noun that follows.

- ¿**Le quedan** bien los zapatos, señorita?
- **Me quedan** bien, gracias. Pero esta camisa no **me queda** bien.

Enfoque cultural

Práctica cultural: El uso de "usted"

Ves que las expresiones incluidas aquí usan el registro formal **"usted"** cuando un vendedor habla con un cliente. En verdad el uso del registro formal depende del país, el lugar o quizás la edad *(age)* del cliente. A menudo, en Perú, escuchas que te tratan de "tú" en una tienda.

Conexiones

How do salespeople show more or less respect for shoppers where you live? Does it vary by the kind of store?

Paso 4: Conversar

Trabaja con un/a compañero/a para crear una dramatización sobre una visita al centro comercial, con una conversación sobre el proceso de seleccionar, probarse y comprar ropa.

a. Decidan quién es el vendedor y quién es el cliente.

b. Planifiquen qué busca el cliente y si va a encontrarlo o no.

c. Practiquen un breve diálogo entre el vendedor y cliente en la tienda. Usen el vocabulario de **Así se dice 8**.

Reflexión intercultural

1. What kind of language do we use to show respect even though English doesn't have a formal register like Spanish does?
2. How do salespeople in a store speak differently to customers of different ages?

Actividad 16

¿Cómo es diferente ir de compras en otro país?

Paso 1: Leer y conversar

Con un/a compañero/a, practica la siguiente conversación.

a. Túrnense para ser el/la vendedor/a y el/la cliente.

b. Al conversar, completen las partes que faltan. Hay más de una manera posible de completar cada parte. Refiéranse a las expresiones en **Así se dice 8** y las **expresiones útiles**.

Expresiones útiles para usar en una zapatería

Calzo (uso) 39. - I wear (use) a 39

¿Cómo le quedan esos zapatos? - How do those (shoes) fit?

¿En qué puedo servirle? - How can I help you?

Necesito un par de zapatos (botas). - I need a pair of shoes (boots).

No, me quedan apretados. - No, they are tight.

¿Qué número calza (usa) Ud.? - What size to you wear (use)?

Sí, me quedan bien. - Yes, they fit me well.

Enfoque cultural

Práctica cultural: Las tallas

En Latinoamérica y en Europa las tallas son distintas. Si vas a comprar ropa o zapatos en España o en Argentina, tienes que saber cuál es tu talla en estos países. Por ejemplo si en Estados Unidos tú calzas zapatos número 7 en Latinoamérica tienes que comprar zapatos número 37. Si tu talla de vestido es 8 en Europa vas a ser 38.

  **Conexiones**

How does it impact your shopping experience when there is a new system of measurement being used? Have you ever had this experience?

El diálogo	Qué expresión/expresiones puedes usar para:
Vendedor/a: Buenas tardes, señor(ita). ¿___(1)___? **Cliente:** ¡Hola! ___(2)___ un par de zapatillas para jugar baloncesto. ¿Tal vez ese par en verde y amarillo? **Vendedor/a:** Muy bien, bueno tenemos esos zapatos en varios números. ¿___(3)___? **Cliente:** ___(4)___. **Vendedor/a:** Aquí tiene, pruébese los zapatos… ¿___(5)___? **Cliente:** Sí, gracias, me quedan bien. ¿___(6)___? **Vendedor/a:** Cuestan ochenta soles.	1 - preguntar qué necesita 2 - expresar un deseo 3 - preguntarle su número 4 - darle tu número 5 - preguntar qué tal le queda ese número de zapatos 6 - preguntar el precio

Paso 2: Invitar

Invita a un/a amigo/a a ir de compras contigo en una tienda de zapatos que tiene un descuento.

a. Busca o inventa una buena oferta en una tienda de zapatos cerca de ti.

b. Anota la información clave: el lugar, los días del descuento, el precio original de los zapatos y el descuento.

c. Cuando llamas a tu amigo, no está. Déjale un mensaje de voz en el que mencionas:

- ¿Dónde y cuándo es la oferta?
- ¿Qué quieres comprar y cuánto cuesta?
- Invita a tu amigo/a a ir contigo

Detalle gramatical: La secuencia de los pronombres reflexivos y de objeto directo

Consider the examples below that incorporate both reflexive pronouns and direct object pronouns. ***Probarse*** is a reflexive verb so even when it is in the infinitive form, the reflexive pronoun must change to reflect the subject. Pay attention to the order of the pronouns in these examples where there are both reflexive pronouns and direct object pronouns - which comes first?

- ¿Quiere Ud. probar**se** esos pantalones?
- Sí, voy a probár**melos**. **or** Sí, **me los** voy a probar.
- !Mira, amiga! ¿Ya **te** probaste esta camisa?
- Sí ya **me la** probé.

Enfoque cultural

Práctica cultural: Devolver ropa

Tal vez cuando tú vas de compras, **devolver (o → ue)** *(to return)* es una parte frecuente del proceso. En Perú solo recientemente es posible devolver ropa o productos que compraste, pero las tiendas son muy estrictas. En Ecuador, devolver algo en un almacén es casi imposible. Hay letreros en los almacenes que dicen: "Salida la mercadería no se acepta devolución".

 **Conexiones**

What are reasons you return clothes? What are the rules or policies for making returns where you shop?

¿Te acuerdas?

la bicicleta de montaña

las botas

la botella de agua

los calcetines

las lentes de sol

la mochila

la toalla

el traje de baño

Además se dice

los artículos de buceo - diving equipment

los artículos de pesca - fishing equipment

la bolsa de dormir - sleeping bag

la carpa - tent

el chaleco salvavidas - life vest

las gafas para nadar - swim goggles

la linterna (eléctrica) - (electric) flashlight

el tanque de oxígeno - oxygen tank

 Paso 3: Contestar preguntas

Cuando vas de compras, necesitas poder entender y responder a los saludos y preguntas que te hacen los vendedores. Practica respondiendo a preguntas en la guía digital.

Actividad 17

¿Qué equipo necesitas para ir de aventura en Perú?

  Paso 1: Escuchar y emparejar

Estás en una tienda de equipo deportivo en Lima:

a. Escucha a varios clientes describir el equipo deportivo que buscan.

b. Empareja la descripción con la foto correspondiente.

A

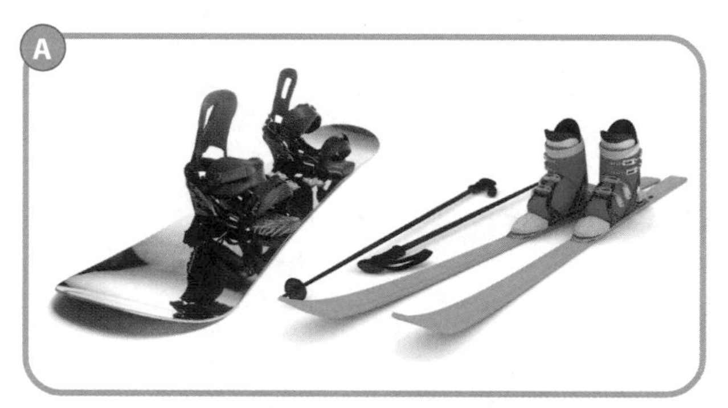

B

C

D

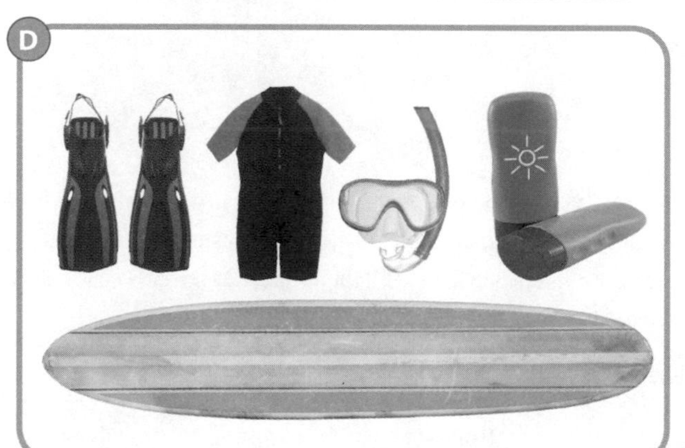

E

Enfoque cultural

Práctica cultural: Alquiler de equipo de aventura

Los precios del equipo que se usa en los deportes de aventura son tan caros que solamente las personas que lo hacen frecuentemente lo compran. Si alguien está de paseo y participa en cualquier deporte de aventura, hay la posibilidad de alquilar *(to rent)* este equipo. Hay tiendas especializadas en alquiler de equipo de aventura que además ofrecen cursos rápidos de entrenamiento y guías.

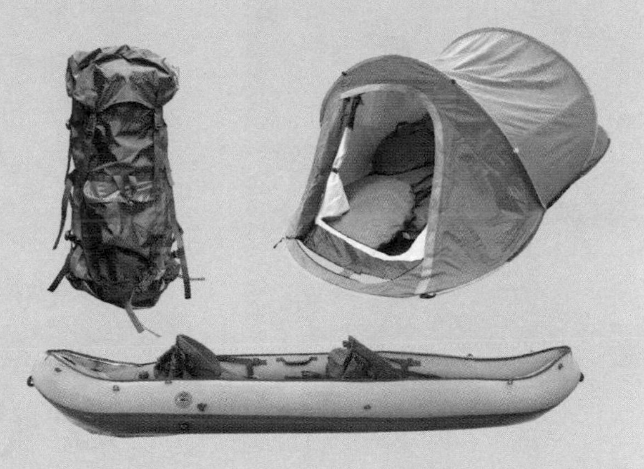

 **Conexiones**

Have you ever participated in outdoor adventures that required equipment? Did you purchase it or rent it? Why? Why do you think there are several rental stores for outdoor adventure equipment in Peru?

Así se dice 9: El equipo deportivo

alquilar

la brújula

el impermeable

la tabla de snowboard

los binoculares

la cámara

el kayak

la tabla de surf

el bloqueador solar

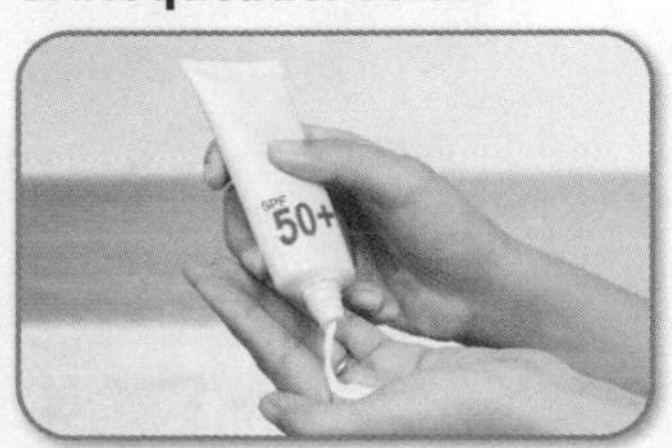

los esquís

los remos

el traje de buzo

Paso 2: Comparar

a. Observa los precios para alquilar o comprar equipo deportivo en Perú.

b. Investiga cuánto cuesta comprar o alquilar el mismo equipo donde vives. Compara los precios.

Alquilamos y vendemos equipo de deporte de aventura

bicicleta de montaña
UN DÍA - S/. 82
UNA SEMANA - S/. 523

brújula electrónica
UN DÍA - S/. 32

mochila de senderismo
UN DÍA - S/. 16
UNA SEMANA - S/. 114

botas para senderismo
UN DÍA - S/. 32

remos para kayaking
UN DÍA - S/. 10

kayak
UN DÍA - S/. 261

impermeable
UN DÍA S/. 23

bolsa de dormir
UN DÍA - S/. 39

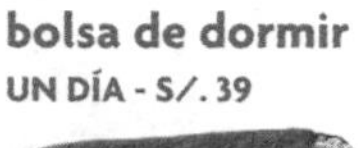

carpa para dos personas
UN DÍA - S/. 26

I can talk about how much items cost.

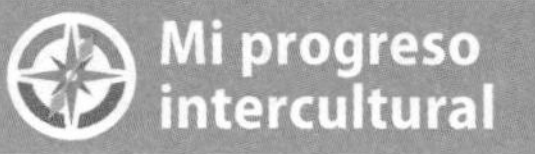

I can investigate prices in Peru and compare with prices for similar products where I live.

Ofertas de primavera

binoculares
S/. 103
NORMAL: S/. 130

cámara para deportes
S/. 2400

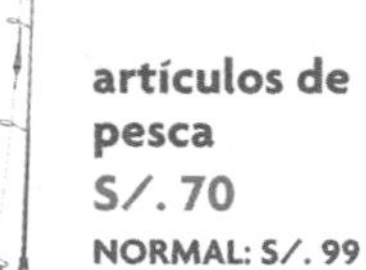

artículos de pesca
S/. 70
NORMAL: S/. 99

lentes de sol
30% DE DESCUENTO

trajes de baño
50% DE DESCUENTO

el bloqueador solar
S/. 33
30% DE DESCUENTO

Alquiler de equipo acuático

tabla de surf y traje de buzo
UN DÍA: S/. 50

tabla de surf
UN DÍA: S/. 50

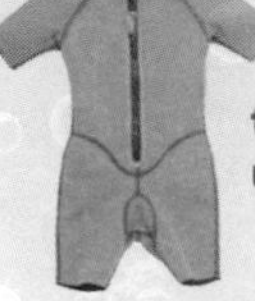

traje de buzo
UN DÍA: S/. 30

tanque de oxígeno
MEDIO DÍA: S/. 45

artículos de buceo
MEDIO DÍA: S/. 32

Paso 3: Conversar

Con un/a compañero/a, tomen turnos como el/la cliente o el/la vendedor/a en la tienda de equipo deportivo. El/la cliente busca algo que necesita para una aventura y el/la vendedor/a le ayuda al/a la cliente a comprar o alquilar lo que necesita. Incluye:

1. un saludo
2. el/la cliente debe describir lo que busca y para qué actividad lo necesita
3. el/la vendedor/a le ayuda al/a la cliente a encontrarlo y menciona el precio
4. el/la cliente reacciona al precio
5. el/la cliente, con la ayuda del/de la vendedor/a, paga por sus compras
6. una despedida

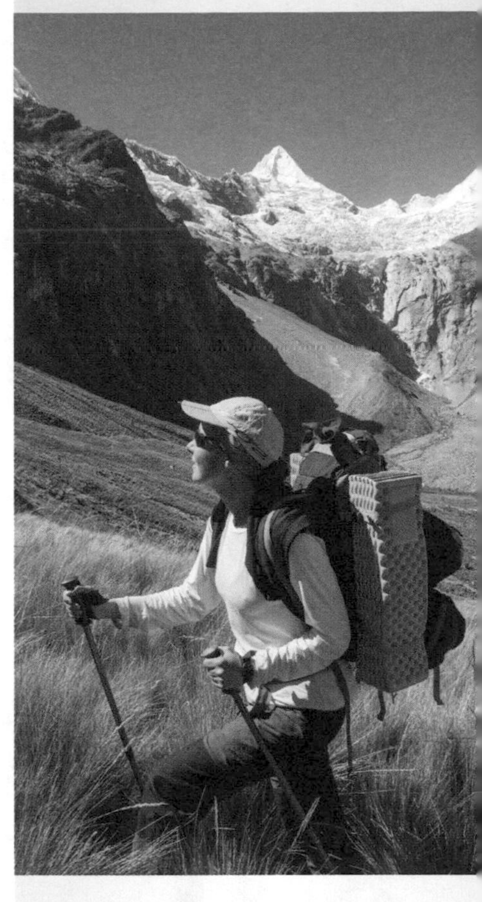

¡Prepárate!

a. Escucha mientras tus amigos describen las aventuras que van a hacer en Perú.

b. Diles qué equipo deportivo deben comprar o alquilar.

Modelo

Estudiante A: Voy al Parque Nacional Huascarán para observar a los guacamayos y hacer trekking.

Estudiante B: Debes comprar unos binoculares, unas botas para caminar, unas gafas de sol y una mochila para trekking.

Observa 5

Los pronombres de complemento directo e indirecto

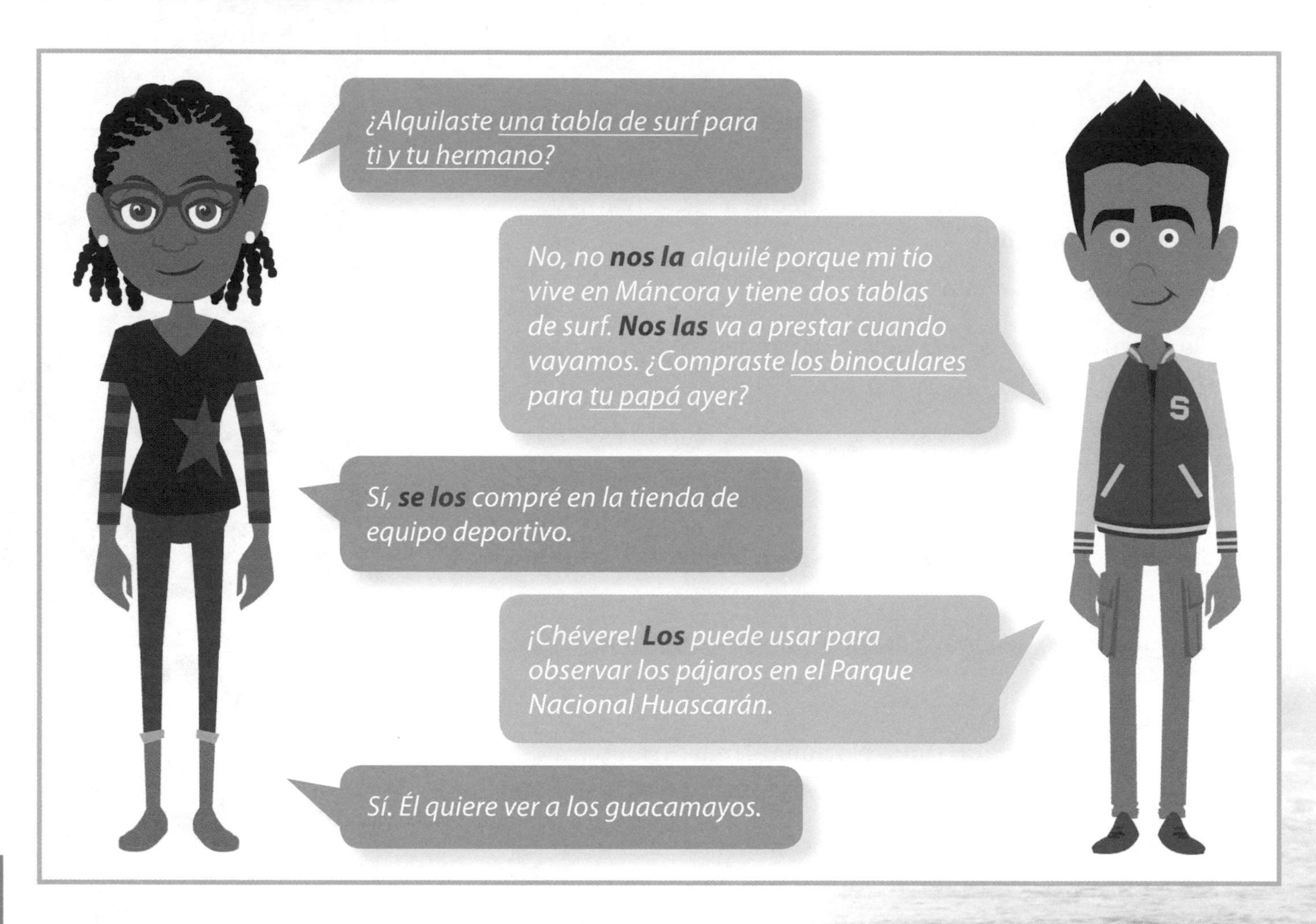

¿Qué observas?

So far you have seen direct object pronouns and indirect object pronouns by themselves.

1. What do you notice about the order of pronouns in the conversation?
2. What do you notice about what happens to the indirect object pronoun **le** when it is followed by **los** in the dialogue?

Actividad 18

¿Para quién lo compraste?

  Paso 1: Escuchar y emparejar

Los padres de Yarima van a celebrar su aniversario el fin de semana que viene en Lima con su familia y después sus padres van a hacer un viaje aventurero por Perú.

a. Escucha mientras Yarima y Jorge hablan en la tienda de equipo deportivo sobre los artículos que ella compró o alquiló para sus padres.

b. Anota los artículos que ella alquiló y los que compró y para quién.

Paso 2A: Leer

En este correo, la abuela de Yarima describe los regalos que les compró a los padres de Yarima para celebrar su aniversario. Lee para saber qué compró.

Para: Yarima
Asunto: ¡Hola!

Querida Yarima,

Estoy muy emocionada porque vamos a celebrar el aniversario de tus padres en Lima el sábado. Como sabes, ellos van a Arequipa durante su viaje y quieren hacer una aventura de kayaking y escalar en las rocas famosas de Arequipa. Por eso, compré una expedición de kayaking por un día entero en el río Chili para ellos. También les **alquilé** un kayak doble y dos **remos**. Compré unas botas de senderismo para tu mamá. No sabía qué número calza tu papá para comprarle unas botas, pero le compré una tarjeta de regalo para que se compre unas botas que le queden bien. Compré **una brújula** para tu papá porque creo que la va a necesitar en su excursión de senderismo en Huascarán. Tu mamá me dijo que necesitaba un nuevo **impermeable** entonces se lo compré también.

Bueno, nos vemos el sábado para la fiesta. Déjame saber si necesitas algo más.

Besos,

Buelita

Recuerda: Pronombres de complemento directo e indirecto

The **direct object** is the noun that receives the action of the verb.

A **direct object pronoun** takes the place of the direct object in a sentence.

Direct object pronouns:

me, te, lo/la, nos, *os*, los/las

Mi mamá compró los zapatos para mí.

Mi mamá **los** compró para mí.

The **indirect object** is to whom or for whom an action is completed.

An **indirect object pronoun** takes the place of the indirect object in a sentence.

Indirect object pronouns:

me, te, le, nos, *os*, les

Yo compré una chaqueta para Eliana.

Yo **le** compré una chaqueta.

Paso 2B: Responder

Juana, la hermana de Yarima, quiere saber qué compró la abuela para sus padres.

a. Lee los mensajes de texto que Juana escribió.

b. Responde a cada texto con una oración completa según la información del correo electrónico de la abuela.

¿Compró Buelita la excursión de kayaking para mamá y papá?

¿Alquiló el kayak y los remos para ellos también?

¿Compró las botas de senderismo para mamá?

¿Compró las botas de senderismo para papá?

¿Compró una brújula para papá?

¿Compró un impermeable para mamá?

Paso 3: Conversar

Con un/a compañero/a, tomen turnos para hacer preguntas sobre sus compras y responder usando los objetos de complemento directo e indirecto.

Modelo

Estudiante A: ¿Compraste los zapatos para tu mamá?

Estudiante B: Sí, **se los** compré en la zapatería.

Estudiante A	Estudiante B
/ para Elena	/ para nosotros
/ para mí	/ para mí
/ para ti	/ para tu mamá
/ para Marco y Juan	/ para los niños

En camino B

Aprovechando una oferta especial

El fin de semana que viene habrá una oferta especial en varias tiendas del centro comercial. Investiga las ofertas, planea tus compras y participa en una mini-dramatización para hacer las compras y aprovechar las ofertas.

Paso 1: Investigar las ofertas

a. Observa los catálogos de ofertas en la guía digital de varios almacenes en el centro comercial en Lima, Perú. ¿Cuáles de las ofertas te interesan?

b. Haz una lista de artículos que quieres comprar y cuánto cuestan. Planea cuánto dinero necesitas cuando vas de compras.

Paso 2: Describir las ofertas e invitar a tu amigo/a

Tu amigo/a te llamó para hacer planes para el sábado. Como tú quieres ir al centro comercial para aprovechar todas las gangas, lo llamas de nuevo, pero no está. Déjale un mensaje de voz en que mencionas:

- dónde y cuándo es la oferta,
- qué quieres comprar y cuánto cuesta,
- invita a tu amigo/a a ir contigo.

Paso 3: Hacer las compras

Es el día de la oferta y vas al centro comercial con tu amigo/a. Mientras hacen las compras ocurren varias cosas que influyen en lo que compran y el precio. Con un/a compañero/a, lean las diferentes situaciones en la guía digital y prepárense para presentarlas a la clase.

Síntesis de gramática

Direct Object Pronouns

The direct object answers the question **who** or **what**.

Yo compro **un vestido**
what do I buy?
un vestido ⟶ direct object

Mis padres vieron a **Juan**
who do they see?
Juan ⟶ direct object

Spanish uses direct object pronouns to replace the object and avoid repetition in the sentences.

me	nos
te	*os*
lo/la	los/las

Direct Object Pronouns and Indirect Object Pronouns Together in a Sentence

When you have both pronouns together in a sentence, there are certain rules you have to remember.

- Always remember that the **Indirect Object Pronoun (IOP)** goes before the **Direct Object Pronoun (DOP)**.

Modelo

Mi mamá **me** compra **los pantalones**.
Mi mama **me los** compra.

- If the sentence has both **DOP** and **IOP** and both of them are third person, the IOP changes from **le** to **se**.

Modelo

Yo **le** doy el vestido a Elsa.
Yo **se lo** doy.

Carlos **les** compra los boletos a sus padres.
Carlos **se los** compra.

Indirect Object Pronouns

The indirect object answers the question **for whom** or **to whom**.

Yo compro **un vestido** para **mi hermana**.
for whom do I buy the dress?
para mi hermana ⟶ indirect object

Mandé un mensaje de texto a **Sebastián**.
to whom was the text message sent?
to Sebastián ⟶ indirect object

Spanish uses indirect object pronouns to replace the indirect object and avoid repetition in the sentences.

me	nos
te	*os*
le (se)	les (se)

Modelo

Yo mandé un mensaje de texto a **Sebastián**.
Yo **le** mandé un mensaje de texto a **Sebastián**.

Note: When using the pronoun **le** or **les**, you have to specify who the **le** is at the end of the sentence, because these pronouns have no gender.

Demonstrative Adjectives

este/estos esta/estas: this/these

ese/esos esa/esas: that/those

aquel/aquellos aquella/aquellas: that one over there/those ones over there

Reflexive Verbs and Direct Object Pronouns Together in a Sentence

- If there is both a **Direct Object Pronoun (DOP)** and a **reflexive pronoun** in a sentence, the reflexive pronoun **always** goes in front of the **DOP**.

Modelo

Yo **me** pongo **la chaqueta** en invierno.
Yo **me la** pongo.

Vocabulario

Así se dice 5: Las tiendas

el almacén - the general store
la boutique - the boutique
comprar en línea - to buy online
el mercado de pulgas - flea market
la tienda de equipo deportivo - sports equipment shop

Expresiones útiles

Combina bien - It matches well
No combina - it does not match

Así se dice 6: Para ir de compras:

Al entrar en la tienda:
¿En qué le puedo servir? - How can I help you?
Quisiera comprar... - I would like to buy...

Al buscar algo específico:
Busco/Necesito... - I am looking for/I need...
¿Tiene ese/a... en color...? - Do you have that... in... color?

Al final de las compras:
Bueno, voy a comprarlo (las/los/las) - OK, I am going to buy it/them
No sé, voy a pensarlo - I don't know, I am going to think about it

Así se dice 7: Los precios

ahorrar - to save
barato/a - cheap; inexpensive
caro/a - expensive
el descuento - discount
la ganga - the bargain
gastar - to spend
las ofertas - the offers
las tarjetas de crédito - credit cards

Así se dice 8: En la tienda de ropa

Probarse la ropa:
llevar - to wear
probarse (o ⟶ ue) - to try on

Las tallas:
el probador - fitting room
la talla - size; number
el tamaño (pequeño, mediano, grande) - size (small, medium, large)

En la tienda de ropa:
¿Cuál es tu número (de zapatos)? - What is your shoe size?
Está de moda/Está pasado de moda - It's in fashion/It is out of fashion
Le puedo traer otra talla - I can bring you another size
Me gustaría probármelo - I would like to try it on
(No) me queda bien/mal - It does/doesn't fit well

Así dice 9: El equipo deportivo

alquilar - to rent
los binoculares - binoculars
el bloqueador solar - sunblock
la brújula - compass
la cámara - camera
los esquís - skis
el impermeable - raincoat
el kayak- kayak
los remos - oars
la tabla de snowboard - snowboard
la tabla de surf - surfboard
el traje de buzo - wetsuit; diving suit

Expresiones útiles en una zapatería

Calzo (uso) 39 - I wear (use) 39
¿Cómo le quedan esos zapatos? - How do those shoes fit you?
¿En qué puedo servirle? - How can I help you?
Necesito un par de zapatos (botas) - I need a pair of shoes (boots)
No, me quedan apretados - No, they are tight
¿Qué número calza (usa) Ud.? - Which is your shoe size?
Sí, me quedan bien - Yes, they fit well.

Expresiones útiles

¿Aceptan tarjeta de crédito? - Do you accept credit cards?
Cuesta(n) demasiado. - It costs too much.
Está(n) en rebaja. - It's/They are on sale.
¿Puedo pagar con...? - Can I pay with...?
Solo cuesta(n)... - It only costs...

Vive entre culturas

Una aventura en Perú

Pregunta esencial: What outdoor experiences can young people have in Peru?

Durante las vacaciones de primavera, tú, junto con otros estudiantes del club de español, van a viajar a Perú para participar en una aventura. Vas a leer un folleto con información sobre los diferentes deportes de aventura y también vas a ver un video que muestra dónde tienen lugar estos deportes en el Perú.

Bruno hizo este viaje el año pasado y ahora tú lo vas a hacer. Pon atención a los deportes, dónde tienen lugar y el equipo que se necesita para hacer cada deporte.

bicicleta de montaña

Equipo básico: bicicleta de montaña y casco.

Lugar: los Andes, caminos de la sierra, playas montañas, quebradas

senderismo/trekking

Equipo básico: botas para senderismo

Lugar: senderos en la sierra, senderos precolombinos, cordillera Blanca, ríos, lagos, Machu Picchu

Interpretive Assessment

Paso 1: Mirar y leer

a. Mira un video y lee información que describe cada imagen en el folleto sobre las actividades de ocio y los deportes de aventura que son populares en el Perú.

b. Completa un formulario de participación para indicar tus tres opciones en orden de preferencia entre los deportes de aventura que leíste. Incluye dónde tiene lugar la aventura, el equipo que vas a necesitar, y por qué elegiste cada deporte.

surfing

Equipo básico: tabla de surf

Lugar: playas de la costa del Perú

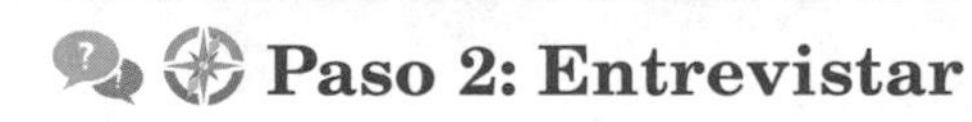

Interpersonal Assessment

Paso 2: Entrevistar

Vas a ser parte de un equipo de cuatro "aventureros" que van a participar en algunas de estas actividades. Necesitas entrevistar al menos a tres compañeros de clase para aprender qué actividades les interesan hacer para formar tu equipo. Usa las siguientes preguntas en la entrevista.

1. ¿En qué deportes te gustaría participar?
2. ¿En qué deportes de aventura participaste en el pasado?
3. ¿Qué deportes hacías cuando eras niño?
4. ¿Qué equipo tienes en casa para hacer...?
5. ¿Qué equipo tienes que comprar para participar en...?

Presentational Assessment

Paso 3: Compartir

Ya regresaste de tu viaje a Perú, y quieres compartir tus muchas aventuras en esos lugares increíbles.

Utiliza tecnología para hacer una presentación y contar de nuevo quién estaba en tu equipo y lo que hicieron en el viaje de deportes de aventura.

a. Usa verbos regulares e irregulares en el pretérito y en el imperfecto.
b. Incluye pronombres de complemento directo e indirecto.

sandboarding

Equipo básico: tabla para hacer sandboarding

Lugar: dunas y desiertos del Perú

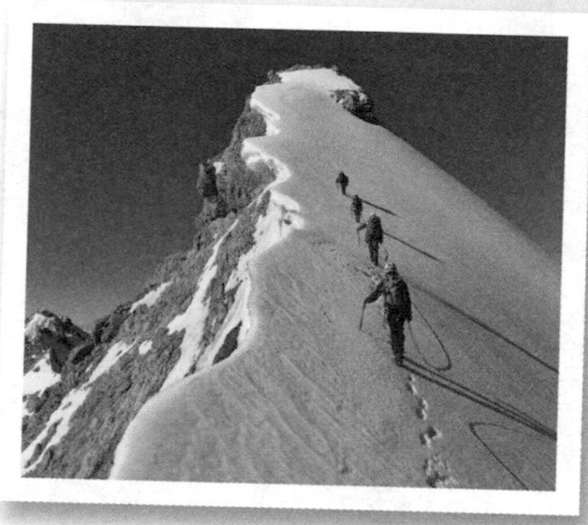

andinismo

Equipo: ropa especial para nieve, arnés, zapatos para escalar en nieve

Lugar: las montañas de los Andes

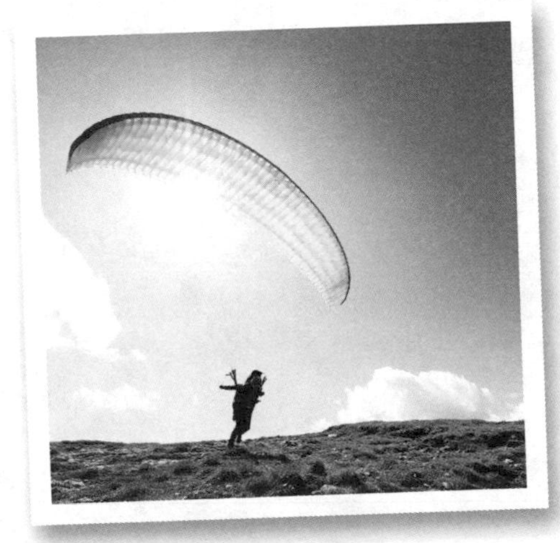

parapente

Equipo básico: paracaídas, casco, arnés

Lugar: la costa, playas y acantilados

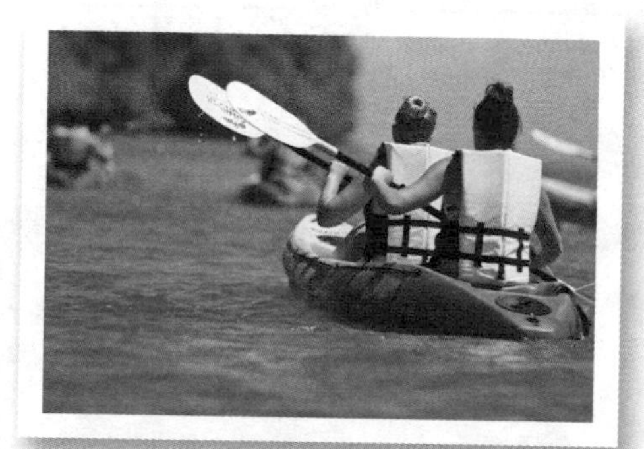

canotaje y kayaking

Equipo básico: kayaks, remos, salvavidas

Lugar: ríos de la sierra, océanos

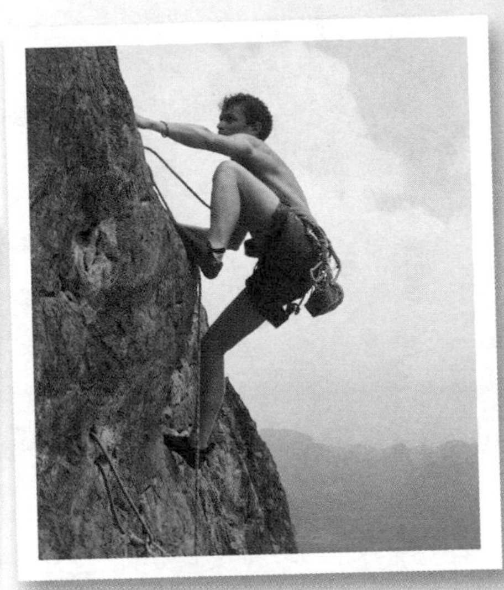

escalada en roca

Equipo básico: zapatos para escalar, arnés

Lugar: los Andes

UNIDAD 6
Un viaje al extranjero

Unit Goals

- **Communicate basic needs and requests related to travel, lodging, dining, and getting around.**
- **Explore various historic, cultural, and geographic destinations in Argentina.**
- **Describe responsible and culturally sensitive tourism.**
- **Narrate a story about a past travel experience.**

Preguntas esenciales

What do I need to know to travel to another culture?

What can you learn about yourself and another culture by traveling?

How do travel experiences shape our intercultural understanding and respect for the communities we visit?

Nombre:	Laura
Edad:	veintidós años
Idiomas:	español
Origen:	Salta, Argentina

Laura Cardón Laura tiene 22 años, estudia geología y vive en el norte de Argentina. Le gusta viajar por Argentina y ha visitado muchos lugares en su país. Sus lugares favoritos son Misiones y la Patagonia. A Laura le encanta la naturaleza y los deportes como trekking y escalar en roca.

Cuando Laura viaja generalmente lo hace en autobús porque es más barato que viajar en avión. Ella y sus amigos no se quedan en hoteles, sino que generalmente ellos hacen *camping*.

Para Laura es muy importante ser un viajero respetuoso con el medio ambiente y con las comunidades a las cuales uno visita. Además a ella le encanta la comida típica argentina como el locro, las empanadas y te invita a probar un buen asado si algún día visitas su país.

Información sobre Argentina

Argentina es un país en el extremo sur del continente americano. Abarca gran parte del cono sur y limita con Bolivia, Paraguay, Uruguay, Brasil y Chile. Tiene sus costas en el Océano Atlántico. Argentina tiene gran riqueza geográfica y biodiversidad. Hay tres grandes regiones: las llanuras en la zona central (las pampas), las mesetas al sur del país y la región montañosa al oeste. El glaciar Perito Moreno en Santa Cruz, es uno de los glaciares más visitados del mundo. Fue declarado Patrimonio de la Humanidad por la UNESCO en el año 1981. También, gran parte de las cataratas de Iguazú, declaradas en el año 2011 como una de las Siete Maravillas del mundo, se encuentran en territorio argentino.

Cataratas de Iguazú

Jorge Luis Borges (1899–1986)

Escritor, ensayista y poeta argentino del siglo XX. El trabajo literario de Borges forma parte de la literatura filosófica y tiene elementos de historia, fantasía e intriga.

Lionel Messi (1987–)

Futbolista profesional argentino famoso que juega como delantero en el equipo español FC Barcelona y también fue parte del equipo nacional argentino. Está considerado como el mejor jugador de fútbol del mundo.

Mercedes Sosa (1935–2009)

Cantante argentina y una de las máximas figuras de la música folclórica de América Latina del siglo XX. Su familia desciende de indígenas. Empezó a cantar profesionalmente cuando aún era una adolescente.

El tango

El tango es un baile típico argentino que se originó en el puerto de Buenos Aires y se extendió a los diferentes barrios de la ciudad. Tiene mucha influencia de diferente música tanto europea como americana y africana. El tango usa instrumentos como el bandoneón, piano, guitarras criollas, contrabajos y violines.

Actividad 1

¿Qué tiempo hace en Bariloche?

  Paso 1: Leer y contestar

Vas a pasar las fiestas de fin de año en Bariloche. Hay que prepararse para el viaje. Busca información sobre Bariloche para contestar a estas preguntas.

1. ¿Dónde queda Bariloche?
2. ¿Qué tiempo hace en Bariloche en diciembre y enero?
3. ¿Qué estación es? ¿Es la misma estación en tu país en esas fechas?
4. ¿Qué tiempo va a hacer en tu ciudad en esas fechas?

Enfoque cultural

Producto cultural: Mafalda

Mafalda es una tira cómica muy popular en toda Sudamérica sobre la vida y las (des)venturas de una niña argentina. Fue creada por Quino, un humorista gráfico de Mendoza, Argentina.

  **Conexiones**

Do you know of any comic strips like Mafalda that have gained international popularity? What is similar or different about these cartoon characters?

 Paso 2: Escribir

Cuando es verano en el hemisferio norte, en el hemisferio sur es invierno. Escribe cinco oraciones comparando el tiempo que hace en los diferentes países. Usa las palabras de la tabla.

Los países	Los meses del año	Las estaciones
Canadá	enero	invierno
Ecuador	abril	primavera
Argentina	julio	verano
Nueva York	octubre	otoño
Australia		

Modelo

En enero en Canadá es invierno, nieva y hace mucho frío, mientras que en Argentina en enero es verano y hace mucho calor.

Actividad 2

¿Qué ropa vas a llevar?

  Paso 1: Escribir

Ahora que ya sabes el tiempo que va a hacer en Bariloche durante las fiestas de fin de año, ¿qué necesitas llevar? Haz una lista de la ropa y otros artículos (un diario, unos audífonos, un libro, etc.) que quieres usar durante el viaje. Incluye por lo menos diez prendas de ropa y cinco artículos.

Ropa	Artículos importantes para mi viaje

 Paso 2: Hablar

Habla con un/a compañero/a y pregúntale qué lleva él/ella. Anota sus respuestas.

- ¿Qué ropa vas a llevar para el viaje a Bariloche?
- ¿Qué artículos son importantes para tu viaje?
- ¿Necesitas llevar más de diez prendas de ropa?

  Paso 3: Escribir y compartir

Ahora escribe tres oraciones para compartir con la clase sobre lo que lleva tu compañero/a en su viaje.

- ¿Llevan ustedes las mismas cosas?
- ¿Qué cosas diferentes llevan?
- Según él/ella, ¿qué artículos de ropa se deben llevar?

Modelo

Mi compañero/a y yo vamos a llevar…

Mi compañero/a va a llevar ____, pero yo voy a llevar ____.

Según ____, se debe llevar…

Argentina ofrece diversos tipos de excursiones trekkings en las montañas y glaciares y visitas a lagos y ríos.

¿Te acuerdas?

la montaña - the mountain

Además de dice

el campo - the country

el río - the river

el lago - the lake

Actividad 3

¿Qué se puede hacer en Bariloche?

  **Paso 1: Mirar y escribir**

Mira el video sobre Bariloche.

a. Escribe en el organizador gráfico lo que ves en el campo y lo que ves en la ciudad.

b. Comparte tus observaciones con la clase.

En la ciudad	En el campo
En la ciudad hay...	En el campo hay...

Paso 2: Escribir

Tu amiga Ana está en Bariloche y quiere saber qué cosas puede hacer allí.

a. Escríbele cuatro mensajes de texto sobre las actividades que se pueden hacer en Bariloche.

b. Recomiéndale dos actividades para hacer en la ciudad y dos para hacer en el campo.

Modelo

En Bariloche **nada** en los lagos en el verano.

Enfoque cultural

Práctica cultural: Bariloche

San Carlos de Bariloche está ubicado en el sur de Argentina, en la provincia de Río Negro. La ciudad está en medio de bosques, montañas y lagos cristalinos. Se pueden hacer diferentes actividades en Bariloche todo el año. Hay actividades al aire libre como caminatas y excursiones a las montañas, esquiar, navegar en kayak, canopy, bicicleta de montaña y pesca deportiva. También hay actividades culturales como conciertos, festivales y visitas a museos. Durante la Semana Santa, cuando se celebra la Fiesta Nacional del Chocolate, los chocolateros preparan la barra de chocolate más grande del mundo.

Muchos de sus visitantes son europeos y sudamericanos. Muchos jóvenes sudamericanos de Argentina, Uruguay y Chile viajan a Bariloche para celebrar su graduación de la secundaria.

  **Conexiones**

Do high school students in your area go on trips their senior year? What are some popular destinations and cultural activities that are similar or different to what Bariloche offers?

Paso 3A: Leer y contestar

Lee el correo electrónico que escribió Ana a sus padres después de llegar a Bariloche.

Para: Mamá; Papá

Asunto: Noticias de Bariloche

Queridos papá y mamá:

Llegué ayer a Bariloche. Fue un viaje muy largo y cuando llegamos al hotel eran las doce y media de la noche, estaba muy cansada, por eso no les escribí.

Hoy me desperté tarde y desayuné en un café cerca del hotel. Fue un desayuno delicioso. Comí "medias lunas" (así le llaman aquí a los croissants) con jamón y queso y bebí una taza de chocolate caliente. Luego con mis amigos Carolina y Agustín fuimos a caminar por la ciudad. Entramos a un lugar donde dan clases de esquí y nos registramos para una clase para esta tarde. Creo que mañana vamos a ir con todo el grupo del colegio a esquiar. Yo quiero estar bien preparada. Ya alquilé el equipo necesario y compré los pases para poder esquiar mañana todo el día.

Voy a escribirles todos los días para contarles cómo lo estoy pasando en mi viaje.

Los quiero y los extraño mucho.

Besos,

Ana

Paso 3B: Escribir

Contesta a las preguntas para saber cómo fue su primer día en esta ciudad.

1. ¿Cómo se sentía Ana cuando llegó al hotel?
2. ¿En dónde desayunó Ana?
3. ¿Qué comió?
4. ¿Qué hicieron Ana y Carolina después del desayuno?
5. ¿Qué va a hacer Ana mañana con los chicos del colegio?
6. ¿Qué va a hacer Ana para comunicarse con sus padres?

¿Te acuerdas?

Las actividades

andar en bicicleta
caminar
comer
desayunar
esquiar
mirar
nadar
navegar en kayak
visitar

En el restaurante

el azúcar
la cuchara
el cuchillo
la pimienta
el plato
la sal
la taza
el tenedor
el vaso

Las estaciones

el invierno
el otoño
la primavera
el verano

El tiempo

Hace buen tiempo
Hace calor
Hace frío
Hace mal tiempo
Hace viento
Llueve
Nieva

La ropa

la blusa
las botas
la camisa
la camiseta
la chaqueta; el abrigo
la gorra; el sombrero
llevar
los pantalones; los blue jeans
los pantalones cortos
el paraguas
la ropa interior
las sandalias
la sudadera
el suéter
el traje de baño
usar
el vestido
los zapatos

Ushuaia, Tierra del Fuego, Patagonia

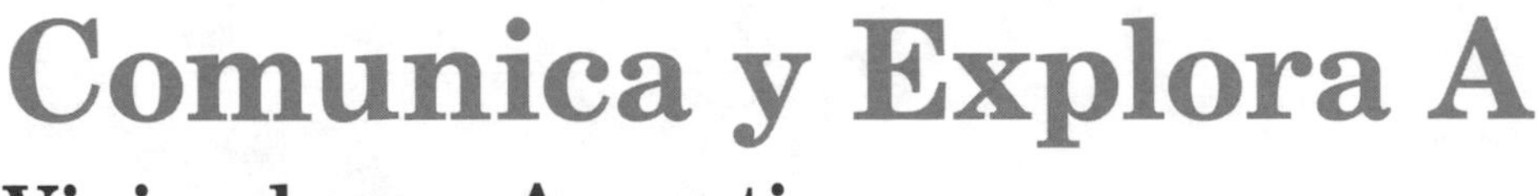

Viajando por Argentina

Pregunta esencial: What do I need to know to travel to another culture?

Actividad 4

¿Qué hago en el aeropuerto?

Paso 1A: Identificar

Con un/a compañero/a identifiquen el vocabulario de **Así se dice 1** que corresponde con las siguientes fotos.

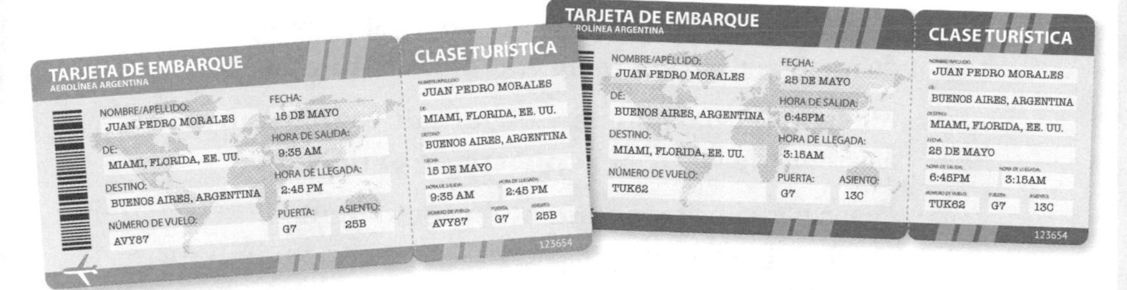

¿Te acuerdas?

esperar

llegar

la maleta

la pantalla

pasar por…

salir

volver

Así se dice 1: En el aeropuerto

la aerolínea

el avión

el boleto de ida y vuelta

el control de… seguridad/ pasaportes

el/la empleado/a del aeropuerto

el equipaje

el mostrador de la aerolínea

el/la pasajero/a

la puerta de embarque

la sala de embarque

la terminal

el vuelo

Además se dice: En el aeropuerto

la cinta - conveyor belt

el detector de metales - metal detector

el equipaje de mano - carry-on luggage

facturar el equipaje - to check luggage

la hora de embarque - boarding time

los horarios - schedules

el letrero - sign

las llegadas - arrivals

perder el vuelo - to miss the flight

las salidas - departures

Paso 1B: Observar y organizar

LAP
LIMA AIRPORT PARTNERS

a. Primero observa los pasos a seguir antes de abordar un vuelo según el video del Aeropuerto Internacional Jorge Chávez en Lima, Perú.

b. Después lee las siguientes oraciones y ponlas en el orden correcto según lo que viste en el video.

_______ Visitar **el control de pasaportes** y solicitar el formulario de inmigración para completar durante tu viaje.

_______ **Mostrar tu pasaporte** y **tarjeta de embarque** al/a la asistente de vuelo en **la puerta de embarque**.

_______ Pasar por el primer **control de seguridad** para verificar tus documentos de viaje, como tu **tarjeta de embarque** y tu pasaporte.

_______ Ir al mostrador de la aerolínea para **mostrar tu pasaporte** y **dejar tus maletas**.

_______ Pasar por el segundo **control de seguridad** y quitarse las joyas u otros metales y aparatos electrónicos antes de pasar por el detector de metales.

_______ Mirar las pantallas para verificar **la sala de embarque**.

_______ Aprovechar el tiempo libre y visitar las tiendas *duty free* o comer en un restaurante en **la terminal**.

Así se dice 2: Antes de abordar el vuelo

declarar bienes

hacer cola

pasar por la aduana

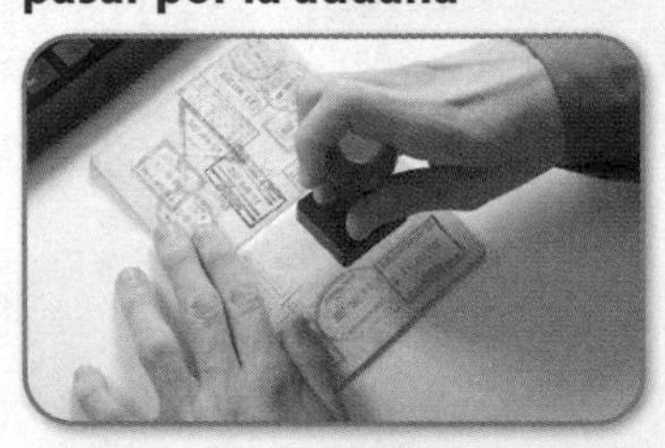

dejar el equipaje (las maletas)

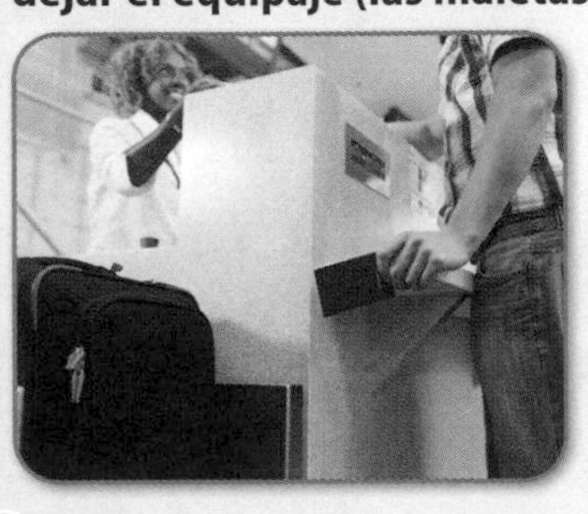

mostrar...
el pasaporte
la tarjeta de embarque

recoger el equipaje

Paso 2A: Leer

Lee la infografía para prepararte antes de hacer un viaje en avión.

Planifique su visita al aeropuerto

1. Llegue al aeropuerto temprano. Encuentre **la terminal** correcta de su **aerolínea**. Visite el **mostrador** de la **aerolínea** **para mostrar el pasaporte, dejar las maletas** y recibir la **tarjeta de embarque**.

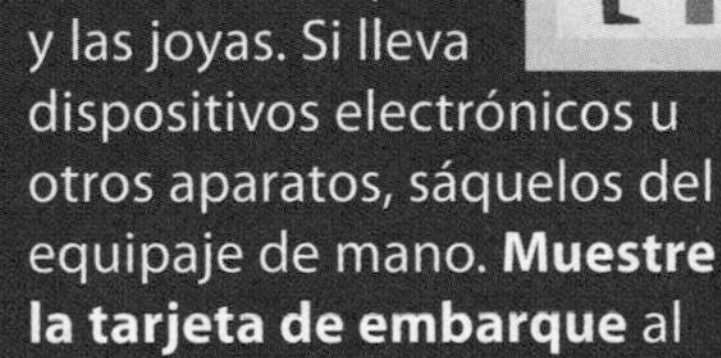

2. Después **haga cola** en el control de seguridad. Quítese los zapatos y las joyas. Si lleva dispositivos electrónicos u otros aparatos, sáquelos del equipaje de mano. **Muestre la tarjeta de embarque** al agente de seguridad. Pase por el detector de metales y recoja sus artículos.

3. Mire las pantallas con los horarios de salidas y llegadas para buscar el número del **vuelo** y confirmar su **puerta de embarque**. Si hay suficiente tiempo puede pasar por un café o ir de compras a las tiendas *duty free*.

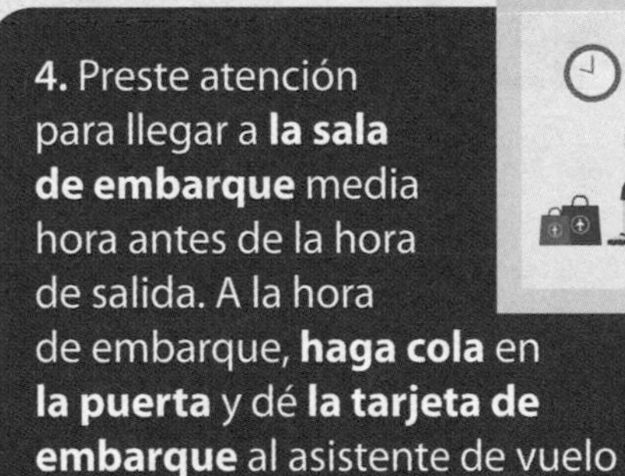

4. Preste atención para llegar a **la sala de embarque** media hora antes de la hora de salida. A la hora de embarque, **haga cola** en **la puerta** y dé **la tarjeta de embarque** al asistente de vuelo antes de abordar **el avión**.

5. Al llegar a su destino, pase por la aduana para **declarar sus bienes** y **mostrar su pasaporte** al agente de aduana.

6. Finalmente lea las pantallas de información para saber dónde debe recoger su **equipaje**. Al lado del número de vuelo aparece el número de la cinta donde puede **recoger** sus maletas.

Mi progreso comunicativo

I can follow suggestions for getting around an airport when I read them or when someone tells me what to do.

Recuerda: Mandatos formales

Do you remember how to use formal commands to give directions or politely tell someone what to do?

- **Pase** por el mostrador de la aerolínea para recibir su tarjeta de embarque.
- **Deje** sus maletas en el mostrador.
- **Haga** cola en el control de seguridad.
- **Lea** las pantallas para confirmar su puerta de embarque.
- **Llegue** a la puerta de embarque temprano.

Detalle gramatical: Por y para

Por and para are used to say "for" or "by" but cannot be used interchangeably.

Por

To say that you went by or through a place:

- Pasé **por** el control de seguridad.

To say what you did for a certain period of time:

- Nosotros esperamos en la sala de embarque **por** una hora.

Para

To explain the purpose of something:

- Marco llevó una mochila **para** guardar su pasaporte, tarjeta de embarque y su portátil.

To say that you bought something for someone:

- Mi mamá compró una camiseta en la tienda *duty free* **para** mi papá.

To give a destination:

- El vuelo sale a las once **para** Buenos Aires.

To say that something has to happen by/at a certain time:

- Necesito los boletos **para el viernes**.

Paso 2B: Conversar

a. Mira las fotos de lo que debes hacer antes de abordar tu vuelo.

b. Con tu compañero/a hablen de los pasos que una persona tiene que seguir en el aeropuerto antes de abordar el avión.

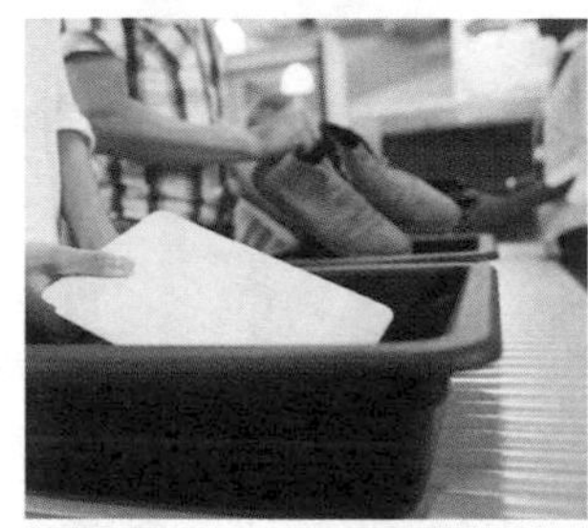

Modelo

Estudiante A:	Primero, tienes que ir al mostrador para dejar las maletas.
Estudiante B:	También, necesitas una tarjeta de embarque. Necesitas ir al mostrador de la aerolínea para recibir la tarjeta de embarque.

  Paso 3: Ayudar a un amigo

Tu amiga Laura viene a visitarte en Miami desde Buenos Aires. Es la primera vez que viaja en avión y no sabe qué debe hacer en un aeropuerto.

a. Lee sus mensajes de texto.

b. Escríbele mensajes de texto para responder a sus preguntas según la información que aprendiste en el video.

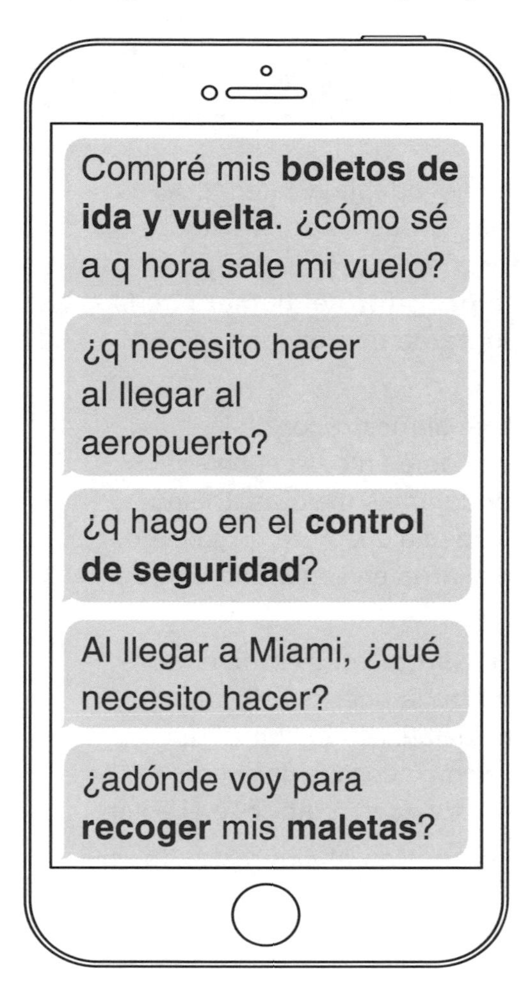

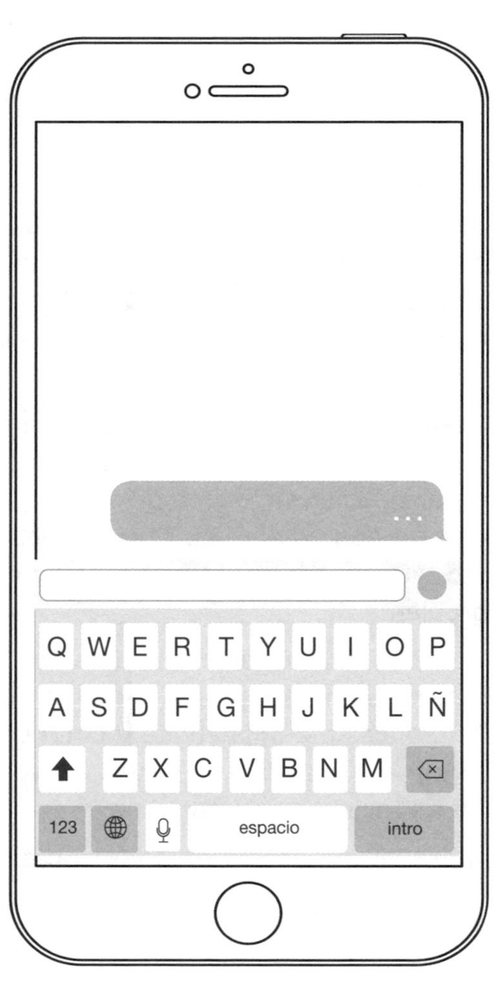

  ¡Prepárate!

Escribe un blog con **los Sí y los No** en el aeropuerto. Incluye:

- El orden de pasos que uno tiene que seguir antes de abordar un vuelo.
- Recomendaciones para hacer más agradable la experiencia de pasar por un aeropuerto.

Observa 1

Usos del pretérito y del imperfecto 2

Para: victoria16@email.mx
Asunto: noticias desde Buenos Aires

Querida Victoria,

No vas a creer el cuento que te voy a contar ahorita. **Hice** un viaje inolvidable a Buenos Aires. Como sabes, **era** la primera vez que **viajaba** en avión y **estaba** muy preocupado. **Tomé** un taxi al aeropuerto y **estaba** tan distraído organizando mi mochila y chequeando si **tenía** mi pasaporte que no **estaba** prestando atención cuando el taxista me **preguntó** el número de la terminal. Entonces, **bajé** del taxi, **entré** en la terminal y me **di** cuenta de que **era** la terminal dos. Mi vuelo **salía** de la terminal uno. ¡Qué horror!

Tomé el autobús de la terminal dos a la terminal uno y **fui** directamente al mostrador de la aerolínea. Y, ¿sabes qué? **Andaba** con tanta prisa al salir de la casa que dejé en casa el boleto que **compré** en línea. **Hice** cola para recibir mi tarjeta de embarque y dejar las maletas. Después, mientras **buscaba** el control de seguridad, **vi** el reloj. **Eran** las ocho y media y la hora de salida de mi vuelo **era** a las nueve y cuarto. Afortunadamente no **había** una cola larga en seguridad y **pasé** por el detector de metales sin problemas.

Miré las pantallas con los horarios y **confirmé** mi puerta de salida. **Estaba** tan estresado en este momento que **empecé** a correr. **Corría** por la terminal mientras **buscaba** la puerta C18 cuando **vi** la puerta B18. ¿B18? ¿Cómo? Entonces me **di** la vuelta y **corrí** otra vez buscando la puerta de embarque correcta. Finalmente **llegué** a la puerta C18 a las nueve y pico. Todos los pasajeros ya **estaban** a bordo del avión. Le **di** mi tarjeta de embarque a la asistente de vuelo y **abordé** el avión.

Ah... tengo más que contarte, pero se me **acabó** mi conexión de internet en el cibercafé. Te voy a escribir más otro día.

Abrazos,

Oscar

¿Qué observas?

1. What do you notice about how the preterit and imperfect tenses are used to tell a story in the past?
2. Make a list of the preterit tense verbs and the imperfect tense verbs using the graphic organizer in your *EntreCulturas 2* Explorer course. Then, jot down your observations and talk to a partner about how these two tenses are used to tell a story in the past.

Actividad 5

¿Qué pasó en el aeropuerto?

Paso 1: Escuchar y emparejar

Oscar viajó por avión de Lima, Perú, a Buenos Aires, Argentina, la semana pasada para visitar a sus padres.

a. Escucha mientras Oscar describe lo que pasó en el aeropuerto.

b. Empareja las acciones de Oscar con el lugar donde las hizo.

1. la terminal	A. Recogió sus maletas.
2. el control de seguridad	B. Confirmó el vuelo y dejó las maletas.
3. la aduana	C. Buscó la puerta de salida B6.
4. el mostrador	D. Mostró su pasaporte y tarjeta de embarque. Pasó por el detector de metales.
5. la recogida de equipaje	E. Dio su tarjeta de embarque a la empleada y abordó el vuelo.
6. la sala de embarque	F. Declaró unas cerámicas que compró para su mamá y dio su pasaporte al agente.

Enfoque cultural

Práctica cultural: La aduana y la inmigración

Al entrar a un país extranjero, o al regresar a tu país de origen después de un viaje al extranjero, siempre tienes que pasar por inmigración y la aduana. Para entrar en algunos países, durante el vuelo hay que completar un formulario de inmigración y aduana. En este formulario se debe escribir el nombre, la nacionalidad, el número de pasaporte y la razón por la cual se viaja. También, al pasar por la aduana e inmigración hay que mostrar el pasaporte y el formulario donde se declaran los objetos que se traen. Se prohíbe entrar al país con objetos como plantas, frutas o verduras.

Conexiones

Have you ever traveled out of the country? Why do you think people entering a country need to declare what they bring with them? Why do you think it is prohibited to bring plants or seeds into another country?

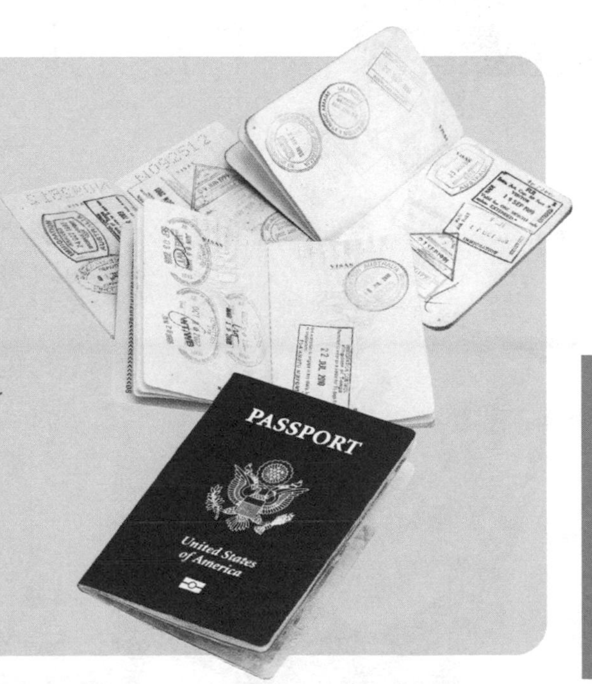

Expresiones útiles:

así que - therefore

cuando - when

entonces - so

mientras - while

 Paso 2: Escribir

Mira las siguientes fotos de errores que cometieron los pasajeros en el aeropuerto. Escribe lo que pasó a cada persona usando el pretérito y/o el imperfecto para describir estas situaciones.

Modelo

Nico: no prestar atención en el taxi → *ir a la terminal incorrecta*

Nico no prestaba atención en el taxi y fue a la terminal incorrecta.

1. Carolina: *tener* prisa al salir de la casa y *olvidar* el boleto

2. Isabel: no *saber* las regulaciones de seguridad y *poner* una botella de agua en su equipaje de mano

3. Mateo: *comer* en la cafetería cuando *escuchar* el anuncio de su vuelo

4. Adelita: *estar* distraída y *perder* el vuelo

 Paso 3: Observar y anotar

a. Observa las fotos en la siguiente página mientras Oscar describe su experiencia en el aeropuerto en Lima, Perú.

b. Haz una lista de las acciones que hizo Oscar en el aeropuerto.

 Paso 4: Escribir

Escribe un cuento breve para narrar el viaje de Oscar en avión de Perú a Argentina.

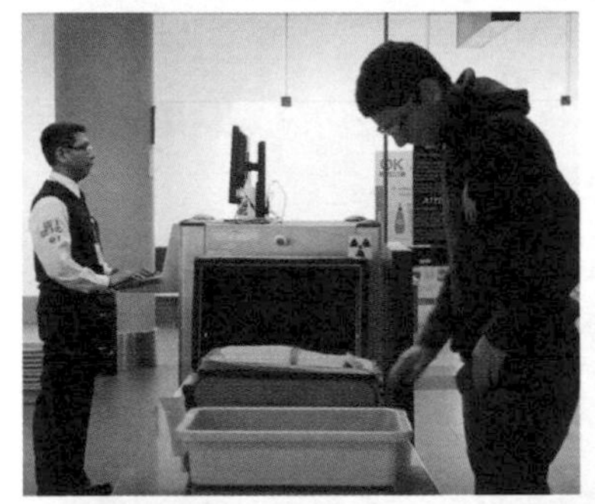

Actividad 6

¿Cómo me comunico en el aeropuerto?

Paso 1: Leer y contestar

Laura viene a visitar a sus primos en Miami en mayo. Compró sus boletos en línea.

a. Lee la información de los boletos de ida y vuelta del viaje de Laura.

b. Con un/a compañero/a tomen turnos para hacer y contestar a las preguntas.

Estudiante A	Estudiante B
¿Qué día es el vuelo de ida de Laura?	¿Cuál es la fecha de su vuelo de vuelta?
¿Cuál es la hora de salida de su vuelo?	¿Cuánto tiempo va a a estar de viaje?
¿De qué puerta sale su vuelo?	¿Cuál es el número de su asiento?
¿A qué hora llega a Buenos Aires?	¿A qué hora llega su vuelo a Miami?
¿Cuál es el número de su vuelo?	¿Cuál es su número de vuelo?

Paso 2: Planear un viaje

a. Visita los enlaces de las aerolíneas en la guía digital para planear los vuelos del viaje de tus sueños.

b. Crea un boleto de ida y vuelta para el viaje en avión que te gustaría hacer.

Enfoque cultural

Práctica cultural: Sacar una visa

Si eres ciudadano/a de los Estados Unidos y quieres viajar a Europa o a muchos países de Sudamérica no necesitas visa para hacerlo. Cuando los ciudadanos latinoamericanos viajan a Estados Unidos o Europa necesitan sacar una visa, o permiso para entrar al país que visitan. Para sacar la visa las personas tienen que ir al consulado o embajada del país que quieren visitar y presentar documentos como: el pasaje de ida y vuelta, reservaciones de hoteles, cuentas bancarias y contratos de trabajo que "aseguren" que no se van a quedar en el país que van a visitar. En muchos casos se presentan todos esos papeles y la embajada o el consulado no da la visa para poder viajar.

 **Conexiones**

Do you know someone who had to apply for a tourist visa to travel to another country? How do they feel about the visa policies foreigners have to navigate to gain entrance to the U.S.?

Paso 3: Conversar

a. Con un/a compañero/a tomen turnos para representar una conversación entre el/la empleado/a del aeropuerto y el/la pasajero/a en el aeropuerto. Tomen turnos para leer las preguntas para responder con la información correcta del/de la pasajero/a.

b. Visita la guía digital para completar una conversación en el aeropuerto.

En el mostrador de la aerolínea

¿Adónde viaja?
¿Puede mostrarme su pasaporte?
¿Cuál es el número de confirmación del vuelo?
¿Tiene maletas para dejar?
¿Tiene equipaje de mano?
La hora de embarque es a las… y el avión sale de la puerta…
Aquí está su tarjeta de embarque.

En el control de pasaportes

¿Tiene su pasaporte y tarjeta de embarque?
¿Por cuánto tiempo va a salir del país?

En la aduana

¿Cuál es su nombre completo?
¿Cuál es su fecha de nacimiento?
¿Cuánto tiempo va a estar en el país?
¿Viaja por turismo o negocios?

Adoptado de www.openenglish.com

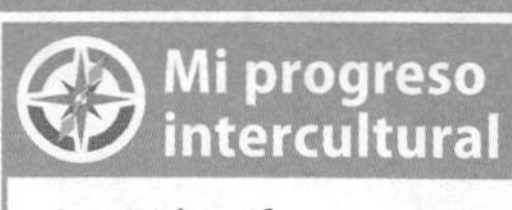

Mi progreso intercultural

I can identify appropriate steps to take and ways to interact in an airport in a Spanish-speaking country.

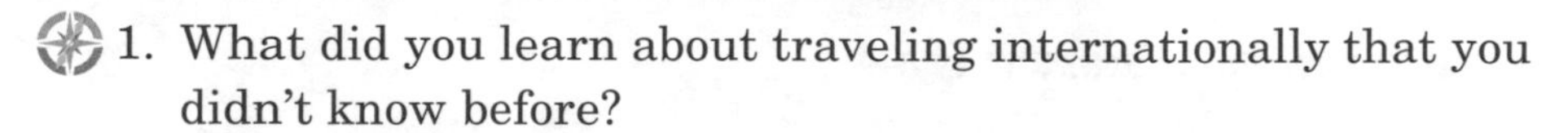

Reflexión intercultural

1. What did you learn about traveling internationally that you didn't know before?
2. What are some important steps in making sure international travel goes smoothly?
3. Would you like to travel internationally in the future? If so, where? And why? And what do you need to do before you travel to make sure you don't have any trouble with passport control and customs?
4. What are some strategies for making sure you are able to ask questions and respond appropriately in an airport during international travel?

Actividad 7

¿Viajamos en avión?

Paso 1: Leer e identificar

Lee las oraciones e indica a qué palabra de **Así se dice 3** se refiere cada una.

1. Cuando el avión sale del aeropuerto.
2. Cuando las personas suben al avión.
3. La sección en la parte de adelante del avión con los asientos más grandes.
4. Cuando el avión llega a su destino.
5. Cuando las personas salen del avión.
6. La sección del avión con los asientos regulares.
7. Las personas que te traen las bebidas en el avión.
8. Por donde caminas a lo largo del avión
9. Donde puedes ver lo que está fuera del avión.
10. Para estar seguro en el asiento al despegar y al aterrizar.

¿Te acuerdas?

bajar

subir

Paso 2: Leer y poner en orden

Lee la lista e indica en qué orden haces lo siguiente cuando viajas en avión.

______ aterrizar

______ bajar del avión

______ el/la asistente de vuelo te trae una bebida

______ abordar el avión

______ buscar el asiento en el avión

______ despegar

Así se dice 3: En el avión

a bordo

abrocharse el cinturón de seguridad

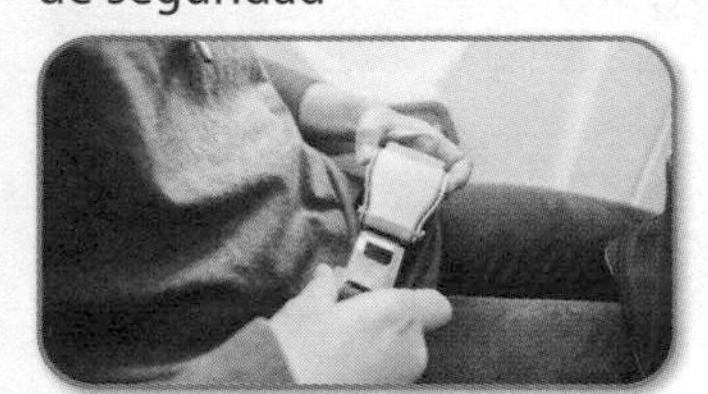

abordar

el/la asistente de vuelo

aterrizar

bajar del avión

la clase turística

despegar

el pasillo

la primera clase

tomar asiento

la ventana

Paso 3: Leer

Indica si las siguientes oraciones son ciertas o falsas.

1. Cuando llegas a tu destino el avión aterriza.
2. Cuando sales de la ciudad de origen el avión despega.
3. Hay que abrocharse el cinturón de seguridad al despegar.
4. Los asistentes de vuelo se sientan a tu lado.
5. Cuando el avión llega a su destino tienes que bajar del avión.
6. En primera clase tienes buena comida y buenas bebidas.
7. Es más económico viajar en clase turística que en primera clase.
8. Despegar es un sinónimo de aterrizar.

Paso 4A: Escuchar y anotar

Escucha y completa el siguiente organizador gráfico con:

a. Lo que escuchas cuando estás a bordo del avión y

b. ¿Quién lo dice, la pasajera o la asistente de vuelo?

Lo que escuchas a bordo del avión	¿Quién lo dice?

Paso 4B: Hablar

¿Cómo puedes responder cortésmente a las preguntas del **Paso 4A**?

a. Con un/a compañero/a practiquen preguntándose y respondiendo en forma de diálogo.

b. Túrnense para ser el/la pasajero/a y el/la asistente de vuelo.

Modelo

Pasajero/a:	Por favor, me gustaría una bebida.
Asistente de vuelo:	¡Claro! ¿Qué desea, café, té, jugo o agua?
Pasajero/a:	¿Me trae un té con leche, por favor?
Asistente de vuelo:	Con mucho gusto.
Pasajero/a:	¡Gracias!

Actividad 8

¿Te gusta viajar en avión?

Paso 1: Leer y contestar

Lee las siguientes preguntas y contesta de acuerdo con tus preferencias cuando viajas por avión.

1. ¿Prefieres viajar en carro, tren o avión?
2. ¿Viajaste recientemente en avión? ¿Adónde?
3. ¿Te gustan los viajes largos en donde puedes dormir y ver películas o prefieres viajes cortos?
4. ¿Te gusta más la ventana o el pasillo?
5. ¿Te gusta la comida del avión o prefieres comer algo en el aeropuerto?
6. ¿Te parece interesante el trabajo de los asistentes de vuelo? ¿Por qué?
7. ¿Te da miedo cuando el avión despega o aterriza?
8. ¿A qué lugar te gustaría ir en avión?

Paso 2A: Entrevistar

Ahora, usando las misma preguntas, entrevista a un/a compañero/a para saber sus preferencias.

Paso 2B: Escribir

Con la información que tienes sobre tu compañero/a, escribe un párrafo de al menos cinco oraciones en el que describes las preferencias de tu compañero/a cuando viaja en avión.

Modelo

A Gabriel le gusta mucho viajar en tren, pero el verano pasado viajó en avión a Nueva York. A Gabriel le gustan los viajes largos porque…

Expresiones afirmativas y negativas

alguien - someone

algún/alguna - some; any

alguna vez - sometime

nada - nothing

nadie - no one

ni - nor

ningún/ninguno/a - none; not any

nunca (jamás) - never

siempre - always

también - also; too

tampoco - neither

Recuerda

Unlike English, a Spanish sentence can have multiple negative words. If a negative word is placed after the verb, **no** must go before the verb.

Yo **no** viajo **nunca** en tren, **siempre** viajo en avión.

No tomo **ni** café **ni** té.

No hay **nada** que ver en la tele del avión.

Mi amiga **no** tiene miedo de viajar en avión, **ni** yo **tampoco**.

Llegué a la sala de embarque y **no** había **nadie** allí.

If the negative word comes before the verb, **no** is not needed:

Nunca viajo en tren.

Tampoco viajo en barco.

Nadie se sentó a mi lado.

Paso 3: Leer

Lee las siguientes oraciones sobre lo que pasa en los aviones y los aeropuertos y decide si son ciertas o falsas.

1. **Nunca** despegan los aviones.
2. **Tampoco** aterrizan en el aeropuerto.
3. **Siempre** hay que presentar el pasaporte en inmigración.
4. **También** hay que enseñar la maleta en la aduana.
5. Cuando viajas en avión siempre hay **alguien** en el asiento al lado.
6. **No** te dan **nada** de comer en primera clase.
7. **Nadie** pasa por seguridad en el aeropuerto

Paso 4: Escribir

a. Con un/a compañero/a usen las expresiones afirmativas y negativas para escribir cinco oraciones sobre las cosas típicas que pasan en los aviones o en los aeropuertos.

b. Luego tú y tu compañero/a deben presentar a la clase sus oraciones.

c. La clase va a responder a sus oraciones. ¿Cómo responden ellos? ¿Están de acuerdo?

Modelo

Los aviones **siempre** tienen muchos pasajeros.

Enfoque cultural

Producto cultural: Charly García

Su verdadero nombre es Carlos Alberto García Moreno. Es una de las principales figuras de la música pop argentina. Charly García es compositor, intérprete y productor argentino de música rock. Creó varias bandas de rock contemporáneo como *Sui Generis, Serú Girán* y *La Máquina de Hacer Pájaros*. Ha viajado por toda Latinoamérica dando conciertos y ha ganado muchos premios. Charly García ha grabado muchos discos y ha hecho muchos videos con la música que ha compuesto en los últimos 40 años. En 2010 fue declarado "ciudadano ilustre de la ciudad de Buenos Aires". Los temas de sus canciones hablan sobre el amor y la sociedad argentina.

  **Conexiones**

What is your favorite rock band? What are the topics they sing about?

¡Prepárate!

a. Mira el video en silencio.

b. Escribe los consejos *(tips)* para viajar en avión que la señora está sugiriendo.

c. Usa la lista de expresiones afirmativas y negativas y el organizador gráfico para ayudarte.

Modelo

Siempre lleva un termo con agua.

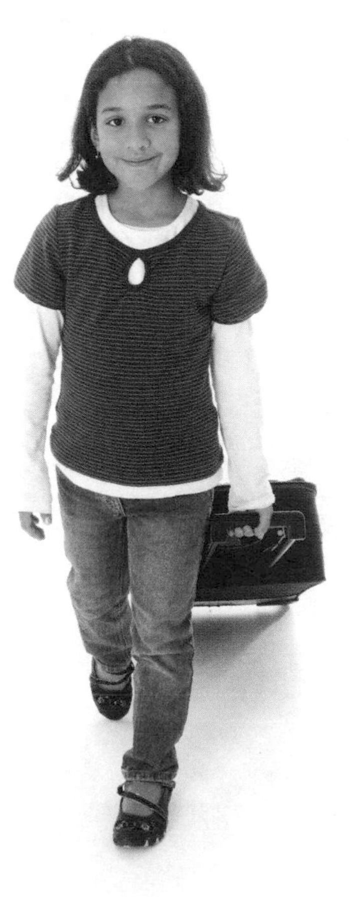

Además se dice

bolsas resellables - resealable bags

cobija/pashmina - blanket

lentes de contacto - contact lenses

muestras de artículos de aseo personal - sample toiletries

ropa interior - underwear

termo/botella de agua - thermos/water bottle

Así se dice 4: En la estación del ómnibus y del tren

la boletería

la empresa (compañía) de transporte

el ómnibus

partir

el pasaje

¿Te acuerdas?

el asiento

bajar

la estación

llegar

subir

tomar

Esperando omnibuses en la Terminal de Ómnibus de Retiro

Actividad 9

¿Adónde se puede ir en ómnibus en Argentina?

 Paso 1A: Escuchar y anotar vocabulario

Al escuchar a Ana Lucía, una prima de Laura, contar su viaje en ómnibus de Buenos Aires a Salta, una provincia del noroeste de Argentina, anota las palabras del vocabulario de **¿Te acuerdas?** y **Así se dice 4** que ella usa.

1. *Fui a la ______ de Retiro para buscar un ______ en ______.*
2. *Es una ______ enorme, la central de todo el país.*
3. *Tuve que caminar bastante para llegar a la parte donde las ______ venden los pasajes al norte del país.*
4. *Cuando llegué al ______ de mi ______ preferida, Flecha Bus, vi que había boletos de ida y vuelta o sólo de ida.*
5. *Esperé para subir al ómnibus, que iba a ______ de la estación una hora más tarde.*
6. *Elegí un buen ______, de ventana como me gusta siempre y suficientemente cerca de la pantalla para ver bien la peli que iban a poner.*

Ana Lucía, una argentina muy viajera y aventurera

Enfoque cultural

Producto cultural: Variedad lingüística

En Argentina, el bus se llama el **colectivo** u **ómnibus**. El colectivo es más común. También, en Buenos Aires, llaman "la micro" a los buses que atraviesan la ciudad.

En otros países, el bus tiene otros nombres:

- la guagua, en la República Dominicana, Puerto Rico y Cuba
- la combi, en Perú
- la chiva, en Colombia

También se dice "la taquilla" para **boletería** en otros países.

  **Conexiones**

What different kinds of buses, local or long distance, have you used? Do you use different names for these kinds of buses or just use the name of the bus company?

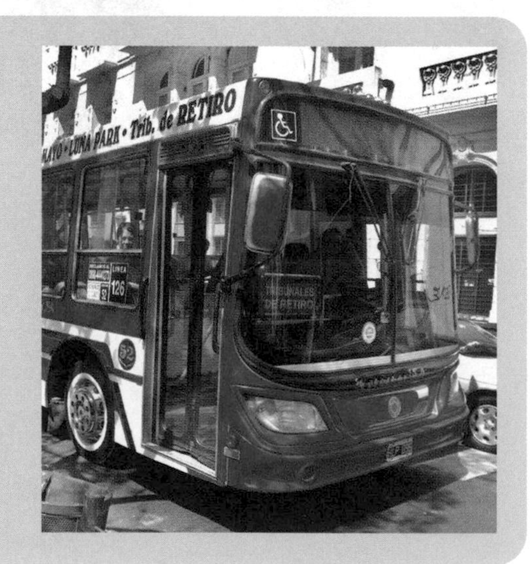

Paso 1B: Vocabulario

Busca y escribe sinónimos para el vocabulario de **Así se dice 4** y **¿Te acuerdas**?

1. la compañía	4. salir
2. la silla	5. taquilla donde se venden billetes
3. el boleto	

Paso 2: Buscar y comprar pasaje

Se pueden comprar pasajes a destinos argentinos en línea también. Visita la guía digital para buscar pasaje con una empresa de transporte argentina.

a. Elige tu destino basándote en las actividades turísticas que quieres hacer allí.

b. Busca un pasaje (sólo de ida) a esa parte del país.

c. Explica a tu clase:

1. ¿De dónde parte el ómnibus que vas a tomar?
2. ¿Adónde vas en Argentina?
3. ¿Por qué quieres ir a ese lugar?
4. ¿Cuanto pagaste por el pasaje?

Modelo

Voy a ir a...

Mi ómnibus parte de...

Decidí ir a... porque...

Pagué...

Enfoque cultural

Práctica cultural: La Terminal de Ómnibus de Retiro

La Terminal de Ómnibus de Retiro de Larga Distancia de Buenos Aires está conectada al subte en un lugar conveniente en la zona llamada Retiro de la capital. Hay una estación de tren cerca también. En la terminal se encuentran más de doscientas boleterías con venta de pasajes a todas partes del país y destinos internacionales. Se estima que entre mil cuatrocientos y dos mil buses salen y llegan cada día. Antes de la partida, los pasajeros esperan por un corto período de tiempo en más de setenta y cinco plataformas donde se puede subir al ómnibus.

 **Conexiones**

What kinds of bus and train terminals are you familiar with? How does this sound similar and different? How can it be challenging to navigate a terminal as big as this one?

Paso 3: Conversar

Trabaja con un/a compañero/a para poner en orden estas preguntas. Después practiquen una conversación entre un agente de una empresa de transporte y un cliente que quiere comprar un boleto de ómnibus.

a. ¿Qué dice el agente de la empresa de transporte en la conversación? Pongan las siguientes preguntas en orden.

1. ¿En qué fecha le gustaría viajar?
2. Muy bien, ¿adónde quiere ir?
3. ¿Desea usted pagar en efectivo o con tarjeta de crédito?
4. ¿Está bien el horario de salida y llegada que ve usted aquí en la pantalla?
5. Buenas tardes, ¿en qué le puedo servir?
6. ¿Tiene una preferencia de asiento: ventana o pasillo?

b. Túrnense para ser el/la agente y el/la cliente que compra un boleto a un destino en Argentina, creando sus propias respuestas a las preguntas.

Enfoque cultural

Práctica cultural: Opciones de servicio de ómnibus

En Argentina y otros países sudamericanos, se ofrecen servicios de distintos niveles de calidad. Por ejemplo, es posible viajar en coche cama, un servicio en el cual los asientos son muy cómodos y se reclinan mucho. En todos los viajes sirven comida y ofrecen películas.

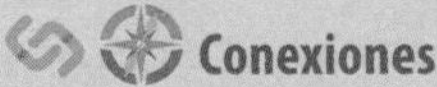

Conexiones

In your experience, is it more common to travel by bus, train, or plane when traveling a long distance? How do the long distance bus services in Argentina sound similar and different to the kinds of buses where you live? Would you take a long distance bus trip if you could use one of these options?

Actividad 10

¿Cómo puedo navegar el subte en Buenos Aires?

Paso 1: Observar y describir

Mira las imágenes del subte de Buenos Aires. ¿Cómo puedes describirlo?

a. Describe a un/a compañero/a lo que ves en una de las imágenes. Usa el vocabulario de **Así se dice 5**.

b. Tu compañero/a te escucha y te hace una pregunta para saber más.

Modelo

Estudiante A: Cerca de la parada Tribunales un hombre camina por la calle.

Estudiante B: ¿Qué hace el hombre?

la parada Tribunales

los andenes del **subte (metro)**

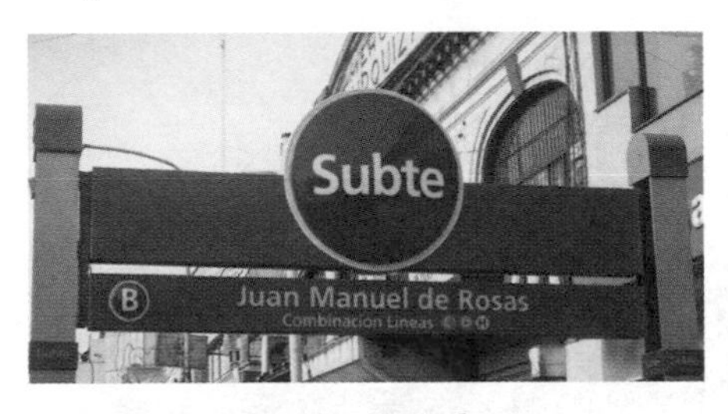

información para saber cómo **cambiar de línea**

gente esperando **un viaje largo**

Paso 2: Pedir y dar direcciones

a. Mira el mapa del subte de Buenos Aires en la guía digital.

b. Con un/a compañero/a seleccionen una parada del subte y escriban las preguntas necesarias para pedir direcciones de cómo llegar a esa parada.

c. Túrnense para ser la persona que pide y la que da direcciones. Para pedir direcciones a una persona desconocida necesitan:

- un saludo cortés
- una pregunta para llegar a cierta parada del subte
- una frase cortés para agradecer (decir gracias)
- una despedida

Así se dice 5: En el subte

el andén

cambiar de línea

la parada

el subte (el metro)

un viaje largo/corto

En camino A

Un viaje memorable

Demuestra lo que sabes de viajar por países hispanohablantes en una serie de prácticas. Vas a viajar a un país hispanohablante muy pronto y tu profesor/a de español te ofrece unas actividades para practicar todo lo que aprendiste.

  Paso 1: Mirar e imaginar

Lee los consejos para viajeros en la guía digital. Decide si son consejos para cuando un/a viajero/a pasa por el mostrador de la aerolínea, o para estar en el avión, o si son necesarios al pasar por la aduana.

 Paso 2: Conversar

a. Revisa con un/a compañero/a las conversaciones que sabes para comunicarte cuando viajas.

b. Después, visita la guía digital para grabar una conversación similar en los siguientes lugares.

c. En cada conversación vas a escuchar y responder con:

- un saludo cortés
- algunas preguntas relacionadas con el viaje
- una despedida

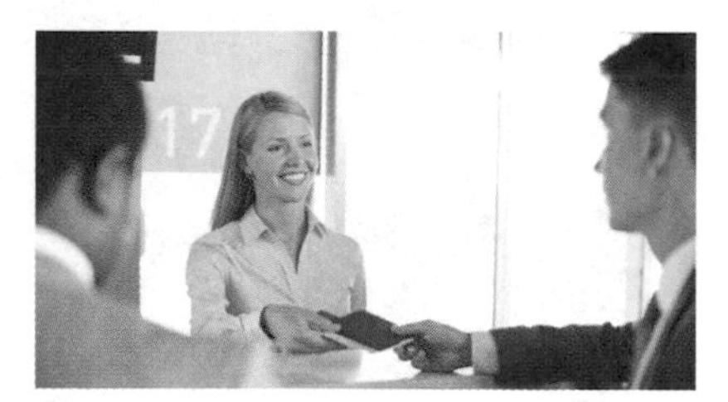

Dejar el equipaje (las maletas)

La aduana

Comprar un boleto de ómnibus

 Paso 3: Compartir tu viaje

a. Crea una historia creativa o un diálogo entre tú y otra persona.

b. Usa el pretérito y el imperfecto para contar lo que pasó en tu viaje.

c. No olvides incluir algunas expresiones afirmativas o negativas en tu historia.

Modelo

Nunca pasé un día tan interesante...

Nadie sabe lo que me pasó cuando fui/viajé a...

Síntesis de gramática

Usos de por y para

Por and para are used to say *for* or *by* but cannot be used interchangeably.

Por

- *To say that you went by or through a place:*
  En el aeropuerto, pasé **por** la aduana.
- *To say what you did for a certain period of time:*
  Estuve en Argentina **por** un mes.

Para

- *To explain the purpose of something:*
  Siempre llevo mi cámara **para** tomar fotos en el viaje.
- *To say that you bought something for someone:*
  Yo compré un regalo **para** cada miembro de mi familia cuando estuve en Argentina.
- *To name a destination:*
  El vuelo sale a las once **para** Buenos Aires.
- *To say that something has to happen by/at a certain time:*
  Necesito los boletos **para** el viernes.

Buenos Aires, Argentina

Usos del pretérito y del imperfecto

The imperfect	The preterit
Activity in progress was -ing ⟶ was visiting: Yo **estaba** visitando museos… **Habitual and repeated action** used to ⟶ solía Yo **solía** viajar. **Simultaneous activities** while ⟶ mientras Mientras **viajaba** por Jujuy, **tomaba** fotos. **Time** **Eran** las doce de la noche. **Weather** **Hacía** calor en Buenos Aires en enero. **Age** **Tenía** 15 años cuando viajé a Bariloche. **Description (ser & estar)** Las casas de familia **eran** muy cómodas, **tenían** camas limpias y **estaban** en el centro. **Actions that get interrupted** **Caminaba** por el pueblo, cuando comenzó a llover. **Key expresiones for the use of the imperfect:** todos los días, siempre, a menudo, cada día, nunca, los (lunes…), de vez en cuando, generalmente, muchas veces, mientras	**Single events at a specific time in the past** Ayer **llegué** de Argentina. **Sequence of completed past events** **Desayuné** en el hotel, luego **caminé** por el pueblo y **encontré** una feria de artesanías. **Events that occurred during a specific period of time** **Estudié** en la universidad por cuatro años. **Interrupting actions** Caminaba por el pueblo, cuando **comenzó** a llover. **Key expresiones for the use of the preterit** ayer, la semana pasada, el año pasado, esta mañana, el 11 de mayo, hace 2 meses, por tres horas, a las doce y cuarenta y cinco, anteayer

Expresiones afirmativas y negativas

Spanish indefinite and negative words have many similarities in English, but there are also important differences.

- Negatives do not cancel each other in Spanish.
- If you use the negative word after the verb, you need the **no** before the verb.
- If the negative word comes before the verb, you do not use **no** before the verb.

Modelo

Yo **no** quiero nada.

No tengo **ningún** problema con los viajes largos.

Nunca viajo en avión.

Vocabulario

Así se dice 1: En el aeropuerto

la aerolínea - airline
el avión - airplane
el boleto de ida y vuelta - round trip ticket
el control de… seguridad/pasaportes - passport/security control
el/la empleado/a del aeropuerto - airport employee
el equipaje - luggage
el mostrador de la aerolínea - airline counter
el/la pasajero/a - passenger
la puerta de embarque - boarding gate
la sala de embarque - departure lounge
la terminal - terminal
el vuelo - flight

Así se dice 2: Antes de abordar el vuelo

declarar bienes - to declare goods
dejar el equipaje (las maletas) - to check the luggage (the suitcases)
hacer cola - to line up
mostrar… - to show…
el pasaporte - passport
la tarjeta de embarque - boarding pass
pasar por la aduana - to go though customs
recoger el equipaje - to pick up the luggage

Así se dice 3: En el avión

a bordo - on board
abordar - to board
abrocharse el cinturón de seguridad - to fasten the seat belt
el/la asistente de vuelo - flight attendant
aterrizar - to land
la clase turística - economy class
despegar - to take off
el pasillo - isle
la primera clase - first class
tomar asiento - to take a seat
la ventana - window

Así se dice 4: En la estación del ómnibus y del tren

la boletería/la taquilla - ticket office
la empresa (compañía) de transporte - the transportation company
el ómnibus - bus
partir - to depart
el pasaje - passage; ticket

Así se dice 5: En el subte

el andén - platform
cambiar de línea - to switch lines
la parada - stop
el subte - subway
un viaje largo/corto - a long/short trip

Expresiones afirmativas y negativas

alguien - someone
algún/alguna - some; any
alguna vez - sometime
ningún/ninguna - none; not any
nada - nothing
nadie - no one
ni - nor
nunca (jamás) - never
siempre - always
también - also; too
tampoco - neither

Bariloche, Argentina

Comunica y Explora B

Conociendo Argentina

Pregunta esencial: What can you learn about yourself and another culture by traveling?

Actividad 11

¿Cómo se viaja de una manera sostenible, responsable y respetuosa?

Paso 1: Leer y conversar

a. Lee el letrero con las normas para los turistas en Iruya, Argentina.

b. Habla con un/a compañero/a sobre las reglas.

1. ¿Qué piensas sobre las reglas?
2. ¿Hay algunas reglas que les sorprenden? ¿Por qué?
3. A través de estas reglas, ¿puedes adivinar lo que valoran las comunidades de Iruya?

Sr. TURISTA Ud. INGRESA A UN PUEBLO CON IDENTIDAD PROPIA

- Respete la forma de vida, usos y costumbres.
- No tomar fotos a personas sin consultar
- No hacer ruidos molestos en la vía pública o después de la medianoche, ni llevar perros o dar alimento
- No dar monedas a los niños
- No recoger o destruir Restos Arqueológicos, antigales, etc.
- No transitar por la via publica en ropa de baño
- Infórmese de los lugares que puede visitar CIPI
- Colabore por un turismo sustentable y respetuoso por la vida (Cosmovisión y filosofia andina)

Ordenanza Munc. N° 12/12 ref. /14

Paso 2: Observar y anotar

Escucha mientras Adelina López habla sobre el turismo en las comunidades de Iruya, Argentina. ¿Qué vocabulario usa para describir el turismo en su comunidad?

Así se dice 6: El turismo comunitario

el campesino

conservar

la forma de vida/el estilo de vida

el pueblo

sustentable (sostenible)

Además se dice

el barro - mud

las comunidades ancestrales - ancestral communities

la paja - straw

las piedras - stones

los tejidos - weave

¿Te acuerdas?

el campo

colaborar

las costumbres

mantener

la naturaleza

proteger

respetar

Enfoque cultural

Práctica cultural: El turismo comunitario

En varias comunidades rurales y ancestrales de Argentina y otras partes de Sudamérica, se establece un tipo de turismo sustentable para compartir con los turistas la forma de vida de la comunidad ancestral y su cultura e identidad. En el turismo comunitario, los turistas participan en las actividades cotidianas *(everyday)* de las comunidades y observan respetuosamente las costumbres de la comunidad. Para los turistas, es toda una experiencia observar, conocer y aprender sobre la cultura de la comunidad. Los turistas se quedan en casas de familias de la comunidad, ayudan a preparar comida diariamente y aprenden sobre el trabajo de los campesinos y artesanos de las comunidades.

Conexiones

What types of tourism are you familiar with? What do you think about this type of tourism? How do you think it differs from the more typical tourism that occurs throughout Latin America? Which type of tourism do you think is best for the communities?

Mi progreso comunicativo

I can talk about the benefits of community-based tourism and how to be a responsible traveler.

Paso 3: Conversar

Con un/a compañero/a hablen sobre las siguientes preguntas:

1. ¿Cuáles son los beneficios del turismo para una comunidad rural?
2. ¿Cómo debe portarse un/a turista al visitar Iruya?
3. ¿Cómo vemos que la comunidad de Iruya valora, protege y mantiene su forma de vida?

¡Prepárate!

¿Cuáles son las responsabilidades del turista al visitar un pueblo o una ciudad? Escribe una descripción del turista ideal e incluye lo siguiente:

- la actitud del turista
- la manera en que se comunica con la gente local
- las acciones del turista mientras visita la comunidad.

Reflexión intercultural

1. What do you think about **turismo comunitario**? Is it a form of travel that interests you?
2. How did viewing this video and talking about this particular indigenous community in Argentina change your perspective on travel and tourism?
3. What will you do if you get to travel to another country to be a responsible and respectful tourist?

Mi progreso intercultural

I can describe how to show respect and understanding in community-based tourism.

Actividad 12

¿Cómo son las casas de familia?

 **Paso 1: Leer y conversar**

a. Lee la información sobre los alojamientos en Salta, Argentina, una comunidad que ofrece turismo comunitario.

b. Habla con un/a compañero/a sobre las casas de familia en el texto. Respondan a las siguientes preguntas:

1. ¿Qué es una casa de familia?
2. ¿Qué tipo de habitaciones ofrecen?
3. ¿Cómo son las habitaciones?
4. ¿Cómo son las casas (o viviendas)?
5. ¿Qué garantizan las casas de familia a los viajeros?
6. ¿Cuántas personas pueden quedarse en las casas?
7. ¿Cómo es el ambiente de las casas de familia?

Alojamiento

En Salta, Argentina el alojamiento y los lugares de comida, son las mismas viviendas[1] campesinas. Cada vivienda que ofrece servicios turísticos cuenta con[2] una, dos o hasta tres habitaciones dobles destinadas para los viajeros. El baño es compartido[3] pues en general, es el mismo que utiliza la familia campesina. Las camas, colchones[4], ropa blanca[5] y el baño de cada vivienda son nuevos o mejorados[6] recientemente. Los turistas cuentan con camas simples o dobles, no en cuchetas[7], para garantizar[8] comodidad[9] y atención personalizada. Las casitas son de piedra, adobe y techos de caña[10] y conservan su arquitectura típica, manteniendo su identidad y garantizando la comodidad, seguridad[11] e intimidad[12] del viajero.

Cada familia puede recibir hasta seis visitantes, pero generalmente se alojan entre dos a cuatro personas al mismo tiempo.

Cada familia de la cooperativa, practica y promueve[13] las buenas prácticas de higiene, manipulación de alimentos, seguridad del viajero y garantiza una convivencia[14] social, cultural y ambiental respetuosa y amigable.

Red de Turismo Campesino (2012). "Alojamiento". Adapted from http://tinyurl.com/gn27qzn

Además se dice

el alojamiento/hospedaje - accommodation; lodging

alojarse/quedarse - to stay (over night)

1 homes 2 includes
3 shared 4 mattresses
5 bedding 6 improved
7 bunk beds 8 to guarantee
9 comfortability
10 stone, adobe and reed roofs
11 security 12 privacy
13 promotes 14 cohabitation

Enfoque cultural

Práctica cultural: Las casas de familia

En algunas comunidades indígenas, como en la de Iruya, Argentina, las familias abren sus puertas a los turistas para que se queden en sus casas. De esta manera, los turistas conocen sobre la vida y costumbres de la gente de la comunidad compartiendo con ellos las actividades diarias.

Conexiones

What are some ways you can learn about the community you are visiting when you travel? What do visitors to Iruya learn about the community and how does that compare to how you think of travel?

Paso 2: Observar y tomar apuntes

Observa en el video la forma de alojamiento y las viviendas *(casas)* donde se alojan los turistas que visitan las comunidades de Iruya y Salta en Argentina. Toma apuntes de las cosas importantes sobre el turismo comunitario.

Turismo comunitario en Iruya	
Los turistas	
La comunidad de Iruya	
Las casas de familia	

Paso 3: Diseñar y compartir

Diseña un afiche para promocionar el turismo comunitario. Incluye tres razones por las que te parece importante el turismo comunitario.

Actividad 13

¿En qué hotel te quedas?

 Paso 1: Leer

a. Mira las imágenes y escribe la palabra de vocabulario de Así se dice 7 que corresponda con cada foto.

b. Lee las descripciones y empareja la foto que corresponda con cada descripción.

1. Una cama en donde duermen dos personas.

A. 

2. Una habitación en un hotel con una sola cama.

B. 

3. Dinero que se da a las personas que trabajan en el hotel o a un/a camarero/a para agradecer sus servicios.

C. 

4. Cuando te traen comida a la habitación del hotel.

D. 

Así se dice 7: En el hotel

la cama matrimonial (doble)
la cama simple
la casa de familia
la habitación doble
la habitación simple
el hospedaje
la propina
quedarse
el servicio de habitación

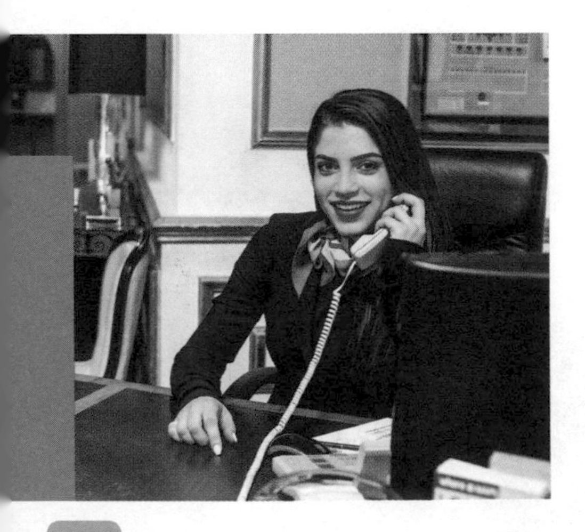

Paso 2A: Escuchar

Laura y su hermana Julia se van a quedar en un hostal durante sus vacaciones.

a. Escucha una conversación entre Carla, Sofía y el administrador del hostal.

b. Luego contesta a las preguntas para demostrar que entiendes la conversación.

1. ¿Cómo se llama el hostal donde Carla y su amiga se quedan?
2. ¿Para qué tipo de habitación tienen la reservación?
3. ¿Cuántas noches se van a quedar?
4. ¿Dónde van a comer desayuno Carla y su amiga?
5. ¿Cómo van a pagar la habitación?

Paso 2B: Conversar

Imagínate que acabas de llegar al hotel. Con un/a compañero/a preparen un pequeño diálogo para pedir una habitación. Incluyan en su diálogo:

1. Llegar al hotel y pasar por recepción.
2. Pedir una habitación con los detalles del tipo de habitación.
3. Preguntar los precios y elegir la habitación más conveniente.
4. Ir a la recepción para pedir ayuda porque faltan toallas en la habitación.
5. La ducha no funciona y hay que cambiar de habitación.
6. Pedir recomendaciones para ir a cenar, y direcciones para llegar a un restaurante cerca del hotel.

Paso 2C: Presentar

Después de preparar y repasar, presenten el diálogo a la clase.

Enfoque cultural

Práctica cultural: Los diferentes tipos de hospedaje

Cuando viajas a diferentes países hispanohablantes, como Argentina, hay diferentes tipos de lugares en donde te puedes quedar.

Puedes quedarte en **hoteles de cinco estrellas**, con piscinas y *spas* y restaurantes elegantes.

También puedes hospedarte en hoteles más económicos, **hostales y albergues** para jóvenes donde los precios son más económicos. Generalmente están cerca del centro o con fácil acceso a transporte público.

También te puedes quedar en **casas de familia**, donde puedes alquilar una habitación simple o doble. En estos lugares, generalmente, el desayuno y la cena están incluidos y los huéspedes *(guests)* practican español con la familia.

Conexiones

If you travel, what type of lodging do you usually use? Where do you think you would prefer to stay if you were to travel to a Spanish-speaking country? Do you know if there is something similar to ***casas de familia*** in your community?

Paso 3A: Leer

Lee la siguiente reseña de un cliente de un hotel.

Reseña del hotel "La Recoleta"

Nos quedamos en este hotel con mi familia. Cuando llegamos al hotel fuimos a la recepción para buscar la llave. ¡La habitación tenía muebles muy feos y el color de las paredes era rosado! El hotel necesita una remodelación. Desayunamos en un comedor un poco oscuro. El desayuno fue bueno pero no tenía nada especial. Mis padres pagaron mucho dinero por la habitación y no fue una buena experiencia. Definitivamente, no es el mejor hotel de Buenos Aires.

Nos alojamos en diciembre de 2015.

Paso 3B: Escribir

Ahora mira los enlaces en la guía digital de las diferentes opciones de hospedaje en Buenos Aires. Elige una de las opciones e imagina que te quedaste allí. Escribe una reseña de por qué elegiste ese hospedaje.

1. ¿Qué te gustó de esa opción?
2. ¿Qué servicios ofrecía? ¿Estaba en el centro o en las afueras de la ciudad?
3. ¿Cómo era la comida? ¿Y los horarios?
4. ¿Pudiste hablar y practicar español? ¿Con quién?
5. ¿Cómo fue la experiencia de pasar un tiempo en ese lugar?

¡Prepárate!

Dale consejos a un/a compañero/a sobre en qué clase de hotel debe hospedarse dependiendo de sus preferencias.

- Si quieres privacidad necesitas quedarte en…
- Si te interesa compartir más con la gente de la comunidad…
- Si quieres ser parte de una familia local…
- Si no tienes mucho dinero para hospedaje…

Reflexión intercultural

1. What type of lodging would you prefer when you travel? Would you prefer to be in a single room or share it with someone else?
2. What do you think about staying at a **casa de familia** and sharing meals, bedroom and bathroom with the family in whose home you are staying?
3. Where do you think you will get the most authentic experience and be comfortable at the same time?

Observa 2

Verbos con cambios de raíz en el pretérito

¿Dónde te quedaste anoche?	Me quedé en un hostal moderno en el barrio Palermo.
¿Cómo te fue?	**Dormí** como un bebé, pero mi hermano solo **durmió** dos horas porque nuestra habitación daba a la calle y había mucho ruido de los restaurantes y cafés.
¿Y cenaste fuera del hotel?	Sí, comimos en un restaurante con un menú de platos argentinos muy típicos.
¿Q **pediste**?	**Pedí** un choripan que estaba muy rico y mi hermano **pidió** un lomo pero el mesero le trajo milanesa de pollo.
	Aquí puedes ver la foto de los postres que nos **sirvieron** gratis para disculparse por el error del pollo/lomo entonces **pedimos** dos cafés también.

¿Qué observas?

What do you notice about the **-ir** verbs that are bold in the text conversation? Discuss with a partner and note your observations on the graphic organizer in Explorer.

Enfoque cultural

Práctica cultural: Las propinas

En los países hispanohablantes hay diferentes costumbres de dar propina. En los hoteles se da propina al botones, la persona que lleva el equipaje a la habitación, y a las personas que limpian la habitación. En los restaurantes muchas veces la propina ya está incluida en la cuenta y no hay que dejar extra. No es costumbre dar propina a los taxistas a menos que te ayuden llevando la maleta al hotel.

Si vas de excursión o tienes un guía turístico en el viaje es costumbre dejar una propina para el guía y para el conductor del autobús.

  **Conexiones**

What are some tipping practices in your community? What other places you think it would be important to leave a tip when you are traveling?

Actividad 14

¿Quieres cenar fuera?

Paso 1A: Mirar y anotar

Mira la siguiente serie de fotografías y anota el vocabulario de **Así se dice 8** y la lista de **¿Te acuerdas?** que corresponden con las fotos en el restaurante.

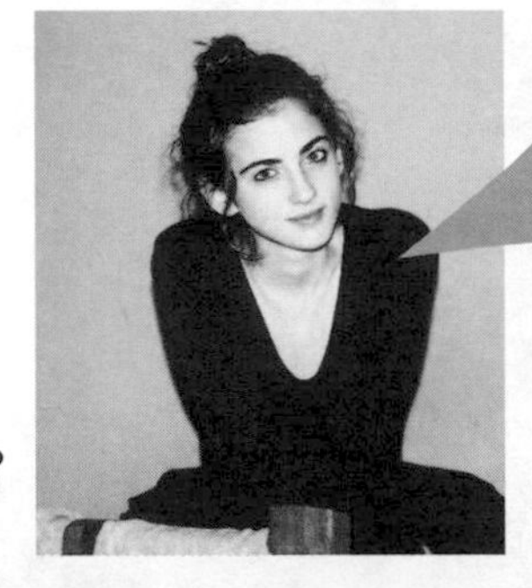

Las comidas típicas para probar son el locro, las empanadas y el asado argentino.

Enfoque cultural

Producto cultural: Platos típicos argentinos

Hay mucha variedad dentro de la comida típica argentina. Se come mucha carne de res de muy buena calidad. Son muy comunes las **parrilladas** en donde se asan carnes y chorizos a la parrilla y se comen con **chimichurri**, una salsa que se pone encima de la carne hecha a base de ajo, yerbas y aceite de oliva. En una parrillada es muy común comer choripan, que es pan, chorizo y chimichurri. Las **empanadas** son también muy populares y pueden estar rellenas de carne, queso, pollo o verduras.

La comida argentina tiene mucha influencia italiana, por lo tanto, las pizzas, la pasta o "tallarines" y las milanesas son parte de la comida diaria de los argentinos.

Entre los postres típicos están las tortas, budines y galletas. Los **alfajores**, que son dos galletitas de maicena rellenas de dulce de leche, son una de las delicias de la comida típica argentina.

  **Conexiones**

What are the typical foods in your area? Does the food in your area have influences from other cultures?

  Paso 1B: Escuchar y responder

a. Mira la serie de fotografías de nuevo mientras escuchas la conversación entre las amigas y los meseros en un restaurante en Buenos Aires.

b. Responde a las preguntas de comprensión en la guía digital.

  Paso 2: Conversar

a. Lee el menú.

b. Con un/a compañero/a, practiquen unas conversaciones en el restaurante. Tomen turnos para hacer el papel del/de la mesero/a y el/la cliente usando el vocabulario de **Así se dice 8** y otras palabras claves de **¿Te acuerdas?**

RESTAURANTE LAS PARRILLADAS DEL CHE RAFAEL
Calle Isabel la Católica No. 3241
Reservaciones al 099-323-9877

Especialidades de la Casa	Una persona	Dos personas
Matambre de ternera al limó	$165	$280
Matambre de cerdo a la mostaza	$195	$340
Matambre de cerdo agridulce	$160	$270
Matambre de ternera a la crema	$170	$290
Matambre de cerdo al Roquefort	$190	$320
Matambre de cerdo a la pizza	$205	$350
Guarniciones		
Papas con queso Chedar y pancetta	$90	
Porción de papas españolas	$60	
Adicional de crema	$15	
Parrillas		
Chorizo	$45	
Morcilla	$40	
Corte Mar del Plata de Ternera	$230	
Entrecot a la parilla	$190	
Tira	$230	

RESTAURANTE LAS PARRILLADAS DEL CHE RAFAEL
Calle Isabel la Católica No. 3241
Reservaciones al 099-323-9877

Entradas	
Rabas	$120
Vittel Toné	$65
Lengua a la vinagreta	$48
Empanadas de carne	$22
Empanadas de jamón y queso	$22
Tablita de Fiambre	$235
Tabla Che Rafael (rabas, milanesa suprema, pickles, cerezas, quesos, jamón cocido, jamón crudo)	$670
Ensaladas	
Ensalada de la casa	$ 65
Rúcula y Parmesano	$70
Waldorf o Caprese	$95
Pastas	
Sorrentinos (jamón y queso o verdura)	$ 115
Ravioles (jamón y queso o verdura)	$ 115
Canalones	$110
Ñoquis/Tallarines	$95

¿Te acuerdas?

el almuerzo
la cena
la comida
el desayuno
la ensalada
el plato principal
el postre
la sopa

aceptan tarjeta de crédito
me gustaría…
necesitar
necesito…
poder
quisiera…
servir
traer

Así se dice 8:

En el restaurante

el aperitivo
la cuenta
de la casa
el menú
el/la mesero/a
pedir
la servilleta

Pedir en el restaurante

¿Algo más?
¿Cuántas personas son?
Le traigo…
Me falta…
Me trae… por favor.
Necesitamos una mesa para…
¿Qué le gustaría pedir?
Tengo una reservación a nombre de…

Enfoque cultural

Producto cultural: El mate

El mate es una bebida que se toma en Argentina, Uruguay, Brasil y Paraguay. Se usa yerba mate la cual originalmente era cosechada por indígenas guaranís. El mate se bebe por la mañana, en el desayuno, cuando estás con amigos, por la noche, mientras caminas.... En realidad se toma todo el tiempo.

Se toma en un "vaso" que se llama **mate** que está hecho de madera, cerámica o de una calabaza. También necesitas una **bombilla** que es como un "sorbete" que no deja pasar la yerba.

Si lo tomas entre amigos y familia usas el mismo mate y la misma bombilla y lo compartes mientras charlas con ellos.

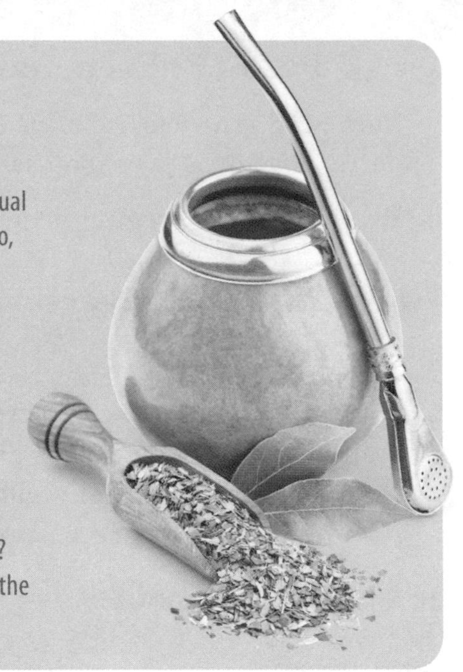

 **Conexiones**

Can you think of a tradition in your culture where you share food or drinks from the same plate/cup? How do you feel about sharing a beverage with friends? What do you think this practice says about the Argentinian culture?

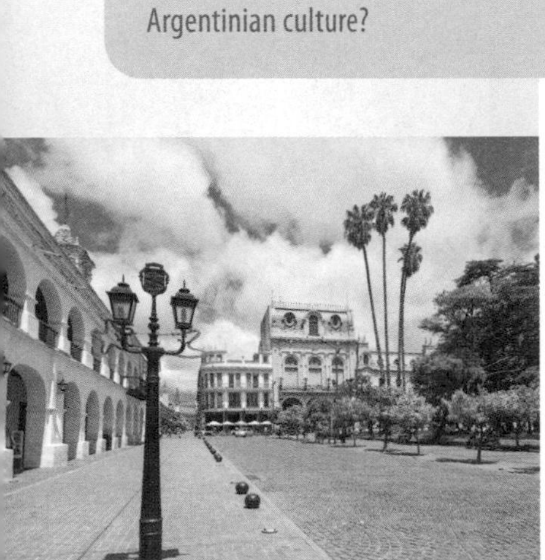

Paso 3A: Observar y anotar

Mira el video y anota lo que observas y escuchas sobre el turismo comunitario en Salta, Argentina.

Paso 3B: Conversar

Con un/a compañero/a, conversen sobre las siguientes preguntas:

- ¿Te interesa hacer un viaje de turismo comunitario?
- ¿Qué observas sobre la comida y cómo la preparan y comen en esta comunidad de Salta, Argentina?

Mi progreso intercultural

I can describe the practice and perspective of dining in a **casa de familia** when traveling.

Reflexión intercultural

1. When traveling, would you prefer to bring food to cook or eat out?
2. What do you think about helping cook or prepare the meals in a **casa de familia**?
3. How has your perspective on dining while traveling changed after seeing how this community provides dining experiences for the tourists who travel there?

Actividad 15

¿Adónde fuiste en Buenos Aires?

Paso 1A: Mirar y escribir

Mira el video de sitios turísticos en Buenos Aires, la capital de Argentina.

- ¿Qué ves en cada sitio?
- ¿Qué piensas que puedes hacer en cada sitio?

Paso 1B: Leer y conversar

Lee la información sobre sitios en Buenos Aires y conversa con un/a compañero/a sobre las siguientes preguntas.

En Buenos Aires...

...hay muchos destinos turísticos que puedes elegir para una visita fantástica a esta gran ciudad.

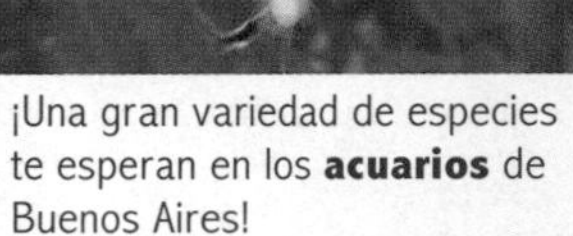

¡Una gran variedad de especies te esperan en los **acuarios** de Buenos Aires!

Una **guía** argentina con mucha experiencia te puede ayudar a conocer las zonas históricas de la ciudad.

Hay varios **parques de atracciones** con montañas rusas y juegos para todos.

¡No te pierdas **un espectáculo de tango**, un baile muy tradicional y popular argentino!

El **cementerio** Recoleta es una experiencia inolvidable con la oportunidad de conocer la tumba de personajes históricos como Eva Perón.

El **teatro** Colón ofrece **giras turísticas** de todas las galerías y partes secretas del edificio.

- ¿Qué viste en el video que también aparece aquí?
- ¿Qué destinos te llaman la atención? ¿Por qué?
- ¿Qué conexiones puedes hacer con destinos turísticos que conoces en otros lugares?

Así se dice 9: Los destinos turísticos

el acuario

el espectáculo de baile/danza

la gira turística (el tur)

el/la guía

el parque de atracciones

¿Te acuerdas?

el cementerio

descubrir

la excursión

explorar

el museo

el teatro

el zoológico

Enfoque cultural

Producto cultural: Las Madres de la Plaza de Mayo

Las Madres de la Plaza de Mayo es una asociación argentina que se formó durante la dictadura de Jorge Rafael Videla, para tratar de liberar con vida a sus hijos que desaparecieron durante la dictadura. Se cree que durante la dictadura hubo más de 30.000 personas desaparecidas. Desde el año 1977 las madres marchan silenciosamente en la plaza frente a la Casa Rosada, donde vive el presidente, para protestar y pedir justicia en Argentina y en otros casos de derechos humanos en América Latina.

  **Conexiones**

What ongoing groups or symbols of resistance and protest do you know of in your country? How does it make a difference that a group has been continuing an action of protest for so long?

 Paso 2A: Investigar y compartir

Con un grupo de compañeros, van a investigar varios destinos en Buenos Aires y compartir lo que aprenden con el grupo.

1. Visita el sitio web designado para conocer algunos destinos en Buenos Aires.
2. Toma apuntes de los lugares mencionados en el artículo que lees.
3. Elige tres destinos que te llamen mucho la atención. Describe cada destino en dos o tres oraciones.
4. Comparte tus destinos preferidos con tu grupo y toma apuntes de los destinos favoritos de tus compañeros también.

 Paso 2B: Hacer preguntas

Escribe un correo electrónico o carta a un/a compañero/a para conocer mejor los sitios que visitó.

1. Hazle por lo menos tres preguntas sobre sus destinos favoritos.
2. Usa el pretérito en las preguntas.
3. Al recibir el correo electrónico o carta, responde a las preguntas de tu compañero/a.

Modelo

¿Adónde fuiste...?

¿Qué hiciste en...?

¿Qué más te gustó de...?

Paso 3: Planificar y comprar

Elige un destino interesante y prepara una conversación para comprar boletos, usando el organizador gráfico en la guía digital.

1. ¿Cuántos boletos necesitas?: Decide si vas solo o con un(os) amigo(s).
2. ¿Cuándo quieres ir?: Elige el día y hora conveniente para ti.
3. ¿Cómo vas a pagar?: Menciona el precio y tu manera de pagar en la conversación.

Reflexión intercultural

In Argentina as in other countries, there are historic and tourist destinations that commemorate difficult events of the past. After reviewing the information about **el Museo de la Memoria y las Madres de la Plaza de Mayo**, consider the following questions:

1. How can a visitor's presence affect the environment for the people visiting an important site?
2. How are these places important for local people who are from that country? How could visitors' behavior impact their experience?
3. How do we give a good or bad impression of our own country when we visit historic sites while traveling?
4. What are things you can do as a traveler to interact respectfully and appropriately with locals and these places that are important to their history?

Enfoque cultural

Producto cultural: Museo de la Memoria – Córdoba

En Córdoba, como en muchas ciudades argentinas, existen museos dedicados a recordar específicos momentos de la historia del país. El Museo de la Memoria en la ciudad de Córdoba se encuentra en un antiguo centro clandestino de detención y tortura. Durante los años de la dictadura traían aquí a jóvenes a los que consideraban rebeldes o que estaban en contra del gobierno. Hay cientos de fotos de los hombres y mujeres que desaparecieron durante la dictadura militar. Esta fue una época muy triste para Argentina y el objetivo de estos museos es no olvidar a los muertos y desaparecidos para no repetir los errores del pasado.

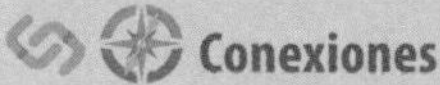

Is there a place in your country dedicated to remembering a historic event that would be better not to be repeated?

¡Prepárate!

Vas a presentar consejos para viajeros a Argentina. En esta práctica, puedes seleccionar buenos consejos y revisar otros.

a. Revisa la siguiente lista de consejos para viajeros a los destinos turísticos e históricos de Argentina. Decide cuáles son buenos consejos y cuáles no los son.

b. Escribe de nuevo los consejos, que no son buenos, en forma negativa para formar una lista completa de qué hacer y no hacer como viajero/a para mostrar respeto por los lugares y las personas que visitas.

1. Hable o grite con sus amigos como lo hace en casa o fiestas.
2. Espere su turno para entrar y respete la cola.
3. Pida permiso a la gente local si van a aparecer en sus fotos.
4. Comparta sus reacciones y opiniones del lugar sin pensar en las personas que escuchan.
5. Deje basura donde quiera.
6. Salude a la gente que trabaja allí al entrar y salir del lugar.
7. Haga chistes (comentarios cómicos o irónicos) de los eventos históricos e ideas culturales representados allí.
8. Haga preguntas respetuosas cuando usted no entiende algo.

Enfoque cultural

Producto cultural: La artesanía

La artesanía y los productos hechos a mano por artesanos mantienen las tradiciones y valores de una comunidad a través de los años. Al visitar otro país, puedes ver ejemplos de su arte tradicional en estos objetos que se venden tanto a la gente local como a los turistas. La artesanía es algo útil (como ropa) o es decorativo (joyas, adornos para la casa). En varias partes de Argentina puedes encontrar tejidos *(tapestries)*, joyas, cerámica, pinturas, figuras elaboradas de metal y más.

  **Conexiones**

Why is it important to "shop local" and support businesses in your own community and while you travel? Where have you seen handmade articles like this sold in your local community and/or elsewhere? Have you ever thought about the people who made these items?

Santos Filomena Condorí, tejedora en telar

Soy artesana de a partir de los diez años y a mis nietos, mis hijos, voy empujando para que aprendan porque ya en verdad se estaba perdiendo esto. El turista lo valora a la persona que está tejiendo, no es una máquina que hace veinte, treinta piezas. Nosotros tratamos semanas con un tejido fino.

Actividad 16

¿Cómo puedo apoyar a la comunidad local durante mi viaje?

  Paso 1: Conversar

Con un/a compañero/a hablen sobre las siguientes preguntas:

- ¿Qué haces para compartir una linda experiencia que no quieres olvidar?
- ¿Cómo comparten tus amigos y familiares sus viajes?
- ¿Cómo ayuda la tecnología a contar lo bueno y lo malo de nuestros viajes?

  Paso 2: Planificar

Ana, la viajera argentina, te escribió un correo electrónico. Léelo y responde, contestando a sus preguntas.

Para: Cati
Asunto: Recuerdos del viaje.

¡Hola che!

¿Qué tal tu viaje a Argentina? ¿Adónde fuiste? ¿Cuál fue el lugar que más te gustó hasta ahora?

Te quería decir que no olvides la oportunidad para comprar regalitos en los mercados de **artesanía** que hay por todo el país. Puedes encontrar cosas lindas y únicas y así tener un **recuerdo** de tu viaje. También a mis familiares y amigos siempre les gusta si les regalo algo de mis viajes. ¿A quién quisieras regalar algo al regresar a casa?

¡Suerte!

Ani

¿Te acuerdas?

compartir en línea

contar

ir de compras

regalar

sacar fotos

Además se dice: Los recuerdos

la artesanía/los artesanos - crafts/craftsmen

la figura - figure

hecho a mano - handmade

el imán - magnet

las joyas - jewelry

el llavero - key chain/ring

Paso 3: Ilustrar y narrar

Crea una serie de ilustraciones de un viaje que hiciste a Argentina.

a. Escribe una historia de tus experiencias. Usa el pretérito y el imperfecto para describir:

1. ¿Adónde fuiste?
2. ¿Con quién(es) viajaste?
3. ¿Qué tiempo hacía?
4. ¿Dónde te quedaste?
5. ¿Qué comiste?
6. ¿Qué destinos disfrutaste más?
7. ¿Qué compraste de recuerdo para tus familiares y amigos?

b. Comparte tu historia con un/a compañero/a o grupo de compañeros. Responde a sus preguntas.

Reflexión intercultural

1. How is buying something locally made for a gift different than giving a mass-produced item?
2. How can travelers show respect for local artistic traditions?
3. Why is it important to consider who made what you are buying, and from whom you are buying it?

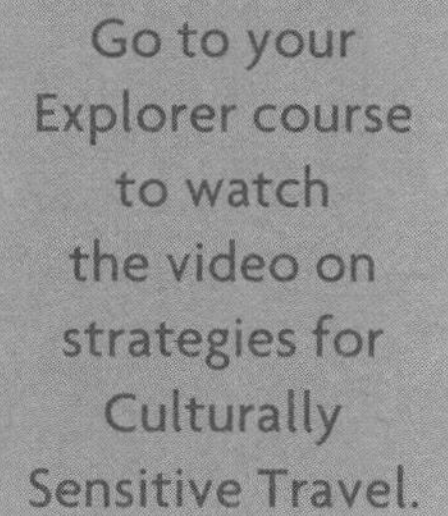

Estrategias

Culturally sensitive travel

Remember, when you are traveling it is important to be respectful of the communities that you are visiting.

Here are some brief ideas on how to show respect:

- Do not take pictures of people without asking their permission.
- Try at least to learn few words of the language of the country you are visiting. Hello, thank you and please are good examples.
- Learn some basic information on the community you are going to visit.
- Try to save resources in those communities: water, electricity, etc.
- If someone offers you food or drink, don't refuse it. Try it! It will mean a lot to them.
- Think about when you want to bargain. If you are buying a handmade craft that took a long time, how can you show your appreciation for that?

En camino B

Por los caminos de Argentina

Vas a hacer un viaje a Argentina y necesitas información sobre lugares dónde quedarte y cosas que puedes hacer en tu viaje. Carlos Francisco, un amigo de Laura, viajó a Argentina y tiene consejos para ti.

a.

Paso 1: Escuchar e identificar

Escucha las siguientes conversaciones sobre el viaje que hizo Carlos Francisco a Argentina. Relaciona cada conversación con la fotografía correspondiente.

b.

Paso 2: Escribir y hacer preguntas

Escribe un correo electrónico a Carlos Francisco.

a. Hazle preguntas sobre su viaje y experiencias positivas en Argentina.

b. Recuerda que debes usar el pretérito y el imperfecto.

c. Usa las siguientes preguntas como una guía para escribir tu correo electrónico:

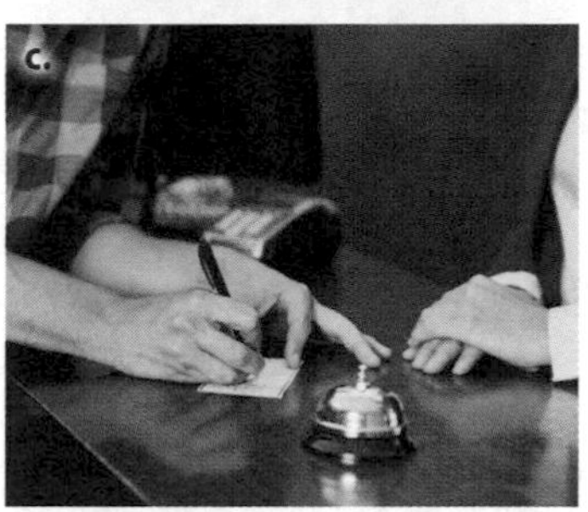
c.

¿Adónde fue?

¿Con quién(es) viajó?

¿Qué tiempo hacía?

¿Dónde se quedó?

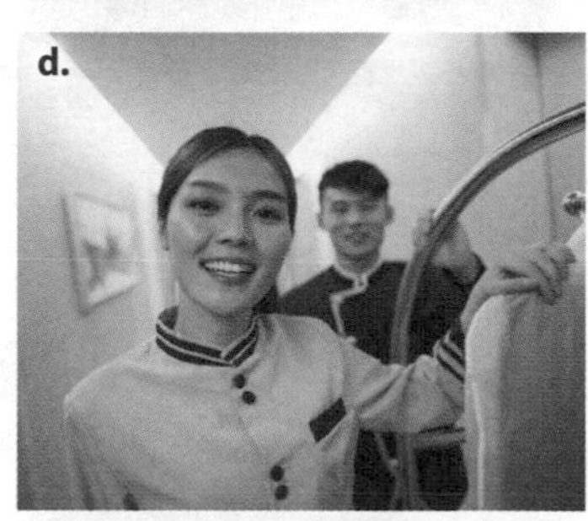
d.

¿Qué comió?

¿Qué destinos disfrutó?

¿Qué recuerdos compró para sus familiares y amigos?

e.

Paso 3: Diseñar

Diseña un objeto o un producto que te permita compartir los recuerdos de tu viaje a Argentina con tus compañeros.

a. Puede ser un diario fotográfico, una tira cómica o un álbum con fotos y descripciones de tus memorias de lo que viste, aprendiste y descubriste en ese viaje.

b. Comparte tus experiencias con un grupo de compañeros en persona o en el foro digital.

f.

Síntesis de gramática

Los mandatos formales

Remember to use formal commands to give directions or politely tell someone what to do.

Pasar: Pase por el mostrador de la aerolínea para recibir su tarjeta de embarque.

Dejar: Deje sus maletas en el mostrador.

Hacer: Haga cola en el control de seguridad.

Leer: Lea las pantallas para confirmar su puerta de embarque.

Llegar: Llegue a la puerta de embarque temprano.

Los verbos con cambios de raíz: Los verbos en el pretérito

Verbs ending in -ir that have a stem change in the present do not have a stem change in the past EXCEPT in the third person (singular and plural: él/ella and ellos/ustedes forms).

Verbs like: **dormir, servir, preferir, pedir**

- Carlos **prefirió** quedarse en un hotel.
- Aquellos turistas **durmieron** en casas de familia cuando estaban en Iruya.
- Elena **pidió** un choripán y yo **pedí** empanadas en el restaurante.
- El mesero **sirvió** a los clientes.

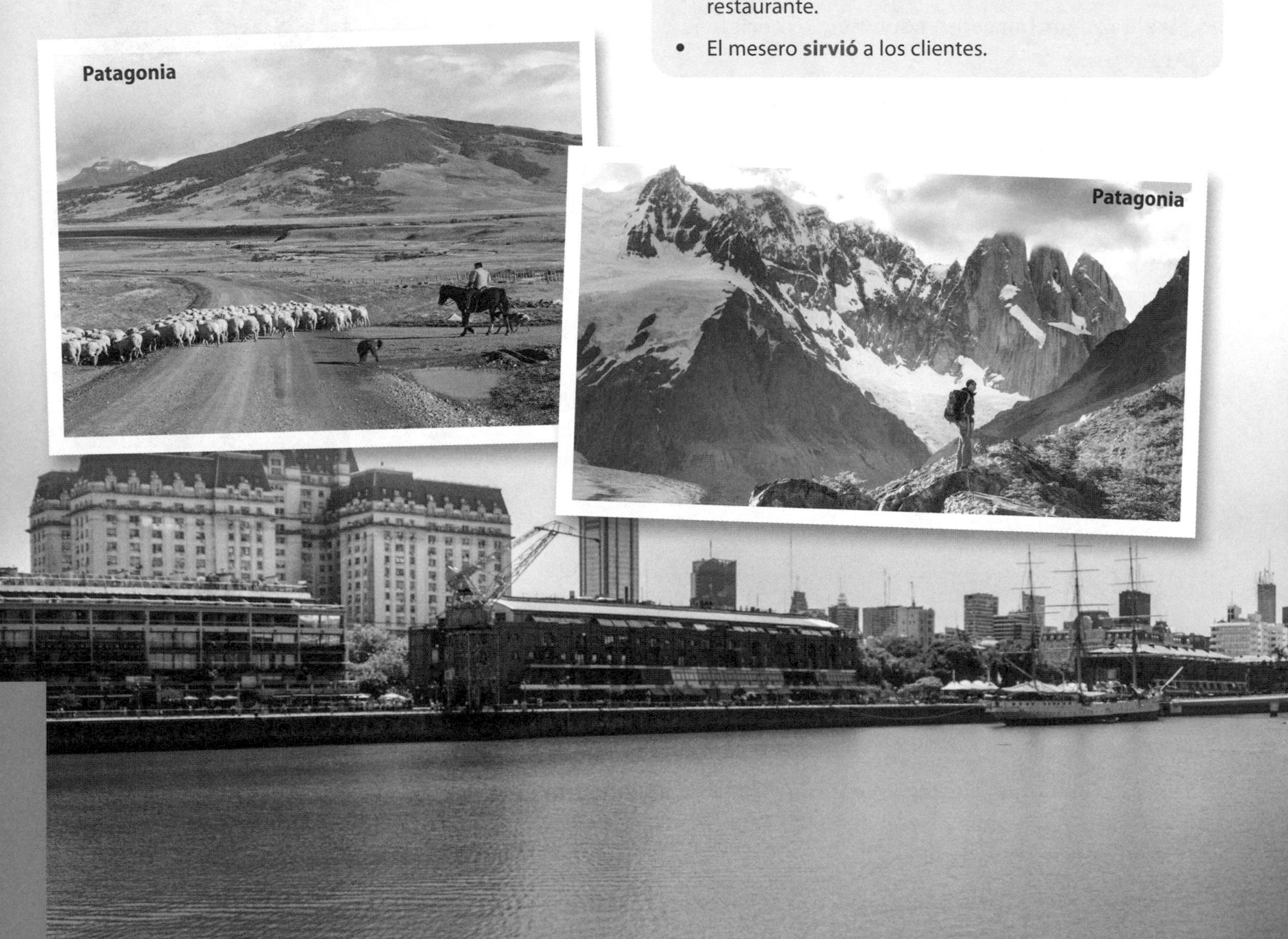
Patagonia

Patagonia

Vocabulario

Así se dice 6: El turismo comunitario

el campesino - country dweller; farmer
conservar - to preserve; to keep
la forma de vida; el estilo de vida - lifestyle
el pueblo - village; people
sustentable/sostenible - sustainable

Así se dice 7: En el hotel

la cama matrimonial (doble) - queen bed
la cama simple - full bed
la casa de familia - homestay
la habitación doble - double room
la habitación simple - single room
el hospedaje - lodging
la propina - tip
quedarse - stay
el servicio de habitación - room service

Así se dice 8: En el restaurante

En el restaurante
el aperitivo - appetizer
la cuenta - bill
de la casa - house menu
el menú - menu
el/la mesero/a - waiter/waitress
pedir - to order (restaurant)
la servilleta - napkin

Pedir en el restaurante
¿Algo más? - Anything else?
¿Cuántas personas son? - How many people in your party?
Le traigo… - I will bring you…
Me falta… - I need/I'm missing…
¿Me trae… por favor. - Could you bring me… please?
Necesitamos una mesa para… - We need a table for…
¿Qué le gustaría pedir? - What would you like to order?
Tengo una reservación a nombre de… - I have a reservation under…

Así se dice 9: Los destinos turísticos

el acuario - aquarium
el espectáculo de baile/danza - dance show
la gira turística/el tur - tour
el/la guía - guide
el parque de atracciones - amusement park

Buenos Aires

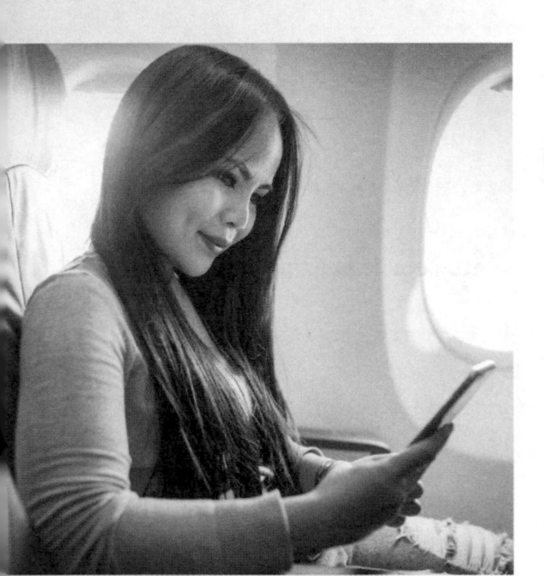

Vive entre culturas

Cómo ser un viajero y no un turista

Pregunta esencial: How do travel experiences shape our intercultural understanding and respect for the communities we visit?

Tú y un grupo de estudiantes de español de tu escuela van a viajar a Argentina este verano. El/la profesor/a quiere una guía turística con información útil, con expresiones para conversar, consejos de viaje y cómo ser respetuoso con las personas y las costumbres locales durante el viaje.

Interpretive Assessment

Paso 1: Observar

a. Mira los videos sobre turismo en Argentina. Observa y anota el rol del turismo en estas comunidades y también la importancia de educar a los demás sobre la cultura de las comunidades.

b. Elige la mejor opción en el cuestionario en la guía digital.

Interpersonal Assessment

Paso 2: Comunicar y reflexionar

a. Participa en una variedad de mini-dramas con los escenarios en la guía digital. Usa el vocabulario que aprendiste para comunicarte cuando viajas.

b. Después de cada conversación, escribe una reflexión para explicar cómo una persona debe interactuar y comunicarse con las personas según las situaciones en las diferentes comunidades.

Presentational Assessment

 ### Paso 3: Diseñar y escribir

Diseña una guía de turismo con frases útiles e información esencial para un/a viajero/a, incluye:

a. Un diccionario con tres de los cuatro temas mencionados. Para cada tema que eliges incluye tres o más frases en español para conversar en las diferentes situaciones:

- Comunicarse en el aeropuerto y en la aduana
- Pedir ayuda en la estación de bus o tren
- Comunicarse en el hotel o casa de familia
- Comunicarse en un restaurante o en la cena con la familia

b. Una guía que incluya consejos para viajar de una manera respetuosa y consejos para dos de los temas adicionales. Para cada tema que eliges, incluye dos o más consejos para viajar (usa mandatos formales)

- Para viajar de una manera respetuosa/responsable
- En las casas donde te quedas
- En los pueblos y comunidades
- Con los diferentes miembros de la comunidad

Elige dos de estos temas adicionales:

- Para navegar en el aeropuerto
- Para decidir dónde quedarse (en qué tipo de hospedaje)
- Para pedir y probar comida nueva

Can-do Statements

Unidad 1: De vuelta a clases

Mi progreso intercultural

- ❏ I can compare my school to schools in Andean Spanish-speaking countries.*
- ❏ I can compare my school schedule to a school schedule from a Spanish-speaking country.
- ❏ I can describe how technology meets the needs of students and creates learning opportunities.
- ❏ I can explain how teachers support student learning in different cultural contexts.
- ❏ I can give examples of what schools include and offer that meets their students' needs.
- ❏ I can describe how students in different countries view success in school.
- ❏ I can recognize how bilingual education in Ecuador is improving learning opportunities for indigenous students.

Mi progreso comunicativo

- ❏ I can describe and compare school buildings.
- ❏ I can recognize people who work at schools when their jobs are described.
- ❏ I can ask and answer questions about my class schedule.
- ❏ I can express preferences about classes and classroom activities.
- ❏ I can exchange information to describe my teachers.
- ❏ I can draw comparisons between different people.
- ❏ I can describe the attributes of an ideal teacher.
- ❏ I can identify extracurricular activities when I hear them described.
- ❏ I can give opinions about what extracurricular activities schools should offer.
- ❏ I can recognize ways to be successful in school from someone speaking about the topic.
- ❏ I can explain how to be successful in school.
- ❏ I can describe my behavior in school.
- ❏ I can give examples of how classroom rules impact learning.
- ❏ I can describe how students and teachers create a positive classroom environment.

*The Can-Do Statements are Wayside Publishing's alone and not based on the NCSSFL-ACTFL Can-Do Statements.

Unidad 2: La cultura de una familia

Mi progreso intercultural

- ❏ I can recognize how descriptive and figurative language is used in literature to describe family.
- ❏ I can compare and contrast perspectives on family from different cultures.
- ❏ I can compare greeting and leave-taking practices in Spanish-speaking cultures with those of my culture.
- ❏ I can express some information about family values in Mexico.
- ❏ I can describe what roles in the family used to be like and how they have changed.

Mi progreso comunicativo

- ❏ I can describe family structures.
- ❏ I can compare family structures.
- ❏ I can draw comparisons between family members.
- ❏ I can describe family members.
- ❏ I can explain how people in a household schedule their daily routines.
- ❏ I can narrate my daily routine and my family's daily routine.
- ❏ I can describe customs my family regularly observed in the past.
- ❏ I can ask and answer questions about what I used to do when I was young.
- ❏ I can describe how technology impacts family life.
- ❏ I can reflect on and share some of my family's values.
- ❏ I can comprehend descriptions of family members doing household chores.
- ❏ I can describe household responsibilities within my family.
- ❏ I can exchange information about how the individuals in my family help around the house.

Unidad 3: Un mundo hecho por comunidades

Mi progreso intercultural

- ❑ I can identify the Spanish colonial influence in Latin American communities.
- ❑ I can compare and contrast the layout of my community with that of a Spanish-speaking community.
- ❑ I can identify some icons and celebrations that express the shared identity of a community.
- ❑ I can identify some of the cultural differences between shopping in an outdoor market or in a supermarket.
- ❑ I know how and when to bargain in culturally appropriate ways.
- ❑ I can explain why different modes of transportation are used in communities across Spanish-speaking cultures.
- ❑ I can use a city map to help me find my way in Central American communities.
- ❑ I can identify unique ways to give directions in Costa Rica.
- ❑ I can describe how my own and other cultures honor and celebrate the cultural diversity of a community.
- ❑ I can explain how collaboration among community members benefits the community as a whole.
- ❑ I can explain why international volunteers make a difference in Latin American communities.

Mi progreso comunicativo

- ❑ I can describe places and their location in a community.
- ❑ I can identify what people do at different places in their community.
- ❑ I can use appropriate vocabulary to bargain in a relevant cultural context.
- ❑ I can retell what I did at various places in my community.
- ❑ I can describe how people traveled by various modes of transportation.
- ❑ I can ask for and give directions to get around a community.
- ❑ I can describe how people and communities celebrate their cultures and ancestry.
- ❑ I can describe how people contributed to community projects and celebrations.
- ❑ I can identify ways that individuals made a difference in their communities.
- ❑ I can encourage others to get involved in a community project.

Unidad 4: En la cocina de mi abuela

Mi progreso intercultural

- ❑ I can compare typical meals and ingredients used in Caribbean cooking and in my own community.
- ❑ I can identify what food would be culturally appropriate to serve at different times of the day in Spanish-speaking cultures.
- ❑ I can describe and compare traditional and modern approaches to healthcare in Cuba and my community.

Mi progreso comunicativo

- ❑ I can identify ingredients commonly used in Caribbean cooking.
- ❑ I can talk about the foods I like to eat and when I typically eat them.
- ❑ I can express and explain my food preferences.
- ❑ I can describe the flavors and ingredients in a variety of dishes.
- ❑ I can understand and identify what I hear when someone describes the flavors of a dish.
- ❑ I can retell actions in the past to explain how I prepared a meal.
- ❑ I can tell an adult how to make a familiar recipe.
- ❑ I can ask and answer questions about how to prepare various dishes.
- ❑ I can invite friends over for a gathering and name the food items that will be served.
- ❑ I can ask and answer questions about activities in the past.
- ❑ I can describe my symptoms to someone when I am sick.
- ❑ I can understand when someone describes how they felt when they were sick in order to identify their illness.
- ❑ I can describe how I felt when I was sick in the past.
- ❑ I can give advice about what to do based on different health-related symptoms.
- ❑ I can ask and answer questions about homemade remedies.
- ❑ I can answer questions about my symptoms.

Unidad 5: Vida social

Mi progreso intercultural

- ❏ I can describe how friends greet one another in other cultures.
- ❏ I can describe culturally appropriate norms when attending a social or family event in Spanish-speaking countries.
- ❏ I can compare a variety of leisure-time activities popular in Peru with those in my community.
- ❏ I can use formal language to show respect in Spanish.
- ❏ I can investigate prices in Peru and compare with prices for similar products where I live.

Mi progreso comunicativo

- ❏ I can describe my social habits and preferences.
- ❏ I can ask and answer questions about technology use and social habits.
- ❏ I can use some culturally appropriate expressions to extend, accept and politely refuse an invitation.
- ❏ I can retell past events about spending time with friends and/or family in the community.
- ❏ I can ask and answer questions about past events related to time with friends and family.
- ❏ I can narrate past outdoor adventures including completed actions and descriptions of background information.
- ❏ I can narrate past outdoor adventures including completed actions and descriptions of background information.
- ❏ I can identify where to buy certain clothing items.
- ❏ I can describe what clothes to wear for different occasions.
- ❏ I can ask and answer questions about purchases in a store.
- ❏ I can exchange information about prices and discounts on different items.
- ❏ I can report on a purchase I made and how much I spent and saved.
- ❏ I can ask for and give information about prices, styles, and sizes of clothing or models and prices of other goods.
- ❏ I can talk about how much items cost.
- ❏ I can exchange information about what items I purchased and for whom.

Unidad 6: Un viaje al extranjero

Mi progreso intercultural

- ❏ I can identify appropriate steps to take and ways to interact in an airport in a Spanish-speaking country.
- ❏ I can describe how to show respect and understanding in community-based tourism.
- ❏ I can compare the differences between staying in a hotel and in a family's home.
- ❏ I can describe the practice and perspective of dining in a *casa de familia* when traveling.
- ❏ I can explain the importance of respectful tourism while visiting historic sites.
- ❏ I can explain the importance of supporting artisanal crafts when visiting a new community.

Mi progreso comunicativo

- ❏ I can follow suggestions for getting around an airport when I read them or when someone tells me what to do.
- ❏ I can tell a Spanish-speaking friend how to get around an airport.
- ❏ I can narrate a story about a past travel experience.
- ❏ I can exchange basic and necessary travel information in the airport.
- ❏ I can communicate basic needs to a flight attendant.
- ❏ I can talk about my preferences when flying on an airplane.
- ❏ I can share tips for flying on a plane.
- ❏ I can explain how to plan for a long-distance bus trip.
- ❏ I can initiate, sustain and close a conversation about how to arrive at a specific destination.
- ❏ I can talk about the benefits of community-based tourism and how to be a responsible traveler.
- ❏ I can describe una casa de familia.
- ❏ I can give advice on where to stay depending on preferences.
- ❏ I can retell what happened in a restaurant after hearing a conversation.
- ❏ I can order and make simple requests in a restaurant.
- ❏ I can ask and answer questions about destinations while traveling.
- ❏ I can give advice to travelers about how to respectfully visit sites in another country.

Level 2 *EntreCulturas* Analytic Growth Rubric

Interpretive Reading, Listening, Audiovisual, and Viewing

LEVEL 2 TARGET: NOVICE HIGH - INTERMEDIATE LOW

DOMAINS	NOVICE MID	NOVICE HIGH	INTERMEDIATE LOW	INTERMEDIATE MID
HOW WELL DO I UNDERSTAND? ***MAIN IDEA AND/OR DETAILS***	I can recognize and understand some basic information with memorized words and phrases.	I can identify pieces of information and sometimes the main idea(s) without explanation when the idea is familiar, short, and simple.	I can identify the main idea(s) and some details when the idea is familiar, short, and simple.	I can identify the main idea(s) and a few supporting details when the idea is related to everyday life, personal interests, and studies.
WHAT WORDS AND STRUCTURES DO I UNDERSTAND? ***VOCABULARY AND STRUCTURES IN CONTEXT***	I can recognize words and phrases, including cognates, and borrowed words in text or speech from well-practiced topics.	I can understand words, phrases, simple sentences, and some structures in short, simple texts or sentence-length speech, one utterance at a time, with support, related to familiar topics of study.	I can identify words, phrases, high-frequency expressions, and some learned structures in short, simple, loosely connected texts or sentence-length speech, one utterance at a time, related to familiar topics of study.	I can identify some words, phrases, and structures in various time frames (e.g., past, future) in simple, loosely connected texts or straightforward speech related to everyday life and personal interests and studies.
HOW WELL CAN I UNDERSTAND UNFAMILIAR LANGUAGE? ***CONTEXT CLUES***	I can understand some basic meaning when authentic texts or speech on very familiar topics include cognates and/or visual clues.	I can understand basic meaning when short, non-complex authentic texts or speech include cognates and visual clues, on familiar topics.	I can understand literal meaning from authentic texts or speech on familiar topics and from highly predictable texts related to daily life.	I can understand literal meaning from authentic texts on familiar topics and from predictable texts related to daily life and personal interests or studies.

DOMAINS	NOVICE MID	NOVICE HIGH	INTERMEDIATE LOW	INTERMEDIATE MID
HOW WELL CAN I INFER MEANING BEYOND WHAT I READ OR HEAR? ***INFERENCES***	I can make limited inferences based on visual clues, organizational layout, background knowledge, keywords, inflection and/or body language.	I can make a few inferences based on visual clues, organizational layout, background knowledge, keywords, inflection and/or body language.	I can make some inferences based on the main idea and information such as visual clues, organizational layout, background knowledge, keywords, inflection and/or body language.	I can make inferences based on the main idea and information such as visual clues, organizational layout, background knowledge, keywords, inflection and/or body language.
HOW INTERCULTURAL AM I? ***INTERCULTURALITY*** *Based on classroom tasks/activities/ intercultural reflections and outside classroom experiences.	I can identify a few cultural products, practices, perspectives including cultural behaviors and expressions related to daily life.	I can identify some cultural products, practices, perspectives, including cultural behaviors and expressions related to daily life.	I can describe cultural products, practices, perspectives, including cultural behaviors and expressions related to daily life.	I can compare cultural products, practices, perspectives, including cultural behaviors and expressions related to daily life.

Adapted from Jefferson County Public Schools World Languages: Performance Assessment Rubrics (Kentucky), Howard County Public Schools World Languages (Maryland).

Level 2 *EntreCulturas* Analytic Growth Rubric

Interpersonal Communication: Speaking and Writing

LEVEL 2 TARGET: NOVICE HIGH - INTERMEDIATE LOW

DOMAINS	NOVICE MID	NOVICE HIGH	INTERMEDIATE LOW	INTERMEDIATE MID
HOW WELL DO I MAINTAIN THE CONVERSATION? ***QUALITY OF INTERACTION***	I have some difficulty maintaining simple conversation by using isolated words and memorized phrases. I speak with frequent hesitation, pauses, and/or repetition.	I can participate in short social interactions by asking and answering simple questions and relying heavily on learned phrases and short or incomplete sentences. I speak with hesitation, pauses, and/or repetition.	I can sustain the conversation by relying on phrases, simple sentences and a few appropriate questions. I attempt to self-correct but speak with hesitation, pauses, and/or repetition.	I can start and sustain the conversation by asking appropriate questions and responding with a series of sentences. I can rephrase, self-correct and use circumlocution. I speak with some hesitation, pauses, and/or repetition.
WHAT LANGUAGE/ WORDS DO I USE? ***VOCABULARY IN CONTEXT***	I can use a limited number of highly practiced words and expressions to identify familiar objects and actions.	I can use learned words and phrases to interact with others in tasks and activities on familiar topics.	I can use a variety of new and previously learned words and phrases to interact with others on a range of familiar topics.	I can use a variety of words, expressions, and personalized vocabulary to interact with others on a wide range of topics and begin to expand vocabulary within a topic.
HOW DO I USE LANGUAGE? ***FUNCTION AND TEXT TYPE***	I can ask and respond to highly predictable questions with words, lists, and memorized phrases. I am beginning to communicate beyond the word level, but my errors often interfere with the message.	I can use phrases, simple sentences, and questions. I am beginning to create original sentences with simple details, but errors sometimes interfere with the message.	I can combine words and phrases to create original sentences in present time with a few details on familiar topics. I can sometimes vary the time frames (e.g., past, future), but errors may interfere with the message.	I can use a series of sentences to describe or explain with details, using a variety of time frames (e.g., past, future), but I make frequent errors in complex structures. I can combine simple sentences using connectors or transitions.
HOW WELL AM I UNDERSTOOD ? ***COMPREHENSIBILITY***	I am somewhat understood by someone accustomed to a language learner.	I am often understood by someone accustomed to a language learner.	I am usually understood by someone accustomed to a language learner.	I am easily understood by someone accustomed to a language learner.

DOMAINS	NOVICE MID	NOVICE HIGH	INTERMEDIATE LOW	INTERMEDIATE MID
HOW WELL DO I UNDERSTAND? ***COMPREHENSION***	I can understand some familiar language, one phrase at a time. I rely on visual clues, repetition, and/or a slowed rate of speech.	I can understand pieces of information and sometimes the main idea in straightforward language that uses familiar structures. I occasionally rely on visual clues, repetition, and/or a slowed rate of speech.	I can understand the main idea in short, simple messages and conversations and in sentence-length speech that uses familiar structures. I rely on restatement, paraphrasing, and/or contextual clues.	I can understand the main ideas in messages and conversations on a variety of everyday topics and personal interests. I can understand extended speech but with frequent gaps in comprehension.
HOW INTERCULTURAL AM I? ***INTERCULTURALITY*** *Based on classroom tasks/activities/ intercultural reflections and outside classroom experiences.	I can apply my knowledge of cultural products, practices, and perspectives in order to interact with respect and understanding.	I can apply my knowledge of cultural products, practices, and perspectives in order to interact with respect and understanding.	I can apply my knowledge of cultural products, practices, and perspectives in order to interact with respect and understanding.	I can apply my knowledge of cultural products, practices, and perspectives in order to interact with respect and understanding.

Adapted from Jefferson County Public Schools World Languages: Performance Assessment Rubrics (Kentucky), Howard County Public Schools World Languages (Maryland).

Level 2 *EntreCulturas* Analytic Growth Rubric

Presentational Speaking

LEVEL 2 TARGET: NOVICE HIGH - INTERMEDIATE LOW

DOMAINS	NOVICE MID	NOVICE HIGH	INTERMEDIATE LOW	INTERMEDIATE MID
WHAT LANGUAGE/ WORDS DO I USE? ***VOCABULARY IN CONTEXT***	I can use a limited number of words and expressions to identify objects and actions in familiar contexts.	I can use words and expressions that I have practiced to present familiar topics.	I can use a variety of new and previously learned words and phrases to present a range of familiar topics.	I can use a variety of words, expressions, and personalized vocabulary to present a wide range of familiar topics. I am beginning to use expanded vocabulary within a topic of study.
HOW DO I USE LANGUAGE? ***FUNCTION AND TEXT TYPE***	I can use highly predictable words, lists, and memorized phrases in very familiar contexts.	I can use phrases, simple sentences, and questions. I am beginning to create original sentences with some simple details in familiar contexts.	I can use a series of simple sentences by combining words and phrases to create original sentences with some details and elaboration in familiar contexts.	I can use a series of sentences to describe or explain with some detail and elaboration using connector words to create original sentences in contexts related to familiar topics and studies.
HOW WELL AM I UNDERSTOOD ? ***COMPREHENSIBILITY***	I am somewhat understood by someone accustomed to a language learner.	I am often understood by someone accustomed to a language learner.	I am usually understood by someone accustomed to a language learner.	I am easily understood by someone accustomed to a language learner.
HOW ACCURATE AM I? ***STRUCTURES***	I can use mostly memorized words and some basic structures with frequent errors.	I can use basic structures in present time with some errors, relying on memorized phrases.	I can use basic structures with some variety in time frames (e.g., past, future) with some errors.	I can use basic structures in a variety of time frames (e.g., past, future), including some complex structures with connectors and transitions but may have frequent errors.
HOW WELL DO I DELIVER MY MESSAGE? ***DELIVERY, FLUENCY, VISUALS, IMPACT ON AUDIENCE***	I can deliver my message using isolated words and memorized phrases, speaking with frequent hesitation, pauses, and/or repetition.	I can deliver my message by relying on learned phrases and short or incomplete sentences, speaking with hesitation, pauses, and/or repetition.	I can deliver my message by relying on phrases and simple sentences, speaking with hesitation, pauses, and/or repetition.	I can deliver my message by using a series of sentences. I can self- correct some of the time, speaking with some hesitation, pauses, and/or repetition.
HOW INTER-CULTURAL AM I? ***INTERCULTURALITY*** *Based on classroom tasks/activities/ intercultural reflections and outside classroom experiences.	I can apply my knowledge of cultural products, practices, and perspectives in order to interact with respect and understanding.	I can apply my knowledge of cultural products, practices, and perspectives in order to interact with respect and understanding.	I can apply my knowledge of cultural products, practices, and perspectives in order to interact with respect and understanding.	I can apply my knowledge of cultural products, practices, and perspectives in order to interact with respect and understanding.

Adapted from Jefferson County Public Schools World Languages: Performance Assessment Rubrics (Kentucky), Howard County Public Schools World Languages (Maryland).

Level 2 *EntreCulturas* Analytic Growth Rubric

Presentational Writing

LEVEL 2 TARGET: NOVICE HIGH - INTERMEDIATE LOW

DOMAINS	NOVICE MID	NOVICE HIGH	INTERMEDIATE LOW	INTERMEDIATE MID
WHAT LANGUAGE/ WORDS DO I USE? ***VOCABULARY IN CONTEXT***	I can use a limited number of memorized words and phrases in context.	I can use words and expressions that I have practiced on familiar topics.	I can use a variety of new and previously learned words and phrases on a range of familiar topics.	I can use a variety of words, expressions, and personalized vocabulary on a wide range of familiar topics. I am beginning to use expanded vocabulary within a topic.
HOW DO I USE LANGUAGE? ***FUNCTION AND TEXT TYPE***	I can supply information in a form, chart, or organizer. I can write lists and memorized phrases on familiar topics.	I can write short messages, postcards, and simple notes on familiar topics related to everyday life. I can use learned vocabulary and structures to create simple sentences and questions on very familiar topics. I can add simple details.	I can write a series of simple sentences on familiar topics. I can create original sentences and questions using some connectors. I can describe or explain with some detail and elaboration.	I can write on a wide variety of familiar topics using connected sentences in paragraphs. I can describe or explain events and experiences with details and elaboration. I am beginning to provide clarification or justification.
HOW WELL AM I UN-DERSTOOD ? ***COMPREHENSIBILITY***	I am somewhat understood by someone accustomed to a language learner..	I am often understood by someone accustomed to a language learner..	I am usually understood by someone accustomed to a language learner..	I am easily understood by someone accustomed to a language learner..
HOW WELL DO I USE THE LANGUAGE? ***LANGUAGE CONTROL***	I am beginning to use basic structures with frequent errors.	I can use basic structures in present time with some errors.	I can use basic structures with some variety in time frames (e.g., past, future) but more errors may occur.	I can use basic structures in a variety of time frames. I can use some connectors and transitions to combine sentences including complex structures but with frequent errors.
HOW WELL DO I COMPLETE THE TASK? ***IDEAS AND ORGANIZATION***	I can complete the task with familiar content. My ideas are minimally developed and lack organization.	I can complete the task with familiar content and some examples. My ideas are somewhat developed and organized.	I can complete the task with familiar content using some details and examples. My ideas are mostly developed and organized.	I can complete the task with appropriate content, details, and adequate examples. My ideas are adequately developed and organized.
HOW INTER-CULTURAL AM I? ***INTERCULTURALITY*** *Based on classroom tasks/activities/ intercultural reflections and outside classroom experiences.	I can apply my knowledge of cultural products, practices, and perspectives in order to convey respect and understanding in writing.	I can apply my knowledge of cultural products, practices, and perspectives in order to convey respect and understanding in writing.	I can apply my knowledge of cultural products, practices, and perspectives in order to convey respect and understanding in writing.	I can apply my knowledge of cultural products, practices, and perspectives in order to convey respect and understanding in writing.

Adapted from Jefferson County Public Schools World Languages: Performance Assessment Rubrics (Kentucky), Howard County Public Schools World Languages (Maryland).

Level 2 *EntreCulturas* Holistic Rubric

Interpretive Reading, Listening, and Viewing: Written, Print, Audio, Visual and Audio Visual Resources

LEVEL 2 TARGET: NOVICE HIGH – INTERMEDIATE LOW

Daily work, formative assessments.

1 This is still a goal.
2 Can do this with help.
3 Can do this independently.[1]

	INTERPRETIVE: READING, LISTENING, AND VIEWING	1	2	3
NM	• Recognizes and understands memorized words, phrases, and basic information in text or speech in familiar contexts. • Makes limited inferences from visual and/or contextual clues and cognates or may use other interpretive strategies. • Identifies a few cultural products, practices, and perspectives related to daily life, including cultural behaviors and expressions.*			
NH	• Understands and identifies words, phrases, questions, simple sentences, and sometimes the main idea in short pieces of informational text or speech in familiar contexts. • Makes a few inferences from visual and/or contextual clues, cognates, and keywords or uses other interpretive strategies. • Identifies some cultural products, practices, and perspectives related to daily life, including cultural behaviors and expressions.*			
IL	• Understands and identifies the main idea and key details in short, simple, loosely connected texts or speech in familiar contexts. • Makes some inferences from visual and/or contextual clues, cognates, and keywords or uses other interpretive strategies. • Describes cultural products, practices, and perspectives related to daily life, including cultural behaviors and expressions.**			
IM	• Identifies main ideas and a few supporting details in various time frames (e.g., past, future) in loosely connected texts or speech related to personal interests and studies. • Makes appropriate inferences from visual and/or contextual clues, cognates, keywords, and some details or uses other interpretive strategies. • Compares cultural products, practices, and perspectives related to daily life, including cultural behaviors and expressions.**			

Based on classroom tasks/activities/ intercultural reflections and outside classroom experiences.

[1] LinguaFolio®, NCSSFL. (2014). Interculturality. Retrieved from http://ncssfl.org/secure/index.php?interculturality, March 6, 2016.
* Novice range: using appropriate gestures, imitating appropriate etiquette, simple interactions in stores and restaurants.
** Intermediate range: demonstrating how to be culturally respectful, forms of address, appropriate interactions in everyday life.

<table>
<tr><th colspan="2">LEARNER SELF-REFLECTION: WHAT INTERPRETIVE STRATEGIES CAN I USE TO HELP ME UNDERSTAND WHAT I READ/HEARD/VIEWED?</th></tr>
<tr><td>READING
What strategies can I use to make myself understood?
❏ I preview titles, photos, layout, and visuals, etc.
❏ I skim the text for cognates and familiar words and phrases.
❏ I scan the text for specific details.
❏ I make predictions based on context, prior knowledge, and/or experience.</td><td>LISTENING/VIEWING
What strategies did I use to help me understand what I heard?
❏ I listen/watch for emotional reactions.
❏ I listen for time/time frames.
❏ I listen for intonation and inflection.
❏ I listen for cognates, familiar words, phrases, and word-order patterns.</td></tr>
</table>

Adapted from Jefferson County Public Schools World Languages: Performance Assessment Rubrics (Kentucky).

Level 2 *EntreCulturas* Holistic Rubric

Interpersonal Communication: Speaking, Listening, and Writing

LEVEL 2 TARGET: NOVICE HIGH – INTERMEDIATE LOW

Daily class work, participation, class discussions, pair work, group work, and formative assessments.

1 This is still a goal.
2 Can do this with help.
3 Can do this independently.[1]

	INTERPERSONAL COMMUNICATION: SPEAKING, LISTENING, AND WRITING	1	2	3
NM	• Communicates with some memorized words and expressions in familiar contexts, but needs continual repetition. Some interference from first language. • Maintains limited simple conversations with frequent hesitation, pauses, and/or repetition. • Makes limited inferences from visual and/or contextual clues, or cognates. • Applies knowledge of cultural products, practices, and perspectives in order to interact with respect and understanding.*			
NH	• Communicates and exchanges information with learned words, phrases, simple sentences, and sometimes the main idea/simple details in familiar contexts. Some interference from first language. • Participates in short social interactions by asking and answering simple questions with hesitation, pauses, and/or repetition, using a few communication strategies. • Makes a few inferences from visual and/or contextual clues, cognates, or other language features. • Applies knowledge of cultural products, practices, and perspectives in order to interact with respect and understanding.*			
IL	• Communicates and exchanges information with a variety of new and learned words, phrases, and original sentences in present tense with some details in familiar contexts. Limited interference from first language. • Participates in social interactions by asking and answering a few appropriate questions with hesitation, pauses, and/or repetition, using some communication strategies. • Makes some inferences from visual and/or contextual clues, cognates, or other language features. • Applies knowledge of cultural products, practices, and perspectives in order to interact with respect and understanding.**			
IM	• Communicates with a variety of expressions and personalized vocabulary with a series of sentences to describe details in a variety of time frames in daily life. A few errors may interfere with the message. • Participates in conversations by asking and answering a variety of questions with some hesitation, pauses, and/or repetition, using a variety of communication strategies. • Makes appropriate inferences from visual and/or contextual clues, cognates, or other language features. • Applies knowledge of cultural products, practices, and perspectives in order to interact with respect and understanding.**			

Based on classroom tasks/activities/ intercultural reflections and outside classroom experiences.

[1] LinguaFolio®, NCSSFL. (2014). Interculturality. Retrieved from http://ncssfl.org/secure/index.php?interculturality, March 6, 2016.
* Novice range: using appropriate gestures, imitating appropriate etiquette, simple interactions in stores and restaurants.
** Intermediate range: demonstrating how to be culturally respectful, forms of address, appropriate interactions in everyday life.

LEARNER SELF-REFLECTION: WHAT COMMUNICATION STRATEGIES CAN I USE TO HELP ME UNDERSTAND AND MAKE MYSELF UNDERSTOOD?	
SPEAKING/WRITING *What strategies can I use to make myself understood?* ❏ I repeat words and phrases. ❏ I use facial expressions, gestures, and appropriate openings and closings. ❏ I self-correct when I am not understood. ❏ I imitate modeled words. ❏ I restate and rephrase using different words. ❏ I build upon what I've heard/read and elaborate in my response. ❏ I use level-appropriate vocabulary in familiar and contextualized situations.	**LISTENING** *What strategies did I use to help me understand what I heard?* ❏ I ask for clarification or repetition. ❏ I repeat statements as questions for clarification. ❏ I listen for intonation and inflection. ❏ I listen for cognates, familiar words, phrases, and word-order patterns. ❏ I indicate lack of understanding. ❏ I ask questions.

Adapted from Jefferson County Public Schools World Languages: Performance Assessment Rubrics (Kentucky).

Level 2 *EntreCulturas* Holistic Rubric

Presentational Speaking

LEVEL 2 TARGET: NOVICE HIGH – INTERMEDIATE LOW

Daily class work, participation, share out or present to class, present to a group, formative assessments, and using the Explorer audio and video recording feature.

1 This is still a goal.
2 Can do this with help.
3 Can do this independently.[1]

	PRESENTATIONAL SPEAKING	1	2	3
NM	• Uses some memorized words and expressions in familiar contexts. Some interference from first language. • Delivers message using some highly practiced basic structures with frequent errors. Speaks with frequent hesitation, pauses, and/or repetition. • Makes limited use of gestures, self-correction, and examples/visuals to support the message. • Applies knowledge of cultural products, practices, and perspectives in order to interact with respect and understanding.*			
NH	• Uses most highly practiced/learned words, phrases, and simple sentences in familiar contexts. Some interference from first language. • Delivers message using present time frame with some errors and some memorized new structures. Speaks with hesitation, pauses, and/or repetition. • Makes some use of gestures, self-correction, and examples/visuals to support the message, or a few other communication strategies. • Applies knowledge of cultural products, practices, and perspectives in order to interact with respect and understanding.*			
IL	• Uses new and previously learned words and phrases in a series of simple sentences/ questions to describe or explain with some details and elaboration in familiar contexts. Limited interference from first language. • Delivers message using basic structures with some variety in time frames (e.g., past, future) with some errors. Speaks with hesitation, pauses, and/or repetition. • Makes appropriate use of gestures, self-correction, and examples/visuals to support the message, or other communication strategies. • Applies knowledge of cultural products, practices, and perspectives in order to interact with respect and understanding.**			
IM	• Uses a variety of expressions and personalized vocabulary in a series of sentences to describe or explain with details and elaboration in familiar contexts. A few errors may interfere with the message. • Delivers message using a variety of basic time frames (e.g., past, future) using connectors and transitions, including complex structures with frequent errors. Speaks with some hesitation, pauses, and/or repetition. • Makes consistent use of gestures, self-correction, and examples/visuals to support the message, and other communication strategies. • Applies knowledge of cultural products, practices, and perspectives in order to interact with respect and understanding.**			

Based on classroom tasks/activities/ intercultural reflections and outside classroom experiences.

[1] LinguaFolio®, NCSSFL. (2014). Interculturality. Retrieved from http://ncssfl.org/secure/index.php?interculturality, March 6, 2016.
* Novice range: using appropriate gestures, imitating appropriate etiquette, simple interactions in stores and restaurants.
** Intermediate range: demonstrating how to be culturally respectful, forms of address, appropriate interactions in everyday life.

LEARNER SELF-REFLECTION: WHAT COMMUNICATION STRATEGIES DID I USE TO MAKE MYSELF UNDERSTOOD TO MY AUDIENCE?	
PRESENTATIONAL SPEAKING ❑ I organize my presentation in a clear manner. ❑ I use facial expressions and gestures. ❑ I self-correct when I make mistakes. ❑ I present my own ideas. ❑ I use examples to support my message. ❑ I use visuals to support meaning.	❑ I include a hook to gain the audience's attention. ❑ I notice the reaction of the audience during the presentation. ❑ I repeat or rephrase if the audience doesn't understand. ❑ I project my voice so the audience can hear me. ❑ I practice my presentation before I present to the audience.

Adapted from Jefferson County Public Schools World Languages: Performance Assessment Rubrics (Kentucky).

Level 2 *EntreCulturas* Holistic Rubric

Presentational Writing

LEVEL 2 TARGET: NOVICE HIGH – INTERMEDIATE LOW

Daily written class work, forms, organizers, charts, messages, notes, formative assessments, and using the Explorer quizzes, surveys, discussion forums, and more.

1 This is still a goal.
2 Can do this with help.
3 Can do this independently.[1]

	PRESENTATIONAL WRITING	1	2	3
NM	• Uses memorized words, expressions, and short sentences in somewhat organized and familiar contexts. Frequent interference from first language. • Completes the task with some highly practiced basic structures with frequent errors. Ideas lack development and organization. • Makes limited use of presentational writing strategies. • Applies knowledge of cultural products, practices, and perspectives in order to convey respect and understanding in writing.*			
NH	• Uses highly practiced/learned words, phrases, questions, and simple sentences to write short, simple messages with simple details in familiar contexts. Some interference from first language. • Completes the task using present time frame and some memorized new structures. Ideas are partially developed and somewhat organized. • Makes some use of drafting, outlining, or peer review, or other presentational writing strategies. • Applies knowledge of cultural products, practices, and perspectives in order to convey respect and understanding in writing.*			
IL	• Uses new and previously learned words and phrases in a series of original and simple sentences/questions to describe or explain in some detail, using supporting examples and elaboration in familiar contexts. Limited interference from first language. • Completes the task using basic structures with some variety in time frames (e.g., past, future) with significant errors. Ideas are mostly developed and organized. • Makes appropriate use of drafting, outlining, peer review, or other presentational writing strategies. • Applies knowledge of cultural products, practices, and perspectives in order to convey respect and understanding in writing.**			
IM	• Uses a variety of expressions and personalized vocabulary and connected sentences in paragraphs to describe with details, supporting examples, and elaboration; beginning to provide clarification or justification on a wide variety of familiar topics. A few errors may interfere with the message. • Completes the task using a variety of basic time frames (e.g., past, future), using connectors and transitions, including complex structures, with frequent errors. Ideas are adequately developed and organized. • Makes consistent use of drafting, outlining, peer review, and other presentational writing strategies. • Applies knowledge of cultural products, practices, and perspectives in order to convey respect and understanding in writing.**			

Based on classroom tasks/activities/ intercultural reflections and outside classroom experiences.

[1] LinguaFolio®, NCSSFL. (2014). Interculturality. Retrieved from http://ncssfl.org/secure/index.php?interculturality, March 6, 2016.
* Novice range: using appropriate gestures, imitating appropriate etiquette, simple interactions in stores and restaurants.
** Intermediate range: demonstrating how to be culturally respectful, forms of address, appropriate interactions in everyday life.

<table>
<tr><th colspan="2">LEARNER SELF-REFLECTION: WHAT COMMUNICATION STRATEGIES CAN I USE TO MAKE MY MESSAGE UNDERSTOOD TO THE READER?</th></tr>
<tr><td>PRESENTATIONAL WRITING
❏ I organize my presentation in a clear manner.
❏ I include a hook to gain the reader's attention.
❏ I present my own ideas.
❏ I write an outline before I begin to write.
❏ I cite my sources if I have done research on the topic.</td><td>❏ I write a draft of my message.
❏ I use examples to support my message.
❏ I ask someone to peer edit my draft before I submit it.
❏ I check all spelling and grammar before I submit it.
❏ I make sure my writing is clear and my handwriting is legible.</td></tr>
</table>

Adapted from Jefferson County Public Schools World Languages: Performance Assessment Rubrics (Kentucky).

Unidad 1

Integrated Performance Assessment Rubric

Una escuela ideal

DOMAINS	TASK COMPONENTS	INTERMEDIATE MID	INTERMEDIATE LOW	NOVICE HIGH	NOVICE LOW
INTERPRETIVE ASSESSMENT **Paso 1a** **Interpretive audiovisual**	**Recognizes key words** Student checks the key words they hear or see on a checklist about the school in Ecuador.	Correctly recognizes almost all of the vocabulary related to the topic.	Correctly recognizes most of the unit target vocabulary related to the topic.	Correctly recognizes most of the target vocabulary related to the topic.	Correctly recognizes a few memorized target vocabulary words related to the topic.
Paso 1b **Interpretive reading and audiovisual**	**Identifies main ideas** Student answers true or false statements based on main ideas of the video and corrects false statements with evidence from the video.	Identifies almost all the main ideas and can correct almost all of the false statements with accurate evidence from the video.	Identifies most of the main ideas and can correct most of the false statements with accurate evidence from the video.	Identifies some of the main ideas and can correct some of the false statements with somewhat accurate evidence from the video.	Identifies a few main ideas and attempts to correct a few of the false statements but not may not be accurate evidence from the video.
INTERPERSONAL SPEAKING ASSESSMENT **Paso 2a and 2b** **Interpersonal Speaking**	**Participates in a conversation** a. Student individually answers a series of questions about the school in Ecuador in order to prepare for small group conversation. b. Student interacts with classmates, contributing and adding additional information about the school including: • location • classrooms • students who attend • classes • languages • clothing/uniforms • what teachers and students do in class • similarities and differences • how the school respects students' cultures	a. Answers almost all the questions with accurate information. b. Contributes almost all relevant content with details and some elaboration using a variety of vocabulary and expressions responding with a series of sentences. Starts and sustains the conversation by asking appropriate questions and responding with a series of sentences. Rephrases, self-corrects and speaks with some hesitation, pauses, and/or repetition.	a. Answers most of the questions with mostly accurate information. b. Contributes mostly relevant content with some details using a variety of unit vocabulary, and expressions, in simple original sentences Sustains the conversation by relying on phrases and simple sentences.Asks a few appropriate questions and attempts to self-correct, speaks with hesitation, pauses, and/or repetition.	a. Answers some of the questions with some accurate information. b. Contributes some relevant content and simple details to the conversation using mostly familiar words and phrases in simple sentences related to the topic. Participates in the conversation by asking and answering simple questions and relying heavily on learned phrases and short or incomplete sentences. Speaks with hesitation, pauses, and/or repetition.	a.Answers a few of the questions with some accurate information. b. May contribute limited relevant content to the conversation using memorized words and phrases, and may attempt simple sentences. Has some difficulty maintaining simple conversation by using isolated words and memorized phrases. Speaks with frequent hesitation, pauses, and/or repetition.
PRESENTATIONAL WRITING ASSESSMENT **Paso 3**	**Designs an ideal school** Student creates a proposal for an ideal school including: • the school building & facilities • course offerings • engaging classroom activities • role of teachers • extracurricular opportunities • what students need to be successful • school rules • school environment	The proposal includes almost all the task components with some original ideas, details, and elaboration. Uses a wide variety of vocabulary and basic structures with accuracy in connected sentences in paragraphs.	The proposal includes most of the task components with some original ideas, some details and elaboration. Uses the unit vocabulary and structures with ease in a series of simple and some original sentences using some connectors.	The proposal includes some of the task components with a few original ideas, some simple details and minimal elaboration. Uses learned vocabulary and structures to write simple sentences.	The proposal includes a few of the task components Uses some familiar words, unit vocabulary, and memorized phrases and attempts simple sentences.
Interculturality **Part of Paso 3**	Student describes intercultural knowledge of how an ideal school can support various cultures represented in the community	Appropriately describes intercultural knowledge on how an ideal school can support various cultures.	Adequately describes intercultural knowledge on how an ideal school can support various cultures.	Describes some intercultural knowledge on how an ideal school can support various cultures.	Attempts to describe intercultural knowledge on how an ideal school can support various cultures.

Unidad 2

Integrated Performance Assessment Rubric

Mi familia del futuro

DOMAINS	TASK COMPONENTS	INTERMEDIATE MID	INTERMEDIATE LOW	NOVICE HIGH	NOVICE MID
INTERPRETIVE ASSESSMENT **Interpretive Listening** ***Paso 1***	**Identifies main ideas** Student listens to audio recordings of Mexican teens to determine whether information is true or false, and rewrites false statements with the correct information according to the audio recording.	Identifies all or almost all of the statements from the audio recording, correctly as true or false. Makes all or almost all of the corrections to the false statements using specific evidence from the audio recording.	Identifies most of the statements from the audio recording, correctly as true or false. Makes most of the corrections to the false statements using adequate evidence from the audio recording.	Identifies some of the statements from the audio recording, correctly as true or false. Makes some of the corrections to the false statements using some evidence from the audio recording.	Identifies a limited number of the statements from the audio recording, correctly as true or false. Makes minimal corrections to the false statements using minimal evidence from the audio recording.
Comparaciones Culturales	**Makes comparisons** Student compares his or her family life to one of the featured speakers.	Completes the task with completely relevant information and details.	Completes the task with mostly relevant information and details.	Completes the task with some relevant information and limited details.	Partially completes the task with limited relevant information.
INTERPERSONAL ASSESSMENT **Interpersonal Speaking** ***Paso 2***	**Participates in a conversation** Student asks and responds to given questions about family experiences and what kind of family he or she hopes for in the future. Student is able to make him/herself understood in the context of a conversation with a peer.	Combines a variety of vocabulary to create strings of sentences using connectors to describe and explain in the present tense tense and in the imperfect tense; provides details and elaborates on the topic. Easily understood despite a few errors.	Combines familiar words and phrases to create original sentences in the present tense tense and some use in the imperfect tense; provides some details and elaborates on the topic. Usually understood despite some errors.	Combines familiar words and phrases to create simple sentences with simple details in the present tense and limited use of the imperfect tense. Often understood despite frequent errors.	Responds to questions with words and memorized phrases mostly in the present tense. Somewhat understood despite frequent errors.
PRESENTATIONAL ASSESSMENT **Presentational Writing** ***Paso 3***	**Writes about past and future family** Student describes hopes for a future family in a letter, referencing past family experiences.	Writes a well developed and organized letter describing a future family with references to past family experiences. Writes original connected sentences in paragraphs with minimal errors using *ir + a +infinitive* and the imperfect tense; uses connectors and transitions for sentence variety, and describes with detail and elaboration. Addresses all or almost all the criteria on the unit checklist.	Writes a mostly developed and organized letter describing a future family with references to past family experiences. Writes a series of original sentences using *ir + a + infinitive* and the imperfect tense with some errors; uses some connectors for sentence variety, and describes with some detail and elaboration. Addresses most of the criteria on the unit checklist.	Writes a partially developed and somewhat organized letter describing a future family with some references to past family experiences. Writes mostly simple sentences using *ir + a + infinitive* and imperfect tense with some errors that may interfere with the message; may use some connectors, and describes with simple details and minimal elaboration. Addresses some of the criteria on the unit checklist.	Writes a basic list of features describing future family with minimal references to past family experiences. Writes with little detail using mostly memorized phrases and simple sentences; uses *ir + a + infinitive* with some errors and uses the imperfect tense minimally with frequent errors that interfere with the message. Adds a few details. Addresses minimal criteria on the unit checklist.
Interculturality ***Part of Paso 3***	Student references two cultural practices related to family life in Spanish-speaking countries that he or she would or would not like to incorporate into a future family or household.	Appropriately references knowledge of two or more cultural practices related to family life.	Adequately references knowledge of two or more cultural practices related to family life.	Somewhat references knowledge of one or two cultural practices related to family life.	Minimally references knowledge of cultural practices related to family life.

Unidad 3

Integrated Performance Assessment Rubric

Una comunidad hecho por comunidades

DOMAINS	TASK COMPONENTS	INTERMEDIATE MID	INTERMEDIATE LOW	NOVICE HIGH	NOVICE MID
INTERPRETIVE ASSESSMENT **Interpretive Listening** ***Paso 1***	**Identifies main idea and makes inferences** Student listens to a volunteer describe a recent international community service trip and supplies the missing information about the volunteer's experience.	Identifies the main idea and makes inferences in order to supply all or almost all of the missing information from the audio recording.	Identifies the main idea and makes some inferences in order to supply most of the missing information from the audio recording.	Sometimes identifies the main idea and makes a few inferences in order to supply some of the information from the audio recording.	Identifies limited, basic information and makes limited inferences in order to supply minimal information from the audio recording.
PRESENTATIONAL ASSESSMENT **Presentational Writing** ***Paso 2***	**Creates a promotional flyer** Student creates a promotional flyer to present information about the volunteer's community service project in Nicaragua (in Paso 1) at a Community Service Fair, including: • Information about the country, the festivals or celebrations. • The volunteer's service project. • How communities benefit from international service projects. • Convincing a peer to participate in this type of project.	Includes all the task's components following the checklist provided to create a well developed and well organized promotional flyer. Describes and explains the volunteer's experiences using accurate preterit tense with details and elaboration. Uses a variety of appropriate and mostly accurate informal commands (negative, affirmative, and irregular) and some connectors to convince another student to participate.	Includes most of the task's components following the checklist provided to create an adequately developed and organized promotional flyer. Describes or explains the service project and experiences using mostly accurate preterit tense with some detail and elaboration. Uses most informal commands appropriately and with some accuracy (negative, affirmative, and/or irregular) and one or two connectors to convince other students to participate.	Includes some of the task's components following the checklist provided to create a mostly developed and mostly organized promotional flyer. Describes the service project and experiences using somewhat accurate preterit tense with simple details. Uses some informal commands with limited accuracy (some combination of negative, affirmative, and irregular) to convince other students to participate.	Includes a few of the task's components following the checklist provided to create a partially developed and somewhat organized promotional flyer. Describes the service project and experiences with only memorized words and phrases in the preterit. Uses a few memorized informal commands to promote the community service project.
INTERPERSONAL ASSESSMENT **Interpersonal Speaking** ***Paso 3***	**Asks a partner about a service project** • Student prepares and asks questions about volunteer projects and service opportunities. • Students responds to questions about a community service project.	Prepares appropriate questions to learn about past volunteer projects and service opportunities. Maintains a conversation by asking appropriate questions and responding with a series of sentences. Speaks with some hesitation, pauses, and/or repetition. Easily understood despite a few errors.	Prepares adequate questions to learn about past volunteer projects and service opportunities. Maintains a conversation by relying on phrases and simple sentences; asks a few questions and attempts to self-correct. Speaks with hesitation, pauses, and/or repetition. Usually understood despite some errors.	Prepares simple questions to learn about past volunteer projects and service opportunities. Maintains a short social conversation by asking and answering simple questions and relying on learned phrases and short or incomplete sentences. Speaks with hesitation, pauses, and/or repetition. Often understood despite errors.	Prepares a few memorized questions to ask about volunteer projects and service opportunities. Maintains a simple conversation with some difficulty by using words and memorized phrases. Speaks with frequent hesitation, pauses, and/or repetition. Somewhat understood despite frequent errors.
Interculturality ***Part of Paso 2***	Student describes one way Latin American communities benefit from international volunteer projects.	Appropriately describes one way international volunteers make a positive impact in Latin American communities.	Adequately describes one way international volunteers make a positive impact in Latin American communities.	Somewhat describes one way international volunteers make a positive impact in Latin American communities.	Minimally describes one way international volunteers make a positive impact in Latin American communities.

Unidad 4

Integrated Performance Assessment Rubric

Remedios caseros durante una visita

DOMAINS	TASK COMPONENTS	INTERMEDIATE MID	INTERMEDIATE LOW	NOVICE HIGH	NOVICE MID
INTERPRETIVE ASSESSMENT **Interpretive Listening** ***Paso 1***	**Identifies main ideas** Student listens to audio recordings of young people describing their symptoms, records the symptoms, and matches them with given images.	Identifies and records all or almost all of the students' symptoms on the organizer.	Identifies and records most of the students' symptoms on the organizer.	Identifies and records some of the students' symptoms on the organizer.	Identifies and records a few symptoms on the organizer.
INTERPERSONAL ASSESSMENT **Interpersonal Speaking** ***Paso 2***	**Participates in a conversation** Student responds to questions from an adult about how he/she is currently feeling. Student conveys how he/she feels in the context of a conversation with an adult.	Responds to all or almost all of the interview questions with appropriate content, providing details and elaborating on the topic. Uses a variety of vocabulary to create a series of sentences using connectors to describe and explain in the present tense. Easily understood despite a few errors.	Responds to most of the interview questions with appropriate content, providing some details and elaborating on the topic. Uses familiar words and phrases to create original sentences in the present tense, although errors may interfere with the message. Usually understood despite some errors.	Responds to some of the interview questions with simple information, providing a few simple details on the topic. Uses familiar words and phrases to create simple sentences in the present tense, and errors sometimes interfere with the message. Often understood despite errors.	Responds to highly predictable questions with words or a memorized answer in the present tense, and errors often interfere with the message. Somewhat understood despite frequent errors.
PRESENTATIONAL ASSESSMENT **Presentational Speaking** ***Paso 3***	**Leaves a message for an adult with information and advice** Student introduces him/herself, describes his/her recent symptoms in the imperfect tense, narrates in the preterit tense how his/her host mother prepared a remedy, and gives formal commands explaining how to prepare the same remedy.	Leaves a complete and detailed message using a series of sentences in the preterit and imperfect tenses and formal commands with a few errors; uses some connectors and transitions with errors. Self-corrects some of the time and speaks with some hesitation, pauses, and/or repetition; easily understood despite a few errors. Addresses all or almost all of the criteria on the unit checklist.	Leaves a mostly complete message with some detail and elaboration using a series of simple sentences; uses the imperfect and preterit tenses and formal commands with some errors. Speaks with hesitation, pauses, and/or repetition; usually understood despite some errors. Addresses most of the criteria on the unit checklist.	Leaves a somewhat complete message with simple details using mostly simple sentences; relies on learned uses of imperfect and preterit tenses and/or formal commands with some errors that may interfere with the message. Speaks with hesitation, pauses, and/or repetition; often understood despite frequent errors. Addresses some of the criteria on the unit checklist.	Leaves a brief message with limited words and expressions; uses memorized words and phrases, and may attempt using preterit or imperfect tenses and/or formal commands with frequent errors that interfere with the message. Speaks with frequent hesitation, pauses, and/or repetition; somewhat understood despite frequent errors. Addresses limited criteria on the unit checklist.
Interculturality ***Part of Paso 3***	Student describes a homemade remedy for treating illness recommended in a Spanish-speaking country.	Appropriately describes a homemade remedy from a Spanish-speaking country.	Adequately describes a homemade remedy from a Spanish-speaking country.	Somewhat describes a homemade remedy from a Spanish-speaking country.	Minimally describes a home-made remedy from a Spani-sh-speaking country.

Unidad 5

Integrated Performance Assessment Rubric

Una aventura en Perú

DOMAINS	TASK COMPONENTS	INTERMEDIATE MID	INTERMEDIATE LOW	NOVICE HIGH	NOVICE MID
INTERPRETIVE ASSESSMENT **Interpretive Listening** ***Paso 1***	**Identifies and describes details** Student views images and reads captions to identify three outdoor sports/activities in which he/she would like to participate. Uses organizer to record simple details on the three selections.	Reads and identifies the three preferred outdoor sports/activities. Describes all or almost all of the required details about each sport in the organizer.	Reads and identifies the three preferred outdoor sports/activities. Describes most of the required details about each sport in the organizer.	Reads and identifies the three preferred outdoor sports/activities. Describes some of the the required details about each sport in the organizer.	Reads and identifies the three preferred outdoor sports/activities. Describes a few of the the required details about each sport in the organizer.
INTERPERSONAL ASSESSMENT **Interpersonal Speaking** ***Paso 2***	**Participates in an interview** Student asks and answers interview questions with three classmates regarding: • Preference for outdoor activity/sport • Previous participation • Other sports in the past • Equipment owned • Equipment needed • Sports new to student Student is able to ask, respond, and record information using present, preterit, and imperfect tenses.	Asks and responds to all or almost all of the interview questions and records almost all of the information using the appropriate forms of verbs. Responds to questions with a variety of vocabulary in strings of sentences using connectors to describe and explain. Demonstrates accurate use of regular and irregular verbs in present, imperfect, and preterit tenses. Provides details and elaborates on the topic. Easily understood despite a few errors.	Asks and responds to most of the interview questions and records most of the information using mostly appropriate forms of verbs. Responds to questions with familiar words and phrases in original sentences to describe and explain. Demonstrates mostly accurate use of present tense and regular imperfect and preterit tenses, with some errors in the irregular verb forms that may interfere with the message. Provides some details and elaborates on the topic. Usually understood despite some errors.	Asks and responds to some of the interview questions and records some of the information using some appropriate forms of verbs. Responds to questions with familiar words and phrases in simple sentences to describe and explain. Demonstrates somewhat accurate use of present tense, regular imperfect tense, and preterit tense, with errors in the irregular verb forms that sometimes interfere with the message. Provides a few simple details on the topic. Often understood despite errors.	Asks and responds to a few of the interview questions and records minimal information using limited appropriate forms of verbs. Responds to questions with words and memorized phrases mostly in the present tense. Demonstrates minimal accurate use of present tense, regular imperfect tense, and preterit tense, with frequent errors in the irregular verb forms that interfere with the message. Provides limited or no details on the topic. Somewhat understood despite frequent errors.

Integrated Performance Assessment Rubric

DOMAINS	TASK COMPONENTS	INTERMEDIATE MID	INTERMEDIATE LOW	NOVICE HIGH	NOVICE MID
PRESENTATIONAL ASSESSMENT **Presentational Speaking** ***Paso 3***	**Presents on past sport adventure in Peru** Student retells past sport adventure, including: • Team members • Location • Sport • Weather • Clothing and equipment • Likes/dislikes about the adventure Student includes details about equipment rental or purchase and prices. Student uses technology for the presentation.	Delivers a complete and well organized presentation using technology on a past sports adventure. Describes with details and elaboration. Delivers message using a series of sentences using the preterit and imperfect tenses with a few errors; uses some connectors and transitions with errors. Self-corrects some of the time and speaks with some hesitation, pauses, and/or repetition. Addresses all or almost all of the criteria on the unit checklist.	Delivers a mostly complete and organized presentation using technology. Describes with some details and elaboration. Delivers message relying on phrases and simple sentences using the preterit and imperfect tenses with some errors. Speaks with hesitation, pauses, and/or repetition. Addresses most of the criteria on the unit checklist.	Delivers a somewhat complete and organized presentation using technology. Describes with simple details and minimal elaboration. Delivers message relying on learned phrases and short or incomplete sentences Uses mostly simple sentences using mostly present tense,and the preterit and imperfect tenses with frequent errors that may interfere with the message. Speaks with hesitation, pauses, and/or repetition. Addresses some of the criteria on the unit checklist.	Delivers basic information with or without technology. May add a few details. Delivers message using mostly words and memorized phrases and attempts memorized preterit or imperfect tenses with frequent errors that interfere with the message. Speaks with frequent hesitation, pauses, and/ or repetition. Addresses limited criteria on the unit checklist.
Interculturality ***Part of Paso 3***	Student describes two cultural outdoor sports or activities that are not practiced in his/her home community.	Appropriately describes two cultural outdoor sports or activities that are not practiced in his/ her home community.	Adequately describes two cultural outdoor sports or activities that are not practiced in his/ her home community.	Somewhat describes two cultural outdoor sports or activities that are not practiced in his/her home community.	Minimally describes one or two cultural outdoor sports or activities that are not practiced in his/ her home community.

Unidad 6

Integrated Performance Assessment Rubric

Cómo ser un viajero y no un turista

DOMAINS	TASK COMPONENTS	INTERMEDIATE MID	INTERMEDIATE LOW	NOVICE HIGH	NOVICE MID
INTERPRETIVE ASSESSMENT **Interpretive Audiovisual** ***Paso 1***	**Identifies main ideas** Student views a video and identifies main ideas about the role of tourism in Argentine rural communities by answering a multiple choice questionnaire.	Identifies all or almost all of the correct answers in the questionnaire about the role of tourism in the community.	Identifies most of the correct answers in the questionnaire about the role of tourism in the community.	Identifies some (at least half) of the correct answers in the questionnaire about the role of tourism in the community.	Identifies at least three of the correct answers in the questionnaire about the role of tourism in the community.
INTERPERSONAL ASSESSMENT **Interpersonal Speaking** ***Paso 2***	**Participates in a conversation** Student participates in interactions on travel scenarios to demonstrate how to communicate and interact while traveling, including conversations: • In a family home/hotel • During dinner time at the family home • About responsible and respectful tourism. Student is able to ask and respond to questions using the vocabulary and structures learned in the unit.	Selects two topics and participates fully in two conversations using culturally appropriate questions and responding with details and elaboration to explain the situation. Accurately combines a variety of vocabulary, expressions, and a variety of structures, as needed, in strings of original sentences. Sustains the conversation by asking appropriate questions and responding with a series of sentences. Rephrases, self-corrects, and uses circumlocution. Speaks with some hesitation, pauses, and/or repetition. Easily understood despite a few errors.	Selects two topics and participates fully in two conversations using culturally appropriate questions and responding with some details to explain the situation. Combines familiar vocabulary, expressions, and basic structures in simple sentences. Sustains the conversation by relying on phrases and simple sentences. Can self-correct but speaks with hesitation, pauses, and/or repetition. May use circumlocution. Usually understood despite some errors.	Selects one topic and participates in one conversation using some culturally appropriate questions and responding with a few details to explain the situation. Combines some familiar words and phrases, some expressions, and basic structures with errors,to create, short, simple sentences. Participates in short interactions by asking and answering simple questions, relying heavily on learned phrases and short or incomplete sentences. Speaks with hesitation, pauses, and/or repetition. May use circumlocution. Often understood despite frequent errors.	Selects one topic and minimally participates in a conversation using minimal culturally appropriate questions and responding with memorized words and phrases to explain the situation. Uses a limited number of highly practiced words and expression, asking and responding to highly predictable questions with words, lists and memorized phrases. Maintains a simple conversation with difficulty by using isolated words and memorized phrases. Speaks with frequent hesitation, pauses, and/or repetition. Understood with difficulty due to frequent errors.

Integrated Performance Assessment Rubric

DOMAINS	TASK COMPONENTS	INTERMEDIATE MID	INTERMEDIATE LOW	NOVICE HIGH	NOVICE MID
PRESENTATIONAL ASSESSMENT **Presentational Writing** ***Paso 3***	**Creates a traveler's guide** Student creates a travel guide with Spanish travel expressions and travel advice, including: Travel expressions, such as: • At the airport • At a bus station • At a hotel or family home • At a restaurant Advice on how to be a respectful traveler: • At a family home • In towns and communities • With different members of the community Tips on: • How to navigate the airport • How to decide where to stay • Trying new food. Student uses formal commands and has the option of using technology.	Presents a well developed and organized traveler's guide with or without technology. Includes relevant details and examples. Uses original connected sentences using transitions. Uses appropriate formal commands with minimal errors. Addresses all or almost all of the criteria on the unit checklist.	Delivers a mostly complete and organized presentation using technology. Describes with some details and elaboration. Presents a mostly developed and organized traveler's guide with or without technology. Includes relevant examples and some details. Uses original connected sentences with some transitions. Uses mostly appropriate formal commands with some errors. Addresses most of the criteria on the unit checklist.	Presents a partially developed and somewhat organized traveler's guide with or without technology. Includes some relevant examples and a few details. Uses familiar vocabulary to create simple sentences. Uses formal commands with some errors. Addresses some of the criteria on the unit checklist.	Presents basic information in a traveler's guide with or without technology. May include a few examples and minimal details. Uses a few simple phrases. Uses a few memorized formal commands with frequent errors. Addresses limited criteria on the unit checklist.
Interculturality ***Part of Paso 2***	Student demonstrates how to interact appropriately with local communities while traveling abroad.	Appropriately demonstrates how to interact with local communities while traveling abroad.	Adequately demonstrates how to interact with local communities while traveling abroad.	Somewhat demonstrates how to interact with local communities while traveling abroad.	Minimally demonstrates how to interact with local communities while traveling abroad.

EntreCulturas 2 Correlation Guide (AP®)

AP® THEME	UNIT 1	UNIT 2	UNIT 3	UNIT 4	UNIT 5	UNIT 6
1. LOS DESAFÍOS MUNDIALES						
Los temas económicos						
Los temas del medio ambiente						
El pensamiento filosófico y la religión			✓			
La población y la demografía						
El bienestar social						
La conciencia social	✓					✓
2. LA CIENCIA Y LA TECNOLOGÍA						
El acceso a la tecnología	✓					
Los efectos de la tecnología en el individuo y en la sociedad	✓					
El cuidado de la salud y la medicina				✓		
Las innovaciones tecnológicas						
Los fenómenos naturales						
La ciencia y la ética						
3. LA VIDA CONTEMPORÁNEA						
La educación y las carreras profesionales	✓					
El entretenimiento y la diversión			✓		✓	✓
Los viajes y el ocio					✓	✓
Los estilos de vida		✓				
Las relaciones personales					✓	✓
Las tradiciones y los valores sociales					✓	✓
El trabajo voluntario			✓			
4. LAS IDENTIDADES PERSONALES Y PÚBLICAS						
La enajenación y la asimilación						
Los héroes y los personajes históricos						
La identidad nacional y la identidad étnica	✓					✓
Las creencias personales						
Los intereses personales			✓	✓		✓
La autoestima	✓					✓

AP® THEME	UNIT 1	UNIT 2	UNIT 3	UNIT 4	UNIT 5	UNIT 6
5. LAS FAMILIAS Y LAS COMUNIDADES						
Las tradiciones y los valores			✓	✓		✓
Las comunidades educativas	✓					
La estructura de la familia		✓				
La ciudadanía global						✓
La geografía humana						
Las redes sociales					✓	
6. LA BELLEZA Y LA ESTÉTICA						
La arquitectura						
Definiciones de la belleza						
Definiciones de la creatividad						
La moda y el diseño					✓	
El lenguaje y la literatura		✓	✓	✓	✓	✓
Las artes visuales y escénicas			✓	✓	✓	✓

IB THEME	UNIT 1	UNIT 2	UNIT 3	UNIT 4	UNIT 5	UNIT 6
IDENTITIES	✓	✓	✓	✓	✓	✓
EXPERIENCES	✓	✓	✓	✓	✓	✓
HUMAN INGENUITY	✓	✓	✓	✓	✓	✓
SOCIAL ORGANIZATION	✓	✓	✓	✓	✓	✓
SHARING THE PLANET	✓	✓	✓	✓	✓	✓

Glossary Spanish-English

This glossary gives the meanings of words and phrases as used in this book.

f. - feminine
irreg. - irregular verb
m. - masculine
pl. - plural
refl. - reflexive verb

Verb conjugations:
(e→ie): like pensar (pienso, pensamos)
(e→ie/i): like preferir (prefiero, preferimos, prefirió)
(e→i): like servir (sirvo, servimos, sirvió)
(í): like variar (varío, variamos)
(o→ue): like volver (vuelvo, volvemos)
(o→ue/u): like dormir (duermo, dormimos, durmió)

Regional variations:
C.R. - Costa Rica
Esp. - España
Méx. - México
L.A. - Latinoamérica
P.R. - Puerto Rico
R.D. - República Dominicana

a bordo on board (6)
a cuadros plaid (5)
a la derecha de to the right of (1, 3)
a la izquierda de to the left of (1, 3)
a rayas striped (5)
abierto/a open (1)
abordar to board (the train, plane) (6)
abrazarse to embrace (2)
el **abrigo** coat (6)
abrocharse el cinturón de seguridad to fasten seat belts (6)
el/la **abuelo/a** grandfather/grandmother (2)
aburrido/a boring (1)
aburrirse to get bored (5)
académico/a academic (1)
acogedor/a welcoming (1, 2)
el **acoso escolar** bullying (1)
acostarse (o→ue) to lie down (2)
actual current (1)
el **acuario** aquarium (6)
el/la **adolescente** adolescent (2)
el/la **adulto/a** adult (2)
la **aerolínea** airline (6)
agradable pleasant (1)
agregar to add (4)
el **aguacate** avocado (4)
ahorrar to save (5)
el **ajo** garlic (4)
al lado de next to (1, 3)
alegre happy (2)
las **alergias** allergies (4)
el **Álgebra** algebra (1)
¿Algo más? Anything else? (6)
alguien someone (6)
algún/alguna some, any (6)
alguna vez sometime (6)
alimentar a la(s) mascota(s) to feed the pets (2)
allá there (3)
allí there, over there (3)
el **almacén** general store (5)
almorzar (o→ue) to have lunch (1, 3, 4)
el **alojamiento** accommodation (6)
alojarse to stay (6)
alquilar to rent (5)
al recién recently (3)
alto/a tall (2)
amable nice, polite (1, 2)
amarillo/a yellow (5)
el **ambiente** environment (1)
la **amistad** friendship (2)
analizar to analyze (1)
anaranjado/a orange (5)
andar en bicicleta to ride a bicycle (2, 3, 5, 6)

andar en moto to ride a motorcycle (3)
el **andén** platform (6)
el **andinismo** to go mountaineering (climbing) (5)
animar a los estudiantes to encourage students (1)
el **aniversario** anniversary (3)
el **año pasado** last year (5)
los **aparatos** machines (2)
los **apartamentos** apartments (3)
el **aperitivo** appetizer (6)
apoyar to support (3)
el **apoyo** support (2)
aprender de memoria to memorize (1)
aprobar un examen (o→ue) to pass a test (1)
el **árbol familiar** family tree (2)
arder to burn (4)
las **arepas** corn tortillas (Venezuela, Colombia) (4)
la **arquitectura colonial** colonial architecture (3)
la **arquitectura moderna** modern architecture (3)
arreglar to fix (3)
arreglar la habitación to clean, organize the bedroom (2)
arreglarse el pelo to fix your hair (2)
arreglarse las uñas to paint your nails (2)
el **arroz con leche** rice pudding (4)
el **arroz con pollo** chicken and rice (4)
el **Arte** art (1)
la **artesanía** crafts (6)
los/las **artesanos/as** craftsmen/craftswomen (6)
los **artículos de buceo** diving equipment (5)
los **artículos de pesca** fishing equipment (5)
asado/a roasted (4)
las **asignaturas** subjects (1)
el/la **asistente de vuelo** flight attendant (6)
el/la **asistente del director** school principal's assistant (1)
aterrizar to land (6)
atravesar (e→ie) to go across (3)
el **auditorio** auditorium (1)
el **aula de clase** classroom (1)
el **autobús** bus (3)
la **avenida** avenue (3)
el **avión** plane (6)
ayer yesterday (5)
ayudar to help (3)
ayudar a los estudiantes to help students (1)
ayudar en casa to help in the house (2)
ayudar en la comunidad to help in the community (2)
el **azúcar** sugar (4, 6)
azul blue (5)
bajar de to get off (transportation) (3)
bajar del avión to get off the plane (6)
bajar información de internet to download information from the Internet (1)
bajo/a short (2)
bailar to dance (5)
el **baloncesto** basketball (1)
bañarse to take a bath (2)
el **banco** bank (3)
la **Banda** band (1)
la **bandera** flag (3)
barato/a cheap (5)
la **barba** beard (2)
barrer to sweep (2)
el **barrio** neighborhood (3)
el **barro** mud (6)
el **batido** shake (4)
la **batidora** beater (4)
batir to beat (4)
las **bebidas calientes** hot drinks (4)
las **bebidas frías** cold drinks (4)
las **bebidas típicas** typical drinks (4)
la **biblioteca** library (1, 3)
el/la **bibliotecario/a** librarian (1)
la **bicicleta de montaña** mountain bicycle (5)
el **bigote** mustache (2)

los **binoculares** binoculars (5)
la **Biología** biology (1)
el/la **bisabuelo/a** great-grandfather/great-grandmother (2)
el/la **bisnieto/a** great-grandchild (2)
blanco/a white (5)
el **bloqueador solar** sun screen (5)
los **blue jeans** bluejeans (6)
la **blusa** blouse (6)
la **boca** mouth (4, 5)
el **bocadillo** sandwich (4)
la **bolero** bowling alley (5)
la **boletería** ticket booth, window (6)
el **boleto de ida y vuelta** round trip ticket (6)
el **bolígrafo** pen (1)
la **bolsa de dormir** sleeping bag (5)
las **bolsas resellables** resalable bags (6)
las **botas** boots (5)
la **botella de agua** bottle of water (5)
la **boutique** boutique (5)
el **brazo** arm (4, 5)
broncearse to tan (5)
la **brújula** compass (5)
bucear to scuba dive (5)
Bueno, voy a comprar(lo/la/los/las) Well, I am going to buy it (them) (5)
el **bus** bus (3)
buscar to look for (3)
Busco . . . I look for . . . (5)
la **cabeza** head (4, 5)
el **café** coffee shop (3), coffee (4)
la **cafetería** cafeteria (1)
los **calcetines** socks (5)
la **calculadora** calculator (1)
el **Cálculo** calculus (1)
el **caldo de pollo** chicken broth (4)
caliente hot (4)
calificar to grade (1)
las **calificaciones** grades
callado/a quiet (2)
la **calle** street (3)
calvo/a bald (2)
la **cama matrimonial (doble)** queen bed (6)
la **cama simple** twin bed (6)
la **cámara** camera (5)
cambiar de línea to change lines (6)
caminar to walk (3, 5, 6)
el **camión** truck, bus (Méx.) (3)
la **camioneta** light truck (3)
la **camisa** shirt (6)
el/la **campesino/a** peasant (6)
el **campo** countryside (6)
el **campo deportivo** sports field (1)
la **cancha de tenis** tennis court (1)
la **canela** cinnamon (4)
el **canotaje** canoeing (5)
cariñoso/a affectionate (2)
las **carnes** meats (4)
la **carnicería** butcher shop (3)
caro/a expensive (5)
la **carpa** tent (5)
la **carpeta** binder (1)
la **carretera** highway (3)
los **carritos de compras** shopping carts (3)
el **carro** car (3)
la **casa de familia** family home (6)
casado/a married (2)
la **cáscara** peel (4)
casero/a homemade (4)
los **casilleros** lockers (1)
la **catedral** cathedral (3)
la **cebolla** onion (4)
la **cena** dinner (4)
cenar to have dinner (3, 4)
el **centro** town center (3)
el **centro comercial** shopping center, area (3)
cepillarse el pelo to brush your hair (2)
cepillarse los dientes to brush your teeth (2)
el **cepillo de dientes** toothbrush (2)
cerca de near (to) (1, 3)
los **cereales** cereals (4)
el **chaleco salvavidas** life vest (5)
el **champú** shampoo (2)

las **chanclas** flip flops (5)
la **chaqueta** jacket (6)
¡Chévere! Cool! (5)
las **chicharritas** fried green plantains (4)
el **chicharrón** fried pork rind (4)
los **chiles** chiles (4)
el **chocolate** chocolate (4)
el **cibercafé** cybercafe (3)
cien one hundred (5)
las **Ciencias Sociales** social sciences (1)
el **cilantro** cilantro (4)
cincuenta fifty (5)
el **cine** movie theater (3)
la **cinta** conveyor belt (6)
la **ciudad** city (3)
la **clase turística** tourist class (6)
la **clínica** clinic (1)
el **club de ajedrez** chess club (1)
el **club de periodismo** journalism club (1)
el **club de . . .** club of . . . (1)
la **cobija** blanket (6)
el **coche** car (Esp.) (3)
la **cocina** kitchen or stove (4)
cocinar to cook (2, 4)
el/la **cocinero/a** cook (1)
el **coco** coconut (4)
la **colaboración** collaboration (3)
colaborar to collaborate (6)
los **colores** colors (5)
comer to eat (4, 6)
comer juntos/as to eat together (2)
comer platos exóticos to eat exotic dishes (2)
comercial comercial (3)
cómico/a funny (1, 2)
la **comida** food, dinner, lunch (4)
el **comino** cumin (4)
el/la **compañero/a** classmate (1)
la **compañía de transporte** transportation company (6)
comparar to compare (2)
compartir con to share with (2)
comprar to buy (3)
comprar en línea to buy online (5)
comprensivo/a understanding (1)
la **computadora** computer (1)
comunicarse to communicate (5)
las **comunidades ancestrales** ancestral communities (6)
comunitario/a community (6)
con cupones with coupons (5)
con tarjeta de crédito with a credit card (5)
con tarjeta de débito with a debit card (5)
con un cheque with a check (5)
los **condominios** condominiums (3)
conectarse a las redes sociales to connect with others via social media, on the Internet (5)
conectarse al internet to connect to the Internet (5)
conmemorar to commemorate (3)
el/la **consejero/a** school counselor (1)
conservar to conserve (6)
el **consultorio médico** medical office (3)
el **control de seguridad** security (6)
conversar con la familia to talk with your family (2)
el **Coro** choir (1)
el **correo** post office (3)
correr to run (3, 5)
cortar el césped to mow the lawn (2)
corto/a short (5)
costar (o→ue) to cost (5)
las **costumbres** customs, traditions (3, 6)
el **cuello** neck (5)
crear to create (3)
crear una página web to create a web page (1)
la **cruce** crossing, intersection (3)
cruzar to cross (3)
el **cuaderno** notebook (1)
la **cuadra** street block (3)
¿Cuál es tu número de zapatos? What size shoes do you wear? (5)

¿Cuántas personas son? How many people in your party? (6)
¿Cuánto cuesta(n)? How much does it (do they) cost? (4)
¿Cuánto es? How much is it? (4)
cuarenta forty (5)
la **cuchara** spoon (6)
la **cucharada** tablespoon (4)
la **cucharita** teaspoon (4)
el **cuchillo** knife (4, 6)
el **cuello** neck (4)
la **cuenta** check (6)
cuidar a los niños to babysit (2)
cuidar a los pequeños to babysit (2)
cuidar el salón y los materiales to take care of the classroom and school supplies (1)
culpar a otros to blame others (2)
los **cultivos** crops (3)
cumplir con las tareas to do homework (1)
da la vuelta turn around (3)
la **Danza** dance (1)
dar ejemplos to provide examples (1)
dar un paseo to go out for a walk (2)
dar un examen to take a test as a student (S. Amer.) (1)
dar(se) la mano to shake hands (2)
¡De acuerdo! Me gustaría . . . Agreed! I would like to . . . (5)
de bolitas polka dots (5)
de la casa specialty of the house (6)
de flores flowery fabric (5)
de puntos polka dots (5)
debajo de under (1, 3)
debatir to debate (1)
los **deberes** homework
decir "por favor" y "gracias" (e→i) to say please and thank you (2)
decir la verdad (e→i) to tell the truth (2)
declarar bienes to declare goods at customs (6)
los **dedos** fingers (4)
los **dedos del pie** toes (4)
dejar el equipaje to drop off, check in luggage (6)
dejar las maletas to drop off, check in suitcases (6)
dejar un paquete to drop off a package (3)
delante de in front, opposite of (1)
dele keep going (3)
delgado/a thin, slender (2)
delicioso/a delicious (4)
los **deportes** sports (1)
deportivo/a sport (1)
desagradable unpleasant (1)
desayunar to have breakfast (3, 4, 6)
el **desayuno** breakfast (4)
el **descuento** discount (5)
el **desfile** parade (3)
desobedecer a to disobey (1, 2)
el **desodorante** deodorant (2)
desordenado/a disorganized (2)
desorganizado/a disorganized (1)
despedirse (e→i) to say goodbye (2)
despegar to take off (6)
despertarse (e→ie) to wake up (2)
los **destinos** destinations (5)
los **destinos turísticos** tourist destinations (6)
el **detector de metales** metal detector (6)
dibujar to draw (1)
el **Dibujo** drawing (1)
el **diccionario** dictionary (1)
los **dientes** teeth (4)
diez ten (5)
difícil difficult (1)
dinámico/a dynamic (1)
el/la **director/a** school principal (1)
disfrutar to enjoy (2)
distante distant (1)
la **diversión** diversion, fun (2)
divertido/a fun (1), entertaining (2)
divertirse (e→ie) to have fun (5)
el/la **divorciado/a** divorced (2)
doblar to turn (3)
doblar la ropa to fold clothes (2)

dormir (o→ue) to sleep (5)
doscientos two hundred (5)
ducharse to take a shower (2)
dulce sweet (4)
duro/a hard (4)
¿Le puedo traer otra talla? May I bring you another size? (5)
el **edificio** building (3)
la **Educación Cívica** civic education (1)
la **Educación Física** physical education (1)
educado/a well-mannered (2)
las **empanadas** meat, vegetable turnover (4)
empaquetado/a packaged (3)
empezar (e→ie) to begin (1, 3)
el/la **empleado/a del aeropuerto** airport employee (6)
los/las **empleados/as** employees (3)
la **empresa de transporte** transportation company (6)
en efectivo in cash (5)
en honor a in honor of (3)
¿En qué le puedo servir? How may I help you? (5)
encantar to love (4)
las **enchiladas** enchiladas (4)
encima de on top of (1)
encontrarse to meet with (5)
el/la **enfermero/a** nurse (1)
enfrente de facing (1, 3)
la **ensalada** salad (4)
ensayar to rehearse (1)
enseñar to teach (1, 3)
la **entrada** food eaten before main dish (4)
entrar en línea to go online (2)
el/la **entrenador/a** trainer (1)
entrenar to train (1)
entretenido/a entertaining (1)
el **equipaje** luggage (6)
el **equipaje de mano** carry-on luggage (6)
el **equipo deportivo** sports equipment (5)
el **equipo de natación** swim team (1)
escalar en montaña to go mountain climbing (5)
escalar en roca to go rock climbing (5)
los **escalofríos** chills (4)
escribir to write (1)
escribir ensayos to write essays (1)
escribir para el periódico to write for the newspaper (1)
el **escritorio** desk (1)
la **escuela** school (3)
el **esfuerzo** effort (3)
es bonito/a it's pretty (5)
es hermoso/a it's beautiful (5)
es lindo/a it's pretty (5)
la **espalda** back (4, 5)
la **espátula** spatula (4)
espectacular spectacular (4)
el **espectáculo de baile** dance show (6)
el **espectáculo de danza** dance show (6)
esperar to wait for (3)
el/la **esposo/a** husband/wife (2)
esquiar to ski (5)
la **esquina** corner (3)
los **esquís** snow skis (5)
está hinchado/a it's swollen (4)
está inflamado/a it's inflamed (4)
está de moda it's fashionable (5)
está nublado it's cloudy (6)
está pasado de moda it's outdated (5)
esta mañana this morning (5)
esta tarde this afternoon (5)
estaba emocionado/a I was excited (5)
estaba feliz I was happy (5)
estaba pensando en I was thinking about (5)
estaba preocupado/a I was worried (5)
la **estación de servicio** service station (3)
el **estadio** stadium (5)
los **estantes** shelves (3)
estar mal del estómago to have an upset stomach (4)
estar nublado to be cloudy (5)
estar resfriado/a to have a cold (4)
estar ventoso to be very windy (5)
la **estatua** statue (3)
el **este** East (3)

el **estilo de vida** lifestyle (6)
el **estómago** stomach (4)
estornudar to sneeze (4)
estricto/a strict (1)
estudiar to study (1)
evaluar to evaluate (1)
la **evaluación** evaluation (1)
exigente demanding (1)
las **expectativas** expectations (2)
explicar to explain (1)
explorar to explore (3)
explorar el campo to explore the countryside (2)
explorar la ciudad to explore the city (2)
la **exposición de arte** art exhibition (5)
la **exposición de fotografía** photography exhibition (5)
fácil easy (1)
facturar el equipaje to check luggage (6)
la **falda** skirt (5)
faltar el respeto to be disrespectful (1)
la **farmacia** pharmacy (3)
feo/a ugly (2)
la **ferretería** hardware store (3)
los **festivales** festivals (3)
la **fiebre** fever (4)
las **fiestas patrias** national holidays (3)
la **figura** figure (6)
la **finca** farm (3)
la **Física** physics (1)
el **flan** flan (4)
la **forma de vida** way of life (6)
formar parte de to belong to, to be part of (2)
formar parte de un equipo, club to be part of a team, club (1)
el **Francés** French (1)
freír (e→i) to fry (4)
los **frijoles** beans (4)
frío/a cold (4)
frito/a fried (4)
la **fruta del tiempo** seasonal fruit (4)
las **frutas** fruits (4)
los **fuegos artificiales** fireworks (3)
el **fútbol** soccer (1)
las **gafas de sol** sunglasses (5)
las **gafas para nadar** swim goggles (5)
la **galería de arte** art gallery (5)
la **ganga** bargain (5)
la **garganta** throat (4)
gastar to spend (5)
el/la **gato/a** cat (2)
generoso/a generous (1, 2)
la **Geografía** geography (1)
la **Geometría** geometry (1)
el **gimnasio** gymnasium (1, 3)
la **gira turística** tour (6)
el **gobierno estudiantil** student government (1)
golpear to hit (2)
gordo/a fat (2)
la **gorra** cap (6)
grabar videos to record videos (1)
gracioso/a funny (2)
grande large (5)
los **granos** grain (4)
la **gripe** flu (4)
gritar to yell (2)
guapo/a handsome/pretty (2)
la **guayaba** guava (4)
el/la **guía** tour guide (6)
la **habitación simple, doble** single, double room (6)
hace calor it's hot (6)
hace frío it's cold (6)
hace viento it's windy (6)
hacer atletismo to do track (1)
hacer una búsqueda en internet to do a search on the Internet (1)
hacer calor to be hot (5)
hacer la cama to make the bed (2)
hacer cola to stand in line (6)
hacer deporte to do sports (2)
hacer experimentos to do experiments (1)
hacer fresco to be cool (5)

hacer frío to be cold (5)
hacer gymnasia do to gymnastics (1)
hacer kayaking to kayak (5)
hacer planes to make plans (5)
hacer presentaciones to do presentations (1)
hacer un proyecto to do a project (1)
hacer senderismo to go hiking (5)
hacer snowboarding to snowboard (5)
hacer sol to be sunny (5)
hacer surf to surf (5)
hacer viento to be windy (5)
la **harina** flour (4)
hecho/a a mano handmade (6)
el/la **hermanastro/a** step brother/sister (2)
el/la **hermano/a** brother/sister (2)
hervir (e→ie) to boil (4)
el/la **hijo/a** son/daughter (2)
el/la **hijo/a del medio** middle child (2)
el/la **hijo/a mayor** oldest child (2)
el/la **hijo/a menor** youngest child (2)
el/la **hijo/a único/a** only child (2)
honesto/a honest (2)
la **hora del almuerzo** lunch time (1)
la **hora de embarque** boarding time (6)
la **hora del té** afternoon tea break (4)
los **horarios** schedules (6)
hornear to cook in the oven, to bake (4)
el **horno** oven (4)
horrible horrible (4)
el **hospedaje** lodging (6)
el **hospital** hospital (3)
el **hotel** hotel (6)
el **idioma natal** native language (1)
la **iglesia** church (3)
el **imán** magnet (6)
impaciente impatient (2)
el **impermeable** raincoat (5)
inclusivo/a welcomes all types of students (1)
los/las **indígenas** indigenous people (1)
industrial industrial (3)
la **infección de . . .** the infection in . . . (4)
la **inflamación** inflammation (4)
la **Informática** information technology (1)
la **infusión** herbal tea (4)
injusto/a unfair (1)
instalar to install (3)
el **instrumento** instrument (1)
insultar to insult (1)
intercambiar con un/a to exchange with a (1)
interrumpir to interrupt (1)
investigar to investigate (1)
el **invierno** winter (6)
invitar to invite (5)
ir al cine to go to the movie theater (3)
ir a la escuela to go to school (5)
ir a fiestas to go to parties (5)
ir al centro comercial to go to the shopping center (5)
ir al gimnasio to go to the gym (5)
ir al museo to go to the museum (5)
ir a un partido de . . . to go to a . . . game/match (5)
ir a pie to go by foot (3)
ir a la playa to go to the beach (5)
ir al restaurante to go to the restaurant (5)
ir al supermercado to go to the supermarket (5)
ir de caminata to go for a walk (2)
ir de campamento to go camping (2)
ir de compras to go shopping (3)
ir de paseo to go on an outing (3)
ir de vacaciones to go on vacation (2)
ir en tren to go by train (3)
el **jabón** soap (2)
jamás never (6)
el **jarabe** cough syrup (4)
el **jengibre** ginger (4)
joven young (2)
las **joyas** jewelry (6)
la **joyería** jewelry store (3)
jugar (u→ue) to play (1)

jugar básquetbol (u→ue) to play basketball (5)
jugar béisbol (u→ue) to play baseball (5)
jugar fútbol (u→ue) to play soccer (5)
jugar juegos de mesa (u→ue) to play table games (2)
jugar con amigos (u→ue) to play with friends (5)
jugar con muñecas (u→ue) to play with dolls (2)
jugar (con) videojuegos (u→ue) to play videogames (2)
jugar en un partido de . . . (u→ue) to play a game of . . . (1)
juntos/as together (2, 3)
justo/a fair (1)
el **kayak** kayak (5)
el **laboratorio** laboratory (1)
el **laboratorio de ciencias** science lab (1)
la **lagartija** lizard (2)
el **lago** lake (6)
los **lápices de colores** colored pencils (1)
el **lápiz** pencil (1)
largo/a long (5)
lavar los platos to wash the dishes (2)
lavar la ropa to wash clothes (2)
lavarse la cara to wash your face (2)
lavarse las manos to wash your hands (2)
lavarse el pelo to wash your hair (2)
¿Le gusta este/a . . . ? Do you (formal) like this one? (5)
Le traigo . . . I bring you (formal) . . . (6)
la **leche** milk (4)
leer to read (5)
leer comics to read comics (2)
las **legumbres** legumes (4)
lejos de far from (1, 3)
la **lengua** tongue (4)
los **lentes de contacto** contact lenses (6)
el **letrero** sign (6)
levantarse to get up (2)
el **libro** book (1)
licuar to make liquid (4)
el **limón** lemon (4)
la **limonada** lemonade (4)
limpiar el polvo to dust (2)
la **linterna (eléctrica)** (electric) flashlight (5)
la **Literatura** literature (1)
el **llavero** key chain, ring (6)
llegar to arrive (3)
llegar a tiempo to arrive on time (1)
llevar to wear clothes, to carry (3, 5, 6)
llevar uniforme to wear a uniform (1)
llevarse bien to get along (2)
llover (o→ue) to rain (5)
llueve it rains (6)
los **lugares** places (3)
macerar to marinate (4)
la **madrastra** stepmother (2)
la **madre** mother (2)
el/la **maestro/a** teacher (1)
el **maíz** corn (4)
la **mamá** mom (2)
mandar mensajes de texto to send text messages (2)
mandar una carta to send a letter (3)
mandón/mandona bossy (2)
manejar to drive (3)
las **manos** hands (4, 5)
las **mansiones** mansions (3)
mantener (e→ie) to maintain (6)
el **maquillaje** makeup (2)
maquillarse to put on makeup (2)
el **marido** husband (2)
los **mariscos** seafood (4)
marrón brown (5)
más grande que bigger than (2)
más pequeño/a que smaller than (2)
la **mascota** pet (2, 3)
las **Matemáticas** mathematics (1)
los **materiales escolares** school supplies (1)
mayor older (2)
me arde it burns (4)
Me duele . . . My . . . hurts (4)
Me falta . . . I need . . . (6)

¡Me gustaría! Yes, I would like! (5)

Me gustaría invitarlo/la a . . . si usted está libre. I would like to invite you (formal) to . . . if you are free. (5)

Me gustaría probármelo/la. I would like to try it on. (5)

me pica it itches (4)

Me trae . . .por favor. Bring me . . . please. (6)

mediano/a medium (5)

el/la **medio/a hermano/a** half brother/sister (2)

mejorar to improve (3)

menor younger (2)

mentir (e→ie) to lie (2)

el **menú** menu (6)

el **mercado** market (3, 4)

merendar (e→ie) to have a snack (4)

la **merienda** snack (4)

el/la **mesero/a** waiter/waitress (6)

la **mezquita** mosque (3)

el/la **mestizo/a** child of parents of different ethnicities (1)

el **metro** metro (3, 6)

mezclar to mix (4)

la **miel de abeja** honey (4)

mimado/a spoiled (2)

mirar to look (6)

mirar películas to watch movies (1)

mirar un partido to watch a game, match (5)

mirarse en el espejo to look at yourself in the mirror (2)

la **mochila** backpack (1)

los **modos de transporte** means of transportation (3)

moler (o→ue) to grind (4)

molestoso/a annoying (2)

la **montaña** mountain (6)

montar a caballo to ride a horse (5)

montar en bicicleta de montaña to ride a mountain bike (5)

el **monumento** monument (3)

morado/a purple (5)

moreno/a dark hair or dark skinned (2)

el **mostrador de la aerolínea** airline ticket counter (6)

mostrar (o→ue) to show (6)

mostrar el pasaporte to show your passport (6)

el **móvil** cell phone (1)

las **muestras de artículos de aseo personal** sample toiletries (6)

la **mujer** wife (2)

el **museo** museum (3)

nada nothing (6)

nadar to swim (5)

nadie no one (6)

la **naturaleza** nature (6)

navegar en kayak to kayak (6)

navegar en/por internet to surf the web (1)

Necesitamos una mesa para . . . We need a table for . . . (6)

Necesito . . . I need . . . (5)

negro/a black (5)

No, no me gusta. Es feo/a. I don't like it. It's ugly. (5)

nevar (e→ie) to snow (5)

ni nor (6)

ningún/ninguno/a none, not any (6)

No sé, voy a pensarlo. I don't know, I am going to think about it. (5)

No/Me queda bien. It doesn't fit/fits me well. (5)

el **norte** North (3)

Nos encontramos en . . . We can meet at . . . (5)

Nos vemos a las . . . Let's see each other at . . . (5)

las **notas** notes (1)

noventa ninety (5)

nunca never (6)

obedecer (a) to obey (1, 2)

observar to observe (1)

ochenta eighty (5)

el **oeste** West (3)

las **ofertas** special prices (5)

la **oficina** office (1)
los **ojos** eyes (4, 5)
la **olla** cooking pot (4)
el **ómnibus** bus (6)
ordenado/a organized (2)
el **orégano** oregano (4)
las **orejas** ears (4)
organizado/a organized (1)
el/la **organizador/a** organizer (3)
organizar to organize (3)
el **orgullo** pride (3)
la **Orquesta** orchestra (1)
el **otoño** fall (6)
el **padrastro** step father (2)
el **padre** father (2)
los **padres** parents (2)
pagar to pay (5)
la **paja** straw (6)
el **pájaro** bird (2)
la **panadería** bakery (3)
la **pantalla** screen (1)
los **pantalones** pants (6)
los **pantalones cortos** shorts (6)
el **papá** dad (2)
la **parada** bus stop (3, 6)
la **parada de metro** metro stop (3)
la **parada de tren** train stop (3)
el **paraguas** umbrella (6)
el **parapente** paragliding (5)
parar to stop (3)
la **pareja** couple (2)
los **parientes** relatives (2)
el **parque** park (3)
el **parque de atracciones** amusement park (6)
la **parrilla** grill (4)
el/la **participante** participant (3)
participar en concursos to participate in contests (1)
participar en una función de teatro to participate in a school play (1)
participar en un intercambio to participate in an exchange (1)
partir to depart (6)
el **pasaje** ticket (6)
el/la **pasajero/a** passenger (6)
los **pasaportes** passports (6)
pasar to pass (3)
pasar la aspiradora to vacuum (2)
pasar por la aduana to go through customs (6)
pasar tiempo con to spend time with (5)
pasar tiempo con amigos to spend time with friends (3)
pasar tiempo con familia to spend time with family (3)
pasear to take a walk, to stroll (5)
la **pashmina** blanket (6)
el **pasillo** hallway (1), aisle (6)
la **pastelería** pastry shop (3)
el **patio de atrás** backyard (3)
el **patio de en frente** front yard (3)
el/la **peatón/peatona** pedestrian (3)
pedir (e→i) to order (6)
pedir ayuda (e→i) to ask for help (1)
pedir permiso para (e→i) to ask for permission for (1)
pedir en el restaurante (e→i) to order in a restaurant (6)
peinarse to comb your hair (2)
pelar to peel (4)
pelear(se) to fight (2)
pelirrojo/a redhead (2)
el **pelo** hair (4, 5)
la **pelota** ball (1)
pensar (e→ie) to think (4)
pequeño/a small (5)
perder el vuelo to miss the flight (6)
perdido/a lost (3)
perezoso/a lazy (2)
el **perfume** perfume (2)
el/la **perro/a** dog (2)
el **personal de limpieza** janitors (1)
pesado/a heavy, rich (4)
la **pescadería** fish market (3)
el **pescado** fish (4)

el/los **pez/peces** fish/fishes (2)
picante spicy (4)
me pica it burns (me) (4)
picar to mince (4)
picar comida to nibble food (5)
las **piedras** stones (6)
las **piernas** legs (4)
los **pies** feet (4)
la **pimienta** pepper (4, 6)
pintar to paint (1)
pintarse los labios to put on lipstick (2)
pintarse el pelo to color your hair (2)
pintarse las uñas to paint your nails (2)
los **pirotécnicos** fireworks display (3)
el **piso** apartment (3)
la **pista para bolos** bowling alley (5)
el **plátano verde** plantain (4)
el **plato** plate (6)
la **playera** t-shirt (Méx.) (5)
la **plaza** square (3)
poner la mesa to set the table (2)
ponerse to put on (clothes, makeup) (2, 5)
portarse mal to behave inappropriately (1)
el **portátil** cell phone (1)
los **postres** desserts (4)
practicar deportes to practice sports (1)
preparar la comida to prepare food, a meal (2)
prestar atención to pay attention (1)
la **primavera** spring (6)
la **primera clase** first class (6)
el/la **primo/a** cousin (2)
el **probador** fitting room (5)
probarse (o→ue) to try on (5)
la **procesión** procession (3)
los **productos lácteos** dairy products (4)
el/la **profesor/a** profesor, teacher (1)
el **profesor de arte** art teacher (1)
la **propina** tip (6)
proteger to protect (2, 6)
el **proyecto** project (1)
el **pueblito** small town (3)
el **pueblo** town (3, 6)
la **puerta de embarque** boarding gate (6)
los **pulmones** lungs (4)
el **pupitre** student desk (1)
¿Qué le gustaría pedir? What would you like to order? (6)
Qué pena pero no puedo ir. Unfortunately, I can't go. (5)
Quedarse to stay (6)
los **quehaceres** chores (2)
¿Qué hiciste anoche? What did you do last night? (5)
quejón/quejona whiny (2)
querer (e→ie) to want (4)
las **quesadillas** quesadillas (4)
el **queso** cheese (4)
¿Qué tal si . . .? How about if . . .? (5)
el **quíchua** Quechua (1)
¿Quieres salir conmigo el (viernes)? Do you want to go out with me this (Friday)? (5)
Quisiera comprar . . . I would like to buy . . . (5)
¿Quisieras ir a . . .? Would you like to go to . . . ? (5)
quitar la mesa to clear the table (2)
rallado/a grated (4)
rallar to grate (4)
el/la **recepcionista** receptionist (1)
el **receso** recess, break (1)
los **rechazados** refused (1)
reciclar to recycle (3)
recoger el equipaje to pick up the luggage (6)
el **recreo** recess, break (1)
los **recuerdos** souvenirs (6)
las **redes sociales** social networks (2)
los **refrescos** soft drinks (4)
la **refrigeradora** refrigerator (4)
regañar to scold (2)
regatear to bargain (3)
la **remera** t-shirt (Arg.) (5)
los **remos** oars for rowing (5)
renovar to renovate (3)
repasar to review (1)

representar to represent (3)
reprobar un examen (o→ue) to fail an exam (1)
reservado/a reserved (2)
residencial residential (3)
resolver problemas de matemáticas (o→ue) to solve math problems (1)
respetar to respect (1, 6)
respetuoso/a respectful (1)
respirar to breathe (4)
el restaurante restaurant (3)
reunirse to meet with (3, 5)
rico/a delicious (4)
el río river (6)
riquísimo/a super delicious (4)
rojo/a red (5)
la ropa interior underwear (6)
rosado/a pink (5)
rubio/a blond (2)
rural rural (3)
sabroso/a tasty (4)
sacar la basura to take out the garbage (2)
sacar una buena/mala nota to get a good/bad grade (1)
sacar dinero del cajero automático to take out money of an automatic teller machine (3)
la sal salt (4, 6)
la sala de computadoras computer classroom (1)
la sala de embarque boarding area (6)
la sala de música music classroom (1)
salado/a salty (4)
salir to leave a place (3)
salir a cenar to go out to dinner (2)
el salón de clase classroom (1)
saltear to sauté, to stir fry (4)
la Salud health (1)
saludarse to greet each other (2)
saludarse con abrazo to greet each other with an embrace (2)
saludarse con beso to greet each other with a kiss (2)
las sandalias sandals (6)
el sandboarding sandboarding (5)
el sándwich sandwich (4)
la sartén pan (4)
el secador de pelo hair dryer (2)
secarse las manos/el pelo to dry your hands/hair (2)
el/la secretario/a secretary (1)
seguir derecho (e→i) to go straight (3)
el segundo (plato) second course (4)
el semáforo traffic light (3)
la semana pasada last week (5)
la señal de parada stop sign (3)
sensible sensitive (2)
sentirse mal (e→ie) to feel sick (4)
ser voluntario/a to be a volunteer (3)
serio/a serious (1, 2)
la serpiente snake (2)
el servicio de habitación room service (6)
la servilleta napkin (6)
sesenta sixty (5)
setenta seventy (5)
siempre always (6)
la siesta afternoon nap (4)
simbolizar to symbolize (3)
el símbolo symbol (3)
simpático/a nice (2)
Sí, me gustaría mucho. Yes, I would like it very much.
sincero/a sincere (1)
la sobremesa post dinner conversation (4)
el/la soltero/a unmarried man/woman (2)
el sombrero hat (6)
los/las sordos/as Deaf (2)
sostenible sustainable (6)
suave smooth (4)
subir a to get on (transportation) (3)
el subte subway (6)
la sudadera sweat suit (6)
el suéter sweater (6)
el supermercado supermarket (3, 4)
el sur South (3)
surfear to surf (5)
sustentable sustainable (6)

la **tabla de picar** cutting board (4)
la **tabla de snowboarding** snowboard (5)
la **table de surf** surfboard (5)
la **tableta** tablet (1)
los **tacos** tacos (4)
la **talla** clothes size (5)
los **tamales** tamales (4)
el **tamaño** clothes size (5)
también also, too (6)
tampoco neither (6)
el **tanque de oxígeno** oxygen tank (5)
tapado/a covered (4)
la **taquilla** ticket office (6)
la **tarjeta de crédito** credit card (5)
la **tarjeta de embarque** boarding pass (6)
las **tarjetas** cards (1)
la **taza** cup (4, 6)
el **tazón** bowl (4)
el **té** tea (4)
el **té de manzanilla** chamomile tea (4)
¿Te gustaría ir al/a la . . . conmigo? Would you like to go with me to . . . ? (5)
el **teatro** theater (1, 5)
el **teclado** keyboard (1)
los **tejidos** weave (6)
el **templo** temple (3)
el **tenedor** fork (6)
tener calor (e→ie) to be hot (4)
tener cuidado (e→ie) to be careful (3)
tener dolor de . . . (e→ie) to feel pain in . . . (4)
tener éxito (e→ie) to be successful (1)
tener frío (e→ie) to be cold (4)
tener ganas de + infinitivo (e→ie) to have a desire, to want to do something + infinitive (4)
tener hambre (e→ie) to be hungry (4)
tener sed (e→ie) to be thirsty (4)
tenía miedo I was afraid (5)
tenía sueño I was sleepy (5)
Tengo una reservación a nombre de . . . I have a reservation under the name of . . . (6)
terco/a stubborn (2)
la **terminal** terminal (6)
terminar to finish (1)
el **termo de agua** thermos of water (6)
tibio/a lukewarm (4)
el **tiempo** time (5)
la **tienda** store (3, 4)
la **tienda de equipo deportivo** sports store (5)
tiene canas has gray hair (2)
tiene el pelo corto has short hair (2)
tiene el pelo largo has long hair (2)
tiene el pelo liso has straight hair (2)
tiene el pelo rizado has curly hair (2)
¿Tiene ese/a (esos, esas) . . . en color . . .? Do you have this (these) in . . . (color)? (5)
las **tijeras** scissors (1)
tímido/a shy (2)
el/la **tío abuelo/tía abuela** great-uncle/great-aunt (2)
el/la **tío/a** uncle/aunt (2)
la **toalla** towel (2)
tocar un instrumento to play an instrument (1)
el **tocino** bacon (4)
tolerante tolerant (1)
tomar to take (3, 6)
tomar apuntes to take notes (1)
tomar asiento to be seated (6)
tomar café to drink coffee (3, 4)
tomar un examen to give a test, as a teacher (S. Amer.) (1)
tomar té to drink tea (3)
el **tomate** tomato (4)
la **tortilla de maíz** corn tortilla (4)
la **tortilla española** omelette (4)
la **tortuga** turtle (2)
la **tos** cough (4)
toser to cough (4)
trabajador/a hard worker (1), hard-working (2)
trabajar to work (1)
trabajar con los colegas to work with

colleagues (1)
trabajar en conjunto to work together (3)
las **tradiciones** traditions (3)
el **traje de baño** swimming suit (6)
el **traje de buzo** diving suit (5)
tranquilo/a peaceful, calm (1)
el **transporte** transportation (6)
treinta thirty (5)
el **trekking** trekking (5)
el **tren** train (3)
trescientos/as three hundred (5)
la **Trigonometría** trigonometry (1)
el **tur** tour (6)
el **turismo** tourism (6)
urbano/a urban (3)
usar to use (6)
usar aparatos electrónicos to use appliances (2)
usar las computadoras to use computers (1)
los **valores** moral values (2)
¡Vamos! Let's go! (5)
el **vaso** glass (6)
los **vegetales** vegetables (4)
veinte twenty (5)
vender to sell (5)
la **ventana** window (6)
ver la televisión to watch television (2)
ver una película to see a movie (3)
el **verano** summer (6)
las **verduras** vegetables (4)
verse to see each other (5)
el **vestido** dress (6)
la **vestimenta** clothing (1)
vestirse (e→i) to get dressed (2, 5)
el **viaje corto** short trip (6)
el **viaje largo** long trip (6)
viejo/a old (2)
el **virus** virus (4)
visitar to visit (6)
el **vóleibol** volleyball (1)
el **vómito** vomit (4)
el **vuelo** flight (6)
el **yogur** yogurt (4)
la **yuca** yucca (4)
la **zapatería** shoe store (3)
las **zapatillas** sandals (5)
los **zapatos** shoes (6)
la **zona** area (3)

Expresiones útiles Spanish-English

a menudo often (2, 5)
A mí me gusta también . . . I also like . . . (2)
A mí no me gustaría tampoco. I would not like it either. (2)
¡A mí también me interesa! I am also interested! (2)
a veces sometimes (2, 4, 5)
¿Acepta(n) tarjetas de crédito? Do you accept credit cards? (5)
Adiós. Goodbye. (1)
ahora now (2)
al final at the end (3)
anteayer the day before yesterday (3)
antes before (2)
Antes, los hombres/las mujeres tenían que . . . Before, men/women had to . . . (2)
Aprendí que . . . I learned that . . . (5)
así que so that (6)
Atentamente Sincerely (1)
ayer yesterday (3, 5)
Buenos días. Good morning. (1)
cada día each day (2)
Calzo. . . I wear . . . (shoe size) (5)
casi nunca almost never (4)
casi siempre almost always (4)
el **centro commercial** shopping center (5)
Chao. Goodbye. (1)
¡Chévere! Cool! (5)
Combina bien. It matches well. (5)
¿Cómo le quedan esos zapatos? How do your shoes fit? (5)
¿Cómo le va? How are you (formal) doing? (3)
con frecuencia frequently (4)
Creo que. . . I believe that . . . (2)
cuando when (6)
cuando era niño/a when I was a child (2)
¿Cuánto cuesta(n)? How much does it/do they cost? (5)
¿Cuánto vale? How much does it cost? (3)
¡Cuéntame más! Tell me more! (2)
Cuesta(n) demasiado. It (they) cost too much. (5)
darle hasta pegar con. . . To go forward until you find . . . (3)
De acuerdo, quedamos en. . . We agreed to . . . (3)
de niño/a as a child (2)
de pequeño/a as a child (2)
de vez en cuando every once in a while (2)
después after (2, 4)
¡Dime más! Tell me more! (2, 5)
el **mes pasado** last month (3)
En las comunidades de América Latina, hay . . . In Latin American communities, there are . . . (3)
En las familias antes, los hombres/las mujeres. . . In families before, men/women . . . (2)
En mi comunidad hay. . . In my community there are . . . (3)
En mi comunidad y en las comunidades de América Latina . . . In my community and in Latin American communities . . . (3)
En muchas familias ahora, los hombres/las mujeres. . . In many families now, men/women . . . (2)
¿En qué puedo servirle? How can I help you? (5)
¿En serio? Seriously? (2)
entonces then (3, 6)
¡Es increíble! It's incredible. (5)
Es muy caro/a, le doy. . . It's very expensive, I can pay you . . . (3)
Es un buen lugar para una aventura de. . . It's a good place for an adventure of . . . (5)

¿Está bien si viajo. . . ? Is it OK if I travel . . . ? (1)

¡Está Bueno/a! It's very good! (4)

¡Está muy sabroso/a! It is very flavorful! (4)

Está(n) en rebaja. It's/They are on sale. (5)

Estaba nublado. It was cloudy. (5)

Estaba pensando en. . . I was thinking about . . . (5)

Estaba soleado. It was sunny. (5)

Estimado Señor. . ./Estimada Señora. . . Esteemed Sir . . . /Madam (1)

¡Fenomenal! Phenomenal! (2)

finalmente finally (2, 3, 5)

frecuentemente frequently (2, 5)

Fuimos al mercado hace una semana. One week ago we went to the market. (3)

generalmente generally (2)

¡Genial! Fantastic! (5)

Hacía calor. It was hot. (5)

Hacía frío. It was cold. (5)

¡Hasta entonces! Until then! (5)

Hay muchos/as. . . There are many . . . (5)

el/la **hermanito/a** little brother/sister (3)

Hola Hello (1)

Los **hombres/Las mujeres en familias tradicionales. . .** Men/Women in traditional families . . . (2)

Hoy en día Nowadays (2)

jugar videojuegos (u→ue) to play videogames (5)

¿Le gusta este/a. . . ? Do you (formal) like this one? (5)

Llovía. It was raining. (5)

Lo siento. I am sorry. (3)

Lo siento, pero estoy ocupado/a. I am sorry, but I am busy. (5)

Los hombres/Las mujeres (no) tenían que. . . Men/Women (didn't) have to . . . (2)

Los hombres/Las mujeres en familias modernas. . . Men/Women in modern families (2)

luego later (3, 4)

el **macho** male, boy (3)

Machu Picchu es un lugar histórico. Machu Picchu is a historic place. (5)

más tarde later (2, 3)

Me castigan por. . . I get punished for . . . (2)

Me encanta(n). . . I love . . . (2)

¡Me encantaría! I would love to! (5)

Me fascina(n). . . I am interested in . . . (2)

Me gustaría pero lamentablemente no puedo, porque tengo que estudiar. I would like to but unfortunately I can't because I have to study. (5)

Me gustaría. . . I would like . . . (1, 2)

Me interesa(n). . . I am interested in by (2)

Me quitan. . . They take . . . away from me (2)

mientras while (6)

Necesito un par de zapatos. I need a pair of shoes. (5)

Nevaba. It was snowing. (5)

No combina. It doesn't match. (5)

___no es tan. . . como___. ____ is not as . . . as____. (2)

(No) Estoy seguro/a. I am (not) sure. (2)

¡No me digas! Really, you don't say! (2)

(No) Me gustaría tanto recibir a___, porque. . . I would (not) like to host ___because . . . . (2)

No me permiten. . . They do not allow me . . . (2)

No sé si. . . I don't know if . . . (2)

No tengo tanto dinero. I don't have that much money. (3)

No, me quedan apretados. No, they are tight. (5)

(No) Es necesario cambiar porque. . . It's (not) necessary to change because . . . (2)

(No) Estoy de acuerdo. I (don't) agree. (2)

(No) Me interesa ir al/a la. . . I am (not) interested in going to the . . . (5)

(No) Me parece bien. . . I (don't) think it's good . . . (2)

(No) Tenemos. . . en mi comunidad In my community we (don't) have . . . (3)
normalmente normally (2)
el/los pantalón/los pantalones pants (5)
los pantalones cortos shorts (5)
Pienso que. . . I think that . . . (2, 5)
Prefiero recibir a___en mi casa, porque. . . I prefer to host____ in my house because . . . (2)
primero/a first (2, 4)
próximo/a next (2)
¿Puedes ir conmigo a . . . ? Can you go with me to . . . ? (5)
¿Puedo invitarte a. . . ? May I invite you to . . . ? (5)
¿Puedo pagar con. . . ? May I pay you with . . . ? (5)
pura vida good life (3)
¡Qué chévere! How cool! (2)
¡Qué genial! How great! (2)
¡Qué interesante! How interesting! (2)
¿Qué me dices, padre? What do you say, man? (3)
¿Qué número calza Ud.? What size do you wear? (5)
¡Qué rico/a! How tasty! (4)
¿Qué tal si . . . ? How about if . . . ? (5)
¿Qué tal si viajo . . . ? How about if I travel . . . ? (1)
¿Qué te parece si. . . ? What do you think if . . . ? (2)
Querido/a. . . Dear . . . (1)
Quisiera ir a. . . I would want to go to . . . (5)
Saludos. Greetings. (1)
Se lo dejo en. . . I will give it to you for . . . (3)
Se necesita. . . One needs . . . (5)
Se puede. . . One can/One may . . . (5)
Sé que. . . I know that . . . (2)
Si me llevo dos, ¿cuánto cuesta? If I buy two, how much will it be? (3)
Sí, me gusta mucho. Yes, I like it very much. (5)
Sí, me gustaría mucho. Yes, I would like it very much. (5)
Sí, me quedan bien. Yes, they fit me well. (5)
¡Sí, por supuesto! Yes, of course! (5)
Solo cuesta(n). . . It (they) only cost(s) . . . (5)
También, quisiera saber. . . Also, I would like to know . . . (2)
Tenía miedo. I was afraid. (5)
Tenía sueño. I was sleepy. (5)
Tienes vacaciones en. . . You have vacation on . . . (1)
todavía still (2)
todo el tiempo all the time (5)
todos los días every day (2, 5)
tomar el sol to sunbathe (5)
un poco a little (5)
¡Uy! Ouch!, Wow! (4)
¿Ya conoces el lugar? Do you already know the place? (2)
ya no no longer (2)
Yo no prefiero. . . tampoco. I do not prefer . . .either. (2)
Yo no tengo clases. . . I don't have school . . . (1)
Yo prefiero. . . también I also prefer . . . (2)
Yo puedo pasar por tu casa a las. . . I can stop by your house at (time) . . . (5)

Glossary English-Spanish

This glossary gives the meanings of words and phrases as used in this book.

f. - feminine
irreg. - irregular verb
m. - masculine
pl. - plural
refl. - reflexive verb

Verb conjugations:
(e→ie): like pensar (pienso, pensamos)
(e→ie/i): like preferir (prefiero, preferimos, prefirió)
(e→i): like servir (sirvo, servimos, sirvió)
(í): like variar (varío, variamos)
(o→ue): like volver (vuelvo, volvemos)
(o→ue/u): like dormir (duermo, dormimos, durmió)

Regional variations:
C.R. - Costa Rica
Esp. - España
Méx. - México
L.A. - Latinoamérica
P.R. - Puerto Rico
R.D. - República Dominicana

academic académico/a (1)
accommodation el alojamiento (6)
to add agregar (4)
adolescent el/la adolescente (2)
adult el/la adulto/a (2)
affectionate cariñoso/a (2)
afternoon nap la siesta (4)
afternoon tea break la hora del té (4)
Agreed! I would like ¡De acuerdo! Me gustaría (5)
airline ticket counter el mostrador de la aerolínea (6)
airline la aerolínea (6)
airport employee el/la empleado/a del aeropuerto (6)
aisle el pasillo (6)
algebra el Álgebra (1)
allergies las alergias (4)
also también (6)
always siempre (6)
amusement park el parque de atracciones (6)
analyze analizar (1)
ancestral communities las comunidades ancestrales (6)
anniversary el aniversario (3)
annoying molestoso/a (2)
Anything else? ¿Algo más? (6)
apartment el piso (3)
apartments los apartamentos (3)
appetizer el aperitivo (6)
aquarium el acuario (6)
area la zona (3)
arms los brazos (4, 5)
to arrive legar (3)
to arrive on time llegar a tiempo (1)
art gallery la galería de arte (5)
art show la exposición de arte (5)
art teacher el/la profesor/a de arte (1)
art el Arte (1)
to ask for permission for pedir permiso para (e→i) (1)
auditorium el auditorio (1)
avenue la avenida (3)
avocado el aguacate (4)
to babysit cuidar a los niños (2), cuidar a los pequeños (2)
back la espalda (4, 5)
backpack la mochila (1, 5)
backyard el patio de atrás (3)
bacon el tocino (4)
to bake hornear (4)
bakery la panadería (3)
bald calvo/a (2)
ball la pelota (1)

band la Banda (1)
bank el banco (3)
bargain la ganga (5)
to bargain regatear (3)
basketball el básquetbol (1)
to be a volunteer ser voluntario/a (3)
to be careful tener cuidado (e→ie) (3)
to be cloudy estar nublado (5)
to be cold (weather) hacer frío (5)
to be cold tener frío (e→ie) (4)
to be cool (weather) hacer fresco (5)
to be disrespectful faltar el respeto (1)
to be hot (weather) hacer calor (5)
to be hot tener calor (e→ie) (4)
to be hungry tener hambre (e→ie) (4)
to be part of a team, club formar parte de un equipo, club (1)
to be seated tomar asiento (6)
to be sunny hacer sol (5)
be thirsty tener sed (e→ie) (4)
to be windy hacer viento (5)
to be very windy estar ventoso (5)
beans los frijoles (4)
beard la barba (2)
to beat batir (4)
beater la batidora (4)
to begin empezar (e→ie) (1, 3)
to behave inappropriately portarse mal (1)
to belong, to be part of formar parte de (2)
bigger tan más grande que (2)
binder la carpeta (1)
binoculars los binoculares (5)
biology la Biología (1)
bird el pájaro (2)
black negro/a (5)
to blame others culpar a otros (2)
blanket la cobija, la pashmina (6)
blond rubio/a (2)
blouse blusa (5, 6)
blue azul (5)
bluejeans los blue jeans (6)
to board (the train, plane) abordar (el avión, tren) (6)
boarding area la sala de embarque (6)
boarding gate la puerta de embarque (6)
boarding pass la tarjeta de embarque (6)
boarding time la hora de embarque (6)
to boil hervir (e→ie) (4)
book el libro (1)
boots las botas (5, 6)
boring aburrido/a (1)
bossy mandón/mandona (2)
boutique la boutique (5)
bowl el tazón (4)
bowling alley la bolera, la pista para bolos (5)
breakfast el desayuno (4)
to breathe respirar (4)
Bring me . . . please. Me trae . . . por favor. (6)
brother el hermano (2)
brown marrón (5)
to brush your hair cepillarse el pelo (2)
to brush your teeth cepillarse los dientes (2)
building el edificio (3)
bullying acoso escolar (1)
to burn arder (4)
bus stop la parada de bus (3)
bus el bus, el autobús (3), el ómnibus (6)
butcher shop la carnicería (3)
to buy comprar (3, 5)
to buy online comprar en línea (5)
cafetería la cafetería (1)
calculator la calculadora (1)
calculus el Cálculo (1)
camera la cámara (5)
canoeing el canotaje (5)
cap la gorra (6)
car el carro (L.A.), coche (Esp.) (3)
cards las tarjetas (1)
to carry llevar (3)
carry on luggage el equipaje de mano (6)
cathedral la catedral (3)
cell phone el móvil (1), el portátil (1)
cereals los cereales (4)
chamomile tea el té de manzanilla (4)
to change lines cambiar de línea (6)

cheap barato/a (5)
check la cuenta (6)
to check luggage facturar el equipaje (6)
cheese el queso (4)
chess club el club de ajedrez (1)
chicken and rice el arroz con pollo (4)
chicken broth el caldo de pollo (4)
child of parents of different ethnicities el/la mestizo/a (1)
chiles los chiles (4)
chills los escalofríos (4)
chocolate el chocolate (4)
choir el Coro (1)
chores quehaceres (2)
church la iglesia (3)
cilantro el cilantro (4)
cinnamon la canela (4)
city la ciudad (3)
civic education la Educación Cívica (1)
classmate el/la compañero/a (1)
classroom el aula de clase, el salón de clase (1)
to clean, to organize the bedroom arreglar la habitación (2)
to clear the table quitar la mesa (2)
clinic la clínica (1)
clothes size la talla, el tamaño (5)
clothes la ropa (5), la vestimenta (1)
club of . . . el club de . . . (1)
coat el abrigo (6)
coconut el coco (4)
coffee el café (4)
coffee shop el café (3)
cold drinks las bebidas frías (4)
cold frío/a (4)
to collaborate colaborar (3, 6)
collaboration colaboración (3)
colonial architecture la arquitectura colonial (3)
to color your hair pintarse el pelo (2)
colors los colores (5)
colored pencils los lápices de colores (1)
to comb your hair peinarse (2)
comercial comercial (3)
to commemorate conmemorar (3)
to communicate comunicarse (5)
company (transportation) la compañía (de transporte), la empresa (de transporte) (6)
to compare comparar (2)
compass la brújula (5)
computer classroom la sala de computadoras (1)
computer la computadora (1)
computer science la Informática (1)
condominiums los condominios (3)
to connect to the Internet conectarse al internet (5)
to connect with others via social media conectarse a las redes sociales (5)
to connect with others conectarse (5)
to conserve conservar (6)
contact lenses los lentes de contacto (6)
conveyor belt la cinta (6)
cook el/la cocinero/a (1)
to cook cocinar (2, 4)
to cook in the oven hornear (4)
cooking pot la olla (4)
Cool! ¡Chévere! (5)
corn el maíz (4)
corn tortilla la tortilla de maíz (4)
corn tortillas (Venezuela, Colombia) las arepas (4)
corner la esquina (3)
to cost costar (o→ue) (5)
cough la tos (4)
to cough toser (4)
cough syrup el jarabe (4)
countryside el campo (6)
couple la pareja (2)
cousin el/la primo/a (2)
covered tapado/a (4)
crafts la artesanía (6)
craftsmen/craftswomen los/las artesanos/as (6)
to create crear (3)
to create a web page crear una página web (1)
credit card la tarjeta de crédito (5)

crops los cultivos (3)
to cross cruzar (3)
crossing la cruce (3)
cumin el comino (4)
cup la taza (4, 6)
current actual (1)
customs las costumbres (3, 5)
cutting board la tabla de picar (4)
cybercafe el cibercafé (3)
dairy products los productos lácteos (4)
dance show el espectáculo de baile (6)
to dance bailar (5)
dance la Danza (1)
dark hair or dark skinned moreno/a (2)
daughter la hija (2)
Deaf los/las sordos/as (2)
to debate debatir (1)
to declare goods at customs declarar bienes (6)
delicious delicioso/a, rico/a (4)
demanding exigente (1)
deodorant el desodorante (2)
to depart partir (6)
desk el escritorio (1)
desserts los postres (4)
destinations los destinos (5)
dictionary un diccionario (1)
difficult difícil (1)
dinner la cena, la comida (L.A.) (4)
discount el descuento (5)
to disobey desobedecer a (2)
disorganized desordenado/a (1, 2)
distant distante (1)
diversion la diversión (2)
diving equipment el equipo de buceo (5)
diving suit el traje de buzo (5)
divorced el/la divorciado/a (2)
to do a project hacer un proyecto (1)
to do a search on the Internet hacer una búsqueda en internet (1)
to do experiments hacer experimentos (1)
to do gymnastics hacer gimnasia (1)
to do homework cumplir con las tareas (1)
to do presentations hacer presentaciones (1)
to do track hacer atletismo (1)
Do you (formal) have this (these) in . . . (color)? ¿Tiene ese/a (esos/as) en color . . . ? (5)
Do you want to come with me this (Friday)? ¿Quieres salir conmigo el . . . (viernes)? (5)
Do you (formal) like this one? ¿Le gusta este/a . . . ? (5)
dog el/la perro/a (2)
double bed la cama matrimonial (doble) (6)
to download information from the Internet bajar información de internet (1)
to draw dibujar (1)
drawing el Dibujo (1)
dress el vestido (5, 6)
to drink coffee tomar café (3, 4)
to drink tea tomar té (3)
to drive manejar (3)
to drop off, check in luggage dejar el equipaje (6)
to drop off a package dejar un paquete (3)
to dry your hair secarse el pelo (2)
to dust limpiar el polvo (2)
dynamic dinámico/a (1)
ears las orejas (4)
East el este (3)
easy fácil (1)
to eat comer (4, 6)
to eat breakfast desayunar (6)
to eat exotic dishes comer platos exóticos (2)
to eat together comer juntos/as (2)
effort el esfuerzo (3)
eighty ochenta (5)
to embrace abrazarse (2)
employees los/las empleados/as (3)
enchiladas las enchiladas (4)
to encourage students animar a los estudiantes (1)
to enjoy disfrutar (2)
entertaining entretenido/a (1), divertido/a (2)
environment ambiente (1)
to evaluate evaluar (1)
to exchange with a(n) intercambiar con un/a (1)

expectations las expectativas (2)
expensive caro/a (5)
to explain explicar (1)
to explore explorar (3)
to explore the city explorar la ciudad (2)
to explore the countryside explorar el campo (2)
eyes los ojos (4, 5)
to fail an exam reprobar un examen (e→ie) (1)
fair justo/a (1)
fall el otoño (6)
family home la casa de familia (6)
family tree el árbol familiar (2)
far from lejos de (1, 3)
farm la finca (3)
to fasten your seat belt abrocharse el cinturón de seguridad (6)
fat gordo/a (2)
father el padre (2)
to feed the pets alimentar a las mascotas (2)
to feel pain in tener dolor de (e→ie) (4)
to feel sick sentirse mal (e→ie) (4)
feet los pies (4, 5)
festivals los festivales (3)
fever la fiebre (4)
fifty cincuenta (5)
to fight pelear, pelearse (2)
figure la figura (6)
fingers los dedos (4)
to finish terminar (1)
fireworks los fuegos artificiales (3)
fireworks display los pirotécnicos (3)
first class la primera clase (6)
fish market la pescadería (3)
fish el pescado (4)
fish/fishes el/los pez/peces (2)
fishing equipment los artículos de pesca (5)
fitting room el probador (5)
to fix your hair arreglarse el pelo (2)
to fix arreglar (3)
flag la bandera (3)
flan el flan (4)
flashlight (electric) la linterna (eléctrica) (5)
flight attendant el/la asistente de vuelo (6)
flight el vuelo (6)
flip flops las chanclas (5)
flour la harina (4)
flowery fabric de flores (5)
flu la gripe (4)
to fold clothes doblar la ropa (2)
food eaten before main dish la entrada (4)
food la comida (4)
fork el tenedor (6)
forty cuarenta (5)
French el Francés (1)
fried green plantains las chicharritas (4)
fried pork rind el chicharrón (4)
fried frito/a (4)
friendship la amistad (2)
front yard el patio de en frente (3)
fruits las frutas (4)
to fry freír (e→i) (4)
fun divertido/a (1)
fun la diversión (2)
funny cómico/a, gracioso/a (1, 2)
swim goggles gafas para nadar (5)
garlic el ajo (4)
general store el almacén (5)
generous generoso/a (1, 2)
geography la Geografía
geometry la Geometría (1)
to get along llevarse bien (2)
to get bored aburrirse (5)
to get dressed vestirse (e→i) (2, 5)
to get off (transportation) bajar de (3)
to get off the plane bajar del avión (6)
to get on (transportation) subir a (3)
to get up levantarse (2)
ginger el jengibre (4)
to give a test (as a teacher) tomar un examen (S. Amer.) (1)
glass el vaso (6)
to go to a . . . game/match ir a un partido de . . . (5)
to go across atravesar (e→ie) (3)
to go by foot ir a pie (3)

to go by train ir en tren (3)
to go camping ir de campamento (2)
to go for a walk, stroll pasear (5)
to go for a walk ir de caminata (2)
to go hiking hacer senderismo (5)
to go horseback riding montar a caballo (5)
to go mountaineering (climbing) el andinismo (5)
to go on an outing ir de paseo (3)
to go on vacation ir de vacaciones (2)
to go online entrar en línea (2)
to go out dinner salir a cenar (2)
to go out for a walk dar un paseo (2)
to go out salir (5)
to go to parties ir a fiestas (5)
to go to school ir a la escuela (5)
to go shopping ir de compras (3, 5)
to go straight seguir derecho (e→i) (3)
to go to the beach ir a la playa (5)
to go to the gymnasium ir al gimnasio (5)
to go to the movie theater ir al cine (3)
to go to the museum ir al museo (5)
to go to the restaurant ir al restaurante (5)
to go to the shopping center ir al centro comercial (5)
to go to the supermarket ir al supermercado (5)
to go through customs pasar por la aduana (6)
to grade calificar (1)
grain los granos (4)
grandfather/mother el/la abuelo/a (2)
to grate rallar (4)
grated rallado/a (4)
great-uncle/great-aunt el/la tío/a abuelo/a (2)
great-grandchild el/la bisnieto/a (2)
great-grandfather/great-grandmother el/la bisabuelo/a (2)
green verde (5)
to greet each other saludarse (2)
to greet each other with a kiss saludarse con beso (2)
to greet each other with an embrace saludarse con abrazo (2)
grill la parrilla (4)
to grind moler (o→ue) (4)
guava la guayaba (4)
gymnasium el gimnasio (1, 3)
hair el pelo (4, 5)
hair dryer el secador de pelo (2)
half brother/sister el/la medio/a hermano/a (2)
hallway el pasillo (1)
handmade hecho/a a mano (6)
hands las manos (4, 5)
handsome guapo/a (2)
happy alegre (2)
hard worker trabajador/a (1, 2)
hard duro/a (4)
hardware store la ferretería (3)
has curly hair tiene el pelo rizado (2)
has gray hair tiene canas (2)
has long hair tiene el pelo largo (2)
has short hair tiene el pelo corto (2)
has straight hair tiene el pelo liso (2)
hat el sombrero (6)
to have a cold estar resfriado/a (4)
to have a desire tener ganas de + infinitivo (e→ie) (4)
to have a snack merendar (e→ie) (4)
to have a stomach ache estar mal del estómago (4)
to have breakfast desayunar (3, 4)
to have dinner cenar (3, 4)
to have fun divertirse (e→ie) (5)
to have lunch almorzar (o→ue) (1, 3, 4)
head la cabeza (4, 5)
health la Salud (1)
heavy pesado/a (4)
to help ayudar (3)
to help in the community ayudar en la comunidad (2)
to help in the house ayudar en casa (2)
to help students ayudar a los estudiantes (1)
herbal tea la infusión (4)
highway la carretera (3)
to hit golpear (2)
homemade casero/a (4)

honest honesto/a (2)
honey la miel de abeja (4)
horrible horrible (4)
hospital el hospital (3)
hot drinks las bebidas calientes (4)
hot caliente (4)
hotel el hotel (6)
How about if . . . ? ¿Qué tal si . . . ? (5)
How many people in your party? ¿Cuántas personas son? (6)
How may I help you? ¿En qué le puedo servir? (5)
How much does it/do they cost? ¿Cuánto cuesta(n)? (4, 5)
How much is it? ¿Cuánto es? (4)
husband el esposo, el marido (2)
I bring you . . . Le traigo . . . (6)
I don't know, I am going think about it. No sé, voy a pensarlo. (5)
I have a reservation under the name of . . . Tengo una reservación a nombre de . . . (6)
I look for . . . Busco . . . (5)
I need . . . Necesito . . . (5), Me falta . . . (6)
I was afraid. Tenía miedo. (5)
I was excited. Estaba emocionado/a. (5)
I was happy. Estaba feliz. (5)
I was sleepy. Tenía sueño. (5)
I was thinking about . . . Estaba pensando en . . . (5)
I was worried. Estaba preocupado/a. (5)
I would like buy . . . Quisiera comprar . . . (5)
I would like to invite you if you are free. Me gustaría invitarlo/la si usted está libre. (5)
I would like to try it on. Me gustaría probármelo/la. (5)
impatient impaciente (2)
to improve mejorar (3)
in cash en efectivo (5)
in front of delante de (1)
in honor of en honor a (3)
indigenous people los indígenas (1)
industrial industrial (3)
infection in . . . la infección de . . . (4)
to install instalar (3)
instrument el instrumento (1)
to insult insultar (1)
to interrupt interrumpir (1)
to investigate investigar (1)
to invite invitar a (5)
It doesn't fit/fits me well. (No) Me queda bien. (5)
it burns me arde (4)
it's inflamed está inflamado/a (4)
to itch picar (4)
it itches me pica (4)
it rains llueve (6)
it's beautiful es hermoso/a (5)
it's cloudy está nublado (6)
it's cold hace frío (6)
it's fashionable está de moda (5)
it's hot hace calor (6)
it's outdated está pasado de moda (5)
it's pretty es bonito/a, es lindo/a (5)
it's windy hace viento (6)
it's swollen está hinchado/a (4)
jacket chaqueta (6)
janitors el personal de limpieza (1)
jeans los blue jeans (5)
jewelry las joyas (6)
jewelry store la joyería (3)
journalism club el club de periodismo (1)
kayak el kayak (5)
kayaking hacer kayaking (5), navegar en kayak (6)
keep going dele (3)
key chain, key ring el llavero (6)
keyboard el teclado (1)
kitchen la cocina (4)
knife el cuchillo (4, 6)
laboratory el laboratorio (1)
lake el lago (6)
to land aterrizar (6)
large grande (5)
last week la semana pasada (5)
last year el año pasado (5)
lazy perezoso/a (2)

to leave a place salir (3)
legs las piernas (4, 5)
legumes las legumbres (4)
lemon el limón (4)
lemonade la limonada (4)
Let's go! ¡Vamos! (5)
Let's see each other at . . . Nos vemos a las . . . (5)
librarian el/la bibliotecario/a (1)
library la biblioteca (1, 3)
to lie mentir (e→ie) (2)
to lie down acostarse (o→ue) (2)
lifestyle el estilo de vida (6)
life vest el chaleco salvavidas (5)
light truck camioneta (3)
lime el limón verde (4)
literatura la Literatura (1)
lizard la lagartija (2)
lockers los casilleros (1)
lodging el hospedaje (6)
long largo/a (5)
long trip el viaje largo (6)
to look mirar (5, 6)
to look at yourself in the mirror mirarse en el espejo (2)
to look for buscar (3)
lost perdido/a (3)
to love encantar (4)
luggage el equipaje (6)
lukewarm tibio/a (4)
lunch time la hora del almuerzo (1)
lunch el almuerzo, la comida (Esp.) (4)
lungs los pulmones (4)
machines los aparatos (2)
magnet el imán (6)
to maintain mantener (e→ie) (6)
to make liquid licuar (4)
to make plans hacer planes (5)
to make the bed hacer la cama (2)
makeup el maquillaje (2)
mansions las mansiones (3)
to marinate macerar (4)
market el mercado (3, 4, 5)
married casado/a (2)
mate el mate (4)
mathematics las Matemáticas (1)
May I bring you another size? ¿Le puedo traer otra talla? (5)
means of transportation los modos de transporte (3)
meat/vegetable turnover las empanadas (4)
meats las carnes (4)
medical office el consultorio médico (3)
medium mediano/a (5)
to meet with encontrarse, reunirse (5)
to memorize aprender de memoria (1)
menu el menú (6)
metal detector el detector de metales (6)
metro el metro (3, 6)
middle child el/la hijo/a del medio (2)
milk la leche (4)
to mince picar (4)
to miss the flight perder el vuelo (e→ie) (6)
to mix mezclar (4)
modern architecture la arquitectura moderna (3)
mom la mamá (2)
monument el monumento (3)
moral values los valores (2)
mosque la mezquita (3)
mother la madre (2)
mountain bike la bicicleta de montaña (5)
to mountain climb escalar en montaña (5)
mountain la montaña (6)
mouth la boca (4, 5)
movie theater el cine (3)
to mow the lawn cortar el césped (2)
mud el barro (6)
museum el museo (3)
music classroom la sala de música (1)
mustache el bigote (2)
my . . . hurts me duele . . . (4)
napkin la servilleta (6)
national holidays las fiestas patrias (3)
native language el idioma natal (1)
nature la naturaleza (6)
near cerca de (1, 3)

neck el cuello (4, 5)
neighborhood el barrio (3)
neither tampoco (6)
never nunca, jamás (6)
next to al lado de (1, 3)
to nibble food picar comida (5)
nice amable (1), simpatico/a (2)
ninety noventa (5)
no one nadie (6)
No, I don't like it. It's ugly. No, no me gusta. Es feo/a. (5)
none ningún/ninguno/a (6)
nor ni (6)
North el norte (3)
notebook el cuaderno (1)
notes las notas (1)
nothing nada (6)
nurse el/la enfermero/a (1)
oars for rowing los remos (5)
to obey obedecer (1, 2)
to observe observar (1)
of the community comunitario/a (6)
office la oficina (1)
old viejo/a (2)
older mayor (2)
oldest child el/la hijo/a mayor (2)
omelette la tortilla española (4)
on board a bordo (6)
on top of encima de (1)
one hundred cien (5)
onion la cebolla (4)
only child el/la hijo/a único/a (2)
open abierto/a (1)
orange anaranjado/a (5)
to order pedir (e→i) (6)
to order in a restaurant pedir en el restaurante (e→i) (6)
oregano el orégano (4)
to organize organizar (3)
organized ordenado/a (1, 2)
organizer el/la organizador/a (3)
orchestra la Orquesta (1)
oven el horno (4)
over there allá (3)
oxygen tank el tanque de oxígeno (5)
packaged empaquetado/a (3)
to paint pintar (1)
to paint your nails pintarse las uñas (2)
pan la sartén (4)
pants los pantalones (5, 6)
parade el desfile (3)
paragliding el parapente (5)
parents los padres (2)
park el parque (3)
participant el/la participante (3)
to participate in contests participar en concursos (1)
to participate in a school play participar en una función de teatro (1)
to participate in an exchange participar en un intercambio (1)
to pass pasar (3)
passenger el/la pasajero/a (6)
passports los pasaportes (6)
pastry shop la pastelería (3)
to pay attention prestar atención (1)
to pay pagar (5)
peaceful tranquilo/a (1)
peasant el/la campesino/a (6)
pedestrian el peatón/la peatona (3)
peel la cáscara (4)
to peel pelar (4)
pen el bolígrafo (1)
pencil el lápiz (1)
pepper la pimienta (4, 6)
perfume el perfume (2)
pet la mascota (2, 3)
pharmacy la farmacia (3)
photography show la exposición de fotografía (5)
physical education la Educación Física (1)
physics la Física (1)
to pick up the luggage recoger el equipaje (6)
pink rosado/a (5)
place los lugares (3)
plaid a cuadros (5)

plane el avión (6)
plantain el plátano verde (4)
plate el plato (6)
platform el andén (6)
to play jugar (u→ue) (1)
to play a game of . . . jugar en un partido de . . . (u→ue) (1)
to play an instrument tocar un instrumento (1)
to play baseball jugar béisbol (u→ue) (5)
to play basketball jugar básquetbol (u→ue) (5)
to play soccer jugar fútbol (u→ue) (5)
to play sports hacer deporte (2)
to play table games jugar juegos de mesa (u→ue) (2)
to play video games jugar (con) videojuegos (u→ue) (2, 5)
to play with dolls jugar (con) muñecas (u→ue) (2)
to play with friends jugar con amigos (u→ue) (5)
pleasant agradable (1)
polite amable (2)
polka dots de bolitas, de puntos (5)
post dinner conversation la sobremesa (4)
post office el correo (3)
to practice sports practicar deportes (1)
to prepare food, the meal preparar la comida (2)
pride el orgullo (3)
principal el/la director/a (1)
procession la procesión (3)
professor el/la profesor/a (1)
project el proyecto (1)
to protect proteger (2, 6)
to provide examples dar ejemplos (1)
purple morado/a (5)
to put on (clothes, makeup) ponerse (2, 5)
to put on lipstick pintarse los labios (2)
to put on makeup maquillarse (2)
Quechua el quíchua (1)
queen bed la cama matrimonial (6)
quesadillas las quesadillas (4)
quiet callado/a (2)
to rain llover (o→ue) (5)
raincoat el impermeable (5)
to read leer (5)
to read comics leer cómics (2)
redhead pelirrojo/a (2)
receptionist el/la recepcionista (1)
recess el recreo, el receso (1)
recently al recién (3)
to record videos grabar videos (1)
to recycle reciclar (3)
red rojo/a (5)
refrigerator la refrigeradora (4)
refused los rechazados (1)
to rehearse ensayar (1)
relatives los parientes (2)
to renovate renovar (3)
to rent alquilar (5)
to represent representar (3)
resalable bags las bolsas resellables (6)
reserved reservado/a (2)
residential residencial (3)
to respect respetar (1, 6)
respectful respetuoso/a (1)
restaurant el restaurante (3)
to review repasar (1)
rice pudding el arroz con leche (4)
to ride a bicycle andar en bicicleta (2, 3, 5)
to ride a motorcycle andar en moto (3)
to ride a mountain bike montar en bicicleta de montaña (5)
river el río (6)
roasted asado/a (4)
rock climbing escalar en roca (5)
room service el servicio de habitación (6)
round trip ticket el boleto de ida y vuelta (6)
to run correr (3, 6)
rural rural (3)
salad la ensalada (4)
salt la sal (4, 6)
salty salado/a (4)
sample toiletries las muestras de artículos de aseo personal (6)
sandals las sandalias (5, 6), las zapatillas (5)

sandboarding el sandboarding (5)
sandwich el bocadillo, el sándwich (4)
to save ahorrar (5)
say goodbye despedirse (e→i) (2)
to say please and thank you decir "por favor" y "gracias" (e→i) (2)
schedules los horarios (6)
school la escuela (3)
school counselor el/la consejero/a (1)
school principal el/la director/a (1)
school principal's assistant el/la asistente del director (1)
school supplies los materiales escolares (1)
science lab el laboratorio de ciencias (1)
scissors las tijeras (1)
scold regañar (2)
screen la pantalla (1)
to scuba dive bucear (5)
seafood los mariscos (4)
seasonal fruit la fruta del tiempo (4)
second course el segundo (plato) (4)
secretary el/la secretario/a (1)
security el control de seguridad (6)
to see a movie ver una película (3, 5)
to see each other verse (5)
to sell vender (5)
to send a letter mandar una carta (3)
to send text messages mandar mensajes de texto (2)
sensitive sensible (2)
serious serio/a (1)
service station la estación de servicio (3)
to set the table poner la mesa (2)
seventy setenta (5)
shake el batido (4)
to shake hands dar(se) la mano (2)
shampoo el champú (2)
to share compartir (5)
to share with compartir con (2)
shelves los estantes (3)
shirt la camisa (5, 6)
shoe store la zapatería (3)
shoes los zapatos (5, 6)
shopping carts los carritos de compras (3)
shopping center el centro comercial (3, 5)
short trip el viaje corto (6)
short bajo/a (height) (2), corto/a (length) (5)
shorts los pantalones cortos (5, 6)
to show mostrar (o→ue) (6)
to show your passport mostrar el pasaporte (o→ue) (6)
shy tímido/a (2)
sign el letrero (6)
sincere sincero/a (1)
single man/woman el/la soltero/a (2)
single room la habitación simple (6)
sister la hermana (2)
sixty sesenta (5)
to ski esquiar (5)
skirt la falda (5)
to sleep dormir (o→ue) (5)
sleeping bag la bolsa de dormir (o→ue) (5)
small town el pueblito (3)
small pequeño/a (5)
smaller than . . . más pequeño/a que . . . (2)
smooth suave (4)
snack la merienda (4)
snake la serpiente (2)
to sneeze estornudar (4)
snow skis los esquís (5)
to snow nevar (e→ie) (5)
snowboard la tabla de snowboarding (5)
to snowboard hacer snowboarding (5)
soccer el fútbol (1)
social networks las redes sociales (2)
social sciences las Ciencias Sociales (1)
socks los calcetines (5)
sodas los refrescos (4)
to solve math problems resolver problemas de matemáticas (o→ue) (1)
some algún/alguna (6)
someone alguien (6)
sometime alguna vez (6)
son el hijo (2)
sopa el jabón (2)
South el sur (3)

souvenirs los recuerdos (6)
spatula la espátula (4)
special prices las ofertas (5)
specialty of the house especialidad de la casa (6)
spectacular espectacular (4)
to spend gastar (5)
to spend time with pasar tiempo con (5)
to spend time with family pasar tiempo con familia (3)
spend time with friends pasar tiempo con amigos (5)
spicy picante (4)
spoiled mimado/a (2)
spoon la cuchara (6)
sports los deportes (1)
sports deportivo/a (1)
sports equipment el equipo deportivo (5)
sports field el campo deportivo (1)
sports store la tienda de equipo deportivo (5)
spring la primavera (6)
square la plaza (3)
stadium el estadio (5)
to stand in line hacer cola (6)
statue la estatua (3)
to stay (overnight) quedarse, alojarse (6)
step brother/sister el/la hermanastro/a (2)
step father el padrastro (2)
step mother la madrastra (2)
stomach el estómago (4)
stones las piedras (6)
to stop parar (3)
stop sign la señal de parada (3)
stop (bus or metro) la parada (6)
store la tienda (3, 4, 5)
stove la cocina (4)
straw la paja (6)
street la calle (3)
street block la cuadra (3)
strict estricto/a (1)
striped a rayas (5)
stubborn terco/a (2)
student desk el pupitre (1)
student government el gobierno estudiantil (1)
to study estudiar (1)
subjects las asignaturas (1)
subway el subte (6)
sugar el azúcar (4, 6)
summer el verano (6)
to sunbathe tomar el sol (5)
sunglasses las gafas de sol, los lentes de sol (5)
sunscreen el bloqueador solar (5)
super delicious riquísimo/a (4)
supermarket el supermercado (3, 4)
to support apoyar (3)
support el apoyo (2)
to surf hacer surf (5), surfear (5)
to surf the web navegar en/por internet (1)
surfboard la table de surf (5)
sustainable sostenible, sustentable (6)
sweat suit la sudadera (6)
sweater el suéter (6)
to sweep barrer (2)
sweet dulce (4)
to swim nadar (5)
swim team el equipo de natación (1)
swimsuit el traje de baño (5, 6)
symbol el símbolo (3)
to symbolize simbolizar (3)
t-shirt camiseta (5, 6), la playera (Méx.) (5), la remera (Arg.) (5)
tablespoon la cucharada (4)
tablet la tableta (1)
tacos los tacos (4)
to take llevar (4)
to take a bath bañarse (2)
to take a shower ducharse (2)
to take a test dar un examen (as a student) (S. Amer.) (1)
to take a walk pasear (5)
to take care of the classroom and school supplies cuidar el salón y los materiales (1)
to take notes tomar apuntes (1)
to take off despegar (6)
to take out money of an aumatic teller machine sacar dinero del cajero

automático (3)
to take out the garbage sacar la basura (2)
to take tomar (3, 6)
to talk with your family conversar con la familia (2)
tall alto/a (2)
tamales los tamales (4)
to tan broncearse (5)
tasty sabroso/a (4)
tea el té (4)
to teach enseñar (1, 3)
teacher el/la maestro/a (1)
teaspoon la cucharita (4)
teeth los dientes (4)
to tell the truth decir la verdad (e→i) (2)
temple el templo (3)
ten diez (5)
tennis court la cancha de tenis (1)
tent la carpa (5)
terminal la terminal (6)
to the left of a la izquierda de (1)
to the right of a la derecha de (1)
theater el teatro (1, 5)
there allá (5), allí (2)
thermos el termo (6)
thin delgado/a (2)
to think pensar (e→ie) (4)
thirty treinta (5)
this afternoon esta tarde (5)
this morning esta mañana (5)
three hundred trescientos/as (5)
throat la garganta (4)
ticket el pasaje (6)
ticket booth, window la boletería (6)
ticket office la taquilla (6)
time el tiempo (5)
tip la propina (6)
toes los dedos del pie (4)
together juntos/as (2, 3)
tolerant tolerante (1)
tongue la lengua (4)
too también (6)
tooth brush el cepillo de dientes (2)
tour guide el/la guía (6)
tour la gira turística (6), el tur (6)
tourism el turismo (6)
tourist class la clase turística (6)
tourist destinations los destinos turísticos (6)
town center el centro (3)
town el pueblo (3, 6)
traditions las tradiciones (3), las costumbres (3, 5)
traffic light el semáforo (3)
to train entrenar (1)
train el tren (3)
train stop la parada de tren (3)
trainer el entrenador (1)
transportation el transporte (6)
trekking el trekking (5)
trigonometry la Trigonometría (1)
truck el camión (3)
to try on probarse (o→ue) (5)
to turn doblar (3)
turn around da la vuelta (3)
turtle la tortuga (2)
twenty veinte (5)
twin bed la cama simple (6)
two hundred doscientos (5)
typical drinks las bebidas típicas (4)
ugly feo/a (2)
umbrella el paraguas (6)
uncle el tío (2)
under debajo de (1, 3)
understanding comprensivo/a (1)
underwear la ropa interior (6)
unfair injusto (1)
Unfortunately, I can't go. Qué pena pero no puedo ir. (5)
unpleasant desagradable (1)
urban urbano/a (3)
to use usar (6)
to use appliances usar aparatos electrónicos (2)
to use computers usar las computadoras (1)
to vacuum pasar la aspiradora (2)
vegetables los vegetales (4), las verduras (4)

virus el virus (4)
to visit visitar (6)
volleyball vóleibol (1)
vomit el vómito (4)
to wait for esperar (3)
waiter/waitress el/la mesero/a (6)
to wake up despertarse (e→ie) (2)
to walk caminar (5)
to want querer (e→ie) (4)
to want to do something + infinitive tener ganas de + infinitivo (e→ie) (4)
to wash clothes lavar la ropa (2)
to wash the dishes lavar los platos (2)
to wash your face lavarse la cara (2)
to wash your hair lavarse el pelo (2)
to wash your hands lavarse las manos (2)
to watch a game, match mirar un partido (5)
to watch movies mirar películas (1)
to watch television ver la televisión (2)
water bottle botella de agua (5)
way of life la forma de vida (6)
We can meet in . . . Nos encontramos en . . . (5)
We need a table for . . . Necesitamos una mesa para . . . (6)
to wear a uniform llevar uniforme (1)
to wear llevar (5, 6)
weave los tejidos (6)
welcomes all types of students inclusivo/a (1)
welcoming acogedor/a (1, 2)
well-mannered educado/a (2)
Well, I am going buy it (them). Bueno, voy a comprar(lo/la/los/las). (5)
West el oeste (3)
What did you do last night? ¿Qué hiciste anoche? (5)
What size shoes do you wear? ¿Cuál es tu número de zapatos? (5)
What would you like to order? ¿Qué le gustaría pedir? (6)
whiny quejón/quejona (2)
white blanco/a (5)
wife la esposa, la mujer (2)
window la ventana (6)
winter el invierno (6)
with a check con un cheque (5)
with a credit card con tarjeta de crédito (5)
with a debit card con tarjeta de débito (5)
with coupons con cupones (5)
to work trabajar (1)
to work together trabajar en conjunto (3)
to work with colleagues trabajar con los colegas (1)
Would you like go . . . ? ¿Quisieras ir a . . . ? (5)
Would you like go to . . . with me? ¿Te gustaría ir al/a la . . . conmigo? (5)
to write essays escribir ensayos (1)
to write for the newspaper escribir para el periódico (1)
to write escribir (1)
to yell gritar (2)
yellow amarillo/a (5)
Yes, I like it very much. Sí, me gusta mucho. (5)
Yes, I would like it very much. Sí, me gustaría mucho. (5)
Yes, I would like! ¡Me gustaría! (5)
yesterday ayer (5)
yogurt el yogur (4)
young el/la joven (2)
younger menor (2)
youngest child el/la hijo/a menor (2)
yucca la yuca (4)

Expresiones útiles English-Spanish

a little un poco (5)
after después (2, 4)
at the end al final (3)
all the time todo el tiempo (5)
almost always casi siempre (4)
almost never casi nunca (4)
Also, I would like know. . . También, quisiera saber . . . (2)
as a child de pequeño/a, de niño/a (2)
before antes (2)
Before, men/women had to. . . Antes, los hombres/las mujeres tenían que . . . (2)
Can you go with me to. . . ? ¿Puedes ir conmigo a . . . ? (5)
Cool! ¡Chévere! (5)
Dear. . . Querido/a . . . (1)
Do you accept credit cards? ¿Acepta(n) tarjetas de crédito? (5)
Do you already know the place? ¿Ya conoces el lugar? (2)
each day cada día (2)
Esteemed Sir. . ./Madam Estimado Señor . . . / Estimada Señora . . . (1)
every day todos los días (2, 5)
every once in a while de vez en cuando (2)
Fantastic! ¡Genial! (5)
Finally finalmente (2, 3, 4)
first primero (2, 4)
frequently con frecuencia (4), frecuentemente (2, 5)
generally generalmente (2)
to go forward until you find . . . darle hasta pegar con . . . (3)
good life pura vida (3)
Good morning. Buenos días. (1)
Goodbye. Adiós., Chao. (1)
Greetings. Saludos. (1)
Hello Hola (1)
How about if. . . ? ¿Qué tal si . . . ? (5)
How are you (formal) doing? ¿Cómo le va? (3)
How can I help you? ¿En qué puedo servirle? (5)
How cool! ¡Qué chévere! (2)
How do your shoes fit? ¿Cómo le quedan esos zapatos? (5)
How great! ¡Qué genial! (2)
How interesting! ¡Qué interesante! (2)
I (don't) agree (No) Estoy de acuerdo (2)
I (don't) think. . . (No) Me parece . . . (2)
I also like . . . A mí me gusta también . . . (2)
I also prefer . . . Yo prefiero . . . también (2)
I am (not) interested in going the. . . (No) Me interesa ir al/a la . . . (5)
I am (not) sure (No) estoy seguro/a (2)
I am also interested! ¡A mí también me interesa! (2)
I am fascinated by Me interesa(n) . . . (2)
I am interested in Me fascina(n) . . . (2)
I am sorry, but I am busy. Lo siento, pero estoy ocupado/a. (5)
I am sorry. Lo siento. (3)
I believe that. . . Creo que . . . (2)
I can stop by your house at (time). . . Yo puedo pasar por tu casa a las . . . (5)
I do not prefer. . . either. Yo no prefiero . . . tampoco. (2)
I don't have that much money. No tengo tanto dinero. (3)
I don't have school. . . Yo no tengo clases . . . (1)
I don't know if . . . No sé si . . . (2)
I get punished for. . . Me castigan por . . . (2)
I know that. . . Sé que . . . (2)
I learned that. . . Aprendí que . . . (5)
I love. . . Me encanta(n) . . . (2)
I need a pair of shoes. Necesito un par de zapatos. (5)

I prefer to host___ in my house because . . . Prefiero recibir a___en mi casa, porque . . . (2)

I think that. . . Pienso que . . . (2, 5)

I was thinking about. . . Estaba pensando en . . . (5)

I wear. . . (shoe size) Calzo . . . (5)

I will give it you for. . . Se lo dejo en . . . (3)

I would want to go to. . . Quisiera ir a . . . (5)

I would (not) like to host ___, because. . . (No) me gustaría recibir a___, porque . . . (2)

I would like to but unfortunately I can't because I have study. Me gustaría pero lamentablemente no puedo, porque tengo que estudiar. (5)

I would like. . . Me gustaría . . . (1, 2)

I would love to! ¡Me encantaría! (5)

I would not like it either A mí no me gustaría tampoco (2)

If I buy two, how much will it be? Si me llevo dos, ¿cuánto cuesta? (3)

In families before, men/women. . . En las familias antes, los hombres/las mujeres . . . (2)

In Latin American communities, there are. . . En las comunidades de América Latina, hay . . . (3)

In many families now, men/women. . . En muchas familias ahora, los hombres/las mujeres . . . (2)

In my community and in Latin American communities. . . En mi comunidad y en las comunidades de América Latina . . . (3)

In my community there are. . . En mi comunidad hay . . . (3)

In my community we (don't) have . . . (No) Tenemos . . . en mi comunidad (3)

Is it OK if I travel. . . ¿Está bien si viajo . . .? (1)

___is not as . . . as____. ___no es tan . . . como___ (2)

It (they) cost too much. Cuesta(n) demasiado. (5)

It (they) only cost(s). . . Solo cuesta(n) . . . (5)

It doesn't match. No combina. (5)

It is very flavorful! ¡Está muy sabroso/a! (4)

It matches well. Combina bien. (5)

It was cloudy. Estaba nublado. (5)

It was cold. Hacía frío. (5)

It was hot. Hacía calor. (5)

It was raining. Llovía. (5)

It was snowing. Nevaba. (5)

It was sunny. Estaba soleado. (5)

It's (not) necessary to change because . . . (No) Es necesario cambiar porque . . . (2)

It's a good place for an adventure of. . . Es un buen lugar para una aventura de . . . (5)

It's incredible ¡Es increíble! (5)

It's/They are on sale. Está(n) en rebaja. (5)

It's very expensive, I can pay you. . . Es muy caro/a, le doy . . . (3)

It's very good! ¡Está bueno! (4)

Keep going dele (3)

later luego (3, 4), más tarde (2, 3)

little brother/sister el/la hermanito/a (3)

Machu Picchu is a historic place. Machu Picchu es un lugar histórico. (5)

male el macho (3)

May I invite you to . . . ? ¿Puedo invitarte a . . .? (5)

May I pay you with. . . ? ¿Puedo pagar con . . .? (5)

Men/Women (didn't) have to. . . Los hombres/Las mujeres (no) tenían que . . . (2)

Men/Women in modern families. . . Los hombres/Las mujeres en familias modernas . . . (2)

Men/Women in traditional families. . . Los hombres/Las mujeres en familias tradicionales . . . (2)

next próximo/a (2)

no longer ya no (2)

No, they are tight. No, me quedan apretados. (5)

normally normalmente (2)

now ahora (2)

Nowadays Hoy en día (2)

often a menudo (2, 5)

One can/may. . . Se puede . . . (5)

One needs. . . Se necesita . . . (5)
One week ago we went the market. Fuimos al mercado hace una semana. (3)
Ouch! ¡Uy! (4)
Phenomenal! ¡Fenomenal! (2)
Really, you don't say! ¡No me digas! (2)
Seriously? ¿En serio? (2)
Sincerely Atentamente (1)
so that así que (6)
sometimes a veces (2, 4, 5)
still todavía (2)
Tasty! ¡Qué rico/a! (4)
Tell me more! ¡Cuéntame más! (2), ¡Dime más! (2, 5)
the day before yesterday anteayer (3)
then entonces (3, 6)
There are many. . . Hay muchos/as . . . (5)
They do not allow me. . . No me permiten . . . (2)
They take . . . away from me. Me quitan . . . (2)
Until then! ¡Hasta entonces! (5)
We agreed to. . . De acuerdo, quedamos en . . . (3)
What do you think if. . . ? ¿Qué te parece si . . . ? (2)
What do you say, man? ¿Qué me dices, padre? (3)
What size shoe do you wear? ¿Qué número calza Ud.? (5)
when cuando (6)
when I was a child cuando era niño/a (2)
while mientras (6)
Wow ¡Uy! (4)
Yes, of course! ¡Sí, por supuesto! (5)
Yes, they fit me well Sí, me quedan bien (5)
You have vacation in . . . Tienes vacaciones in . . . (1)

Credits

Every effort has been made to determine the copyright owners. In case of any omissions, the publisher will be happy to make suitable acknowledgements in future editions. All credits are listed in the order of appearance.

All images are © Shutterstock and © Thinkstock, except as noted below.

*To protect the privacy of these generous Spanish speakers we have changed or omitted their last names.

Unidad 1

© Zachary Jones, "Horario de clases", Information adapted from http://zachary-jones.com/zambombazo/comparaciones-horarios-de-clases/.

Best Efforts Made, © El Sueño Ecuatoriano, "Escuelas del Milenio y Colegios Réplica HD: Quote from Gloria Vidal, Ministra de Educación", from https://www.youtube.com/watch?v=h13_0HWpVY8, 7 Nov 2012.

© MDCTV y Colegio Montfort y Madridiario, "Las actividades extraescolares: un refuerzo para la educación integral", Quote from Wilmer Santa Cruz, retrieved from https://www.youtube.com/watch?v=SpAzEw42lC0, 22 Sept 2014.

Unidad 1 Images

4 (David Riofrío) © David Riofrío*

4 (middle left, gray sweatshirts) © INEVAL Ecuador, "Pruebas a estudiantes realizadas por Ineval en la provincia de Azuay del 17 al 25 de junio de 2013", CC BY 2.0. https://www.flickr.com/photos/inevalec/9183868937/.

4 (middle, Escuela Modesto Vintimilla) © INEVAL Ecuador, "Pruebas a estudiantes realizadas por Ineval en la provincia de Azuay del 17 al 25 de junio de 2013", CC BY 2.0, https://www.flickr.com/photos/inevalec/9186089986/.

4 (middle right, green desks) © INEVAL Ecuador, "Pruebas a estudiantes realizadas por Ineval en la provincia de Azuay del 17 al 25 de junio de 2013", CC BY 2.0, https://www.flickr.com/photos/inevalec/9186088690/.

5 (Mujer indígena) © Maurizio Costanzo, "Ecuador, Paute-Indigena", CC BY 2.0, https://www.flickr.com/photos/maurizio_costanzo/3870887822/in/photolist-6U4j6d-dpxzi3-afxPZ5-afxQd1-9Q35kM-bRypf-5qQ3To-6QLLek-6U4iKJ-5Vkz7J-2Kh7Mg-6U4iA9-5QrmyC-6QLLsc-716JHR-2KjYYD-cKqcLf-cKqiom-7FKtb2-716J4g-7FKt84-7FPo4w-6b6ku9-nKs3L5-cKqbeS-wXoo2p-cKqhFG-8Ze3Ua-cKsF6S-716HRg-716JDF-qxDgv5-qQdtxM-pTdqwf-qxE98u-qQdsKK-qxMTH8-pTdqG5-qQdrRF-qQ4iLB-qQ4hLR--qxE8VL-qxLqgZ-qQ4iEz-qxMTVH-xqBGAW-cKsGLb-9wWSJo-716JpT-71aH67.

5 (Juan León Mera) © Archivo Nacional de Fotografía del Ecuador, "Juan León Mera (1870) By Unknown", Public Domain, https://commons.wikimedia.org/w/index.php?curid=41974957.

5 (Jefferson Perez) © Marco Togni, "Jefferson Perez en azione en Sesto San Giovanni (Italia)", CC BY-SA 3.0, https://commons.wikimedia.org/w/index.php?curid=4460014.

5 (Manuela Sáenz) Copy by © Tecla Walker of the Watercolor by Marcos Salas - Quinta de Bolivar, Bogotá, "Portrait of Manuela Sáenz, copy of a watercolor", Public Domain, https://commons.wikimedia.org/w/index.php?curid=1549161.

9, 27, 45 (David) © David*

10–11 (classroom) Best Efforts Made © El Sueño Ecuatoriano, "Still image from video: Image of students in class with computers", Retrieved from https://www.youtube.com/watch?v=h13_0HWpVY8, 7 Nov 2012.

12 (top, girl with microscope) Best Efforts Made © El Sueño Ecuatoriano, "Still image from video: Students with microscope", Retrieved from https://www.youtube.com/watch?v=h13_0HWpVY8, 7 Nov 2012.

12 (middle, computer boys) Best Efforts Made © El Sueño Ecuatoriano, "Still image from video: students outside with technology", Retrieved from https://www.youtube.com/watch?v=h13_0HWpVY8, 7 Nov 2012.

12 (bottom, boy with computer) Best Efforts Made © El Sueño Ecuatoriano, "Still image from video: one student on a computer", Retrieved from https://www.youtube.com/watch?v=h13_0HWpVY8, 7 Nov 2012.

15 (flag students) © MunicipoPinas, "Juramento a la bandera de las escuelas y colegios de Piñas", CC BY-SA 2.0, https://www.flickr.com/photos/municipiopinas/5041818260/in/album-72157624947889563/.

17 (Biblioburro) ©Luis Soriano, "Biblioburro", Retrieved from https://www.facebook.com/biblioburrocolombia/photos/pb.32811799715.

24 (Gloria Vidal) © Best Efforts Made © El Sueño Ecuatoriano, "Still image from video: Gloria Vidal", Retrieved from https://www.youtube.com/watch?v=h13_0HWpVY8, 7 Nov 2012.

24 (computer students) © Administración Nacional de la Seguridad Social, "5.11.2012 Conectar Igualdad en José C. Paz", CC BY-SA 2.0, https://www.flickr.com/photos/ansesgob/8188957102.

40 Escuela del Milenio, Sumak Yachana Huasi Best Efforts Made © El Sueño Ecuatoriano, "Still image from video: Escuela del Mileno", Retrieved from https://www.youtube.com/watch?v=h13_0HWpVY8

50 (bottom left, girl) Best Efforts Made © El Sueño Ecuatoriano, "Still image of Kuri" Retrieved from https://www.youtube.com/watch?v=h13_0HWpVY8, 7 Nov 2012.

50 (school) Best Efforts Made © El Sueño Ecuatoriano, "Still image from video: Image of students outside school", Retrieved from https://www.youtube.com/watch?v=h13_0HWpVY8, 7 Nov 2012.

Unidad 2

"Pelos" From LA CASA EN MANGO STREET. Copyright © 1984 by Sandra Cisneros. Published by Vintage Español, a division of Random House, Inc. Translation copyright © 1994 by Elena Poniatowska. By permission of Susan Bergholz Literary Services, New York, NY and Lamy, NM. All rights Reserved.

Unidad 2 Images

60 (Nayeli) © Nayeli*

61 (Frida Kahlo y Diego Rivera) © Carl Van Vechten - Carl Van Vechten photograph collection (Library of Congress), "Frida Kahlo Diego Rivera 1932", reproduction number LC-USZ62-42516 DLC, Public Domain, https://commons.wikimedia.org/w/index.php?curid=28412.

61 (Elena Poniatowska) © Pedrobautista - Own work, CC BY 3.0, https://commons.wikimedia.org/w/index.php?curid=7180085

61 (Maná) © LivePict.com, "Maná 2007.06.26 016", CC BY-SA 3.0, https://commons.wikimedia.org/w/index.php?curid=8403149.

69 (family tree) Enfermedades Raras-Shire, "Familias Lejanas: la historia de una Familia y la Enfermedad de Fabry: Family tree image", Retrieved from https://vimeo.com/97708290, 9 June 2014.

77, 101, 105 (Nayeli) © Nayeli*

78 (Sandra Cisneros) © Dwyerswimmer06, "Sandra Cisneros", CC BY-SA 3.0, https://commons.wikimedia.org/w/index.php?curid=33675072

93 (left & middle pictures) © Ecuador.tv, "Vivir Juntos. Familia (Ecuador)", images from https://www.youtube.com/watch?v=tf6eGM6SjPA, 6 Sept. 2012

Unidad 3

© Rubén Darío, "¡Oh, Mi adorada niña!", Abrojos, 1886. Public Domain.

© Veinte Mundos, "El Salvador: El original negocio de "decorar" los autobuses", Adapted from http://www.veintemundos.com/magazines/15-fr/vida-latina/

© Conozca la Antigua Guatemala, "Un hecho histórico: Elaboración de la alfombra de aserrín más larga del mundo", Adapted from http://www.laantigua-guatemala.com/Un_hecho_historico_Elaboracion_de_la_alfombra_de_aserrin_mas_larga_del_mundo.htm.

© La Prensa, "El voluntariado", Retrieved from http://www.laprensa.com.ni/2001/05/11/editorial/800152-el-voluntariado, 11 May 2001.

Unidad 3 Images

117 (buses) © Samantha Beddoes, "Chicken buses, Guatemala", CC BY 2.0, Retrieved from https://www.flickr.com/photos/sambeddoes/13040068773/in/photolist-kSiL8X-oRAiKv-fnBYBU-qMfiaB-pybgu4-kSiACe-4dteqX-qdwBHD-qRow3t-ysKC1-7ZZvuy-4i9Bgd-2biGR-7B6e8Z-7B6cQV-6Z1EJW-aFd7LE-7B6eJB-5EfXRb-7Ba3Mm-s4X9yg-cyQo9U-7QK9Qn-7Ba3wu-7QNvM7-7ZPFBE-75PCq-cVw9p3-4tXUPj-cVw8VA-4tXUPh-55N1QS-d1aY7f-xfSHc-tCosJ9-7jLUSQ-6kEwRh-odbXz3-7v2VfT-qLy36-Bqkyh-5SEQRr-qMT3Z-6aAEjj-pQBggn-8L8TSJ-qMomgF-6awFx4-2ivoC7-o32JuC.

118, 149 (Nema) © Nema*

119 (Luis Enrique) © Jorgemejia, "Luis Enrique adjusted", CC BY 2.0, Retrieved from https://commons.wikimedia.org/w/index.php?curid=11386145

123 (Nema) © Nema*

129 (Augusto César Sandino) © Underwood & Underwood, "Augusto César Sandino", This image is available from the United States Library of Congress's Prints and Photographs division under the digital ID cph.3b19320. Public Domain, Retrieved from https://commons.wikimedia.org/w/index.php?curid=23335742.

129 (FSLN flag) © Inti, "FSLN Flag", Public Domain, Retrieved from https://commons.wikimedia.org/w/index.php?curid=3421523.

130 (Rubén Darío) © Public Domain, https://commons.wikimedia.org/w/index.php?curid=2502893

134 (Carniceria Francis) © Janet Parker, "Image of Carniceria Francis".

134 (pastries) © Janet Parker, "Image of Pastries".

134 (woman in hardware store) © Janet Parker, "Image of woman in hardware store".

135 (farmacia) © Janet Parker, "Image of Farmacia sign".

138 (market) © Christian Frausto Bernal from Tepic, Nayarit, MEXICO, "In the San Juan de Dios Market in Guadalajara" CC BY-SA 2.0, Retrieved from https://commons.wikimedia.org/w/index.php?curid=3950294.

142 (top right, bus) © David Dennis, "Guatemalan Chicken Bus", CC BY-SA 2.0, Retrieved from https://www.flickr.com/photos/davidden/68839644.

142 (bottom right, taxi) © David Stanley, "Three-wheel-Taxi", CC BY 2.0, Retrieved from https://commons.wikimedia.org/wiki/File:Three-wheel_Taxi_(7185455520).jpg

143 (left image in #2) © Nan Palmero, "Mototaxi Valle de Angeles, Honduras", CC BY 2.0, Retrieved from https://www.flickr.com/photos/nanpalmero/13440660265/in/photolist-mtHNJv-mtGU2P-mtJPEY.

143 (left image in #4) © Angie Harms, "Little Red Wagon", CC BY-ND 2.0, Retrieved from https://www.flickr.com/photos/aisforangie/6729383777/in/photolist-bfDRme-f8oUKp-3tQS6r-5U5TXJ-bPZvTD-9pyEbn-BZegu-7hhfwB-5QsK9i-cpVmjU-5QHEup-5HTXmc-sj7u9U-4hBsWR-5HTqfT-s4NELN-5XYcef-5JaRFU-fnk6qg-dHYApr-vr4dj1-dRZ5oR-qR4TGe-9pi5sF-9pmgH1-aqV9Ab-9pm5r3-

9pkCUh-4iNszE-9phkpk-9pm8pE-7fegn8-7CjytH-ars5gY-9phoTT-9pkEKJ-9pkkuE-9pm8Vs-6SACYZ-aqTqk6-9pkLRJ-9phJye-aqX3wf-bKUE9K-8y5s5M-6ErCq-9E3d8g-i3R5A-e3hpB6-b6vFK.

148 (map) © OpenStreetMap contributors. "San José". Licensed under CC BY-SA, www.openstreetmap.org/copyright. Retrieved from https://www.openstreetmap.org/node/197698100#map=18/9.93433/-84.07567.

149 (Museo Nacional de Costa Rica) © Antonio Solera, "Museo Nacional", CC BY 3.0, Retrieved from https://commons.wikimedia.org/wiki/File:Museo_Nacional.JPG.

Unidad 4

© José Martí, "Soy un hombre sincero", Versos Sencillos, 1891. Public Domain.

© DCubanos, "Arroz con leche", Adapted from http://www.dcubanos.com/rinconcuba/arroz-con-leche.

© DCubanos, "Croquetas de jamón", Adapted from http://www.dcubanos.com/rinconcuba/croquetas-de-jamon.

© Notimex, "Infografía: Síntomas y diferencias entre gripe y resfriado", Retrieved from https://noticias.terra.com.mx/ciencia/infografia-sintomas-y-diferencias-entre-gripe-y-resfriado,1ab8f37ad291b410VgnVCM20000099cceb0aRCRD.html. 2015.

© Los Andes, "Cuidar la salud en vacaciones", Retrieved from http://www.losandes.com.ar/article/cuidar-la-salud-en-vacaciones. 3 Jan 2016.

Unidad 4 Images

172, 183, 188 (Mariela) © Mariela*

173 (José Martí) © "José Martí (1853–1895)", Public Domain, https://commons.wikimedia.org/w/index.php?curid=13285639.

173 (El ballet cubano) © Felimartinez - Flickr, CC BY-SA 2.0, https://commons.wikimedia.org/w/index.php?curid=20798323

183 (El sofrito) © Francisco Becerro, "Sofrito", CC BY 2.0, Retrieved from https://www.flickr.com/photos/58743958@N04/20556595892

187 (two video screenshots) © ABRIL MULATO, ALBA ROCA MORA Y OSCAR A. SÁNCHEZ / EDICIONES EL PAÍS, "¡Hasta las lágrimas! La reacción de los extranjeros al probar el picante mexicano", Stills from video retrieved from http://verne.elpais.com/verne/2016/03/15/mexico/1458077937_044806.html?id_externo_rsoc=FB_CM, SL 2016.

214 (Luz María) © Luz María*

Unidad 5

© Pablo Neruda. Excerpt from "Alturas de Macchu Picchu, VI", CANTO GENERAL © Fundación Pablo Neruda, 1950.

Best efforts made, © Guillermo0660, "Un lugar de aventuras", Adapted from https://www.tripadvisor.cl/ShowUserReviews-g304039-d550299-r335789437-Parque_Nacional_Huascaran-Huaraz_Ancash_Region.html#CHECK_RATES_CONT.

Best efforts made, © Ivonne B, "Entretenido", Adapted from https://www.tripadvisor.cl/ShowUserReviews-g635976-d5537012-r257953479-Que_hacer_en_Mancora_Sports_Adventure_Center-Mancora_Piura_Region.html#REVIEWS.

© Peru Adventure Tours, "Rental Camping Equipment", Price information retrieved from https://www.peruadventurestours.com/en/rental_camping_equipment.html.

© Saga Falabella, "Artículos de Pesca", Price information retrieved from http://www.falabella.com.pe/falabella-pe/category/cat560501/Articulos-de-Pesca.

© Tottus Peru, Price information retrieved from http://www.tottus.com.pe/tottus-pe/browse/productos.jsp?categoryId=14.01.09&bannerCatId=14.

© Pukana Surf, "Surfboard and Wetsuit Rental in Lima", Price information retrieved from http://pukanasurf.com/surfboard-rental/.

© Escuela de Buceo Spondylus, Price information retrieved from http://buceaenperu.com/eng.php and http://buceaenperu.com/equipment.php

© Peru.travel, "Que Hacer", Information retrieved from http://www.peru.travel/es-lat/que-hacer/aventura.aspx.

© En Peru, "El Parque Nacional Huascaran", Information retrieved from http://www.enperu.org/parque-nacional-huascaran-nevado-del-huascaran-reserva-nacional-de-huascaran.html.

© Wikipedia, "Parque Nacional Huascaran", Information retrieved from https://es.wikipedia.org/wiki/Parque_nacional_Huascar%C3%A1n.

© Peru Adventures Tours, "Chili River Rafting Tour", Information retrieved from https://www.peruadventurestours.com/en/arequipa/chili_river_rafting_tour.html.

© Trip Advisor, "Mancora, Peru", Information retrieved from https://www.tripadvisor.com/Tourism-g635976-Mancora_Piura_Region-Vacations.html.

© Lonely Planet, "Mancora", Information retrieved from https://www.lonelyplanet.com/peru/north-coast/mancora.

© Bee Shapiro, Fodor's Travel, "Peru: Off-the-Beaten-Path in Mancora", Information retrieved from http://www.fodors.com/news/mancora-peru-guide-6347.

© Julia Chaplin, the New York Times, "Riding the Waves of Peru", Information retrieved from http://www.nytimes.com/2008/05/04/travel/04peru.html?_r=0

© La Parva, Information retrieved from http://www.laparva.cl/english/.

© Iniciativa T, "Consejos para ir de compras", Information retrieved from http://www.iniciativat.com/anunciantes/34-moda/932-consejos-practicos-para-ir-de-compras.html.

© iMujer, "Consejos para ir de compras", Information retrieved from http://www.imujer.com/2011/06/29/consejos-para-ir-de-compras.

© Wikihow, "Ir de compras", Information retrieved from http://es.wikihow.com/ir-de-compras.

Unidad 5 Images

226 (Bruno) © Bruno*

227 (Gastón Acurio) © Melissa de Leon - Personal digicam, "Public photo of Gaston Acurio at Madrid Fusion 2006", Public Domain, https://commons.wikimedia.org/w/index.php?curid=2621551.

227 (Sofía Mulánovich) © SurfGlassy, "Sofia Mulanovich", CC BY 2.0, Retrieved from https://www.flickr.com/photos/surfglassy/4076017496/in/photolist-7dbDZJ-6NjS2H-6Nk2fr-7cVbLm-7dYein-7eUeAe-6NpVqd.

227 (Marío Vargas Llosa) © Daniele Devoti, «Mario Vargas Llosa», CC BY 2.0, Retrieved from https://www.flickr.com/photos/dadevoti/4702491267/in/photolist-8axuPD-fcVVk-8HaM65-cQm4WU-e738DT-9EEkK5-8HgJWx-4Hg31H-8Hw29q-aaj4p6-4CXyyi-8axWc4-8KArkG-hWHG8r-751cs2-9zo6M9-9zk7iX-9zo6EQ-9zo6Co-8ZGtSg-aamScj-bZ9bR1-aamSow-aamSgh-vMYs7R-942444-aaj4Ba-vNmNTT-vvnAkL-9gHqmH-9BETBo-aaj4ha-8H9L6m-aamS7y-9c8Xpj-aamSkh-bZ6EeU-8ZKAnh-6emRd-aamS9S-8ZGvD8-aamSb7-aamShf-aaj4we-9dTRdP-aaj4f4-vvnnDG-aaj4zK-4AUqUE-8JyafA, 13 June 2010.

233 (Bruno) © Bruno*

237 (dancers) © Ronald Huamani Garcia, "Marinera Norteña", CC BY-SA 3.0, Retrieved from https://commons.wikimedia.org/wiki/File:Marinera_Norte%C3%B1a.jpg.

239 (couple at Machu Picchu) © Catherine Schwenkler.

248 (Pablo Neruda) © Angelo Cozzi, Mondadori Publishers, "Pablo Neruda 1963", Public Domain, https://commons.wikimedia.org/w/index.php?curid=40912536.

267 (top) © 121 Spanish, "Video still of women in store, Retrieved from https://121spanish.com/.

267 (middle) © 121 Spanish, "Video still of women buying clothes, Retrieved from https://121spanish.com/.

267 (bottom) © 121 Spanish, "Video still of women looking at white jacket", Retrieved from https://121spanish.com/.

Unidad 6

© OpenEnglish, "Frases y palabras claves para usar en el aeropuerto", Adapted from http://blog.openenglish.com/frases-y-palabras-claves-para-usar-en-el-aeropuerto/, 17 Nov 2014.

© Tebasa, Information adapted from www.tebasa.com.

© Omnilineas, Information adapted from www.omnilineas.com.

© Red de Turismo Campesino, "Alojamiento", Adapted from http://turismocampesino.org/spip.php?rubrique9, 2012.

Unidad 6 Images

288 (Sofía y Lucía) © Sofía y Lucía*

289 (Jorge Luis Borges) © Sara Facio, "Jorge Luis Borges en Buenos Aires - exposition catalog", Public Domain, Retrieved from https://commons.wikimedia.org/w/index.php?curid=19258731.

289 (Mercedes Sosa) © Annemarie Heinrich, "Mercedes Sosa", Public Domain, Retrieved from https://commons.wikimedia.org/w/index.php?curid=23151936.

290 (Mafalda comic strip) © Joaquín Salvador Lavado (QUINO) Todo Mafalda – Ediciones de la flor, 1993

291, 332 (Laura Candon) © Laura Candon*

298 (LAP logo) © Lima Airport Partners.

305 (group of airport images) © Lima Airport Partners, "Pasos a seguir antes de abordar a tu vuelo", Stills retrieved from https://www.youtube.com/watch?v=3YkNp1KEnZ0.

313 (Charly García) © Presidencia de la Nación Argentina, "Charly Garcia. En la Casa Rosada. Buenos Aires, Argentina. 3 de junio de 2005. Foto oficial", CC BY 2.0, https://commons.wikimedia.org/w/index.php?curid=1057993.

314 (People in parking lot) © Cornelius Kibelka, "Retiro", CC BY-SA 2.0, Retrieved from https://www.flickr.com/photos/j-cornelius/4385643823/in/photolist-fHu5cQ-fHu53L-7Fxz7F-78BWNW-8ydRXd-8cSDur-7dPWNP-8yaKk4-7fKKnH-9fbWPf-7Jj5Pg-7J8AfV-9f8NA8-8MdPZd

315 (La Terminal de Ómnibus de Retiro) © Cornelius Kibelka, "Retiro", CC BY-SA 2.0, Retrieved from https://www.flickr.com/photos/j-cornelius/4024369378/in/photolist-fHu5cQ-fHu53L-7Fxz7F-78BWNW-8ydRXd-8cSDur-7dPWNP-8yaKk4-7fKKnH-9fbWPf-7Jj5Pg-7J8AfV-9f8NA8-8MdPZd

316 (bus seats) © Planetsupernova, "Asiento-semi-cama", CC BY-SA 4.0, Retrieved from https://commons.wikimedia.org/w/index.php?curid=42466537.

317 (la parada Tribunales) © Philip Choi, "Subte Tribunales", CC BY 2.0, Retrieved from https://www.flickr.com/photos/superturtle/289199768/in/photolist-rye1U-nzi86-2GMzre-4AzHbR-S6TCx-8eWeyX-8TcfXo-rB3kL-q1oSet-t9RXg-9iDVGC-eKTjht-6wo5Xc-6UVxrT-9bsTp-aRAUZF-618yDS-7zJac-aakXb1-rB3nR-dqFvBh-aDyW64-dqEpQJ-dxtgnY-qhvDPT-oHLMP-bs38cU-9J8mBT-7oL4Yn-6WMnaS-8nqKwF-2AA8x-7y188z-77EkL3-8WUykQ-a1v4oH-rB36s-dqnSKF-2mNMt-fqQLN4-4Hw7hA-65HSKt-5sFtG8-6yJq5L-bTRwAv-6yswaU-4J29Bf-ede3qs-4o5Gck-dqnUgz

317 (los andenes del subte) © Hernán Piñera, "Subterráneos de Buenos Aires / Metro of Buenos Aires", CC BY-SA 2.0, Retrieved from https://www.flickr.com/photos/hernanpc/7896521376/in/photolist-d2MJGh-spxUQU-vF9Zq-tUZoN-2PGFV-spHEdR-A93FN-6iHBP7-djDVDG-7VV7EA-65HJ5k-2G9gs-tqZXg-4gkuxn-cx5Dpb-FgzBvJ-6dEXRa-8ktKbK-5T2AGV-5qqn8t-eF29gH-dqjX52-oEKQgC-

q1p7WK-dqkaUW-rye1U-nzi86-2GMzre-4AzHbR-S6TCx-8eWeyX-8TcfXo-rB3kL-q1oSet-t9RXg-9iDVGC-eKTjht-6wo5Xc-6UVxrT-9bsTp-aRAUZF-618yDS-7zJac-aakXb1-rB3nR-dqFvBh-aDyW64-dqEpQJ-dxtgnY-qhvDPT

317 (información para saber cómo cambiar de línea) © Gobierno de la Ciudad de Buenos Aires, "Vistas estación J.M. de Rosas Subte B", CC BY 2.0, Retrieved from https://www.flickr.com/photos/buenosairesprensa/9574314449/in/photolist-fA3S84-fA47xF-88pLoR-3yiXfy-9abBj9-77Q8qQ-8eWbDT-3rtAKa-5pe1Ae-769Akh-fA3Rag-d9487W-3We3hk-a1HH1P-e2tMGx-6bYy6o-euS3LA-e3hkLE-3Jy4hC-4K1B3U-i15BZ6-fAirjJ-75qcsK-6nJtDA-e2zpg1-6bYxH3-4K1B83-52YP9m-aUFKs-cVvigm-8Z6yhX-e2tS7z-e3bEvP-byfrcb-fAiy9U-5GjC2v-5hfyjS-88sZNj-e3bE12-52YNTS-9NdC3t-6hqJzu-6hqJzy-6bYyoC-6g9SQR-4T4E2h-6hYnaa-6bUp8p-7XuRkZ-bMa6KV

323 (sign) © Mundo a Volta, Clarisa Zarpa, Adelina Donata López, Gabriela Nacimiento, Comunidad Aborigen Las Capillas, CIKDI (Consejo Indígena Kolla de Iruya, Qollamarka. Salta, Argentina., "Iruya: o pequeno povoado do norte argentino que está revolucionando o turismo comunitário: Image of Tourism sign", Retrieved from https://www.youtube.com/watch?v=ddT2xFNQKGw.

323 (Adelina López) © Mundo a Volta, Clarisa Zarpa, Adelina Donata López, Gabriela Nacimiento, Comunidad Aborigen Las Capillas, CIKDI (Consejo Indígena Kolla de Iruya, Qollamarka. Salta, Argentina. "Iruya: o pequeno povoado do norte argentino que está revolucionando o turismo comunitário: Image of Adelina López", Retrieved from https://www.youtube.com/watch?v=ddT2xFNQKGw.

325 (middle and bottom images) © Ministerio de Desarrollo Social, "Red de Turismo Campesino (Salta)", Still image retrieved from https://www.youtube.com/watch?v=Li5oin756MM.

337 (Museo de la Memoria – Córdoba) © Link Cordoba Hostel, "Museum image from 1 CityTour in Cordoba, Argentina", CC-BY, Retrieved from https://www.youtube.com/watch?v=TMhvw5E01MU. 5 Oct 2011.

338 (Santos Filomena Condorí) © Ministerio de Desarrollo Social, "Red de Turismo Campesino (Salta)", Still image retrieved from https://www.youtube.com/watch?v=Li5oin756MM.